S0-BYJ-040

Knaur.

Knaur.

Über die Autorin:
Luanne Rice hat in den USA zahlreiche Romane veröffentlicht und ist dort eine Bestsellerautorin. Sie stammt aus Connecticut und lebt heute mit ihrem Mann in New York City.

Luanne Rice

Sommerglück

Roman

Aus dem Amerikanischen
von Ursula Bischoff

Knaur Taschenbuch Verlag

Die amerikanische Originalausgabe erschien 2003
unter dem Titel »The Perfect Summer«
bei Bantam Books, New York

Besuchen Sie uns im Internet:
www.knaur.de

Deutsche Erstausgabe Mai 2006
Copyright © 2003 by Luanne Rice
Copyright © 2005 für die deutschsprachige Ausgabe
by Knaur Taschenbuch.
Ein Unternehmen der Droemerschen Verlagsanstalt
Th. Knaur Nachf. GmbH & Co. KG, München.
Alle Rechte vorbehalten. Das Werk darf – auch teilweise –
nur mit Genehmigung des Verlags wiedergegeben werden.
Redaktion: Sandra Witte
Umschlaggestaltung: ZERO Werbeagentur, München
Umschlagabbildung: Bilderberg, Hamburg
Satz: Ventura Publisher im Verlag
Druck und Bindung: GGP Media GmbH, Pößneck
Printed in Germany
ISBN-13: 978-3-426-62863-8
ISBN-10: 3-426-62863-5

2 4 5 3 1

*Für
Diana Atwood Johnson,
in Liebe.*

DANKSAGUNG

Marguerite Mattison besitzt den schönsten Garten in Connecticut; er spiegelt ihre herzliche, großzügige und liebevolle Art wider. Niemand könnte eine bessere Freundin und Nachbarin haben.

Donald Cleary: Mit ihm würde ich bis ans Ende der Welt reisen.

Ich danke Kevin J. Markey, Special Agent des FBI, und John J. Markey, Special Agent des FBI im Ruhestand. Ihre Hilfe bei der Schilderung der Ermittlungen von Straftaten in Managementkreisen war von unschätzbarem Wert; Fehler und schöpferische Freiheiten sind mir allein anzulasten.

Lynda Hunnicutt und Lynn Giroux, meine vertrauenswürdigen, wunderbaren Bankexperten, haben mir umfassende Informationen über Banker eines anderen Schlages zur Verfügung gestellt; vielen Dank.

Danken möchte ich auch meiner lebenslangen Freundin Kim Dorfmann, für alles.

Wahre Schwestern: Heather, Hannah und Nora McNeil, Carol Kerr und Sister Leslie CHS … danke für alles. *Faugh a ballagh!* Tausend Dank und alles Liebe an Bruder Luke Armour, O.C.S.O.

Liebe und Dank auch an Don, Marilyn, John, Dan, Emily, Nick und Maggie Walsh. Dev Waldron (alias »Duke« von Duke and the Esoterics) weiß, wie man eine Houseband zusammenstellt und auf Touren bringt.

Die heilenden Kräfte von Dr. Elizabeth Moreno sind so stark, dass sie sogar von Italien aus wirken; *mille grazie*.

Danken möchte ich auch folgenden Personen:

Colin McEnroe für die Gedichte und Ideen.

Audrey und Bob Loggia.

Domestic Violence Valley Shore Services, vor allem Susan Caruso, Mary Lou Cucinotta, Leah Tassone, Ellie Ford und allen ehrenamtlichen Helfern, die eine so wichtige Arbeit erst ermöglichen.

Rob Peirce, Jackie, Nina, Betsy, Paula, Sandy, Leah und Leah und Jolaine Johnson … und allen anderen, in Liebe.

Mein Dank gilt auch dem McLean Hospital.

Susan Feaster, die unendlich hilfreich und unterstützend war; danke!

Mia (Akuma) und der BDG: Ami (Tristin), Hanna (Releena), Kathryn (Akane), Tiffie (Tiffi) und Kungfu Panda … großartige Freunde auf dem Weg zu großartigen Zielen (schreibt und malt weiter!).

Irwyn Applebaum, Nita Taublib, Tracy Devine, Micahlyn Whitt, Barb Burg, Susan Corcoran, Jaime Jennings, Betsy Hulsebosch, Molly Williams, Cynthia »Wendy« Lasky, Carolyn Schwartz und die Mannschaft von Bantam Books; vielen Dank an Phyllis Mandel und alle anderen bei Westminster.

Zum Schluss, aber nicht zuletzt gilt mein besonderer Dank William Twigg Crawford, für ein Leben mit vielen Sommern und seiner Unterstützung in jeder Sekunde des endlosen Winters. Das Gleiche gilt für Paul James. Mögen die Gezeiten günstig und die Winde lau sein, mögen die Fische stets zu ihren Laichplätzen ziehen und wir diese Odyssee gemeinsam fortsetzen.

Immer und für alle Zeiten.

*In der Tiefe des Winters
erkannte ich schließlich,
dass in mir ein unbesiegbarer
Sommer schlummerte.*

Albert Camus

1

Ein perfekter Sommertag.

Das war Bay McCabes Gedanke, als sie am späten Nachmittag im Garten hinter ihrem Haus stand, einen Korb frisch gewaschener Wäsche zu ihren Füßen, und eine leichte Meeresbrise vom Sund heraufwehte. Der Garten war auch in diesem Jahr eine Augenweide: Alte Rosen, Stockrosen, Rittersporn, Taglilien und die Rosa rugosa, die Kartoffelrose, standen in voller Blüte. Vögel tauchten ihre Schnäbel in das Wasser, das in einer Felsspalte eine Lache gebildet hatte, und das dichte grüne Steinkraut verlieh dem Granitgestein des Riffs sanftere Konturen.

Bay verschlug es angesichts einer solchen Pracht beinahe den Atem, und sie zwang sich, die Wäscheklammern aus der Hand zu legen, um die Landschaft mit Muße zu betrachten. Das Leben besteht aus besonderen Momenten: Das hatte sie bereits als kleines Mädchen auf den Knien ihrer Großmutter gelernt.

Annie und Billy waren mit Freunden am Strand, und Peg war beim Little-League-Baseballtraining. Es kam selten vor, dass Bay im Sommer Haus und Garten für sich allein hatte, und sie beabsichtigte, jede Minute auszukosten. Sie hatte Sean in der Bank angerufen, um ihn an sein Versprechen zu erinnern, Peg vom Training abzuholen. Bay hatte sich mit Tara O'Toole, ihrer besten Freundin, am Strand getroffen, um eine Runde zu schwimmen, und nun musste sie nur noch die Wäsche aufhängen und warten, bis die Familie zum Abendessen nach Hause kam.

Sonnenlicht ergoss sich über ihre roten Haare und die

sommersprossigen Arme. Sie trug Shorts und eine ärmellose weiße Hemdbluse, und sie arbeitete zügig, wie sie es jahrelang bei ihrer Großmutter gesehen hatte. Mary O'Neill hatte ihr gezeigt, wie es ging: eine hölzerne Wäscheklammer im Mund, während man mit der anderen die Bettlaken an der Leine festklemmt. Sean zog sie oft damit auf, dass die Nachbarn sich das Maul zerreißen würden, weil er in ihren Augen offenbar nicht genug Geld verdiente, wenn seine Frau die Wäsche im Freien trocknen musste.

Er wollte sogar einen Gärtner einstellen. Ungeachtet dessen, dass die Gartenarbeit zu ihren Lieblingsbeschäftigungen gehörte: Schließlich versuchte sie, Tara im Wettbewerb zu schlagen, dem einzigen, der zwischen ihnen herrschte – es ging darum, wer die größten Sonnenblumen und Rittersporne, die schönsten Rosen und Kübel mit zitronenbonbongelben Ringelblumen vorweisen konnte –, zudem bot der Garten ihr einen Grund, jeden Morgen bei Tagesanbruch aufzustehen.

Jeden Morgen ging sie in aller Herrgottsfrühe hinaus, um den Garten zu sprengen, bevor alle anderen aufwachten, und winkte Tara zu, die das Gleiche in ihrem Garten auf der anderen Seite des kleinen Flüsschens tat; dann kehrte sie ins Haus zurück, um das Frühstück zu bereiten. Während des Tages, wenn die Kinder unterwegs waren, machte sie immer wieder einen Abstecher in den Garten, um sich ihrer Pflanzen anzunehmen – stutzen, gießen, die Wurzeln düngen. Warum begriff Sean nicht, wie wichtig das für sie war? Wie konnte er annehmen, dass die Enkelin von Mary O'Neill es auch nur in Erwägung gezogen hätte, einem Fremden die Pflege ihres Gartens zu überlassen?

Bay lachte nur, küsste Sean und meinte, wer so erfolgreich

sei wie er, habe es nicht nötig, sich den Kopf zu zerbrechen, was die Leute über ein bisschen Schmutz unter ihren Fingernägeln oder die paar Laken sagten, die auf der Leine flatterten. Ihre Granny stammte aus Irland, der alten Heimat, und obwohl sie die Frau eines Bankmanagers war, hatte sie als Kind die einfachen Freuden des Lebens kennen gelernt und nie vergessen. Als sie mit dem Aufhängen fertig war, zeichneten sich die hellen Wäschestücke scharf gegen den blauen Himmel ab: Signalflaggen in einem Gemälde.

»Mom!« Billy kam um die Ecke des weißen Schindelhauses gerannt. Er hatte nasse Haare, sandige Füße, blaue Augen und einen ungebändigten Blick, der ständig besorgt zu sein schien, dass er irgendetwas im Leben verpassen könnte. »Was liegt heute Abend an? Fahren wir nach dem Essen zum Minigolf, wie es Dad versprochen hat? Und wenn ja, darf Russell mitkommen?«

»Natürlich, mein Schatz.« Bay lächelte ihren elfjährigen Sohn an. Er hatte den goldfarbenen Teint seines Vaters geerbt; selbst mit einem Sunblocker wurde seine Haut honigbraun, ohne eine einzige Sommersprosse, zum Leidwesen seiner beiden Schwestern. »Wo ist Annie?«

»Kommt gleich«, erwiderte er, über seine Schulter spähend. »Ich glaube, sie möchte auch jemanden mitnehmen. Von mir aus gerne.«

»Tatsächlich?« Bay unterdrückte ein Lächeln. Ihr Sohn war in diesem Sommer in die Höhe geschossen. Er hatte seit dem letzten Jahr fünf Zentimeter zugelegt. Er würde groß, blond und attraktiv werden, genau wie sein Vater. Und seine Einstellung zu den Freundinnen seiner Schwester hatte sich radikal geändert: Er neckte und nervte sie nicht mehr wie in früheren Sommern.

In diesem Moment läutete das Telefon im Haus, ein schriller Ton. Bay wandte sich in Richtung Tür, aber Billy war schneller. »Ich geh schon ran«, rief er, was ihr abermals ein Lächeln entlockte. Erst letzte Woche hatte Tara gesagt: »Dein Sohn scheint in diesem Sommer gesellschaftlich aktiv zu werden. Du wirst dein blaues Wunder erleben, sobald er voll aufdreht. Er hat die Augen seiner Mutter und die Persönlichkeit seines Vaters … die Mädchen sollten sich vor ihm in Acht nehmen.«

Annie hatte das Haus vermutlich durch den Vordereingang betreten und war noch vor ihrem Bruder am Telefon. Sie stand in ihrem blauen Badeanzug auf der Hintertreppe – zum ersten Mal seit langer Zeit nicht in ein Handtuch oder übergroßes T-Shirt gehüllt, die glatten Haare nass und rotgold in der Sonne trocknend – und streckte ihrer Mutter den Hörer des schnurlosen Telefons entgegen.

Bay musterte ihre zwölfjährige Tochter, wusste, dass sie sich unbeholfen und mollig fand, und spürte, wie eine Welle der Liebe sie durchströmte, im gleichen Moment, als ihre Aufmerksamkeit von der Dachrinne in Anspruch genommen wurde: Von einem steifen Nordostwind zu Beginn des Frühlings aus der Halterung gerissen, schwang sie über der Veranda hinter dem Haus hin und her. Sie musste Sean heute Abend daran erinnern, sie zu reparieren – oder vielmehr jemanden damit zu beauftragen. Die Gedanken gingen ihr blitzschnell durch den Kopf. Bay blinzelte, und Annie stand noch da, streckte ihr den Hörer entgegen.

»Wer ist dran?«

»Peg.« Annie runzelte die Stirn. »Sie ist noch auf dem Baseballfeld. Dad hat sie nicht abgeholt.«

Bay nahm ihr den Hörer aus der Hand. »Peg?«

»Mommy, ich dachte, Daddy kommt. Ich habe gewartet

und gewartet, aber er ist noch nicht da. Habe ich etwas falsch gemacht? Sollte ich mit Mrs. Jensen nach Hause fahren?«

»Nein, Peggy.« Bay spürte, wie Ärger in ihr hochstieg – wie konnte Sean seine neunjährige Tochter vergessen? »Du hast nichts falsch gemacht. Ist jemand bei dir? Du bist doch nicht etwa alleine im Park?«

»Mr. Brown ist bei mir. Ich durfte sein Handy benutzen.« Pegs Stimme begann zu zittern. »Er hat gesagt, dass er mich nach Hause fährt, aber ich wollte nicht weg, damit ich Daddy nicht verpasse, falls er noch kommt.«

»Bleib wo du bist, Schatz.« Bay griff bereits nach ihrer Handtasche. »Ich hole dich sofort ab.«

Die Fahrt zum Baseball-Spielfeld der Little League, die Shore Road geradeaus und am Golfplatz vorbei, dauerte etwa eine Viertelstunde. Ende Juni kamen die Sommerfrischler von überall her, die hier Urlaub machten, und auf der Straße, die am Strand entlangführte, herrschte dichter Verkehr. Bay blickte auf ihre Uhr, bemüht, sich keine allzu großen Sorgen zu machen – obwohl sie Pegs Trainer nicht besonders gut kannte, schien Sean von ihm angetan zu sein. Wylie Brown besaß einen Laden für Anglerbedarf an der Einfahrt zum Hafen, und Sean fuhr oft bei ihm vorbei, um alles Nötige einzukaufen, wenn er nach Block Island und in den Canyon zum Fischen fuhr.

Wo steckte Sean überhaupt? Wie konnte er seine Tochter vergessen? Bay hatte ihn erst vor drei Stunden in der Bank angerufen, um ihn daran zu erinnern. Am Nachmittag war eine Sitzung des Kreditausschusses anberaumt, und er hatte gesagt, er werde pünktlich Schluss machen, um seine Jüngste vom Baseball-Training abzuholen. Bay hatte ihn gebeten, sich nach Möglichkeit ein wenig Zeit zu nehmen und ihr ein paar Bälle zuzuspielen, damit sie den Umgang mit dem Schlagholz üben konnte … Sean hatte sehr beschäftigt und zerstreut geklungen, aber Bay wusste, wie glücklich Peg war, wenn sie mit *ihrem* Vater Ball spielen konnte.

Als sie auf den unbefestigten Parkplatz einbog, sah Bay Peg und einen Mann mit sandfarbenen Haaren, die unter einem Ahornbaum Fangen übten. Als sie den Volvo ihrer Mutter entdeckte, warf Peg ihm den Ball zu und rannte zum Parkplatz. Sie war klein für ihr Alter und voller Schmutz, als wäre sie ausgerutscht und dabei ins Schlagmal geschlittert.

»Er ist immer noch nicht da.« Pegs grüne Augen glitzerten vor Enttäuschung. »Dabei hat er es versprochen.«

»Er wird noch arbeiten, es muss ihm etwas Wichtiges dazwischengekommen sein.« Bay verspürte einen Stich, zum ersten Mal seit langer Zeit. Fing das Ganze wieder von vorne an? Während der Krise im letzten Winter hatte Tara ihr die Leviten gelesen und gesagt, sie solle aufhören, ihn ständig zu entschuldigen. Bay hatte den Rat nicht beherzigt; sie wollte verhindern, dass die Kinder ihren Dad in einem schlechten Licht sahen.

»Er hat gesagt, dass er mir die Bälle zuwirft.« Sorgenfalten erschienen zwischen Pegs Augenbrauen, als Bay ihr mit einer Geste bedeutete, einzusteigen und auf dem Rücksitz Platz zu nehmen.

»Ich weiß, Peggy.« Bay sah sich um. »Er hat sich darauf gefreut. Vielleicht könnt ihr zwei noch vor dem Abendessen Fangen üben, sobald er nach Hause kommt.« Pegs Trainer näherte sich, aber Bay fühlte sich zu aufgewühlt für ein Gespräch. Deshalb winkte sie ihm nur zu und rief »Danke!«. Dann fuhr sie rasch vom Parkplatz, weg von dem schattigen Baseball-Feld.

Sean kam weder zum Abendessen nach Hause noch rief er an. Sie lebten in einem alten Farmhaus unweit der Küstenstraße, am Ende einer langen Auffahrt, die durch die Marsch am östlichen Ende von Hubbard's Point führte. Direkt gegenüber dem Eight Mile River gelegen – einem schmalen, den Gezeiten unterworfenen Wasserlauf, der eher einem Bach glich und ein Zufluss des Gill River war –, gehörte die Landspitze zu den Strandgebieten von Black Hall. Sean, Bay und Tara hatten hier ihre Kindheit miteinander verbracht, und Tara bewohnte das kleine Cottage, das sie von ihrer Großmutter geerbt hatte. Bay konnte es nun sehen, weiß schimmernd auf der gegenüberliegenden Seite des Flüsschens, inmitten der goldenen Marsch, der Garten ein impressionistischer Farbklecks mit einer überbordenden Fülle von Blumen in Pink, Pfirsich, Rosa, Violett, Gelb und leuchtend Blau.

Bay stand draußen, Burger brutzelten auf dem Grill. Billy war eingesprungen, um Peg Bälle zuzuwerfen, und alle drei Kinder schienen mit sich selbst und der Welt im Reinen zu sein. Ihre größte Sorge war, ob Sean rechtzeitig nach Hause kommen würde, um mit ihnen ins Pirate's Cove zu fahren. Am anderen Ufer des Flusses, auf einem Hügel, den bis zum letzten Jahr noch hohes Gras und Wiesenblumen bedeckt hatten, war ein neuer Freizeitkomplex entstanden: Eiscremestände, Fahrgeschäfte, eine Gokart-Bahn und ein Minigolfplatz der Extraklasse. Piratenflaggen, Schatztruhen, Haifischzähne und Schiffswracks – zerschellte Galeonen – schmückten die Ziellöcher. Bay zog die unberührte Landschaft vor, aber ihre Kinder liebten das erschlossene Gelände.

Bay deckte den Picknicktisch und rief die Kinder zum Essen. Während die drei damit beschäftigt waren, ihre Hamburger mit Gewürzgurken und Ketschup zu belegen, ging

17

sie ins Haus, um zu telefonieren. Seans Anrufbeantworter im Büro war eingeschaltet, aber sie beschloss, keine Nachricht zu hinterlassen. Sie wählte seine Handynummer, hörte seine Ansage nun zum vierten Mal in einer Stunde: »Hallo, hier ist Sean McCabe. Ich bin entweder in der Bank oder auf dem Boot. Wie auch immer, ich rufe so bald wie möglich zurück.«

»Sean, ich bin's. Hast du dein Handy nicht eingeschaltet?« Sie holte tief Luft und unterdrückte, was ihr auf der Zunge lag: *Hey, Kumpel, was bringt ein Handy, wenn man nicht rangeht? Eines unserer Kinder könnte einen Notfall haben ...*

Sean war Bereichsleiter der Shoreline Bank and Trust und hatte einen riesigen Kundenstamm. Bay wusste, wie beschäftigt er war. Als Topmanager einer Kleinstadt-Bank hatte er ein breit gefächertes Aufgabengebiet: Depositengeschäft, Eigenheimfinanzierung, Hypotheken. Vor fünf Jahren, als der Aktienmarkt boomte, hatte er eine kleine Sparte ins Leben gerufen, die Bankdienstleistungen für Privatkunden anbot, in erster Linie zugeschnitten auf die gut situierten Bewohner der Umgebung. Das Ergebnis war eine wahre Goldmine für Shoreline, und Sean hatte satte Prämien erhalten, deren Höhe sich nach den von ihm verwalteten Vermögenswerten richtete.

Er genoss sein Leben in vollen Zügen – eine Eigenschaft, die Bay früher an ihm geliebt hatte. Der Tag schien nicht genug Stunden zu haben, um all das zu tun, was ihm Spaß machte. Im gleichen Maß, wie Bay Gefallen an der Gartenarbeit fand, hatte Sean eine Vorliebe fürs Fischen, die Red Sox und Besuche des Eagle-Feather-Casinos mit seinen Freunden entwickelt.

In den letzten Jahren hatte sich diese Leidenschaft auch auf Frauen ausgeweitet. Noch heute fand sie es unfassbar, dass sie davon wusste und trotzdem bei ihm blieb. Als junge Frau hatte sie Untreue bei anderen Paaren unverzeihlich gefunden, nach dem Motto: Wenn du mich auch nur ein einziges Mal betrügst, kannst du mich ein für alle Mal vergessen! Doch wie sich herausgestellt hatte, war eine Ehe komplizierter.

Einige Menschen gehören zur Landschaft wie die Felsen und Bäume; genau das empfand Bay im Hinblick auf Hubbard's Point. Das Salzwasser lag ihr im Blut, die Strandrosen und Taglilien waren ihr ans Herz gewachsen. Sie hatte das Gefühl, dem steinigen Boden entsprungen zu sein, nur hier leben und atmen zu können. Sie war sich immer sicher gewesen, dass sie eines Tages einen Jungen von der Küste, vom Strand, heiraten würde.

Sean und sie waren hier aufgewachsen, hatten die gleichen Erinnerungen und Biografien. Obwohl es in ihrem und seinem Liebesleben andere gegeben hatte, waren sie offenbar füreinander geschaffen. Obwohl in ihrer Art grundverschieden, schienen sie sich gegenseitig perfekt zu ergänzen. Ihre Liebe war ihnen wie die natürlichste Sache der Welt vorgekommen.

Doch Bay hatte gelernt, dass es in einer Ehe um mehr ging als um gemeinsame Wurzeln und Erfahrungen. Seans Bedürfnis nach Freiheit war größer, als sie begreifen konnte, er arbeitete mit jeder Beförderung länger, ging immer häufiger auf Geschäftsreisen. Bay fragte sich, warum er jeden Abend Überstunden machte, warum ständig der Anrufbeantworter lief, wenn sie ihn nach Feierabend im Büro anrief, und warum sie sich seine lahmen Entschuldigungen anhörte und zu glauben versuchte.

Bay hatte eine grenzenlose Kompromissbereitschaft in sich entdeckt – und war mit zunehmender Frustration zu der Erkenntnis gelangt, dass sie sich seit langem etwas vormachte. Seans Lügen schmerzten – aber die Lügen, die sie sich selbst eingeredet hatte, waren um einiges schmerzhafter. Sie hatte den Kindern die Trennung ersparen wollen, ihm verziehen und an der Ehe festgehalten. Doch sie musste sich eingestehen, dass sie ihn nicht mehr im gleichen Maß liebte wie früher.

Ihr Kartenhaus war an dem Tag zusammengebrochen, als ihre Tochter anfing, Fragen zu stellen.

Im letzten Herbst hatte sich Annie versehentlich in ein Telefongespräch ihres Vaters eingeklinkt – sie hatte den Hörer abgenommen und mitbekommen, wie er mit Lindsay Beale flüsterte; es ging um eine Reise nach Chicago, die sie gemeinsam unternommen hatten. Lindsay war eine junge Kredit-Sachbearbeiterin der Bank – bildhübsch und glamourös, stammte sie aus einer wohlhabenden, alteingesessenen Neuengland-Familie und konnte eine beeindruckende Ausbildung vorweisen; Bay und die Kinder waren ihr bei Firmenpicknicks begegnet. Sie hatten sie zu sich nach Hause eingeladen, zum Essen. Annie hatte mit dem Gedanken geliebäugelt, sie mit ihrem Mathematiklehrer zu verkuppeln.

Nach dem Telefonat war Bays Tochter am Boden zerstört gewesen.

»Es war eine Geschäftsreise, Schatz«, hatte Bay gesagt, sie in den Arm genommen und sich Annie zuliebe zusammengerissen. »Du weißt, dass Daddy oft für die Bank unterwegs ist, und manchmal begleitet Lindsay ihn. Sie arbeiten zusammen.«

»Das war etwas anderes«, hatte Annie geschluchzt. »Sie haben miteinander getuschelt.«

Bay hatte den Adrenalinstoß gespürt, Angst, ein Kribbeln im Bauch. Aber sie durfte sich nichts anmerken lassen, und deshalb hatte sie ihre Tochter fest an sich gedrückt.

»Keine Bange, Annie. Gewiss gibt es dafür eine Erklärung.«

»Mommy, ich will nicht petzen. Weil du dann böse auf ihn bist ... aber ich muss es jemandem sagen. Sie haben sich romantische Dinge zugeflüstert ... Daddy wollte sie wieder und wieder küssen ...«

»Oh Annie!« Bay hatte ihren eigenen Kummer und ihre Wut auf Sean unterdrückt – weil er sie betrogen und ihr keine Möglichkeit gelassen hatte, ihn vor seiner Tochter in Schutz zu nehmen.

Annie war am Boden zerstört, während die anderen Kinder – jünger, aber dickhäutiger – mit Empörung reagiert hatten, als ihre Schwester ihnen davon erzählte. »Daddy, warum unterhältst du dich nachts mit einer anderen Frau?«, hatte Pegeen mit stahlhartem Blick und wutentbrannter Stimme gefragt. »Warum trinkst du keine Milch, wenn du nicht schlafen kannst? Oder liest ein Buch?«

Und Billy hatte unverblümt gesagt: »Mach das nie wieder, Dad. Wir brauchen dich mehr als sie.«

Die Auswirkung des Fehltritts auf ihre Kinder hatte Bays Kampfgeist geweckt, und sie hatte angefangen darüber nachzudenken, ob es sich lohnte, eine zerrüttete Ehe nur um der Familie willen aufrechtzuerhalten. Sie dachte an all die anderen Zeiten – lange vor Lindsay –, wo sie geschwiegen hatte, um den Frieden zu bewahren, und ihre Zweifel und Ängste für sich behalten hatte. Nach besagtem Telefonat waren sie wieder in ihr hochgestiegen.

»Du hast mich schon so lange belogen und betrogen, dass ich nicht einmal sagen könnte, wann es angefangen hat«, sagte sie mit brechender Stimme. »Ich habe das Gefühl, dich überhaupt nicht zu kennen.«

Sean war schockiert gewesen, als er erfuhr, dass Annie das Gespräch mitgehört hatte.

»Was hat sie gehört?«, fragte er.

»Genug.«

»Hast du es ihr gesagt?«

»Ich habe ihr erzählt, dass es vermutlich um etwas Geschäftliches ging. Aber sie meinte, ihr hättet miteinander getuschelt.«

»Mist.«

Bay hatte einen Stich in der Magengrube verspürt – er machte nicht einmal Anstalten, zu leugnen. Er versuchte lediglich, den Schaden zu begrenzen. Sie begann leise zu weinen, empfand den gleichen Kummer wie ihre Tochter, als diese ihren kindlichen Glauben verlor, dass ihre Eltern sich noch liebten.

Sean hatte ihre Hand genommen und sie einen Moment auf seine gesenkte Stirn gepresst, bevor er sie angesehen hatte. »Bay, es tut mir Leid. Es tut mir unendlich Leid, dass ich dich und die Kinder verletzt habe. Es ist vorbei, und so etwas wird nie wieder vorkommen. Ich schwöre es. Ich werde mich ändern, alles wird wieder gut«, hatte er mit zitternder Stimme gelobt.

»Das hast du schon öfter versprochen«, hatte sie gesagt, aber irgendetwas an seinem Tonfall hatte ihre Aufmerksamkeit geweckt, und sie hatte ihn eindringlich gemustert.

»Dieses Mal ist es anders.«

»In welcher Hinsicht?«

Er schwieg, schüttelte den Kopf. »Ich habe eine Menge Fehler gemacht. Riesige Fehler. Wenn ich in den Spiegel schaue, habe ich manchmal das Gefühl, einen Fremden vor mir zu sehen.«

»Der Gedanke ist mir auch schon gekommen.« Tränen waren ihr über das Gesicht gelaufen, er hatte sie zutiefst verletzt. »Und dann frage ich mich, was aus dem Mann geworden ist, den ich geheiratet habe.«

»Ich schwöre dir, alles wird gut. Du wirst sehen –
«Nun bemühte sich Bay, kein Misstrauen aufkommen zu lassen, aber die zahlreichen Lügen, die Sean ihr im Laufe der Zeit aufgetischt hatte, hatten sie verändert. Von Vertrauen konnte keine Rede mehr sein, und sie stellte sich unwillkürlich das Schlimmste vor. Wo mochte er stecken? Manchmal schaltete er sein Handy aus, steckte es in die Tasche und fuhr zu seinem Boot.

Aber normalerweise nicht an Abenden, an denen er versprochen hatte, mit seinen Kindern Minigolf zu spielen.

Und niemals, nicht einmal auf der Höhe seiner Affären, hatte er ein Kind versetzt, wenn er versprochen hatte, es abzuholen.

Bay ging hinaus in den Garten. Normalerweise beruhigte sie der Anblick der Verbenen und der Gartenmelisse, die in der sanften Meeresbrise schaukelten, das Summen der Bienen in den Rosen und Geißblattblüten. Obwohl ihr Atem ruhig ging, war ihre Brust wie zugeschnürt, als hätte jemand ein schweres Gewicht darauf abgeladen. Sie blickte zur Auffahrt, wünschte sich, sie könnte Seans Jeep durch reine Willenskraft herbeizaubern. Der Himmel war immer noch strahlend blau; morgen würde der längste Tag des Jahres sein, der Tag, an dem er ihr einen Heiratsantrag gemacht hatte.

Als Heranwachsender war Sean kaum zu bändigen gewesen. Er war der Einzige im gemeinsamen Freundeskreis, der durch den Sund bis nach Long Island zu schwimmen versuchte, der Krebse mit bloßen Händen fing, sich von der Eisenbahnbrücke mit einem Kopfsprung ins Wasser stürzte und beim Basketball fünf Körbe nacheinander warf. Mit seinen strohblonden Haaren und den hellgrünen Augen schien er ständig unter Strom zu stehen.

Er hatte immer nebenher gearbeitet und mehr Geld verdient als seine Altersgenossen. Von seinen Einnahmen als Hilfskellner hatte er sich ein Boot, einen Boston Whaler, gekauft – er wusste genau, wem er Honig ums Maul schmieren musste, und hatte an einem einzigen Abend, nur weil er das Wasserglas einer reichen älteren Dame zehn Mal nachfüllte, ein Trinkgeld von fünfundsiebzig Dollar eingeheimst. Ein stadtbekannter, gut betuchter Trunkenbold hatte ihm von Zeit zu Zeit einen Hundert-Dollar-Schein zugesteckt, mit den Worten: »Fürs College.«

Das College wollte er besuchen, aber zuerst brauchte er ein Boot. Mit Besichtigungstouren nach dem Motto »Black Hall vom Meer aus« ließ sich viel Geld verdienen. Zwanzig Dollar pro Person. Er hatte Bay unter dem Siegel der Verschwiegenheit anvertraut, dass vor allem Frauen, die sich während der Woche von ihren arbeitenden Ehemännern vernachlässigt fühlten, seine Dienste in Anspruch nahmen. Er behauptete, die Sache sei ganz harmlos, aber er wusste, wenn er mehr Geld brauchte, war das kein Problem: Es wurde ihm *angeboten*, ohne dass jemand ein Wort darüber verlor.

Bay hatte diesen Aspekt der Geschichte gehasst und ihr Bestes getan, um ihre wahren Gefühle umgehend zu unterdrücken: Es war nicht seine Schuld, sondern die der Frauen. Er war zu jung für sie. Er war unwiderstehlich – umwerfend, spritzig, ein Schmeichler und Draufgänger, der zu jeder Schandtat bereit war. Ein Bündel Dynamit mit strohblondem Haar.

Seine Energie und sein Feuer hatte sie angezogen, wie alle Mädchen. In Hubbard's Point wünschte sich jede nichts sehnlicher, als einmal mit ihm auszugehen; sogar Mädchen aus Black Hall pilgerten zum Strand, um zu sehen, wo seine Familie und er den Sommer verbrachten – in einem grauen Cottage unweit der Stelle, an der die Eisenbahnschienen eine Biege machten. Hübsche Blondinen im Bikini, alles andere als schüchtern – die beliebtesten Mädchen, die Cheerleaderinnen, die Klassenschönheiten.

Doch er hatte nur Augen für Bay gehabt.

Bis heute konnte sie es sich nicht erklären, warum sie die Auserwählte gewesen war. Am Strand hatte er sein Handtuch immer neben ihres gelegt. Wenn er sich an den Planken des Pavillons über der hölzernen Strandpromenade herunterhangelte, hatte er sich stets vergewissert, dass sie zusah. Auf dem Floß pflegte er direkt vor ihr abzuspringen, wie eine abgefeuerte Kanonenkugel; sein Körper schoss wie eine Rakete durchs Wasser, tauchte neben ihr auf, und er streifte sie mit seinen Armen und Beinen, wenn er an ihr vorüberschwamm, so dass ihr Herz schneller schlug und ihre Haut prickelte. Seine Aufmerksamkeit hatte ihr geschmeichelt – und sie ein wenig verwirrt.

Sie schienen völlig gegensätzlich zu sein.

Sie war still und zurückhaltend. Als ihre Klassenkameraden aus der Junior High sie zur Ballkönigin wählten, hatte sie das Ganze für einen Scherz gehalten – sie hatte kaum den Nerv gehabt, mit ihrem Partner zu tanzen, einem Jungen, der genauso schüchtern war wie sie, der den ganzen Abend kaum mehr als zehn Worte mit ihr gewechselt und nicht einmal den Mut aufgebracht hatte, ihr einen Gutenachtkuss zu geben. Sie war eine fleißige Schülerin und liebte die Natur.

Aber sie waren beide an der Küste aufgewachsen; wie viele andere Paare, die aus Hubbard's Point stammten, hatten sie das Freilichtkino am Strand besucht, sich unter der Milchstraße geküsst, ihre Initialen in die Tische des

Foley's geritzt. Ihre gemeinsame Geschichte und die Beziehung zum Meer waren zwingend und unübersehbar. Trotz aller Gegensätze gehörten sie zusammen, durch Sand, Salz und die Kiefern ihrer geliebten Landspitze miteinander verbunden.

Sie waren Freunde fürs Leben; sie würden zusammen alt werden, gemeinsam mit Tara, eine einzige glückliche Großfamilie, die seit der dritten Generation in Hubbard's Point ansässig war.

Unmittelbar auf den College-Abschluss folgte der längste Tag des Jahres: Sean hatte sie mit seinem Boot abgeholt, sie neben sich am Ruder platziert, den Motor angelassen und war mit Vollgas in den Sund hinausgepprescht. Das Licht war hell, wirkte unvergänglich. Die Zeit schien stillzustehen, die Sonne stand noch lange hoch am Himmel. Sie hatten sich auf den Planken des Bootes geliebt und auf den Einbruch der Dunkelheit gewartet. Weit draußen im Sund, an der Grenze zum offenen Meer, wo die Wellen riesig waren. Bay hatte sich gefürchtet, doch die Gefahr hatte Seans Erregung nur noch gesteigert.

»Mach nicht so ein besorgtes Gesicht«, hatte er gesagt und ihr das Haar aus dem Gesicht gestrichen.

»Ich habe Angst, dass wir kentern.«

»Und wenn schon! Ich schwimme mit dir auf dem Rücken ans Ufer zurück!«

Bay hatte einen Schauder verspürt, der Gedanke gefiel ihr, aber es war ihr nicht gelungen, den Anflug von Panik zu verscheuchen, der sie ergriff, als die Wellen immer höher wurden und der Wind auffrischte.

»Lass uns nach Hause fahren, Sean,« hatte sie gedrängt.

»Erst wenn es dunkel ist. Und vielleicht nicht einmal dann. Nach Hause können wir immer noch. Lass uns irgendwo hinfahren, wo wir noch nie waren – raus in den

Golfstrom, dort schalten wir den Motor aus und lassen uns treiben, wohin der Wind uns weht ...«

Sie wusste, dass er sie beobachtete, ihre Reaktion testen wollte: Seine Augen glitzerten mutwillig, diabolisch. Er zog sie gerne auf, aber an jenem Abend hatte sie das Gefühl, dass er es ernst meinte.

»Also gut,« erwiderte sie tapfer. »Fahren wir.«

»Das gefällt mir an dir, Bay. Wir werden uns gemeinsam den Wind um die Nase wehen lassen. Abenteuer erleben, etwas von der Welt sehen. Höhenflüge erleben, der Sonne entgegen.«

»Wie wäre es mit dem Mond, Sean? Würdest du mich stattdessen dorthin mitnehmen?« Der Mond war ihr von einem anderen Mann versprochen worden, zu einer anderen Zeit.

»Den Mond kann jeder erreichen«, hatte Sean verächtlich erwidert. »Für mich muss es die Sonne sein. Der Mond spiegelt nur die Glut der Sonne wider, hat keine eigene Hitze. Ich brauche Feuer in meinem Leben, Bay. Jammerschade, dass keiner von uns beiden aus reichem Hause stammt, dann hätten wir von Anfang an aus dem Vollen schöpfen können. Warum besitzt du eigentlich kein Treuhandvermögen?«

Das sollte ein Scherz sein, aber er machte ihn verdächtig oft.

»Weil meine Vorfahren genug damit zu tun hatten, die Hungersnot zu überleben, in der es nicht einmal Kartoffeln gab, geschweige denn Geld, um in den Aktienmarkt einzusteigen. Und deine Vorfahren auch.«

Wut blitzte in seinen Augen auf, er hasste es, von ihr daran erinnert zu werden. Er öffnete den Mund, als wollte er sie abkanzeln, doch dann besann er sich eines Besseren.

Er hatte auf ihr gelegen, und nun stützte er sich auf seine

Arme, blickte sich um. Das Boot schaukelte heftig auf und ab, und der Wind blies ihm die Haare aus der Stirn. Er sah aus wie ein wilder Klabautermann, und in dem Moment war Bay bewusst geworden, wie verschieden sie in Wirklichkeit waren. Die Erkenntnis versetzte ihr einen Schock, aber es gelang ihr, sie zu verdrängen und tief in ihrem Inneren zu vergraben.

Sean hatte sich immer gewünscht, eines Tages reich zu sein und sein altes Leben weit hinter sich zu lassen. Bay war immer glücklich mit dem gewesen, was sie hatte, und sie liebte ihr Zuhause mehr als alles andere auf der Welt.

Mit wachsender Verzweiflung fragte sie sich jetzt, ob darin die Erklärung für sein Verschwinden lag, am Abend vor dem längsten Tag des Jahres, so viele Sommer später. Sean hatte wieder zu seinen alten Tricks gegriffen, befand sich auf einem Höhenflug, war der Sonne zu nahe gekommen.

Sie kehrte zum Picknicktisch zurück. Billy und Peg saßen dort und verschlangen ihre Burger. Doch Annies Platz war leer.

Annie McCabe stand im Zimmer ihrer Eltern, genau in der Mitte des blau-weißen Teppichs, und wusste, dass etwas nicht stimmte. Sie spürte es in ihrem Herzen, wo sie alles registrierte, was wichtig war. Sie hatte es schon in der Minute geahnt, als Pegs Anruf kam – der Ausdruck in den Augen ihrer Mutter, ihre niedergeschlagene, verzweifelte Miene, die sie an die schrecklichen Monate im letzten Winter erinnerten, sprachen Bände.

Während Annie langsam den Raum durchquerte, fiel ihr Blick auf den Schreibtisch ihres Vaters. Sie musterte die gerahmten Fotos, die dort standen: von Mom, Billy, Peg und Annie, und von Dads altem Hund Lucky. Ein Boston Terrier, eine Kreuzung zwischen Bulldogge und Bullterrier, klein, glatthaarig und weiß, mit braunen Flecken. Als ihr Dad zwölf war – in Annies Alter –, hatte er Lucky in einer Gasse in Hartford gefunden. Er hatte dem ausgesetzten Hund ein Zuhause gegeben und ihn über alle Maßen geliebt. Annie kamen jedes Mal die Tränen, wenn ihr Vater von ihm erzählte.

Irgendwie fühlte sie sich gleich besser, als sie Luckys Bild auf dem Schreibtisch ihres Vaters betrachtete. Seine Manschettenknöpfe waren auch da: goldene Ovale, mit Monogramm. Er trug sie zum Smoking, wenn er mit Mom groß ausging, und manchmal zu einem besonderen Hemd, wenn ein wichtiger Geschäftsabschluss in der Bank bevorstand oder einer seiner reichen Privatkunden einen Termin bei ihm hatte.

Sie spähte in seinen Schrank. Die wenigsten Mädchen ihres Alters interessierten sich für die Kleidung ihres Vaters. Aber Annie fand es herrlich, mit geschlossenen Augen vor dem Schrank zu stehen und sich vorzustellen, dass ihr Vater sie ganz fest in die Arme nahm.

»Mein Annie-Bärchen«, pflegte er ihr mit seiner tiefen, grollenden Stimme ins Ohr zu flüstern, während er sie wiegte, wie damals, als sie noch klein war und ihr Kopf gerade bis zu seiner Taille reichte. Nun ging sie ihm bis zur Schulter, und manchmal beendete er seine Umarmung mit der geflüsterten Ermahnung, weniger Süßigkeiten und Snacks in sich hineinzustopfen.

Sie stand vor seinem Kleiderschrank, aufgewühlt von ihren Erinnerungen, und beschwor das Bild ihres Vaters anhand seines Geruchs herauf: der Geruch nach Wolle von seinen Anzügen, nach Schweiß von seinen Arbeitstagen in der Bank, nach Maschinenöl von seinem Boot und nach den Ködern, die er bei seinen Angeltouren verwendete. Ihr Magen schmerzte, als sie fieberhaft überlegte, wo er stecken könnte. *Lass ihn nicht bei Lindsay sein. Lass ihn nicht wieder bei ihr sein ...*

»Annie, was machst du da?«

Als sie die Stimme ihrer Mutter hörte, riss Annie die Augen auf. Bevor sie antworten konnte, läutete das Telefon. Seufzend eilte ihre Mutter zum Nachttisch. In diesem Seufzer meinte Annie Erleichterung zu entdecken. Wer konnte es schon sein außer ihrem Vater, der anrief, um sich für die Verspätung zu entschuldigen, sich zu entschuldigen, dass er es nicht geschafft hatte, Peg abzuholen, aber er würde in Windeseile zu Hause sein und mit ihnen zum Pirate's Cove fahren. Annie hätte es selber gerne geglaubt, hätte gerne gelächelt, aber es gelang ihr noch nicht.

Bay, erschrocken bei Annies Anblick, die halb in Seans Kleiderschrank stand, nahm den Hörer ab und bemühte sich, ihrer Stimme einen beruhigenden Klang zu verleihen, damit Annie nicht merkte, wie wütend sie auf Sean war.

»Hallo?«

»Bay, Frank Allingham am Apparat«, drang eine tiefe Stimme an ihr Ohr.

»Hallo Frank.« Frank war ein langjähriger Freund von Sean, ihre Geschichte so eng miteinander verwoben, dass es schwer fiel, die Anfänge auszumachen: Highschool, College, Wirtschaftsstudium, der Bootsliegeplatz, die Bank.

»Bay, ist Sean da?«

»Nein«, entgegnete sie, den Blick auf Annie gerichtet. Ihre Tochter hatte unablässig Bays Miene beobachtet, doch ihre Aufmerksamkeit in dem Moment, als sie merkte, dass der Anrufer nicht Sean war, wieder dem Kleiderschrank zugewandt. Nun kniete sie auf dem Boden, kramte zwischen den Schuhen ihres Vaters herum, als suchte sie etwas.

»Du weißt nicht zufällig, wie ich ihn erreichen kann?«

»Keine Ahnung, Frank.« Bay entdeckte eine Spur von Unbehagen in seiner Stimme. »Stimmt etwas nicht?«

»Weißt du vielleicht ... hat er dir gegenüber erwähnt, was heute auf seinem Terminkalender stand?«

»Ja – er sagte, heute Nachmittag sei eine Besprechung des Kreditausschusses anberaumt.«

»Er wusste es also ...«

»Was ist denn passiert?« Bay hörte, wie Annie nach Luft schnappte und tiefer in Seans Kleiderschrank hineinkroch. Sie wollte gerade zu ihrer Tochter gehen, um dem Treiben ein Ende zu machen, doch bei Franks Worten blieb sie wie angewurzelt stehen.

»Wahrscheinlich nichts«, sagte Frank, und sie konnte beinahe hören, dass er sich wünschte, er hätte gar nicht erst angerufen. »Aber er war nicht da, Bay. Wir haben auf ihn gewartet, und es standen ein paar wichtige Entscheidungen an, zehn Antragsteller, für die sich entscheiden sollte, ob ihre Hypotheken bewilligt werden. Mark war nahe daran, einen Tobsuchtsanfall zu bekommen.«

Mark Boland war der Vorstand der Bank – und Zielscheibe von Seans größtem heimlichen Groll. Nach dem Erfolg des neuen Geschäftsbereichs hatte er gehofft, für den Posten vorgeschlagen zu werden, aber die Bank hatte sich für den Quereinsteiger Boland von Anchor Trust entschieden.

»Ist alles in Ordnung mit Sean? Es sieht ihm gar nicht ähnlich, sich vor einer wichtigen Besprechung zu drücken.«

»Stimmt.«

»Würdest du ihm bitte ausrichten, dass ich ihn angerufen habe, sobald er nach Hause kommt?«, bat Frank.

»Mach ich. Danke für den Anruf.«

Aber sie hatte ihr Versprechen schon halb vergessen. Annie dreht sich zu ihr um, mit schneeweißem Gesicht. Ihr Mund stand offen, ihr Blick war verwirrt, dunkel, verletzt.

»Was ist denn, Annie?«

»Ich kann nicht sagen, ob Daddy seine Sachen mitgenommen hat. Sein Koffer ist noch da. Aber ich kann seine Bootsschuhe nirgends entdecken. Die braucht er aber nicht, wenn er ins Büro geht. Und er hat noch etwas anderes mitgenommen ...«

»Was?«

Aber Annie schüttelte nur den Kopf, Tränen liefen über ihre Wangen. »Er hat gesagt, dass er es nie zurücklassen würde, egal was passiert. Es ist nicht da, Mommy. Er hat es mitgenommen. Daddy ist fort!«

2

Annie lief durch das ganze Haus, blickte in sämtliche Vorrats- und Kleiderschränke. Bay spähte kurz nach draußen, sah Pegeen und Billy, die Fangen spielten. Sie ging in Seans Arbeitszimmer, wo er sich ein Büro eingerichtet hatte. Nachdenklich betrachtete sie den Computer und überlegte, was zu tun war.

Sollte sie die Polizei verständigen?

Aber was sollte sie sagen? Dass Sean an einem ganz normalen Arbeitstag seine Bootsschuhe mitgenommen hatte, nicht zu einer Besprechung erschienen war, es versäumt hatte, Peg abzuholen? Die Polizei würde sie darauf hinweisen, dass er sich vermutlich im Hafen aufhielt oder zum Fischen gefahren war. Ihr Herz klopfte heftig, wie zu Beginn eines Wettlaufs, wenn es galt, das Tempo zu beschleunigen. Als sie den Hörer abheben wollte, merkte sie, dass ihre Hand zitterte.

War Sean gerade bei Lindsay oder einer anderen?

Als Sean hoch und heilig versprochen hatte, dass alles anders werden würde, hatte sie seine Worte auf Lindsay oder andere Frauen bezogen; doch als sie nun versuchte, sich rückblickend einen Reim auf die Geschehnisse des heutigen Tages zu machen, fragte sie sich, ob es nicht noch andere Geheimnisse gab. Sie verspürte ein Kribbeln in der Magengrube wie schon seit Monaten nicht mehr – das rein physische Gefühl, dass ihre Welt aus den Fugen geriet und sie sich einen Rettungsanker suchen musste, an den sie sich klammern konnte.

Annie bog um die Ecke, die Wangen tränenüberströmt.

»Wir müssen die Polizei benachrichtigen, Mom.«

»Annie, ich glaube nicht –«

»Doch. Es muss etwas Schlimmes passiert sein. Er wäre nicht einfach weggegangen, nicht freiwillig. Vielleicht wurde er entführt.«

»Das kann ich mir nicht vorstellen, Annie.«

»Es muss aber so sein, Mom. Was für einen Grund gäbe es sonst? Er hätte uns nie verlassen!«

»Annie, es kann doch so vieles dazwischen gekommen sein …«

Annie gab einen erstickten Laut von sich. »Du denkst, dass er bei Lindsay ist, oder?«

»Ich weiß es nicht.« Bay streckte die Hand nach ihrer Tochter aus. Lügen sorgten für Verwirrung, benebelten den Verstand und untergruben jeden noch so kleinen Rest von Vertrauen. Bay hatte die Erfahrung gemacht, dass es immer besser war, die Wahrheit zu sagen, wenn es eben ging. Aber bei drei Kindern, die ihren Vater liebten und das Bedürfnis hatten, zu ihm aufzuschauen, war das ein schwieriger Balanceakt.

Annie trat mit wildem Blick einen Schritt zurück. »Ich werde mit dem Rad zum Boot fahren und nachschauen, ob er dort ist!«

»Annie warte – wir fahren gemeinsam hin.«

Aber ihre Tochter war bereits auf und davon. Bay hörte, wie ihre bloßen Füße über den Fußboden flogen, kurz darauf die Tür ins Schloss fiel und die Reifen ihres Fahrrades sirrten, als sie davonbrauste.

Bay schob Seans ledernen Schreibtischsessel zurück und setzte sich. Ohne nachzudenken, griff sie nach dem Hörer und wählte Taras Nummer. Sie blickte aus dem Panoramafenster über die weite, grün-goldene Marsch auf das weiße Cottage. Sie sah, wie Tara im Kräutergarten kniete, die Schaufel fallen ließ und die verwitterten Stufen hinaufeilte.

»Hallo?«, ertönte Taras Stimme nach dem sechsten Klingelzeichen.

»Ich bin's.«

»Hey, du hast deine Sonnencreme am Strand vergessen. Ich habe sie mitgenommen.«

»Oh, gut.« Nur zwei Worte – und Tara wusste Bescheid.

»Was ist passiert?«

»Die Sonnencreme ist nicht das Einzige, was heute abhanden gekommen ist.«

»Sean ist verschwunden? Und das soll bedauerlich sein?«

»Ach Tara.« Bay gelang es nicht, zu lachen. »Er hat Pegeen versetzt, und Frank hat mich angerufen, weil er eine Besprechung in der Bank verpasst hat … Annie ist außer sich vor Sorge. Sie fährt gerade zu seinem Boot. Sie hofft wohl, dass er zum Fischen rausgefahren ist und vergessen hat, uns Bescheid zu sagen.«

»Verdammt. Dieser Kindskopf!«

Bay schwieg, schaukelte in Seans Schreibtischsessel hin und her.

»Entschuldige, Bay. Du weißt, ich habe das ganze letzte Jahr versucht, meine Zunge im Zaum zu halten. Aber ich habe gesehen, was du durchmachen musstest! Er ist ein Riesenarschloch, einfach unglaublich, wie er sich aufführt!«

»Ich kann dir gar nicht sagen, wie sehr ich ihn HASSE! Pegeen nach dem Training zu versetzen! Und Annie solche Angst einzujagen.«

»Ich bin schon unterwegs … ich hole dich ab, und dann fahren wir zum Boot und fangen Annie ab.«

Tara legte auf, aber Bay saß regungslos da, umklammerte das Telefon. Die »Irischen Schwestern«; Tara hatte den

Begriff vor Jahren geprägt, um ihre Freundschaft zu feiern – sie waren mehr als beste Freundinnen, beinahe wie Schwestern, die keine von beiden je hatte. Viele Leute in Hubbard's Point hielten Bay und Tara *tatsächlich* für Schwestern, und die zwei machten sich nicht die Mühe, den Irrtum aufzuklären. Sie waren Seelengefährtinnen, verbunden durch ihre Herzen, ihren Humor und ihre irischen Wurzeln; sie liebten beide Yeats und U2 und hatten gelobt, das Leben stets voll auszukosten, ungeachtet dessen, wie überkommen es für Außenstehende wirken mochte.

Taras Leben wurde in erster Linie von ihrem Status als Alleinstehende bestimmt. Sie hatte sich nur zwei Mal richtig verliebt – in einen Künstler und in einen Künstlertypen; beide wurden ihren Erwartungen nicht gerecht. Beide Männer hatten ihr einen Heiratsantrag gemacht, doch im letzten Moment hatte sie gekniffen.

Bay wusste, dass diese Flucht etwas mit Taras Vater zu tun hatte – der unfähig gewesen war, sich gegen die starken Frauen in seiner Familie zu behaupten, und Trost im Alkohol gesucht hatte. Tara hatte gelernt, dass es besser war, sich auf die eigenen Fähigkeiten statt auf die Beziehung zu einem Mann zu verlassen. Bay liebte ihre beste Freundin und hatte das Bedürfnis, sie zu beschützen, da ihr bewusst war, dass sich hinter der harten Schale ein weicher Kern verbarg.

Tara hatte das Studium an der UConn nach zwei Jahren abgebrochen, trotz ihrer herausragenden Intelligenz und ihrer brillanten Noten.

»Ich bin die geborene Freiberuflerin«, hatte sie gesagt, als sie Bay im Connecticut College anrief, um ihr noch vor ihren Eltern die Neuigkeit mitzuteilen. »Ich habe keine Lust, mich ins Joch spannen lassen, ich mag nicht einmal zu den Vorlesungen in meinem Hauptfach erscheinen – stell dir vor, wie viel Spaß ich als Mitglied eines großen amerikanischen Unternehmens hätte.«

»Was willst du tun?«

»Zuerst einmal den Winter in Vermont verbringen und Ski fahren – die Tante einer Kommilitonin hat eine Frühstückspension in Mad River Glen, vielleicht kann ich dort als Zimmermädchen arbeiten.«

»Tara, die Betten macht?« Bay erschrak angesichts der Vorstellung, dass ihre kluge, energiegeladene Freundin den lieben langen Tag Böden schrubben und staubsaugen wollte.

»Damit habe ich kein Problem. Ich werde mich beeilen und schon vor dem Mittagessen fertig sein, so dass ich den ganzen Nachmittag zum Skifahren habe.«

»Tara, hoffentlich machst du keinen Fehler. Du bist so klug, könntest viel erreichen –«

»Es gefällt mir, dass ich dann viel Zeit zum Nachdenken habe. Putzen ist eine Arbeit, bei der man die kleinen grauen Zellen nicht einschalten muss – ich kann meiner Fantasie freien Lauf lassen und mir überlegen, was ich wirklich mit meinem Leben anfangen möchte.«

Tara hatte den Job angenommen und war im Sommer nach Hubbard's Point zurückgekehrt. Ihre Eltern hatten ihr klar gemacht, wenn sie das College ein für alle Mal an den Nagel hängen wollte, müsste sie selbst für ihren Lebensunterhalt aufkommen, und so hatte sie am Strand und im Foley's Zettel am schwarzen Brett befestigt: »Sand auf den Fußböden? In den Betten? Betreten Sie ein sauberes Haus. Anruf genügt.«

Ihre Mutter war aus allen Wolken gefallen, aber das Telefon stand nicht mehr still. Tara war ständig ausgebucht. Sie hatte nie mehr den Wunsch verspürt, auf das College zurückzukehren. Es machte ihr immer noch Spaß, ihr eigener Herr zu sein und genug Zeit zum Nachdenken zu haben.

Bay schob den Schreibtischsessel zurück und betrachtete ihr Hochzeitsbild auf der anderen Seite des Raumes. Tara stand neben ihr, lächelte vor Freude. Und Bay und Sean sahen überglücklich aus – sie strahlten, hielten sich an den Händen, in ihren Augen spiegelte sich die Liebe wider, die sie füreinander empfanden. Welche Träume hatte sie an jenem Tag gehabt? Bay konnte sich nicht erinnern, aber im Lauf der Jahre war sie zu der bestürzenden Erkenntnis gelangt, dass sie sich von denen ihres Mannes beträchtlich unterschieden.

Nun musste sie den beiden anderen Kindern Bescheid sagen, dass sie kurz mit Tara wegfahren, aber gleich wieder zurück sein würde. Als sie vom Schreibtisch zurücktrat, fiel ihr Blick auf das Faxgerät. Das rote Licht blinkte, die Mitteilung »Papier nachfüllen« war verschwommen auf der kleinen Anzeige sichtbar.

Bay zögerte. Tara war bereits unterwegs, sie mussten Annie einholen ...

Irgendetwas bewog sie, auf der breiten Türschwelle stehen zu bleiben. Dann drehte sie sich um und ging zum Faxgerät zurück. Das rote Licht blinkte nur dann, wenn ein Fax eingegangen und das Papier zu Ende war. Bay holte eine Hand voll Blätter aus der Schublade und fädelte sie in den Schlitz ein.

Das Gerät begann unverzüglich zu drucken.

Bay las die Seite, während sie durchlief. Sie trug den Briefkopf eines Bootsbauers in New London. Handgeschrieben befand sich oben das gestrige Datum und darunter eine Reihe von Zahlen, allem Anschein nach Maßangaben. Die Handschrift kam ihr vertraut vor, aber Bay kannte niemanden, der Boote baute. Sie las:

Lieber Sean,

danke, dass du noch einmal vorbeigeschaut hast. Sieh dir bitte die Leistungsbeschreibungen an – entsprechen sie deinen Vorstellungen? Ich habe das Boot am Innenholz auf den Spanten um fünf Zentimeter breiter gemacht, wegen der Stabilität. Komm jederzeit auf der Werft vorbei oder ruf im Büro an.

Dan Connolly

Bay schnappte hörbar nach Luft. Was sie in den Händen hielt, war offensichtlich ein Kostenvoranschlag. Zweitausend Dollar unter dem Strich, was sie allerdings kaum wahrnahm. Dan Connolly. Sie hatte ihn seit Jahren nicht mehr erwähnt, hatte seine Handschrift seit der Highschool nicht mehr zu Gesicht bekommen. Aber sie dachte jedes Mal an ihn, wenn sie die hölzerne Uferpromenade entlangschlenderte oder eine Mondsichel am Himmel sah.

Neben Tara war Danny Connolly der einzige Mensch gewesen, dem Bay alles anvertrauen konnte, in dem Sommer, als sie fünfzehn war. Er hatte gerade das College abgeschlossen und während der Saison als Zimmermann auf der Landspitze gearbeitet; er war brillant, wenn es um Dinge ging, die ihm Spaß machten: Entwürfe, Holz, Hafenarchitektur. Bay hatte Stunden in seiner Nähe verbracht, war ihm beim Bau der neuen Uferpromenade zur Hand gegangen, angezogen von seiner sanften Intelligenz. Und Danny hatte sie nie verscheucht, sondern sich Zeit genommen, ihre endlosen Fragen zu beantworten, sie in alles einzubeziehen, was er tat.

»Wenn du drei Jahre älter wärst, könnte das eine interessante Beziehung werden«, hatte Tara gesagt.

»Achtzehn?«

»Ja. Vielleicht wartet er ja auf dich. Ich wette, er denkt darüber nach.«

»Na klar, Tara.«

»Wenn nicht, würde er nicht den ganzen Tag um dich herumscharwenzeln. Ohne deine Gesellschaft könnte er doppelt so schnell arbeiten. Er mag dich, Bay. Ob du es glaubst oder nicht!«

Irgendwie war die Idee zu aufregend und beängstigend gewesen, um sie wirklich ernst zu nehmen.

Sean war völlig anders. Er preschte vorbei, winkte ihr von seinem Boston Whaler zu und gab Gas, wirbelte weiße Gischtfontänen hoch wie Pfauenräder. Er kurvte mit seiner Geländemaschine am Strand herum, verstieß gegen sämtliche Regeln, und Danny schüttelte den Kopf.

»Völlig undiszipliniert«, sagte er. »Du weißt, was er damit bezweckt, oder?«

»Er spielt nur mit seinen Sachen.«

»Nein, er ist auf Patrouille, um sich zu vergewissern, dass ich dir nicht zu nahe komme.«

»Du bist zweiundzwanzig!«, sagte Bay, Taras Worte im Ohr; sie errötete vor Freude angesichts der Vorstellung, dass er tatsächlich an so etwas dachte.

»Ich weiß, und du weißt, dass wir nur befreundet sind, aber ein fester Freund sieht das nicht so.«

»Er ist nicht mein fester Freund, wie du es nennst.«

»Wäre er aber gerne, wenn er ein Wörtchen mitzureden hätte. Aber lass dir Zeit damit, Galway Bay.«

Danny hatte Recht gehabt, wie sich herausstellte. Nach Beendigung seines Sommerjobs hatte er dem Strand ein für alle Mal den Rücken gekehrt, Sean und sie waren geblieben. Sie wurde sechzehn, und Sean hatte sie auf der hölzernen Promenade geküsst, die Danny im Jahr zuvor errichtet hatte. Sie vermisste den stillen Zimmermann mit seiner irischen Poesie, dem steten Blick und seiner Art, die Welt mit wachen Augen wahrzunehmen und mit ihr über seine Beobachtungen zu sprechen. Sean war viel zu beschäftigt damit, sein Leben zu leben – immer auf der Schnellspur unterwegs zu sein, jede Sekunde voll zu genießen –, um Zeit mit Diskussionen darüber zu vergeuden. In Seans Armen, ihren Lippen an seinem Hals, hatte sie zehn Sekunden lang an Danny gedacht und sich gewünscht, er wäre es, hatte sich gewünscht, Taras Prophezeiung wäre wahr geworden, und er hätte auf sie gewartet. Sie erinnerte sich, wie er auf die schmale Mondsichel gedeutet und gesagt hatte, er werde daraus eine Schaukel bauen, nur für sie.

Und sie hatte erwidert, dass sie ihm zutraue, alles zu bauen, wonach ihm der Sinn stand.

New London – altes Seehandelszentrum und ein Marinestützpunkt, nur zehn Meilen östlich von Black Hall, aber dennoch am anderen Ende der Welt. War es möglich, dass Danny die ganze Zeit dort gelebt hatte?

In dem Moment hörte Bay Taras Wagen in der Auffahrt. Sie legte das Fax auf den Schreibtisch und eilte zu den Kindern hinunter, um ihnen zu sagen, dass sie gleich wieder zurück sein würde.

Annie kannte die besten Schleichwege zum Boot ihres Vaters. Jetzt nahm sie allerdings den kürzesten Weg, mitten durch das Zentrum der Stadt.

Sie kam an der weißen Kirche, der gelb gestrichenen Kunstgalerie und dem Herrenhaus vorbei, das vor hundert Jahren auf einer Barke über den Long Island Sound befördert worden war, überquerte die Hauptstraße, wobei sie um ein Haar von einem anfahrenden Pick-up am Hinterreifen erwischt wurde, und bog schließlich in den

Schotterweg ein, der zu den Liegeplätzen führte. Annie wusste, dass sie nur knapp einem Unfall entgangen war, aber das war ihr egal. Sie konnte sich keine Gefühle gestatten – noch nicht.

Ihr Fahrrad geriet ins Schleudern, als sie neben der Hafenanlage scharf bremste. Sie lehnte es an die große rote Halle, dann lief sie auf dem Pier eins entlang. Die Marina war die schönste weit und breit, und die meisten Boote waren eigentlich Yachten. Große, prachtvolle Segelschiffe. Obwohl Annie selbst ein schnittiges Segelboot oder auch ein Ruderboot vorgezogen hätte, war ihr Vater auf Motorboote fixiert.

»Ein Motorboot bringt mich überall hin«, pflegte er zu sagen. »Man muss nicht auf den Wind, die Gezeiten oder wer weiß was warten. Ich lasse nur den Motor an, und ab geht's.«

»Ich weiß, Daddy«, hatte Annie erwidert und die weißen Segel am Horizont betrachtet, friedvoll, romantisch und viel schöner und behaglicher als die Motorboote mit ihren laut tuckernden Dieselmotoren. Tara bezeichnete sie als »Stinkpötte«. »Aber Segelboote sind so hübsch.«

»Wozu brauche ich ein hübsches Boot, wenn ich dich habe?«, hatte er erwidert und sie in die Arme genommen. »Was kann sich ein Mensch sonst noch wünschen?«

Annie sehnte sich nach seiner Umarmung, als sie sich an seine Worte erinnerte. Ihre Füße polterten über den Landungssteg, vorbei an den imposanten Hinckleys, Herreshoffs und Aldens. Am Ende angekommen, lief sie nach links, auf den T-förmigen Teil des Stegs zu, und lächelte.

Eine Welle der Erleichterung überflutete sie. Dort lag das Boot ihres Vaters, schaukelte sanft gegen den Pier. Die *Aldebaran*, ein großes, für den Angelsport ausgerüstetes

Schiff, schimmerte im Sonnenlicht. Die Chromteile waren auf Hochglanz poliert, die elegant gerundeten Spanten des Schiffsrumpfes fingen das Licht ein.

Schmunzelnd eilte sie weiter, tappte barfuß den Pier entlang. Sie erwartete halb, Jimmy Buffett, den Lieblingssänger ihres Vaters, spielen zu hören. Vielleicht hatte ihr Vater nur einen freien Tag gebraucht, Erholung von der Arbeit, und hatte sich auf die *Aldebaran* zurückgezogen, um Ruhe und Entspannung zu finden. Als sie über die Halteleine an Deck kletterte, näherte sie sich auf Zehenspitzen dem Bullauge.

Im letzten Jahr hatte er manchmal Annies Geschenk mit an Bord genommen: ein kleines Modellschiff, das sie ihm vor zwei Jahren zu Weihnachten aus Balsaholz gebastelt hatte, dunkelgrün bemalt, kein Motorboot, sondern ein kleines Ruderboot, eine Dory. Er hatte gesagt, es werde ihn auf Schritt und Tritt begleiten. Aber sie konnte es nirgends entdecken …

Während sie außen herum zum Cockpit ging, bemerkte sie, dass der Lukendeckel allem Anschein nach verschlossen war; sie sah das zugesperrte silberne Vorhängeschloss. Das bedeutete, dass ihr Vater nicht an Bord sein konnte – was indes kein Grund zur Panik war. Annie kannte die Zahlenkombination: 3-5-6-2. Sie konnte unter Deck gehen und sich umsehen.

Als sie begann, mit dem Daumen die Zahlen am Schloss einzustellen, merkte sie, dass es sich nass und ölig anfühlte. Erschrocken musterte sie ihre Hand: Es war Blut.

Und es war nicht nur an ihrer Hand und auf dem Schloss, sondern auch an der Teakholzeinfassung der Luke. Direkt an der Ecke – als hätte sich jemand beim Betreten der Kabine mit voller Wucht den Kopf angestoßen – befand sich ein dicker roter Blutfleck.

Annie hätte sich gerne eingeredet, dass er von einem Fisch stammte.

Ihr Vater war aufs Meer hinausgefahren, hatte Goldmakrelen gefangen. Oder Streifenbarrel, einen köstlichen Speisefisch. Oder sogar einen Hai.

Er brachte immer Fische mit nach Hause, und wo Fische waren, war Blut. Fische ausnehmen, gründlich säubern, unter fließendem Wasser abwaschen ... eine schmutzige Arbeit.

Doch Annies Augen füllten sich mit Tränen, und irgendwie wusste sie, dass das Blut nicht von einem Fisch stammte. Ihr Vater war der ordentlichste Bootsbesitzer der Welt. Er hatte einen zusammengerollten Wasserschlauch am Pier und spritzte das Boot nach jeder Angeltour sorgfältig ab.

»Annie!«

Annie wirbelte herum. Ihre Mutter kam mit Tara den Pier entlang, doch bei Annies Anblick begann sie zu laufen. Annie weinte so herzzerreißend, dass sie ihre Mutter nicht mehr sah, aber sie hörte das dumpfe Poltern ihrer Schritte auf dem langen Steg und spürte, wie das Boot schaukelte und schlingerte, als ihre Mutter an Bord sprang und sie in die Arme schloss.

»Dad ist etwas passiert«, schluchzte Annie. »Er ist verletzt, Mom, oder noch schlimmer ... er war hier, aber jetzt ist er weg, und er ist verletzt ...«

3

Die Polizei war in nicht einmal zehn Minuten nach Bays Anruf zur Stelle, drei Streifenwagen trafen im Abstand von nur wenigen Sekunden an den Liegeplätzen ein. Bay versuchte, schützend die Arme um Annie zu legen, aber ihre Tochter riss sich los, zu aufgeregt, um still zu stehen. Sie eilte den Pier entlang, winkte den Polizisten zu, um sich bemerkbar zu machen.

»Heute scheint verbrechenstechnisch nicht viel los zu sein«, meinte Tara. »Ein ganzes Heer von Polizisten wegen ein paar Tropfen Fischblut.«

»Ich hoffe, dass es nur das ist.«

»Wirklich? Ich könnte es durchaus verstehen, wenn sich dein Mitleid in Grenzen hält«, scherzte Tara, um die Stimmung aufzulockern, doch als sie Bays Miene bemerkte, verstummte sie.

»Annie ist völlig aufgelöst. Was, wenn er schwer verletzt ist, irgendwo dort draußen?«

Als sich die Polizisten näherten, rannte Annie zu ihrer Mutter zurück, um ihr zur Seite zu stehen. Bay sprach bedächtig, bemühte sich, Ruhe zu bewahren, als sie den Sachverhalt schilderte, soweit sie ihn kannte: dass Sean nicht zu einer wichtigen Besprechung in der Bank erschienen war, dass Annie und sie auf dem Boot nach ihm gesucht und Blut an der Einstiegsluke gefunden hatten.

»Welches Boot gehört ihm denn?«, fragte Officer Perry, ein hochgewachsener junger Mann mit kurzen dunklen Haaren, der Annie mit einem freundlichen Lächeln bedachte.

»Das da.« Annie deutete auf die *Aldebaran* und lief hinüber.

»Hübsches Boot zum Fischen.« Officer Perry nickte anerkennend.

Bay sah schweigend zu, wie die Polizisten an Bord gingen. Ihr Magen befand sich in Aufruhr; Tara ergriff ihre Hand und drückte sie. Die Polizisten nahmen das Blut in Augenschein, gingen bedächtig über das Deck, spähten zum Himmel empor und über die Seite des Schiffes ins Wasser. Annie stand auf dem Kai, ließ sie nicht aus den Augen.

»Warum schauen sie ins Wasser?«, fragte sie plötzlich, an ihre Mutter gewandt.

»Ich denke, sie müssen überall nach Hinweisen auf seinen Verbleib Ausschau halten.« Bay nahm sie in die Arme.

»Nur nach Hinweisen?«

»Ja, Schatz.«

Die Sorgenfalte zwischen Annies Augenbrauen vertiefte sich, und Bays Herz hämmerte schmerzhaft gegen die Rippen. Sie würde Sean nie verzeihen, dass er seiner Tochter den Anblick der Polizisten nicht erspart hatte, die das Wasser nach seiner Leiche absuchten. Bei dem Gedanken wurde Bay eiskalt, und sie fürchtete das Schlimmste.

Einer der Polizisten telefonierte mit seinem Handy, und Officer Perry erkundigte sich bei Bay, ob sie die Zahlenkombination für das Schloss kannte, damit sie sich vergewissern konnten, dass weder Sean noch jemand anderer verletzt in der Kajüte lag.

»Das Schloss lässt sich nur von außen zusperren«, sagte sie. »Er kann nicht drinnen sein.«

»Trotzdem, für alle Fälle.«

Bay zögerte.

Sie hätte nicht einmal sagen können, warum. Je mehr Zeit verstrich, desto klarer wurde ihr, dass sie Angst davor

46

hatte, was sie in der Kajüte finden könnten – Sean, der verletzt war, oder Schlimmeres, und all die Dinge, die er ihr verheimlichte.

»Drei-fünf-sechs-zwei«, platzte Annie heraus.

»Geht das in Ordnung?«, fragte Officer Perry und sah Bay an, um die Erlaubnis zum Betreten der Kajüte bittend. Sie nickte.

Er öffnete die Luke und verschwand unter Deck, im Inneren des Bootes. Officer Dayton folgte. Bay sah zu. Reifen knirschten auf dem Kies; sie drehte sich um und entdeckte einen schwarzen Sedan, der neben den Streifenfahrzeugen hielt. Zwei Männer stiegen aus, beide im Anzug, und die zwei uniformierten Polizisten gesellten sich zu ihnen.

»Hohe Tiere«, meinte Tara.

»Sie werden Daddy finden, oder?«, fragte Annie.

»Darauf kannst du Gift nehmen.« Tara nahm sie in die Arme. »Wenn man wie ich einen Polizisten als Großvater hatte, kann man einen guten Ermittler auf den ersten Blick erkennen. Die beiden sind absolut Spitze – das sieht man gleich.«

Bay ließ ihre Tochter in der Obhut ihrer besten Freundin zurück und kletterte auf das Boot ihres Mannes. Sie musste sich selbst ein Bild machen; wenn er sich unten befand, war ihr Platz dort. Den Chromhandlauf am oberen Ende der Leiter packend, stieg sie in die Kajüte hinab.

Die Polizisten entdeckten sie nicht sofort. Sie standen über etwas gebeugt weiter vorne, unterhielten sich mit leiser Stimme. Die Kajüte war verschlossen gewesen und roch muffig und süßlich. Das Boot schaukelte sanft auf den Wellen, stieß in unregelmäßigen Abständen mit einem dumpfen Geräusch gegen den Pier, abgefedert von den Fendern.

Bays Herz raste. Mit Tränen in den Augen dachte sie an

das letzte Mal, als die ganze Familie an Bord gewesen war: eine Angelpartie zum Race, wo sie mit lebenden Aalen als Köder Streifenbarrels anlocken wollten. Billy hatte den größten Fisch und Pegeen am meisten gefangen. Sie waren an der Stelle vorbeigeprescht, wo Sean ihr vor langer Zeit am Tag der Sommersonnenwende erklärt hatte, dass er zur Sonne fliegen wollte.

Mit trockenem Mund wandte sie sich nun der Kajüte zu, die sich achtern befand.

Die Koje war ungemacht – das blau-weiß gestreifte Kopfkissen zusammengeknüllt, die Bettdecke zerknittert, als hätte unlängst jemand darauf gelegen. Seltsamerweise wurde sie bei diesem Anblick ruhiger. Hatte sich Sean hier unten mit einer Frau vergnügt und dabei vergessen, Peg abzuholen? Ihre Panik ließ nach, sie fühlte sich wie betäubt und verspürte einen leisen Kummer, der unter die Haut ging und an den Nerven zehrte.

Als sie sich anschickte, die Kajüte zu verlassen, nahm sie aus dem Augenwinkel eine offene Aktenmappe mit Papieren auf der Kommode wahr. Bei manchen schien es sich um Kontoauszüge zu handeln – von Bankkunden. Ein Zählbogen, wie ihn die Kinder beim Minigolf zum Auflisten der Punkte verwendeten, war mit »Y, Y, Z« gekennzeichnet. An den Rand hatte er mit dicker schwarzer Tinte einen LKW oder Lieferwagen gemalt; daneben standen, von dunklen Kringeln umgeben, die Worte »das Mädchen«, »Hilfe« und der Name »Ed«.

Was für ein Mädchen? Annie? Pegeen? Bay? Unwahrscheinlich. Bay starrte die Zeichnung an. Sean hatte schon immer den Tick gehabt, auf einem Blatt Papier herumzukritzeln, wenn er telefonierte und sich zu konzentrieren versuchte. Bay hatte ihn vor Jahren einmal damit aufgezogen, dass sie seine Kunstwerke in einem Sammelband abheften würde – er war ein Meister der schraffierten Formen und Karikaturen –, um sie von einem Psychologen analysieren zu lassen.

Was konnten ein LKW und »das Mädchen« bedeuten? Eine Machofantasie von der Kraft seines Begehrens nach Lindsay? Oder einer neuen Trophäe? Der Gedanke brach ihr das Herz. Mit zitternden Händen blätterte sie den Rest des Aktenordners durch.

Ein weißes liniertes Blatt Papier fiel ihr ins Auge. Das konnte nicht sein ... Sie nahm es in die Hand, zutiefst erschrocken über die Geister der Vergangenheit, die sie abermals eingeholt hatten, zum zweiten Mal an diesem Tag. Es war ein Brief, in ihrer eigenen Handschrift, vor langer Zeit geschrieben ...

Sie hatte wohl einen erstickten Laut von sich gegeben, denn plötzlich wurden die Polizisten auf sie aufmerksam. Sie eilten durch den großen Salon zur hinteren Kajüte.

»Ma'am, Sie dürfen nicht hier unten sein«, sagte Officer Perry mit erheblich strengerer Stimme als vorhin.

»Aber das ist mein – unser – Boot.« Sie versuchte zu lächeln.

»Bedaure«, erklärte er unbeirrt. »Im Augenblick ist das möglicherweise der Schauplatz eines Verbrechens. Bitte gehen Sie auf den Pier zurück und warten Sie dort.«

Bay erschrak. Sie ließ den Brief unauffällig in der Gesäßtasche ihrer Shorts verschwinden, folgte dem Officer zur Kajütentreppe und sah, was ihr beim Betreten des Bootes entgangen war: eine kreuz und quer verlaufende Spur roter Sprenkel.

Kleine rote Sprenkel zwischen Luke und Bug. Und am vorderen Ende der Sitzbank, wo die Kinder während der letzten Angeltour zu Abend gegessen hatten – den Schwertfisch hatte Sean für sie an Deck gegrillt –, lag eine blaue Decke, die nun purpurfarbene und schwarze Schmutzflecken aufwies.

Nur waren es keine purpurfarbenen und schwarzen Schmutzflecken, wie es Bay mit zugeschnürter Kehle dämmerte, als sie auf das Deck stieg: Es war Blut, viel Blut.

Als sie aus der Kajüte trat, in die frische Luft hinaus, fiel ihr Blick auf Annie und Tara; ihre ernsten Mienen bestätigten, dass nichts so war, wie es sein sollte, und sie wusste, dass an diesem herrlichen, wolkenlosen Tag das Leben ihrer Familie wie in einer Schneekugel in den Grundfesten erschüttert und auf den Kopf gestellt worden war.

Während Annie reglos dastand, geschah etwas Merkwürdiges: Sie hatte das Gefühl, ihren Körper zu verlassen. Nicht wie die Leute im Fernsehen, die auf dem Operationstisch oder bei einem Autounfall starben, abgeklärt und mit neuen, weisen Erkenntnissen über der Szene schwebten und die Reaktionen der Ärzte und Familie betrachteten.

Als Annie ihren Körper verließ, flog sie weit weg vom Pier, in die Vergangenheit. Zurück in ihre Kindheit, als ihr Vater sie noch zur Schule gebracht hatte. Er hielt sie an der Hand, sang ihr ein kleines Lied vor, als sie an den Straßenübergang gelangten:

>*Halt an, schau hin, hör zu, bleib stehen*
erst sehen und hören, dann darfst du gehen ...«

Er hatte sie beschützt und ihr gezeigt, wie man alleine die Straße überquert. Das war die schönste Zeit mit ihrem Vater gewesen, wenn die Geschwister zu Hause bei ihrer

Mom waren und er nicht schon wieder arbeiten musste, zum Fischen ging oder mit Freunden unterwegs war – bevor sie etliche Kilo zugenommen und ihn enttäuscht hatte. Annie hatte die Kraft seiner Liebe gespürt, wenn er sie zu Fuß zur Schule begleitete; wenn er sich umdrehte und sie auf der Granittreppe zurückließ, war ihr, als ginge die Sonne unter, als hätte sie seine wunderbare Wärme eingebüßt.

Jetzt unterhielt sich ihre Mutter leise mit Tara. Polizisten eilten über den Pier; ihre Funkgeräte knarzten auf dem Parkplatz. Die Leute schenkten Kindern nicht die gleiche Aufmerksamkeit wie Erwachsenen, und deshalb sprachen die beiden Männer in den dunklen Anzügen mit den uniformierten Polizisten, als wäre Annie Luft.

»Ermittlungen«, hörte sie die Männer sagen. »Interne … in der Bank … die Feds …«

»Mommy, was sind ›Feds‹?«, fragte Annie und lief zu ihrer Mutter.

»Das sind Leute von der Bundesregierung.« Ihre Mutter legte die Arme um sie, wiegte sie beruhigend hin und her, so dass sich Annie beinahe einreden konnte, alles würde gut werden, wenn sogar die Bundesregierung eine Abordnung schickte, um ihren Vater zu suchen. Annie klammerte sich an ihre Mutter, roch den wunderbaren, ihr eigenen Duft nach Sonnencreme, Limonen-Cologne und Salzwasser.

Doch dann flüsterte Tara ihrer Mom zu: »Das heißt, das FBI ist mit von der Partie«, und ihre Mutter schnappte nach Luft, und Annie löste sich aus ihren Armen.

Vorher waren alle freundlich gewesen, doch nun wirkten sie schroff und kalt, und Annie begriff, dass ihr Vater – ein Irrtum, ein Albtraum – offenbar unter Verdacht stand, warum auch immer. Ein weiterer Wagen fuhr vor, und zwei

Männer stiegen aus, die große Taschen trugen. »Das forensische Team«, erklärte Tara, und Annies Mutter erwiderte: »Das kann doch alles nicht wahr sein.«

Für Annie war es das auch nicht. Ihr Körper bestand aus Luft. Der Wind wehte durch sie hindurch, kühlte ihre Knochen. Ihre nackten Füße auf den breiten Holzplanken des Piers spürten die Sommerhitze kaum. Ihre Haut fühlte sich versengt an, als wäre sie abgezogen worden, so dass sich ihre inneren Organe in den Himmel verflüchtigten. Ihre Mutter wollte sie in die Arme schließen, aber Annie konnte die Berührung nicht ertragen.

»Annie?« Ihre Mutter streckte die Arme aus.

Annie wusste, dass ihre Mutter versuchte, sie zu trösten, und dass sie vermutlich selber Nähe brauchte, aber den Gefallen konnte Annie ihr jetzt nicht tun. Sie war ein Luftgeist. Sie hatte ihren Körper verlassen – wie eine Meeresschnecke, die aus ihrem Gehäuse kriecht.

Sie hatte sich in eine Zeitreisende verwandelt, und nun flog sie in die Zukunft. Sie schloss die Augen, entzog sich jeder Wahrnehmung.

Sie dachte daran, wie ihr Vater ihr immer die Hand gehalten hatte, ihr ganzes Leben lang. »Welches ist dein Lieblingslied, Annie?«, hatte er sie manchmal gefragt. »Das wird an dem Tag deiner Trauung gespielt, wenn ich dich deinem Bräutigam zuführe. Es muss nicht Mendelssohn sein … du hast die Wahl.«

Aber Annie hatte den Gedanken an ihren Hochzeitstag weit von sich geschoben – sie kam bei Jungen ohnehin nicht an – und stattdessen von dem Bankett anlässlich der Siegerehrung im Sport geträumt. Sie hatte schon vorher an solchen Festen teilgenommen, als ihr Bruder und die Schwester ihrer besten Freundin eine Auszeichnung erhielten; nun war ihre Kehle wie zugeschnürt, als sie sich ausmalte, wie sie an dem langen Tisch saß, zwischen ihren Eltern. Sie speisten fürstlich – Hochrippensteaks, das Lieblingsgericht ihres Vaters.

Annie war in diesem Traum gertenschlank. Sie hatte weniger gegessen und mehr Sport getrieben. Man hatte sie für die Aufnahme in mehreren Mannschaften in Betracht gezogen, hatte sie geprüft und für gut befunden, und sie hatte ihre Schule von Sieg zu Sieg geführt, bis zur Landesmeisterschaft. Sie war gertenschlank und bildhübsch ...

Sie stellte sich vor, wie die Rektorin ihren Namen aufrief. Wie sie ihren Stuhl zurückschob und, kerzengerade, damit ihr Vater nichts an ihrer Haltung auszusetzen hatte, zwischen den Tischen hindurch zur Bühne ging. Die Zuschauer jubelten ihr zu. Die Eltern ihrer Mitschüler bedachten ihren Vater mit einem Lächeln und streckten die Daumen hoch, wegen ihrer herausragenden Leistungen im – Annie überlegte, suchte krampfhaft nach der perfekten Sportart – Feldhockey!

Oder Fußball. Oder Lacrosse. Oder Mannschaftsrudern. Oder Basketball ...

Die Sportart war unwichtig gemessen am Applaus, den man ihr zollte, als sie die Urkunde und den Pokal entgegennahm; Eltern, Kinder und vor allem ihr Vater waren aufgestanden, um Beifall zu klatschen, während Annie von der Bühne herunterlief, direkt in die Arme ihres Vaters.

»Mrs. McCabe?«

Die Stimme des Polizisten riss Annie aus ihren Tagträumen.

»Ja?«, sagte ihre Mutter.

»Wir werden den Bereich jetzt absperren. Warum fahren Sie nicht nach Hause? Sie hören von uns.«

»Was haben die Polizisten über die ›Feds‹ gesagt?« Ihre Mutter deutete auf die Männer.

»Sie hören von uns.«

»Bitte, spannen Sie mich nicht länger auf die Folter.« Die Stimme ihrer Mutter bebte. »Ich habe drei Kinder. Sie machen sich große Sorgen um ihren Vater. Bitte sagen Sie mir, was ich ihnen erzählen soll.«

»Bald, Mrs. McCabe. Sobald wir Genaueres wissen.«

Ihre Mutter stand wie angewurzelt da, als versuchte sie zu entscheiden, ob sie auf weiteren Informationen bestehen oder verlangen sollte, mit einem Vorgesetzten zu sprechen. Annie hatte sie schon oft so beharrlich und couragiert gesehen, wenn es erforderlich war.

Doch jetzt wanderte der Blick ihrer Mutter von dem Mann zu Annie … und sie schien einen Entschluss gefasst zu haben. Ihre Mutter lächelte. Annie sah, wie der Kampfgeist sie verließ.

»Lass uns nach Hause gehen, Schatz«, sagte ihre Mutter.

Annie nickte, unfähig, ein Wort über die Lippen zu bringen.

Ihre Mutter schloss sie in die Arme, als wäre sie ein Baby und kein zwölfjähriger, bald weithin bekannter Sportstar. Aber das machte Annie nichts aus. Sie schmiegte sich an ihre Mutter, als sie mit Tara über den Pier gingen, weg von den Booten und der Polizei, zurück zum Wagen.

Billy hielt nach einem Wagen Ausschau, der in die Auffahrt einbog: das Auto seiner Mutter, seines Vaters, egal. Er machte sich keine allzu großen Sorgen um seinen Vater, im Gegensatz zu den anderen. Wahrscheinlich machte er Überstunden. Er hatte schließlich hoch und heilig versprochen, die Finger von dieser Frau zu lassen, und Billy glaubte ihm.

Aber selbst wenn keine andere Frau im Spiel war, hatte er es vermasselt. Billy fand den Gedanken ätzend. Pegeen war zu Tode betrübt, weil von Minigolfspielen keine Rede mehr sein konnte. Sie hatte sich den ganzen Tag darauf gefreut, und sie war erst neun – für Neunjährige wogen solche Enttäuschungen schwer.

Er sah, wie sie am Picknicktisch saß und schmollte. Sie war klein und dünn wie eine Bohnenstange. Ein Käfer kroch am Tischbein empor. Sie beugte sich halb über den Tischrand hinab, beobachtete den Käfer – und redete mit ihm. Unglaublich. Billy rückte näher, um zu lauschen.

»Er hat es versprochen, hundertprozentig. Heute hätte ich den grünen Ball bekommen. Im Pirate's Cove darf man sich den Minigolfball selber aussuchen, und es gibt sie in allen Farben; meistens nehme ich den blauen, aber heute wäre mir nach Grün zumute gewesen. Er muss es vergessen haben. Ich hätte niemanden vergessen, wenn ich an seiner Stelle gewesen wäre. Käfer sind hübsch. Warum glänzt dein Panzer eigentlich?«

»Hey!«, sagte Billy.

»Was ist?« Pegeen sah nicht hoch.

»Mit wem redest du da?«

»Mit niemandem.«

»Bist du sicher, dass du nicht mit dem Käfer redest?«

»Ich rede doch nicht mit *Ungeziefer*. Wann kommt Mommy nach Hause?«

»Bald.«

Peggys Kopf hing immer noch nach unten. Billy stellte sich vor, wie das Blut durch den Körper ins Gehirn strömte, und wusste, dass er als älterer Bruder einschreiten musste. Annie hatte ihm unzählige Male vorgemacht, wie man das anstellte, und so legte er behutsam die Hand auf Peggys Schulter und zog sie hoch.

»Hey, setz dich gerade hin.«

»Ich habe den Käfer nur beobachtet, nicht mit ihm *geredet*.«

»Beobachte ihn mit dem Kopf oben.«

»Ich wollte Minigolf spielen.« Ihre Augen schimmerten.

»Das machen wir schon noch. Nur nicht mehr heute.«

»So ein Mist.«

»Du sagst es.«

»Ist Daddy wieder bei dieser Frau?«

»Nein.«

»Woher weißt du das?«

»Er hat es versprochen.«

Peggy nickte. Das reichte ihr. Oder vielleicht hatte sie auch nur wie Billy beschlossen, das Beste von ihrem Dad zu denken – man konnte es auch »im Zweifelsfall für den Angeklagten« nennen.

»Willst du den ganzen Tag hier herumhocken?«, fragte Billy.

»Ja. Ich werde den ganzen Tag am Picknicktisch sitzen und den Käfer mit dem glänzenden Panzer beobachten.« Ihr Mund zuckte; er hatte ihr ein Lächeln entlockt.

»Dann verpasst du deine Übungen.«

»Was?«

»Ich werfe dir die Bälle zu. Hol das Schlagholz. Mal sehen, wie gut du bist, vielleicht feuerst du ja einen aus dem Park raus!«

»Das ist ein *Garten*, Billy. Mensch!«

»Ja, ja: Hatte ich total vergessen – gut, dass du mich daran erinnerst!«

Zu Hause war alles still, die Sonne ging unter, aber es war noch hell. Billy und Peg spielten Baseball im Garten neben dem Haus; sie kamen angerannt, als der Wagen in die Auffahrt einbog. Alle versammelten sich wie bei einem kleinen Stammespalaver und stellten endlose Fragen.

Billy und Pegeen: »Habt ihr Daddy gesehen? Was ist passiert?«

Und Annie: »Er ist nicht nach Hause gekommen? Keine Spur von ihm?«

Bay, die einen Stich beim Anblick ihrer Kinder verspürte, der Familie, die Sean und sie gegründet hatten, sagte: »Bitte seid so lieb und spielt weiter, während ich versuche, verschiedene Dinge zu klären, ja? Vielleicht könnt ihr euch eine Zeit lang alleine beschäftigen ... Peggy, ich weiß ... kann das Minigolfspiel bis morgen warten? Wir fahren morgen ...«

Billy und Peggy versprachen, weiterzuspielen und dabei nach ihrem Vater Ausschau zu halten. Annie zog es ins Haus. Während Bay in die Küche ging, folgte Tara Annie in Seans Arbeitszimmer.

»Was hältst du davon, wenn wir Schönheitssalon spielen?«, schlug Tara in einem Tonfall vor, den sie bei ihrer irischen Großmutter abgekupfert hatte. »Ich verpasse dir eine erstklassige Pediküre, einverstanden? Ich habe eine tolle Nagellackfarbe für dich ... Tickled Pink. Was sagst du, ist sie nach deinem Geschmack?«

»Ach Tara ... ich habe keine Lust zu spielen.«

»Unsinn, mein Schatz. Sitz still. Her mit deinen Füßen, so ist's brav. Lehn dich zurück und entspann dich, und ich erzähle dir von meinem letzten Besuch bei der Kosmetikerin. Ein Schuss in den Ofen. Der Dampf war zu heiß, und ich sah aus wie meine eigene Großmutter, mit Akne. So hatte ich mir den neuen Look nicht vorgestellt. Warst du mal bei einer Kosmetikerin?«

»Noch nie«, erwiderte Annie, wobei der Anhauch eines Lächelns in ihrer Stimme mitschwang.

»Aha. Ich glaube, ich werde dich mit einer Maske aus Eiweiß und Bier verwöhnen, wenn die Zehen lackiert sind. Nicht, dass du eine brauchst bei deiner Haut. Habe ich dir eigentlich je gesagt, dass du einen Teint wie eine wilde irische Rose hast? Nein? Dann bin ich die Erste …«

Taras Worte und der übertriebene Akzent entlockten Bay ein leises Lächeln. Ihre Freundin hatte eine ungemein großzügige Art, hüllte alle Menschen, die sie liebte, mit ihrer Herzenswärme und ihrem Humor ein, wusste stets Rat.

In der Hoffnung, dass es Annie im Moment gut ging, versuchte Bay, sich für die bevorstehende Aufgabe zu stählen. Sie verließ die Küche und ging durch die Diele die Treppe hinauf in ihr Schlafzimmer. Sie blickte sich um, als hätte sie den Raum nie zuvor gesehen, dann schloss sie die Tür hinter sich.

Die weißen Vorhänge bauschten sich in der sanften Brise, die durch die offenen Fenster wehte. Die Stimmen der Kinder drangen vom Garten herauf, aber Bay hörte sie kaum. Sie durchquerte das Schlafzimmer – dessen Fußboden aus poliertem Holz mit alten Webteppichen bedeckt war, von ihrer eigenen Großmutter gemacht – und ging zum Bett. Es war ganz in Weiß gehalten: Laken, Kopfkissenbezüge und die leichte Steppdecke für den Sommer. Das war ein Luxus, den sie besonders liebte, ein Bett ganz in Weiß. Es sah immer so frisch und sauber aus, bereit, süße Träume zu schenken.

Sie setzte sich auf die Bettkante, griff in ihre Gesäßtasche und zog den Brief heraus, den sie auf dem Boot gefunden hatte. Ihre Hände zitterten, wie sie überrascht feststellte. Sie überflog die Seite. Obwohl vor fünfundzwanzig Jahren an Danny Connolly geschrieben, hatte sich ihre Handschrift kein bisschen verändert.

Sie hatte den Brief nie abgeschickt. Sie hatte ihn ins Unreine geschrieben und dann auf schönes Papier übertragen. Damals war sie fünfzehn gewesen, mit langen rotblonden Haaren und so viel Sommerbräune, wie es bei ihrer Haut möglich war, ständig war sie mit dem Fahrrad unterwegs gewesen. Sie hatte nur ihren Badeanzug und ein langes T-Shirt darüber getragen, ohne die geringste Befangenheit.

Sie war bis über beide Ohren verliebt gewesen.

Hatte sie es gewusst? Selbst heute war sie sich nicht sicher. Die ersten Liebesregungen eines jungen Mädchens sind geheimnisvoll, unergründlich. Herzklopfen, Hochspannung, Hände, deren Zittern sich nicht unterdrücken lässt …

Danny war ihr ein und alles gewesen. Für ihn war sie nur eine Sommerbekanntschaft gewesen, eine Halbwüchsige, die ihn von der Arbeit an der neuen Uferpromenade abhielt. Er hatte noch andere Jobs – das Wächterhäuschen auf dem Parkplatz streichen und neu decken, die Pergola im Foley's reparieren –, aber der Wichtigste war der Bau der hölzernen Uferpromenade.

Obwohl Sean sie zu überreden versuchte, mit ihm zum Wickland-Leuchtturm zu schwimmen, von der Eisenbahnbrücke über dem Eight Mile River ins Wasser zu springen oder sich der Bootsflottille anzuschließen, die einen Ausflug zum Orient Point unternahm, war Bay bei Danny geblieben, hatte ihm Nägel gereicht und gelernt, wie man mit dem Hammer umging.

Bay war der Überzeugung gewesen, dass er im Stande war, alles zu bauen, wonach ihm der Sinn stand. Er hatte Kakishorts und ein ausgeblichenes T-Shirt getragen, wie immer am Strand. Sie erinnerte sich, wie sein braunes Haar in der Sonne geglänzt hatte. Er hatte

eine Red-Sox-Kappe besessen, die er aber selten auf-
setzte.

Eines Morgens, kurz bevor er mit der Arbeit begann, hatte die Baseballkappe auf der Motorhaube seines Wagens
gelegen; sie hatte sie angestarrt, und als ob er ihre Gedanken erraten hätte, hatte er gegrinst und sie ihr aufgesetzt.
Seine Finger hatten ihr Haar gestreift, nur leicht, aber sie
hatte sich schwach und gleichzeitig stark gefühlt und sich
gewünscht, er möge ihr Haar noch einmal berühren.

Daniel Connolly. Danny. Sein Name hatte für sie stets einen magischen Klang gehabt. Als sie ihn nun vor sich sah,
dachte sie an den Sommer vor langer Zeit zurück. Bevor
er weggegangen war, hatte er ihr eine Schaukel in Form
einer Mondsichel gebaut – aus einem gebogenen Stück
Treibholz, silberfarben gebleicht vom Meer.

Sie hatten sich im darauf folgenden Winter regelmäßig geschrieben; als Bay sechzehn wurde, war sie mit Sean ausgegangen. Danny war nach Europa gereist. Ihr Briefwech-
sel schlief ein; er war im nächsten Sommer nicht zurückgekommen, Bays Leben hatte eine andere Richtung genommen, und sie hatten sich aus den Augen verloren.

Als sie nun ihren Brief in der Hand hielt, fragte sie sich,
warum Sean ihn genommen hatte. Worum ging es in dem
Fax, warum hatte Sean sich mit ihm in Verbindung gesetzt? War es überhaupt derselbe Danny Connolly? Bay
hatte keine Ahnung gehabt, dass sich Sean überhaupt an
ihn erinnerte – oder wenn doch, warum. Das war alles so
lange her.

Sie stand auf und ging ans Fußende des Bettes. Dort stand
eine antike Truhe. Sie bewahrte Decken darin auf, aber
früher war es ihre Aussteuertruhe gewesen. Ein altmodi-
scher Brauch, dachte sie. Ihre Großmutter hatte sie ihr an
dem Tag geschenkt, als sie die Highschool abschloss. Sie

hatte ihrer Urgroßmutter gehört, war mit ihr auf dem Schiff aus Irland gekommen. Zu den ersten Schätzen, die Bay darin verstaut hatte, gehörten die Briefe, die sie mit Dan gewechselt hatte.

Nach fünfundzwanzig Jahren Ehe mit Sean und drei Kindern konnte sie es kaum fassen, dass sie diese Briefe immer noch besaß, doch als sie den Deckel hob und die Decken und alte Babysachen beiseite schob, waren sie noch da: ein Stoß Briefe, annähernd zweieinhalb Zentimeter dick, von einem brüchigen Gummiband zusammengehalten. Als sie die Seite, die sie auf dem Boot gefunden hatte, genauer in Augenschein nahm, fiel ihr auf, dass es sich um eine Fotokopie handelte, und sie entdeckte eine Notiz in Seans Handschrift, die sie vorher nur am Rande bemerkt hatte: *Eliza Day Boat Builders, New London CT.*

Verwirrt schloss Bay die Augen. Sie wusste, es blieben ihr nur wenige Minuten, bevor Annie oder ihre Geschwister hereinplatzten und wissen wollten, was es Neues gäbe. Sie machten sich große Sorgen um ihren Vater, und Bay musste ihnen eine schlüssige Erklärung liefern.

Ihre Handflächen waren klamm, ihr Herz raste, ihre Gedanken überschlugen sich; sie konnte sich einfach keinen Reim auf die Geschehnisse des heutigen Tages machen. Was hatte das alles zu bedeuten? Es war wie ein Albtraum, als säße sie im falschen Film. Während sie den Brief in den Händen hielt und ihn anstarrte, fragte sie sich, was ihrem Mann im Kopf herumgegangen sein mochte.

Er war eifersüchtig auf Danny Connolly gewesen. Trotz des Altersunterschieds und obwohl Danny sie wie eine kleine Schwester behandelt hatte, war Sean mit seinem untrüglichen Gespür in der Lage gewesen, auf Anhieb einen Rivalen zu erkennen. Er hatte sich gewundert, wieso Bay es vorzog, den Tag an einer halbfertigen Uferpromenade zu verbringen, statt im Sund Wasserski zu laufen. Aber Sean mit seinem Feuer hatte nie begreifen können, welche Ausstrahlung der ruhige, poetische irische Zimmermann auf sie hatte.

Bays Gedanken kehrten zu dem Aktenordner zurück, in dem sie den Brief gefunden hatte. Sie betrachtete den kühn gezeichneten Van, die schwungvoll hingekritzelten Worte »das Mädchen«. Sean war also wieder rückfällig geworden, das war alles, woran sie denken konnte. Er hatte wieder eine neue Flamme.

Sie konnte sich beim besten Willen nicht vorstellen, was sonst dahinter steckte. Trotz der vielen gemeinsam verbrachten Jahre verstand sie ihren Ehemann weniger als je zuvor.

4

Tara umfasste Annies Fuß mit der linken Hand und lackierte ihr mit der rechten die Fußnägel. Der Fuß des Mädchens war inzwischen so groß wie der einer Frau, doch als Tara ihn in der Hand hielt, fühlte sie sich in die Zeit zurückversetzt, als Annie noch ein Baby war: Als ihre Patin hatte sie »Zehenzählen« mit ihr gespielt, sie zum Lachen gebracht und sich gewünscht, eines Tages eine eigene Tochter zu haben.

»Schätzchen, du hast den ersten Preis gewonnen«, sagte Tara nun.

Annie antwortete nicht. Sie hatte die Pediküre kaum wahrgenommen, ihre Aufmerksamkeit war auf die Treppe gerichtet. Von oben war kein Laut zu hören. Bay war beängstigend still, so dass Taras Nervosität wuchs.

»Was für einen Preis?«, fragte Annie.

»Für die besten Strandfüße. Eine Eins mit Sternchen für Strandmädchen-Füße. Diese Schwielen schlagen alles, was deine Mutter und ich in deinem Alter vorweisen konnten. Hautnahe Berührung mit Rankenfußkrebsen, Krebsfang auf den Felsen, verbrannt vom heißen Teer – du bist ein Ass.«

»Danke«, sagte Annie, ohne auch nur die Andeutung eines Lächelns. »Was macht sie da oben? Warum halten wir nicht nach Dad Ausschau?«

Tara atmete tief durch und konzentrierte sich, während sie einen Klecks muschelrosa Nagellack auf Annies kleinen Zeh auftrug – als gäbe es nichts Wichtigeres auf der Welt, wie Nägel ohne Patzer zu lackieren.

»Tun wir doch. Ich meine, deine Mutter macht das schon. Sie steht in ständiger Verbindung mit der Polizei, und bestimmt ruft sie gerade bei den Freunden deines Vaters an, um sich zu erkundigen, wo er stecken könnte. Du kennst doch deinen Vater ...«, sagte Tara, doch dann verstummte sie, weil sie merkte, dass sie sich auf gefährliches Terrain begab.

»Was meinst du mit ›kennen‹?«, fragte Annie prompt.

»Oh, ich meine, er ist abenteuerlustig, für jeden Spaß zu haben«, sagte Tara sanft. Zum Beispiel fremdgehen, deiner Mutter das Herz brechen, seine Familie im Stich lassen, das Geld für deine Ausbildung in den Casinos verspielen ...

»Du meinst angeln? Und zelten?«

»Genau.«

»Aber was ist mit dem Blut?«

»Schätzchen, ich weiß.« Tara streichelte behutsam Annies Fuß, blickte in die sorgenvollen Augen ihres Patenkindes. Sie fand keine Erklärung für das Blut. Wenn sie nur so unbekümmert wie ihre eigene Mutter wäre und ihre weisen Ratschläge mit Humor verbrämen könnte ...

»Es reicht, Tara.« Annie musterte ihre Zehen. »Ich kann nicht tatenlos rumsitzen und mir eine Pediküre machen lassen. Ich sollte längst wieder losfahren, nach ihm suchen –«

»Nein, du solltest hier bleiben, Annie. Es wird schon dunkel, du kannst nicht –«

»Ich muss aber!«, sagte Annie, beinahe entschuldigend, sprang von der Weidencouch hoch und humpelte zur Tür, die Zehen himmelwärts gebogen. »Vielleicht braucht er mich!«

»Annie, es wird dunkel«, rief Tara ihr nach, aber Annie war schon aus dem Zimmer und aus dem Haus gestürmt.

Als sie die Hintertür aufriss, wehte der süßliche Verwesungsgeruch der Gezeiten mit der Sommerbrise zu ihr herüber. Der Himmel war noch hell, die Bäume leuchteten; in diesen Breiten war heute der längste Tag des Jahres. Höchste Zeit, ihrer Mutter Bescheid zu sagen.

Tara ging nach oben und stand vor Bays geschlossener Tür. Sie klopfte an, dann trat sie ein. Ihre beste Freundin saß am Fußende des Bettes, starrte in die offene Aussteuertruhe und hielt ein Bündel Briefe in den Händen. Tara nahm neben ihr Platz und legte den Arm um ihre Schultern.

»Deine Tochter hat sich auf eine Mission begeben.«

»Sie sucht Sean.«

»Was sonst. Mit sieben rosa lackierten Zehennägeln. Ich nehme an, sie fühlt sich besser, wenn sie etwas tun kann, aber es wird bald dunkel.«

»Also los, holen wir sie zurück«, sagte Bay und stand auf. »Was hast du da?«

»Danny Connolly.«

»Was?«, fragte Tara, erschrocken bei dem Klang des Namens aus vergangenen Zeiten.

Sie spürte, dass die Briefe Bay halfen, ihre Fassung zu bewahren.

»Ich habe unsere alten Briefe aufgehoben. Und ich habe heute einen davon auf Seans Boot entdeckt.«

»Das ist nicht dein Ernst – was hätte er damit anfangen sollen?«

»Keine Ahnung, aber ich habe außerdem ein Fax von Danny gefunden. Anscheinend hat sich Sean mit ihm in Verbindung gesetzt, um ein Boot bauen zu lassen. Vermutlich ist Danny Bootsbauer geworden.«

»Das würde zu ihm passen.« Tara nickte. »Und Sinn machen.«

»Das scheint alles so weit hergeholt. Dass sich Sean an

Danny wendet. Was mag er sich davon versprochen haben, diesen Teil der Vergangenheit wieder auszugraben, bei all den Problemen in unserer Ehe?«

»Ich würde sagen, Sean denkt nicht nach. Weil er im Vergleich zu Danny Connolly mit Sicherheit schlecht abschneiden würde – zumindest verglichen mit dem Danny, den wir kannten. Dieser Danny würde ihn hassen für das, was er dir angetan hat. Wirst du ihn anrufen?«

»Daran habe ich auch schon gedacht«, sagte Bay. »Aber lieber nicht. Ich habe keine Lust, nach all den Jahren aus heiterem Himmel aufzutauchen und zu sagen: ›Oh, ich habe gehört, dass mein Mann ein Boot bei dir kaufen möchte, und, bevor ich es vergesse, er ist verschwunden.‹«

Sie holte tief Luft, wie wenn sie fortfahren wollte, als unten der Türklopfer ertönte. Wortlos ließ sie den Brief aufs Bett fallen, und Tara warf einen flüchtigen Blick darauf. Dan Connolly – der attraktivste Bursche, der in der Sommerfrische von Hubbard's Point jemals den Hammer geschwungen hatte.

Ein Mann, dem es gelungen wäre, Bays Seele zu berühren. Nicht wie Sean McCabe, der es nur geschafft hatte, ihr das Herz zu brechen.

Draußen dämmerte es, und Glühwürmchen blinkten in den Rosenbüschen, als Bay die Tür öffnete. Billy und Pegeen waren bereits im Haus, und sie hielt nach Annie Ausschau; aber es war Mark Boland, der auf dem Treppenabsatz stand. Hochgewachsen, dunkelblauer Anzug, rote Krawatte und Brille mit Goldrand. Bay rang sich zur Begrüßung ein Lächeln ab, aber sie sah seine düstere Miene – und einen noch finstereren Ausdruck auf den Gesichtern der beiden Fremden in dunklen Anzügen, die ihn flankierten, und der anderen Männer, die mit ihnen gekommen waren. Als sie Officer Perry und Officer Dayton am anderen Ende der Auffahrt aus ihren Streifenwagen steigen sah, war ihr nicht mehr nach Lächeln zumute.

»Hallo Mark.«

»Bay, wir müssen Sean finden«, sagte er.

»Ich weiß – wir machen uns alle Sorgen.«

»Sorgen ist eine glatte Untertreibung.«

»Ich bin Special Agent Joe Holmes«, sagte einer der beiden Männer; er trat vor, um Bay die Hand zu reichen und ihr in die Augen zu blicken, als wären sie die einzig Anwesenden. »Vom FBI. Das ist mein Kollege Andrew Crane.«

»FBI?« Bay fiel wieder ein, was Annie gehört und hinterher gefragt hatte: *die Feds*.

»Uns wäre sehr geholfen, wenn Sie uns sagen könnten, wo er steckt.« Marks Gesicht war feuerrot, und dicke Schweißperlen standen auf seiner Stirn, am Haaransatz, der sich zu lichten begann. »Er –«

»Das ist ein Durchsuchungsbefehl,« unterbrach ihn Joe Holmes und reichte Bay ein Blatt Papier. Sie starrte es an, während mehrere Männer die Stufen hinaufeilten, Tara und sie umrundeten und das Haus betraten.

»Zeig mal.« Tara nahm ihrer Freundin das Blatt aus der Hand, und Bay las die mit Schreibmaschine eingesetzten Worte »… Daten, Akten, Dokumente, Material«.

Bay bemerkte die Verärgerung in Joe Holmes' Augen, als Tara die Initiative ergriff.

»Und Sie sind?«, fragte er.

»Ich bin Mrs. McCabes *consiglière*«, erwiderte Tara mit gefährlich blitzenden Augen. »Nur zu Ihrer Information.«

Die FBI-Agenten Holmes und Crane eilten an ihnen vorbei. Bay konnte die Schritte auf ihren Fußböden hören, hörte, wie sie einen Raum nach dem anderen durchmaßen. Sie lief in die Küche. »Kinder!«, rief sie, einer Panik nahe. »Kommt her!«

Billy und Pegeen rannten durch die Diele, blickten ihre Mutter an.

»Billy.« Bay klopfte auf ihre Taschen, um zu sehen, ob Geld darin steckte. Ihre Hände zitterten so heftig, dass sie ihr kaum gehorchten. Sie zog einen Zehn-Dollar-Schein heraus. »Hier. Ist der Süßigkeiten-Truck am Strand? Sei so nett und kauf für dich und deine Schwester ein Eis, ja?«

Nach dem Abendessen waren Süßigkeiten vom Strand ein ganz besonderer Luxus in Hubbard's Point, aber im Moment wäre es beiden Kindern lieber gewesen, in der Küche Wurzeln zu schlagen.

»Was ist los, Mom?«, fragte Billy.

»Mom, da stehen Polizeiautos«, flüsterte Peggy und blickte mit großen Augen aus dem Fenster.

»Ich weiß, Peggy.« Bay zog sie an sich. »Mach dir keine Sorgen, ja? Alles wird gut. Was ist, gehst du jetzt mit deinem Bruder zum Strand?«

»Ist etwas mit Daddy? Ist Daddy etwas passiert?«, fragte Peggy mit zittriger Stimme.

»Alle suchen nach ihm«, sagte Bay. »Wir werden ihn bald finden. Ganz bestimmt. Billy?«

Ihr Sohn nickte zögernd, und sie musste sich zurückhalten, um ihn nicht zu küssen. Er nahm das Geld. »Komm, Peggy.« Er packte seine Schwester am Arm.

»Ich will nicht −«

»Würdet ihr bitte nach Annie Ausschau halten? Sie ist vor einer Weile weggefahren. Ich möchte, dass sie nach Hause kommt, bevor es stockdunkel ist.«

»Es ist fast dunkel«, warf Peggy ein.

»Bleib bei deinem Bruder. Ihr geht nur bis zum Strand, zum Süßigkeitenstand, ja? Ich komme bald nach.«

Die Kinder verließen das Haus. Was eine Belohnung sein sollte, kam ihnen jetzt vermutlich wie eine Verbannung vor. Bay blickte ihnen nach, wie sie den Bürgersteig entlanggingen, bis sie außer Sicht waren, bevor sie Mark Boland ihre ungeteilte Aufmerksamkeit widmete.

»Das FBI?«, fragte sie, völlig entgeistert. »Sie haben das FBI benachrichtigt, nur wegen der Blutflecken auf dem Boot?«

»Nein.« Mark sah sie mitleidig an.

Bay blinzelte, hatte abermals das Gefühl, im falschen Film zu sein. »Warum sind Sie dann gekommen, Mark? Was wird hier gespielt?«

»Sie ermitteln gegen Sean, schon eine Weile. Ich wurde letzte Woche unter Strafandrohung aufgefordert, die Bankunterlagen herauszugeben ...«

»Was wirft man ihm vor?«

»Unterschlagung.«

Bay spürte, wie Tara den Arm um sie legte. Sie schüttelte den Kopf. »Sean doch nicht. So etwas würde er niemals tun.«

»Hat er jemals die Cayman-Inseln erwähnt?«, fragte Mark. »Oder Belize? Costa Rica?«

»Nur als Taucherparadies. Und zum Fischen ... Er träumte davon, zusammen mit den Kindern auf der *Aldebaran* nach Belize zu fahren ... sie alle aus der Schule zu nehmen und den Schwarzen Marlin zu fangen ...«

»Wir denken, dass er das Geld dort deponiert hat. Er hätte es elektronisch auf Konten in Belize und auf den Cayman-Inseln überweisen können – hier geht es um die Gründung einer Scheinfirma, um den Missbrauch von Treuhandvermögen ...«

»*Aldebaran?*«, fragte Special Agent Holmes, der soeben mit einem Bündel Papiere in der Hand die Küche betrat.

»Ja – das ist ein hellroter Stern in der Konstellation des Taurus, des Stiers. So lautet der Name seines Bootes.«

»Mrs. McCabe, die Blutgruppenanalyse liegt vor; es sieht ganz so aus, als würde das Blut von Ihrem Mann stammen. AB negativ kommt selten vor.«

»Oh Gott.« Bay fühlte sich plötzlich schwach, als sie sich die blutverschmierte Decke vorstellte.

»Wenn dem so ist, hat er eine Menge Blut verloren. Er braucht dringend ärztliche Hilfe.«

»Haben Sie sich mit den umliegenden Krankenhäusern in Verbindung gesetzt?«, fragte Tara und stützte Bay. Ihre Stimme klang unerschütterlich, beinahe herausfordernd.

»Natürlich, Miss –«

»O'Toole.«

»Nun, Miss O'Toole, sämtliche Krankenhäuser und Notfallkliniken wurden überprüft. Wir haben keine Spur von ihm entdeckt, nicht die geringste.«

»Menschen lösen sich nicht einfach in Luft auf«, entgegnete Tara. »Mein Großvater war Polizist, der Spruch stammt von ihm.«

»Ihr Großvater hatte Recht«, sagte der Agent; seine braunen Augen wirkten warm, aber unnachgiebig, als sein Blick zwischen Tara und Bay hin und her schweifte und schließlich auf Tara verweilte. »Menschen verschwinden nicht spurlos. Aber Menschen mit einer Kopfwunde wie Mr. McCabe stecken in ernsthaften Schwierigkeiten.«

»Woher wissen Sie, dass es sich um eine Kopfwunde handelt?«, warf Bay ein.

»Weil wir Haare und Blut an einer Ecke des Tisches gefunden haben«, erklärte Special Agent Holmes. »Jemand ist mit voller Wucht gegen den Tisch geprallt – härter, als wenn man das Gleichgewicht verliert. Wir glauben, es war Sean, vermutlich gab es einen Kampf, bei dem er einen heftigen Stoß erhielt oder niedergeschlagen wurde.«

»Sean war nicht aggressiv«, kam Mark Bolands Stimme aus der Ecke des Raumes; er sah bleich aus. Er strich sich die Haare aus der Stirn und blickte Bay an. »Er war ein umgänglicher Mensch.«

»*Ist*«, korrigierte Bay ihn barsch.

Wenn Mark wüsste, wie Sean ihn gehasst hatte, als er von Anchor Trust zur Shoreline Bank übergewechselt war, um den Posten des Vorstands zu übernehmen, den Sean in der Tasche zu haben geglaubt hatte.

»Könnte er einen Gedächtnisverlust erlitten haben?«, fragte Tara den Agenten. »Durch die Kopfverletzung?«

»Möglich ist alles«, räumte Holmes ein. »Aber wir werden bald mehr wissen: Die Geschichte wird heute Abend in sämtlichen Medien für Schlagzeilen sorgen, und falls er irgendwo auftaucht, werden die Leute ihn erkennen und sich mit uns in Verbindung setzen. Oder mit Ihnen, Mrs. McCabe. Wenn das nicht bereits geschehen ist. Haben Sie mit Ihrem Mann gesprochen? Oder hat ihn jemand gesehen?«

»Nein«, erwiderte Bay ruhig, noch immer aufgewühlt, weil Mark die Vergangenheitsform gewählt hatte. Er dachte – wie alle –, dass Sean längst nicht mehr am Leben war. Und Bay wusste, dass ihr Mann alles andere als umgänglich war. Er war ein Hitzkopf, ein Mensch mit Ecken und Kanten, blind in seiner Begeisterung für alles, was er liebte, und er nahm kein Blatt vor den Mund, wenn ihm etwas missfiel. Wusste Mark das nicht? Sean hatte während seiner Highschool- und Collegezeit Basketball gespielt, in einer Mannschaft, die den Meistertitel errungen hatte. Er kämpfte immer noch mit harten Bandagen, gleich bei welchen Aktivitäten. Diese Rücksichtslosigkeit war Teil seiner Persönlichkeit. Und Sean hatte Mark oft eingeladen, wenn er mit der *Aldebaran* an Haifang-Wettbewerben vor der Küste von Montauk und Martha's Vineyard teilnahm oder die Spielcasinos unsicher machte. Nicht zu vergessen die Golfspiele im Club. Wie viele Masken trug Sean im Umgang mit anderen Leuten? Auch bei ihr?

Bay erinnerte sich an die Weihnachtsfeier der Bank, die letztes Jahr im Yachtclub veranstaltet worden war. Noch angeknackst von der Affäre mit Lindsay, hatte Bay nicht hingehen wollen. Sie wäre am liebsten zu Hause geblieben, hätte sich gern vor neugierigen Blicken versteckt. Aber Sean hatte sie in die Arme geschlossen, sie gewiegt und sie zu überreden versucht.

»Du bist diejenige, die ich liebe«, hatte er gesagt und ihr unverwandt in die Augen geblickt. »Ich bezweifle, dass überhaupt jemand etwas ahnt, aber selbst wenn, werden wir ihnen zeigen, aus was für einem Holz wir geschnitzt sind, Bay. Bitte, ja? Die Leute werden sich das Maul zerreißen, wenn du zu Hause bleibst. Sie führen genau Buch – wer aufkreuzt und wer nicht. Mark und Alise, mit ihrer perfekten Ehe –«

»Wen interessiert das, Sean? Es geht nicht darum, was die Leute in der Bank von uns denken – das ist eine Sache zwischen uns beiden.«

»Ich werde alles tun, um unsere Beziehung zu kitten. Ich werde mich ändern.« Seans Blick war so intensiv, dass er Bays Aufmerksamkeit fesselte; obwohl sie kaum glauben konnte, dass er es ernst meinte. »Ich werde aufhören –«

»Womit?«

Sean hatte geschwiegen, den Kopf gebeugt, seine Augen gerieben. Bay hatte sich nervös gefragt, ob er mit neuen Einzelheiten über seine Affäre mit Lindsay aufwarten wollte – oder mit einer anderen Frau. Rückblickend überlegte sie, ob er vielleicht drauf und dran gewesen war, ihr eine Verfehlung ganz anderer Art zu beichten.

Sie hatten an der Weihnachtsfeier im Yachtclub teilgenommen. Mark und Alise hatten sie herzlich begrüßt, mit Umarmungen und Küssen. Lindsay hatte das Richtige getan und sich am anderen Ende des weitläufigen, offenen Raumes aufgehalten. Frank Allingham hatte Bay auf die Wange geküsst und ihr das Versprechen abgenommen, mit ihm zu tanzen. Mark hatte sich Sean geschnappt, ihn beiseite genommen, allem Anschein nach, um zu fachsimpeln ... inzwischen fragte sie sich, ob Mark die Sache mit Seans Privatkunden damals schon nicht ganz geheuer war.

»Mein Mann ist immer im Dienst«, hatte Alise mit einem trockenen Lächeln gesagt. »Nicht einmal bei der Weihnachtsfeier kann er Sean seinem Vergnügen überlassen.«

Bay erinnerte sich, dass sie von Alises Aussehen fasziniert gewesen war; sie strahlte, ungetrübt von jeder Sorge. Leuchtender Teint, perfekt sitzende Pagenkopf-Frisur, Diamantohrringe, die Augen bewundernd auf ihren Mann gerichtet. Die beiden waren kinderlos und verkehrten in allerhöchsten gesellschaftlichen Kreisen, spielten nicht in der gleichen Liga wie die McCabes, Lindsay, Fiona Mills und Frank Allingham – sie wirkten perfekt, wie aus einer anderen Welt.

Bay war sich daneben wie ein Gespenst vorgekommen; die Erniedrigung, sich im selben Raum wie Lindsay aufhalten zu müssen, brannte in ihr. Und Alises unterschwellige Anspielung auf Marks höheren Rang war ihr nicht entgangen. Trotzdem hatte sie sich zusammengerissen, tief Luft geholt und Alise mit hoch erhobenem Kopf angelächelt.

»Meinem Mann macht das nichts aus; die Bank hat

schließlich Vorrang«, hatte sie lässig gekontert. »Sie wissen ja, Alise, er würde für seine Kunden durchs Feuer gehen.«

Während nun Polizei und FBI durch ihr Haus streiften, zuckte sie bei der Erinnerung an den Abend zusammen. Und sie dachte an Seans Worte: *Ich werde aufhören.*

Womit aufhören?

»Mrs. McCabe«, sagte Special Agent Holmes. »Bitte setzen Sie sich umgehend mit mir in Verbindung, wenn Sie etwas von Ihrem Mann hören oder einen möglichen Hinweis auf seinen Verbleib erhalten.«

Bay starrte ihn stumm an, wie betäubt von ihren Erinnerungen.

»Bay tut *immer* das Richtige, Mr. Holmes«, sagte Tara, richtete sich kerzengerade auf und strich sich das schwarze Haar aus dem gebräunten Gesicht. Sie war eine Irin reinsten Wassers, feurig und forsch. »Darauf können Sie Gift nehmen.«

5

Dreizehn Tage vergingen.

Und in den dreizehn Tagen, beinahe die Hälfte eines kostbaren Sommermonats, passierte viel und gleichzeitig nichts. Die Lokalblätter waren angefüllt mit Geschichten über Seans mutmaßliche Unterschlagungen und sein Verschwinden. Übertragungswagen von Nachrichtensendern aus New Haven und Hartford hatten sich vor dem Haus der McCabes postiert. Bay versuchte, ihre Kinder vor dem Presserummel zu schützen, aber sie kamen sich vor wie in einem Aquarium. Ein Reporter rief Pegeens Namen, als sie aus der Eingangstür trat, worauf sie in Tränen ausbrach, kehrtmachte und ins Haus zurücklief.

»Woher kennen sie unsere Namen?«, schluchzte Peggy. »Warum sind sie hier? Wo ist Daddy?«

»Die Polizei sucht weiterhin nach ihm«, erwiderte Bay. »Sie werden ihn finden, Schatz.«

»Aber sie suchen nach ihm, weil sie behaupten, dass er böse ist. Das ist er nicht, Mommy. Sag ihnen, dass er das nicht ist.«

»Das mache ich, Peggy.« Bay hatte sie in die Arme genommen und getröstet, während sie innerlich kochte. Als sich Peggy beruhigt hatte, küsste Bay sie auf die Stirn und ging zur Tür. Sie hatte tief Luft geholt und war entschlossen die Treppe hinuntergegangen. Blitzlichter flammten auf, Videokameras streckten sich ihr entgegen, fuchtelten vor ihrem Gesicht herum. Ihre roten Haare waren zerzaust, Hemdbluse und Shorts zerknittert und vom Salz verkrustet.

»Mrs. McCabe, was glauben Sie –«

»Wo ist Ihr Mann?«

»Was halten Sie von den Vorwürfen, dass –«

»Die Treuhänder der Bank beschuldigen –«

Bay atmete tief ein, schauderte. Die Reporter verstummten, in der Annahme, dass sie ihnen Rede und Antwort stehen würde. Sie betrachtete langsam die Meute, die vielen Mikrofone, räusperte sich.

»Lassen Sie meine Kinder in Ruhe«, sagte sie ruhig, aber mit Nachdruck und drohendem Unterton.

Einen Moment lang herrschte verdutzte Stille, dann prasselten die Fragen erneut auf sie ein. »Die Bank ... Ihr Mann ... schwere Kopfwunde ... sein Aufenthaltsort ... Kunden ... Anschuldigungen ...«

Bay hatte alles gesagt, was es zu sagen gab. Wortlos kehrte sie ins Haus zurück und schloss die Tür. Sie rief Billy und Pegeen herunter; Annie war bei Tara. Ihre beiden Jüngsten sahen sie ängstlich und verzagt an.

»Was hast du ihnen gesagt, Mom?«, wollte Billy wissen.

»Dass sie euch in Ruhe lassen sollen.«

»Hast du ihnen erklärt, dass Daddy nichts verbrochen hat? Ich dachte, du sagst es ihnen! Sie können doch nicht einfach so schlimme Sachen über ihn behaupten.« Die Worte sprudelten aus Peg heraus. »Sie machen sich ein ganz falsches Bild. Wir müssen ihnen sagen, wie er wirklich ist!«

»Ja«, pflichtete Billy ihr bei. »Peggy hat Recht. Alle sollen erfahren, was für ein fantastischer Mensch unser Dad ist. Ich habe die Lügen satt, die diese Blödmänner über ihn verbreiten. Ich gehe jetzt raus und sage ihnen, was Sache ist.«

»Nein, das möchte ich nicht, Billy«, entgegnete Bay. »Bleib hier, hörst du?«

Billy biss die Zähne zusammen, mit flammendem Blick. Er war stur, genau wie sein Vater. Bay sah ihn beschwörend an.

»Hörst du?«

Billy nickte, aber seine Miene blieb angespannt.

»Von nun an benutzt bitte die Hintertür, bis die Reporter abziehen. Nehmt die Abkürzung durch den Garten und die Marsch, wenn ihr zum Strand wollt. Einverstanden? Niemand wird Lust haben, euch durch den Morast zu folgen. Sprecht mit keinem von ihnen. Wir wollen eurem Vater die Chance geben, die Sache aufzuklären.«

»Kommt er bald nach Hause?«, fragte Billy.

Bays Herz klopfte. »Ich hoffe es, Billy.«

»Was ist, wenn ihm böse Leute einen Schlag auf den Kopf gegeben und über Bord geworfen haben?«, fragte Peggy.

»Ich schwöre, ich bringe jeden um, der Dad so etwas angetan hat«, sagte Billy.

»Ich auch«, pflichtete Peg ihm bei.

»So solltet ihr nicht reden«, wies Bay sie sanft zurecht, in die besorgten Augen ihrer Kinder blickend. »Euer Vater ist gestolpert und hat sich den Kopf am Tisch angeschlagen. Das hat uns die Polizei erzählt. Erinnert ihr euch?«

»Ja, er leidet unter Gedächtnisschwund.« Billys Stimme klang mit einem Mal zuversichtlicher. »Er hat irgendwo ärztliche Hilfe bekommen und kann sich nicht an seinen Namen erinnern.«

Peggy verzog schmerzlich das Gesicht. »Wie soll er sich an uns erinnern, wenn er nicht einmal mehr seinen *eigenen Namen* kennt? Wie soll er da *nach Hause* zurückfinden?«

»Es wird ihm schon wieder einfallen«, versicherte Bay, bemüht, Fassung zu bewahren und sich ihre eigene Verärgerung und Wut nicht anmerken zu lassen – oder ihre wachsende Überzeugung, dass Sean sich sehr wohl an alles erinnerte und sich vorsorglich aus dem Staub gemacht hatte.

Billy schien Gefallen an der Idee zu finden, der Presse ein Schnippchen zu schlagen, und so suchte er seine und Pegeens Strandsachen zusammen und schlüpfte mit ihr zur Hintertür hinaus. Bay sah ihnen nach, wie sie den Garten durchquerten und auf der morastigen Böschung der Marsch entlang in Richtung Strand marschierten. Sie winkten Annie und Tara zu, die sich auf der anderen Seite des Flüsschens in Taras Garten befanden. Annie hatte kaum ein Auge zugetan und nur geweint, wenn sie sich ihren Vater ganz alleine da draußen in der großen weiten Welt vorstellte, nur mit ihrem kleinen grünen Boot, das ihm Gesellschaft leistete.

Bay konnte ihren Schmerz nachfühlen. Als die Kinder ihrem Blick entschwunden waren, ging sie nach oben, um sich eine Weile hinzulegen.

Ihr Mann hatte sich vermutlich eine schlimme Kopfverletzung zugezogen, und niemand wusste, wo er steckte. Er schien wie vom Erdboden verschluckt zu sein. Hatte er seine Familie verlassen, wegen der Straftaten, die man ihm zur Last legte? Oder hatten sich die schlimmsten Befürchtungen der Kinder und ihre eigenen bewahrheitet – war er tot?

Sie ließ ihren Tränen freien Lauf, und obwohl sie Sean für das, was er ihnen angetan hatte, hasste, hatte sie sein Kopfkissen nicht gewaschen, um seinen Geruch zu bewahren. Als sie ein Klopfen an der Haustür hörte, schreckte sie hoch, versuchte, ihm keine Beachtung zu schenken. Aber es hörte nicht auf, und so trocknete sie ihre Augen und ging nach unten.

Es war Joe Holmes, die Meute der Reporter im Schlepptau. Bay starrte sie durch die Fliegengittertür an.

»Hallo Mr. Holmes.«

»Nennen Sie mich Joe. Wie geht es Ihnen?« Als sie schwieg, errötete er. »Es tut mir Leid – das war eine dumme Frage.« Plötzlich fühlte sie sich befangen, weil sie dunkle Ringe unter den Augen und fünf Kilo abgenommen hatte.

»Kommen Sie herein.« Sie öffnete die Fliegengittertür.

»Sind Ihre Kinder da?«, fragte er.

Bay blinzelte und schüttelte den Kopf. Als sie aus dem Fenster blickte, sah sie Annie und Tara, die den Garten sprengten. Ein silberner Wasserstrahl schoss in hohem Bogen aus dem Schlauch, glitzerte in der Sonne. Bays Kehle fühlte sich ausgedörrt und trocken an. Sie hatte seit dreizehn Tagen, seit Seans Verschwinden, keinen Fuß mehr in ihren eigenen Garten gesetzt. Joe folgte schweigend ihrem Blick.

»Wir hatten gehofft, Sean inzwischen zu finden«, sagte Joe schließlich.

Bay nickte, umklammerte ihre Unterarme, als müsste sie ihren Körper zusammenhalten.

»Und warum HABEN Sie nicht?«, brach es aus ihr heraus. »Sie sagten, er sei schwer verletzt – hätte er nicht ärztliche Hilfe gebraucht?«

»Eindeutig. Wir haben sämtliche Krankenhäuser überprüft, in drei Staaten. Wir haben uns mit Ärzten und Kliniken in Verbindung gesetzt ...«

»Wer war sonst noch bei ihm auf dem Boot? Haben Sie die Personen ausfindig gemacht, konnten die Ihnen nicht weiterhelfen?«

»Wer auch immer dort war, war schlau genug, sämtliche Fingerabdrücke zu entfernen. Da gibt es noch ein paar Dinge ... können wir irgendwo ungestört reden?«

Bay nickte, und er folgte ihr in die Küche, nahm auf einem

Hocker an der Frühstückstheke Platz. Ein ausgestopfter Bullenhai hing von der Decke herab. Sean hatte ihn im letzten Sommer bei einer Angeltour nach Montauk Point gefangen. Bay hatte Einspruch gegen einen Kadaver in ihrer Küche erhoben, aber Sean hatte seinen Willen durchgesetzt.

»Lieben Sie Ihren Mann?«, fragte Joe.

»Ja«, antwortete Bay, ohne zu zögern.

»Sind Sie sicher?«

Er starrte sie an, als könnte er ihre Gedanken lesen und erkennen, ob sie log. Verunsichert erwiderte Bay den Blick und hob kämpferisch das Kinn. »Ja«, wiederholte sie.

Sie hatte von ihrer eigenen Mutter und von Taras gelernt, ihre Familie zu verteidigen, kostete es, was es wollte.

»Ich hoffe, dass Sie es nicht zu schwer nehmen, wenn Sie erfahren, was ich Ihnen zu sagen habe.«

»Zerbrechen Sie sich darüber nicht den Kopf«, erwiderte Bay fest, obwohl sie innerlich zitterte.

»Sie wissen wahrscheinlich, dass ich auf Ermittlungen spezialisiert bin, bei denen es um schwere Unterschlagungen in der Bankbranche geht.«

»Das wusste ich nicht. Ich weiß nur, dass Sie beim FBI sind.«

»Richtig. Ich gehöre zur Dienststelle New Haven. Wenn ein Kapitalverbrechen vorliegt, ziehen sie Spezialisten hinzu. Ich bin ...«

»Spezialist für Unterschlagungen in der Bankbranche.« Die Worte klangen fremd in Bays Ohren.

Joe nickte.

»Ich weiß aus Erfahrung, dass es für die Bereichsleiter einer Bank normalerweise schwierig ist, Unterschlagungen zu begehen, weil sie mit dem Geld nicht unmittelbar in Berührung kommen. Bei Diebstahl gerät gewöhnlich als Erstes das Schalterpersonal in Verdacht. Manchmal machen die Topmanager gemeinsame Sache mit den Zweigstellenleitern. Oder, eine weitere Möglichkeit, mit anderen Mitgliedern der Führungsetage. Also Angehörigen der Bank, Insider.«

Bays Mund war trocken. Durch das Fenster konnte sie ihren Garten sehen. Er befand sich in einem grauenhaften Zustand. Binnen kürzester Zeit war nichts mehr vorhanden von der einstigen Blütenpracht: Rosen, Päonien, Schwarzäugige Susanne, Gartenwicken und Rittersporn waren verwelkt und verdorrt, siechten dahin, genau wie ihr Leben, ihre Familie.

Sie blinzelte, bemühte sich, wieder zuzuhören.

»Im Allgemeinen machen sich diese Topmanager nicht selbst die Hände schmutzig, sondern nutzen ihren Einfluss ... vergeben Darlehen an Scheinfirmen, die sie selbst gegründet haben ... oder bewilligen ›faule‹ Kredite, von denen sie wissen, dass sie nie zurückgezahlt werden ... nehmen Schmiergelder an ... nutzen ihre Befugnisse ...«

»Damit käme Sean niemals durch! Es gibt ein Aufsichtsgremium, dem er rechenschaftspflichtig ist. Treuhänder, andere Vorstandsmitglieder ...«

»Die Leute kennen ihn, vertrauen ihm«, fuhr Joe ungerührt fort. Er trug einen Nadelstreifenanzug und eine marineblaue Krawatte mit kleinen weißen Punkten; sie sah, wie er sich mit dem Finger um den Hals strich, sah den Schweißfilm auf seiner Stirn. Im Haus gab es keine Klimaanlage, sie brauchten keine bei der Brise, die vom Meer herüberwehte. Während der Sommermonate lief man in Shorts oder Badeanzug herum. Niemand hätte es in diesem Haus lange mit Jackett und Krawatte ausgehalten. Jeden Abend, wenn Sean von der Arbeit heimkehrte, zog er als Erstes den Anzug aus, noch bevor er die Küche betrat.

»Genau. Sie vertrauen ihm.« Sie musterte Joes Schweißperlen.

»Er nimmt an der Kreditausschusssitzung teil, setzt seine
Unterschrift unter das fragwürdige Darlehen; die anderen
wundern sich vielleicht, belassen es aber dabei. Sie sagen
sich ›Wenn Sean meint …‹ Möglich, dass sie skeptisch
sind, aber wenn er grünes Licht gibt, geht die Sache für sie
in Ordnung. Sie halten den Mund. Oder er hatte einen
Komplizen, was wir aber gerade so gut wie ausgeschlossen haben.«

»Wollen Sie behaupten, es habe faule Kredite gegeben?«
Joe nickte langsam. »Ja, in der Tat. Vor sechs Monaten.«
Bay war bestürzt. »Und da ermitteln Sie erst jetzt? Ganz
abgesehen davon, wie kommen Sie auf die Idee, Sean
könnte sich falsch verhalten haben? Wenn jemand zah-
lungsunfähig wird, ist das doch nicht seine Schuld, sondern die des Kreditnehmers …«

»Die Sache flog bei der internen Buchprüfung der FDIC
auf. Ein hoher Prozentsatz fragwürdiger Kredite von der
Shoreline – es wurden offensichtlich zu viele Hindernisse
umgangen. Dadurch kamen wir ins Spiel.«

Wir, dachte Bay: der FBI. Sie dachte an den Kinofilm *Die
Unbestechlichen*, und wie die Bundesbehörde den Gangster Al Capone aufgrund frisierter Bilanzen überführt hatte. Und so etwas legte man ihrem Mann zur Last?

»Drei verschiedene Firmen waren in den Schwindel verwickelt, und Sean hatte die Kredite bewilligt. Es wurden keine Rückzahlungen geleistet … wir sahen schwarz
auf weiß, was die FDIC von Anfang an ahnte – dass die
Kreditvergabe seitens des Instituts völlig unverständlich
war.«

»Na und, Sean hat einen Fehler gemacht!«
»Das wird sich noch herausstellen.«

»Können Sie nicht wenigstens sagen, im Zweifelsfall für den Angeklagten, solange noch nichts bewiesen ist?« Bays Stimme bebte. »Was ist mit den anderen Vorstandsmitgliedern? Trifft sie keine Schuld?«

Er sah sie mitleidig an. Diese Vorstandsmitglieder waren nicht verschwunden, hatten ihre Familie nicht im Stich gelassen. Bay grub die Fingernägel in ihre Handfläche, während sie Seans Foto auf dem Bücherregal betrachtete und sich bemühte, ruhig zu bleiben.

»In Connecticut stehen Polizeidezernate und FBI in engem Kontakt mit den Aufsichtsgremien der Banken. Einmal im Monat findet ein Treffen mit den Gesetzeshütern statt, wo solche Angelegenheiten zur Sprache kommen.«

»Was für Angelegenheiten?«, fragte Bay, obwohl Sean ihr von diesen Konferenzen erzählt hatte. »Baby, wir sorgen dafür, dass unser Geld und das aller anderen in unserer Bank sicher ist«, hätte er gesagt.

»Es geht um Methoden und Möglichkeiten, Probleme zu vermeiden. Wenn die Bank auf Unregelmäßigkeiten aufmerksam wird, ist sie gesetzlich verpflichtet, dem FBI Meldung zu machen. Einen SAR zu schreiben – einen Bericht über verdächtige Aktivitäten.«

»Hätte Sean nicht davon gewusst?« Bay schwirrte der Kopf, und ihr Brustkorb war wie zugeschnürt.

»In diesem Fall wurde der Bericht von einer jungen Frau namens Fiona Mills verfasst. Sie ergriff selbst die Initiative – vielleicht war sie nicht sicher, wem sie trauen konnte oder auf wen sich die Ermittlungen letzten Endes konzentrieren würden.«

Fiona – eine Kollegin von Sean. Eine junge Frau aus der Oberschicht, genau wie Lindsay. Bay fragte sich, ob Fiona Seans Interesse in gleichem Maß geweckt hatte.

Ihr Blick schweifte zu einem alten Foto von ihr und Sean

hinüber, an der Kühlschranktür mit einem Marienkäfer-Magneten befestigt. Annie hatte es entdeckt und dort aufgehängt – vermutlich um ihre Eltern an glückliche Zeiten zu erinnern. Sie waren blutjung gewesen, gerade frisch von der Schule. Sie war selig gewesen, verliebt, bereit, ihm aufs Wort zu glauben, über seine Rücksichtslosigkeit hinwegzusehen. Benommen wandte sie den Blick ab.

»Anhand dieses Berichts, der auf eine mögliche Straftat hindeutete, stellten wir Nachforschungen über die Umstände der Kreditvergabe an; dabei stießen wir auf Unregelmäßigkeiten in der Abschlussprüfung – es handelte sich um mehrere Bareinzahlungen in Höhe von jeweils neuntausendneunhundert Dollar, und zwei Zahlungsanweisungen.«

»In Verbindung mit dem Kredit?«, fragte Bay verwirrt und empfand einen ungerechtfertigten Groll gegen Seans Kollegin Fiona.

»Nein«, erwiderte Joe. »Es ist durchaus möglich, dass Seans Urteilsvermögen bei der Bewilligung des Geldes zu wünschen übrig ließ. Unsere Ermittlungen sind noch nicht abgeschlossen.«

Joe Holmes saß reglos da und sah sie mit seinen braunen Augen unverwandt an.

»Was ist es dann? Gibt es da noch etwas?«

»Als ich Sie vorhin nach den Krediten fragte, meinten Sie, dass Sean mit Unterschlagungen nicht davonkommen würde, wegen des Aufsichtsgremiums der Bank. Sie sagten nicht, so etwas würde er nie tun ... Das ist ein Unterschied.«

Bays Lippen zitterten, aber sie war fest entschlossen, sich nichts anmerken lassen. Ihr Blick wanderte zum Spülbecken; die Trinkbecher der Familie waren auf einem Regal zwischen den Fenstern aufgereiht.

»Die Bareinzahlungen und Zahlungsanweisungen waren Beute«, sagte Joe.

»Was für Beute?«

»Geld, das Sean von seinen Privatkunden abzweigte. Er fing klein an – anfangs hundert Dollar am Tag, dann zweihundert. Er dachte, niemand würde etwas merken, und warum auch? Es waren umsatzstarke Konten, bei denen ständig Dividenden eingingen und neu investiert wurden. Das von einem Konto abgezogene Geld parkte er in einem Trust. Später schrieb er dann eine Zahlungsanweisung aus oder hob Bargeld ab. Er machte während der Mittagspause einen Spaziergang, eilte zu seinem Boot und zahlte es auf ein Konto ein, das er bei der Anchor Trust eingerichtet hatte.«

»Er würde nie Geschäfte mit der Anchor Trust machen. Das sind Konkurrenten.« Bays Augen brannten, als Joe mehrere Papiere über den Frühstückstresen schob. Auch ohne sie genauer in Augenschein zu nehmen, wusste sie, dass Seans Name auf den Kontoverträgen stand ... und seine Unterschrift.

»Seine Kunden vertrauten ihm blind. Zuerst leitete er das Geld in einen Trust bei der Shoreline, und von da aus ging es mittels Zahlungsanweisungen an Anchor, wo er nach Belieben Schecks ausstellen konnte.«

»Nein.« Bay schüttelte den Kopf. Würden ihre Kinder die Geschichte zu hören bekommen? Das würde Annie das Herz brechen. »Er würde niemanden dermaßen schädigen wollen.«

»Das gilt für die meisten Leute«, sagte Joe. »Sie empfinden ihr Verhalten nicht einmal als kriminell. Sie brauchen das Geld lediglich. Brauchen es verzweifelt.«

»Wir haben genug Geld. Können bequem davon leben.«

»Er hat es vermutlich nicht einmal als Diebstahl betrachtet – anfangs. ›Ich leihe mir nur schnell hundert Dollar aus; Dienstag zahle ich das Geld zurück. Ich brauche es nur übers Wochenende.‹«

»Nein … er hat mehr als genug verdient …« War das nicht Seans Argument, wenn es darum ging, dass Bay zu Hause bleiben sollte? Obwohl sie gerne noch einmal zur Schule gegangen oder wieder berufstätig gewesen wäre? Er hatte ihr immer beteuert, wie gut es ihnen ging … dass sie mehr als genug besaßen … dass die Nachbarn sonst denken würden, sie wären auf das Zubrot angewiesen.

»Dann kam der Dienstag und niemand stellte Fragen … also machte er weiter. Die Beträge wurden größer. Eintausend, fünftausend. Neuntausendneunhundert. Er wusste, dass bei jeder Kassendisposition von mehr als zehntausend Dollar ein CRR – ein Kassendispositionsbericht – erforderlich ist. Er versuchte, das Radarsystem zu unterlaufen, aber Fiona wurde aufmerksam. Er wählte hochkarätige Kunden als Opfer aus; vielleicht dachte er, sie würden das Geld nicht vermissen. Taten sie auch nicht. Keiner der Kunden merkte etwas. Er brauchte das Geld – und dieses Bedürfnis war das Motiv.«

»Nein!«, sagte Bay. Was sollte das für ein Bedürfnis sein? Die Hypothek, Urlaube, zwei Autos, drei Kinder, das Boot … eine Affäre? Warum sollte er alles aufs Spiel setzen, was sie sich erarbeitet hatten, und die Bank bestehlen?

»Es läpperte sich zusammen, mit der Zeit«, sagte Joe.

»Über Monate?«

»Der Frage versuchen wir gerade auf den Grund zu gehen. Die abgezweigten Beträge erhöhten sich vor ungefähr elf Monaten beträchtlich«

Ein Bedürfnis. Bloß ein Bedürfnis.

»Das Gesetz sieht vor, dass jeder, der in einem Finanzinstitut mit Geld in Berührung kommt – Schalterpersonal, Zweigstellenleiter –, zwei Wochen hintereinander Urlaub nehmen muss. Finanzberater und Treuhänder haben nur mit Schriftverkehr zu tun, deshalb sind sie von dieser Regelung ausgenommen.«

Bay verstand, was sich dahinter verbarg. Sean hatte es ihr erklärt. Finanzielle Verfehlungen gleich welcher Art kamen normalerweise binnen zwei Wochen ans Tageslicht.

»In den dreizehn Tagen seit Seans Verschwinden wurde einiges offenkundig. Er hat seine Spuren nicht verwischt.«

»Ihm muss etwas Schreckliches passiert sein«, flüsterte Bay; ihre Kehle war so trocken wie die Grashalme im Garten. Sie dachte an das Blut auf der *Aldebaran*. Das schwarze, getrocknete Blut auf der Decke. »Es muss einen Grund geben, dass er nicht nach Hause kommt. Was wäre, wenn ...«

»Sie befürchten, dass er tot ist.«

Bay rang um Fassung, nickte.

»Seine Leiche wurde nicht gefunden. Im Winter, bei Eis und Schnee, wäre das verständlich. Aber wir haben Sommer. Entschuldigen Sie meine Kaltschnäuzigkeit, aber Leichen bleiben bei diesen Temperaturen nicht lange unentdeckt. Wir glauben, dass er irgendwo ärztliche Hilfe erhalten hat und untergetaucht ist.« Er schob ihr ein Blatt Papier zu, den Kontoauszug von Anchor Trust.

Bay blickte auf die Sollseite. Vor vierzehn Tagen hatte das Konto noch ein Guthaben von 175 000 Dollar ausgewiesen. Vor dreizehn Tagen war es restlos abgeräumt worden, war gleich null.

»Unsere Familie hat ihre Konten bei der Shoreline«, sagte sie mit zittriger Stimme. Ihre erste Amtshandlung, nachdem sie die Vorstellung von Seans Verschwinden verinnerlicht hatte, hatte darin bestanden, den Kontostand zu überprüfen.

Joe Holmes zog ein zweites Blatt Papier aus dem Aktenordner. Er zögerte, dann reichte er es ihr. »27 000 Dollar«, sagte er. »Girokonto, Sparkonten, Geldmarkt.«

»Das ist eine Menge«, sagte sie, die Worte ihres Mannes wiederholend. Sie hatte mit mehr gerechnet.

»Keine Aktien, Anleihen, andere Investitionen?«

»Es gab heftige Kursschwankungen. Sean ist sehr risikofreudig bei seinen Kapitalanlagen. Wir mussten einige empfindliche Verluste hinnehmen. Aber er spart fürs College – für drei Kinder.«

»Und er hat ein Faible für sein Boot, für das Spielcasino, für ...«

Bay hob den Blick, wartete, ob er »andere Frauen« sagen würde.

Aber er tat es nicht. Der FBI-Agent wirkte müde, erhitzt und mitfühlend, als bedaure er die ganze Situation und wünschte sich nur, endlich Feierabend machen zu können. Ob er wohl Frau und Kinder daheim hatte? Er trug keinen Ring ... Die Meeresbrise hatte nachgelassen. Die Luft im Haus schien stillzustehen, und Bay hatte plötzlich das Gefühl, als würde sie austrocknen und sich in Staub verwandeln.

»Was glauben Sie, wo er steckt, Bay?«, fragte er.

Sie saß stumm und reglos da, starrte die beiden Kontoauszüge an. Sie hatte in den vergangenen Tagen selbst ihre Berechnungen angestellt, wieder und wieder. Mit den Hypothekenzahlungen, Versicherungsprämien und Steuern, Haushaltskosten, Strom und Heizung, sobald es kalt wurde, und bei sparsamer Benutzung der Kreditkarten würden die Ersparnisse ungefähr fünf Monate reichen.

Wie lange würden Sean die 175 000 Dollar reichen, und wo mochte er das Geld gelassen haben?

»Ein Vertrauensbruch ist eine niederschmetternde Angelegenheit. Herzzerreißend. Als wenn man in den Grundfesten erschüttert wird.«

Bay fragte sich, ob er über die Bankkunden sprach. Oder meinte er sie und die Kinder?

»Wer ist ›Ed‹?«, fragte er.

Bay runzelte die Stirn und schüttelte den Kopf. »Nie gehört.«

»Ich muss Sie noch etwas fragen. Was hat Sean mit ›das Mädchen‹ gemeint?«

Das Mädchen. Die Worte klangen vertraut, und Bay erinnerte sich an den Aktenordner in Seans Boot. Es geht um Seans Kritzelei, dachte Bay; ihr Puls beschleunigte sich, als ihr die Zeichnung von dem Lieferwagen und der Name Ed wieder einfiel.

»Keine Ahnung.« Bay spürte, dass er sie aufmerksam beobachtete, wusste aber nicht, warum. »Könnte das etwas mit einer unserer Töchter zu tun haben?«

»Ich glaube nicht.«

Er denkt, »das Mädchen« sei eine andere Frau, und wahrscheinlich hat er Recht, überlegte Bay und wäre vor Scham am liebsten im Boden versunken. Eine leichte Brise bauschte die weißen Gardinen vor dem Panoramafenster auf. Sie brachte den salzigen Geruch des Meeres und der Marsch mit sich, den frischen Duft der Strandnelken und Strandrosen. Bay hörte Taras und Annies Stimmen, die von der anderen Seite der Marsch herüberdrangen, und hatte das Gefühl, dass Tara über sie wachte.

»Vielleicht fällt Ihnen ja noch etwas ein«, sagte Joe und schob die Papiere behutsam in den Ordner zurück. »Etwas, das uns hilft, ihn zu finden.«

Wen finden? Hätte sie am liebsten gefragt. Sie sollte Joe Holmes bei der Suche helfen, aber nach wem? Diesen Sean McCabe kannte sie nicht. Und schlimmer noch, sie kannte sich selbst nicht mehr. Im Verlauf ihrer Ehe hatte sie allem Anschein nach eine Vereinbarung mit sich selbst getroffen, die Augen vor allen Unannehmlichkeiten zu verschließen, fünf gerade sein zu lassen. Dichtzumachen. Denn wie hatte das alles ohne ihr Wissen geschehen können?

»Wenn ich etwas wüsste, würde ich es Ihnen sagen«, erwiderte sie ruhig, damit er nicht den Anflug von Panik bemerkte, der sie überkam.

Als Joe Holmes rückwärts aus Bay McCabes Einfahrt fuhr, sah er Tara O'Toole, die ihn von ihrem Haus auf der anderen Seite der Marsch beobachtete – Bay McCabes »consigliere«. Ihre Augen waren dunkelblau und ihr Blick selbst auf diese Entfernung so durchdringend, dass ihm ein Schauder über den Rücken lief – Bay hatte eine Freundin, die durch dick und dünn mit ihr ging. Joe konnte sich des Gefühls nicht erwehren, dass sie am liebsten über das Watt gesprintet wäre, um ihm die Leviten zu lesen.

Er hätte Tara gerne gestanden, dass er diesen Teil seiner Arbeit am meisten hasste – anständige, unbescholtene Menschen über die kriminellen Aktivitäten ihres Partners auszuquetschen. Der Ausdruck in Bays Augen hatte genügt, um mit dem Gedanken zu spielen, umgehend einen Monat unbezahlten Urlaub zu nehmen. Sich in irgendein Golfparadies in Tucson zurückzuziehen, weit weg von allem, wo er sich nur damit beschäftigen musste, an seinem Abschlag und an seiner Spieltechnik zu arbeiten.

Sein Vater hatte schon für das Bureau gearbeitet und ihm beigebracht, dass Golf ein gutes Mittel war, um Stress abzubauen. Joe war in dem Glauben aufgewachsen, sein Vater sei ein Held, ein Spion wie James Bond, nur größer und stärker und ohne englischen Akzent, und er hatte sich nicht die mindeste Chance ausgerechnet, in seine Fußstapfen zu treten.

Maynard Holmes hatte es bis zum Dienststellenleiter von New Haven gebracht. Sie hatten in einem großen blauen Haus an der Main Street in Crandell gewohnt, zwischen dem Warenhaus und der Bibliothek. Während andere Väter ihrem Beruf als Lehrer, Bankangestellte, Rechtsanwälte oder Mechaniker nachgingen, machte seiner Jagd auf Verbrecher.

»Woher weißt du, wer ein Verbrecher ist?«, hatte Joe seinen Vater einmal gefragt.

»Das sieht man den Menschen nicht an«, hatte sein Vater erwidert. »Man sollte niemanden nach seinem Aussehen beurteilen, Joe. Oder nach dem Auto, das er fährt, oder dem Haus, in dem er wohnt, ja nicht einmal nach seinen Worten. Beurteile die Leute nach ihren Taten. Die sagen dir, ob jemand gut oder böse ist.«

Die Worte waren Joe stets in Erinnerung geblieben. Er dachte jeden Tag an die Lektionen seines Vaters, der für das Bureau gearbeitet hatte. Er wünschte, dass sein Vater noch leben würde, er hätte sich gerne mit ihm über den Fall McCabe unterhalten. Aber das war nur ein Aspekt. Joe vermisste beide Elternteile. Seine Mutter war vor zwei Jahren an einem Schlaganfall gestorben, sein Vater hatte sie nicht einmal ein halbes Jahr überlebt.

Eine solche Liebe wünschte sich Joe. Aber im Zuge seiner Ermittlungen gegen Straftäter in Topmanagement-Kreisen bekam er so viele Lügner und gebrochene Herzen zu sehen, dass es fraglich war, ob es eine solche Liebe wie die seiner Eltern überhaupt noch gab. Demzufolge begegnete er den meisten Menschen mit dem gleichen Misstrauen, das er vor knapp zehn Minuten in Tara O'Tooles Augen entdeckt hatte.

Joe fuhr durch die Stadt; seine nächste Etappe war die Shoreline Bank, um Fiona Mills ein paar Fragen zu stellen. Die Empfangssekretärin deutete auf ein Büro im hinteren Teil des Gebäudes, und er trat ein. Sie hatte umwerfende blaue Augen und kastanienbraunes Haar, das von einem Reifen aus Sterlingsilber zurückgehalten wurde; sie trug ein schlichtes, teures Nadelstreifenkostüm.

»Ich habe ein paar Fragen an Sie.«

»Mein Terminkalender ist heute randvoll, Mr. Holmes.« Sie deutete auf ihren Schreibtisch. »Seit Seans Verschwinden ... und bei dem Chaos, das er hinterlassen hat ... Natürlich werde ich alles tun, um Ihnen zu helfen, aber im Moment habe ich nicht viel Zeit.«

»Ich weiß.« Joe dachte, wie sehr sich ihre dunkelblauen Augen von Tara O'Tooles unterschieden. Er schluckte und nahm Platz. »Danke für Ihre Kooperationsbereitschaft. Wir werden uns auf die aktuellen Entwicklungen beschränken und versuchen, der Sache auf den Grund zu gehen. Erstens, arbeitet hier in der Bank jemand, der Ed heißt?«

»Edwin Taylor, in der Treuhand-Abteilung. Und Eduardo Valenti, ein Praktikant aus New York, der uns für den Sommer zugeteilt wurde. Seine Eltern leben in der Gegend.«

Joe machte sich Notizen, dann blickte er hoch. »Können Sie mir ein wenig über sich selbst erzählen, und was Sie über Sean McCabe wissen?«

Fiona war vor fünf Jahren zur Shoreline Bank gekommen, ein Traumjob. Die Arbeitsbedingungen waren vorbildlich, das Verhältnis zu ihren Kollegen hervorragend, alle schienen gemeinsam an einem Strang zu ziehen, um das Wachstum der Bank zu unterstützen.

»Sean war schon immer sehr konkurrenzbewusst«, sagte sie. »Wir haben ungefähr den gleichen Rang, wurden etwa zur gleichen Zeit Bereichsleiter. Er machte keinen Hehl daraus, dass er auf die Beförderung erpicht war, und ging dem Vorstandsvorsitzenden und der Berufungskommission um den Bart ... ich wusste, dass wir die Position am Ende beide bekommen würden, aber Sean machte ein Riesengetue darum.«

»Ist das typisch für ihn?«

»In der Tat. Er ist sehr ehrgeizig, liebt Wettbewerbe und Trophäen. Als er noch das Schalterpersonal unter sich hatte, führte er ständig neue Wettbewerbe ein. Einmal erhielt der Mitarbeiter, der die meisten Neukunden an Land zog, ein Wochenende in Newport als Leistungsanreiz – solche Dinge. Er muss immer das größte Boot, das neueste Auto haben.«

Das Gegenteil von Bay, dachte Joe, der sich Notizen machte.

»Sind Sie jemals auf den Gedanken gekommen, er könnte Kundengelder unterschlagen?«

»Damals nicht. Nie im Leben. Das fing erst nach der Vorstandswahl an –«

»Als die Shoreline Mark Boland abwarb und mit dem Posten betraute?«

»Ja. Er war früher bei Anchor. Ich muss zugeben, dass ich es auch empörend fand. Sean und ich hatten beide mit der Position geliebäugelt. Ich denke, dass wir unsere Sache nicht schlecht gemacht hätten. Aber sie entschieden sich stattdessen für einen Quereinsteiger.«

»Und danach änderte sich Seans Verhalten?«

Fiona nickte. »Ja, er war wütend. Zuerst mauerte er – weigerte sich, Zahlen weiterzugeben, über Kredite zu diskutieren. Er nahm nicht an Mitarbeiterbesprechungen teil, nahm jede Gelegenheit wahr, um mit seinem Boot aufs Meer hinauszufahren. Eines Tages bekam ich ihn zu fassen, als er gerade Feierabend machen wollte; ich redete ihm ins Gewissen, sagte ihm, er solle sich zusammenreißen – seiner Familie zuliebe, wenn schon nicht um seiner selbst willen.«

»Lief er Gefahr, entlassen zu werden?«

Fiona nickte. »Ich denke, es hätte nicht viel gefehlt.«

»Und was geschah dann?«

»Nun, ein paar faule Kredite – mir kam das eine oder andere seltsam vor, aber ich wollte ihn nicht denunzieren. Sean begann ein Techtelmechtel mit einer Sachbearbeiterin aus der Kreditabteilung – machte keinen Hehl daraus, ziemlich unverfroren. Ich kenne Bay und mag sie, und ich fand, er benahm sich wie ein Arschloch. Er ging öfter mit Lindsay ins Casino, und am nächsten Tag, wenn sie zur Arbeit kam, plauderte sie aus dem Nähkästchen.«

»Indiskret.«

»Sehr. Lindsay erzählte, dass Sean die Kreditvergabe ziemlich locker handhabe, und als plötzlich die faulen Kredite auftauchten, hatte ich ein mulmiges Gefühl.«

»Haben Sie ihn darauf angesprochen?«

»Ja. Zuerst sagte er, es sei alles in bester Ordnung. Aber dann begann er mir aus dem Weg zu gehen. Jedes Mal, wenn ich mit ihm reden wollte, hatte er es eilig und bat er mich, ihm eine Nachricht auf dem Anrufbeantworter zu hinterlassen oder eine E-Mail zu schicken. Schließlich brachte ich das Thema bei Mark zur Sprache.«

»Aha.«

»Ja. Er war völlig von den Socken. Er mochte Sean – wie alle. Und Mark spürte wohl, wie sehr Sean es hasste, den

Kürzeren gezogen zu haben. Sie kannten sich schon länger – vom Highschool-Sport, soweit ich weiß. Und sie spielten beide Golf, glaube ich. Sean gehörte zu den Typen, die auf dem Golfplatz sogar um die Uhr oder die Manschettenknöpfe ihres Gegners spielen wollen.«

»Und um Geld?«

Fiona schüttelte den Kopf. »Weniger. Ich glaube, dieser Ehrgeiz war ihm in die Wiege gelegt worden. Sean kam aus einer Arbeiterfamilie und sehnte sich nach dem ganzen Schnickschnack, der damit einhergeht, wenn man mit einem goldenen Löffel im Mund geboren wird. Viele Bankmanager in Neuengland stammen aus einem erstklassigen Stall …«

Joe nickte. Er hatte seine Hausaufgaben gemacht. Fiona und Sean hatten vor drei Jahren an einem Seminar der Bank in New York teilgenommen; die Unterlagen des Hotel Gregory ließen darauf schließen, dass sie ein Doppelzimmer genommen hatten. Die Arbeit war ein Bindeglied, aber Joe vermutete, dass ihn das Internatsflair am meisten an ihr gereizt hatte. Fiona war in Providence aufgewachsen, hatte den Sommer in Newport verbracht. Ihre Familie war im Gesellschaftsblatt verzeichnet, wie alles, was Rang und Namen hatte. Sie hatte die Madeira School und das Middlebury College besucht und ihren Abschluss an der Columbia Business School gemacht.

Sie gab sich nun betont lässig, während sie Joe fest anblickte. Trotz der Klimaanlage rann ihm der Schweiß zwischen den Schulterblättern hinab. Er fragte sich, ob sie wohl »das Mädchen« war.

Die Polizei hatte einen Aktenordner voll mit Kontoauszügen und Belegen auf Seans Boot gefunden. Joe hatte sie überprüft und festgestellt, dass sie weitgehend den Kunden gehörten, die er bestohlen hatte. Was ihn verwirrte, war die Art, wie Sean immer wieder die Worte »das Mädchen« gekritzelt hatte – Joe hatte schon viele Handschriften von Straftätern analysiert und konnte sich im Allgemeinen ein Bild von den Gefühlen machen, die in dem gedankenlosen Gekrakel unbewusst zum Ausdruck kamen. Er hatte die Art gesehen, wie ein Scheckfälscher »Paris« und ein Mörder »Mary Ann« notiert hatte, oder wie ein Schmuggler »South Beach« mit einer gewissen Leichtigkeit zu Papier gebracht hatte, alle Träume dieser Kriminellen spiegelten sich in den Worten wider.

Aber »das Mädchen« stand auf einem anderen Blatt. Joe waren die dicken schwarzen Buchstaben aufgefallen, die schweren Balken der Umrandung: Als ob dieses Mädchen, wer immer es auch sein mochte, Sean schwer zu schaffen machte.

»Hat Sean jemals mit Ihnen über seine Arbeit gesprochen, über die Bank?«

»Natürlich. Wir sind schließlich Kollegen.«

»Hat er jemals angedeutet, was er gegen die Unterschlagungen unternehmen wollte?«

»Natürlich nicht. Ich hatte keine Ahnung … Ich kann es immer noch nicht glauben. Seine Kunden hielten große Stücke auf ihn. Und wenn von ihnen die Rede war, hatte man das Gefühl, dass ihm jeder Einzelne am Herzen lag.«

Joe nickte. Das war keine Abweichung vom Verhalten anderer Krimineller im Managementmilieu; dort war man in einem solchen Maß daran gewöhnt, jedermann zu belügen, dass man sich selber etwas vormachte.

»Gab es jemanden, dem er besonders nahe stand? In der Bank?«

»Frank Allingham. Und soweit ich weiß hat er ab und zu ein Glas mit dem Rechtsberater der Bank, Ralph Benjamin, getrunken.«

»Was ist mit Mark Boland? Haben die beiden ihre Fehde beigelegt?«

»Nein. Tatsächlich war es Mark gewesen, der mich bat, den Bericht über die Unregelmäßigkeiten in der Bank zu schreiben. Ich fand, das wäre eigentlich seine Aufgabe gewesen – zuerst hatte ich gehofft, dass er die Sache hausintern regeln würde ...«

»Aber das wäre natürlich ein Verstoß gegen die Bestimmungen gewesen«, erwiderte Joe bedächtig. »Sobald Sie Alarm gegeben haben, war Mark gesetzlich verpflichtet, das FBI einzuschalten.«

»Was würden wir bloß ohne die gesetzlichen Bestimmungen für die Banken anfangen?«, sagte Fiona kopfschüttelnd. »Sean wäre möglicherweise mit heiler Haut davongekommen.«

»Entschuldigung?«

»Hätte sich keine Kopfverletzung zugezogen, meine ich. Oder was auch immer auf dem Boot geschehen sein mag.«

»Wie kommen Sie darauf?«

»Weil er völlig durchdrehte, als er bei der Besetzung von Marks Position übergangen wurde. Wenn er nur mehr Zeit gehabt hätte, sich zu fangen. Er muss Wind von den Ermittlungen bekommen haben, in Panik geraten sein. Ich glaube, er trank in letzter Zeit mehr, als ihm gut tat – vielleicht waren sogar Drogen im Spiel.«

»Wie kommen Sie auf diese Idee?«

»Sean ist kein Kind von Traurigkeit. Mit Sicherheit bin ich nicht die Erste, die Ihnen das erzählt.«

»Nein. Sind Sie nicht. Ich habe das Gefühl, dass er ziemlich zügellos war. Übrigens, gab es jemanden, den er mit ›das Mädchen‹ bezeichnete?«

Fiona runzelte die Stirn, schien ratlos zu sein.

Genau in diesem Moment steckte Mark Boland den Kopf

zur Bürotür herein. Er wirkte angespannt und gequält, aber er begrüßte Joe mit einem breiten Lächeln. »Wie geht's, Agent Holmes?« Er schüttelte ihm die Hand. »Brauchen Sie neben Fionas Auskünften noch weitere sachdienliche Hinweise?«

»Er wollte gerade wissen, wen Sean mit ›das Mädchen‹ gemeint haben könnte.«

»Er nennt seine Töchter ›die Mädchen‹, denke ich. Manchmal schließt er damit Bay mit ein. Wie: ›Die Mädchen und Billy warten zu Hause auf mich.‹ Sind Sie verheiratet, Mr. Holmes?«

»Nein.«

»Meine Frau würde mich dafür umbringen, aber es gibt keine Altersgrenze, um seine bessere Hälfte ›Mädchen‹ zu nennen. Vielleicht war Bay gemeint. Andererseits hätte das bei Sean auch etwas anderes bedeuten können.«

»Ich glaube, ich kann mir langsam ein Bild machen.«

»Nun, dann überlasse ich es Fiona, die restlichen Fragen zu beantworten. Auf mich wartet eine Konferenzschaltung mit der Bundessteuerbehörde und unserem Anwalt. Wenn Sie mich entschuldigen wollen.«

Joe bedankte sich, dann wandte er sich wieder Fiona Mills zu. Sie hatte ihm viel Zeit gewidmet, und nun war es an ihm, sich zu verabschieden. »Möchten Sie noch etwas hinzufügen?«, fragte er.

Fiona zuckte die Achseln. »Manchmal denke ich, Sean ist das viele Geld, das er verwaltete, zu Kopf gestiegen.«

Joe beobachtete, wie sie die Hände verschränkte und nachdenklich die Kante des Schreibtisches berührte. »Er stammt aus einer Arbeiterfamilie. Wir stehen uns nicht sehr nahe, aber wir waren – ein paar Mal miteinander auf Geschäftsreise. Wir kamen während der Fahrt miteinander ins Gespräch oder tranken etwas im Hotel. Ich gehe davon aus, dass seine Familie nicht reich war – obwohl sie ein ganz gutes Auskommen hatte, nach den Maßstäben der Mittelschicht. Aber das große Geld – das kam erst später, als Sean in eine Führungsposition bei der Bank aufstieg. Er hatte immer das Gefühl, in seiner Kindheit und Jugend etwas verpasst zu haben.«

»Was zum Beispiel?«

»Zum Beispiel die Mitgliedschaft im Country Club. Er spielte den Caddy für die Golfer. Und im Yachtclub arbeitete er als gemeiner Matrose für Leute wie meinen Vater und meine Onkel, die ihre eigene Yacht besaßen. Ich denke, ich repräsentierte etwas für ihn, was er sich sein Leben lang gewünscht hat: dazuzugehören.«

»Dazugehören – zu wem oder was?«, fragte Joe. Gehörte Sean nicht zu einer fantastischen Familie – Bay und den Kindern?

»Sie wissen schon, Mr. Holmes. Tun Sie nicht so begriffsstutzig. Ich meine zum ›Club‹. Drinnen statt draußen zu sein. Das Wissen, dass einem alle Türen offen stehen. Für einige von uns war das seit frühester Kindheit selbstverständlich. Für Sean nicht.«

»Ich verstehe, Miss Mills. Vielen Dank, dass Sie mir Ihre Zeit geopfert haben.« Als er aufstand und sich zum Gehen anschickte, bemerkte er eine Glasvitrine, gefüllt mit Trophäen – für Pferdeschauen, Regatten, Tennisturniere. »Gehören die Ihnen?«

»Ja. Mein Vater legt großen Wert auf sportliche Spitzenleistungen.«

»Der Wettbewerbsgeist scheint in der Shoreline Bank ungemein lebendig zu sein.« Er entdeckte eine leere Stelle im mittleren Regal, mit Staub um einen glänzenden Kreis, auf dem sich vermutlich der Fuß eines Pokals befunden hatte. »Was stand denn dort?«

»Merkwürdig, dass Sie danach fragen.« Ihr Blick umwölkte sich. »Ich vermisse eine silberne Schale. Nichts schrecklich Wichtiges – aber ich habe sie vor einigen Jahren bei einer Pferdeschau gewonnen.«

Joe nickte, dankte Fiona, dass sie Zeit für ihn erübrigt hatte. Als er aus ihrem Büro trat und dem Ausgang zustrebte, war er sich der versteckten Blicke der Bankangestellten bewusst, die ihm folgten.

Mit Ausnahme von Mark Boland. Er telefonierte, bohrte mit dem Finger Löcher in die Luft. Scheint selbst ein ziemlich ehrgeiziger Typ zu sein, dachte Joe, als er zu seinem Auto ging.

Als Joe Holmes wegfuhr, ließ Tara Bay noch eine halbe Stunde Zeit, in der sie mit Annie einen riesigen Blumenstrauß pflückte. Dann wateten sie durch das Flüsschen und nahmen die Abkürzung durch den Garten hinter dem Haus. Die Aasgeier von der Presse riefen ihnen von der Einfahrt aus etwas zu, und Annie zog die Schultern bis zu den Ohren hoch. Als sie das Haus betraten und in Sicherheit waren, bat Tara ihr Patenkind, die Blumen in einer hohen Vase zu arrangieren; sie stieg die Treppe hinauf und fand Bay zusammengerollt auf dem Bett.

»Der Tag ist viel zu schön, um sich drinnen zu verkriechen«, sagte Tara. »Trotz all der Idioten, die dein Haus belagern.«

Bays Gesicht blieb im Kopfkissen vergraben.

Tara setzte sich auf die Bettkante, legte die Hände auf Bays Schulter. Sie war viel zu dünn, beinahe zerbrechlich, als würde ihr die Nervenprobe, die sie gerade durchmachte, die letzte Kraft rauben.

»Bay? Joe Holmes hat dir offensichtlich einen Besuch abgestattet.«

Keine Antwort, nur ein unterdrücktes Schluchzen.

»Bay?«

»Es ist grauenhaft, Tara«, flüsterte Bay schließlich. »Noch schlimmer, als ich dachte. Sean hat die Unterschlagungen wirklich begangen, hat alles geplant, seine Kunden benutzt. Das Geld ist irgendwo auf einem geheimen Konto geparkt – furchtbar.«

»Ist dieser Typ vom FBI sicher?«

»Ja. Er hat jede Menge Indizien. Er hat mir einige vorgelegt. Einschließlich unserer Kontoauszüge ...«

»Bay, nein – er hat doch nicht etwa Geld von eurem gemeinsamen Konto genommen ...«

Bay nickte, begann zu schluchzen. Sie umklammerte das Kopfkissen, das nass von Tränen war. Tara empfand mit einem Mal eine so überwältigende Wut auf Sean, dass sie nur mit Mühe ihre Stimme unter Kontrolle halten konnte.

»Wie schlimm ist es?«

»Ich weiß es noch nicht, Tara. Ich kann keinen klaren Gedanken fassen. Für mich bricht eine Welt zusammen: Er ist ein Verbrecher. Mein Mann! Ich muss völlig verblendet gewesen sein, sonst hätte ich doch etwas bemerkt! Was soll ich bloß den Kindern sagen? Jeden Tag kommen neue Horrorgeschichten ans Tageslicht. Die Kinder versuchen, ruhig Blut zu bewahren, und beten, dass mit ihrem Vater alles in Ordnung ist.«

»Ich weiß. Annie hat die ganze Zeit, die sie bei mir war, euer Haus nicht aus den Augen gelassen. Als könnte er jede Minute auftauchen.«

»Sie warten nur darauf, dass er nach Hause kommt – damit sie ihn sofort ins Gefängnis stecken können!«

»Kein Wunder, dass er untergetaucht ist.«

Bay rollte sich auf den Rücken und sah Tara mit roten,

geschwollenen Augen an. »Wie soll es jetzt nur weitergehen?«

»Du musst stark sein. Das schaffen wir schon, gemeinsam.«

»Danke, dass du gekommen bist. Ich wüsste nicht, was die
Kinder und ich ohne dich machen würden.«

Tara schüttelte nur den Kopf – solche Dinge waren selbstverständlich, nicht der Rede wert. Bay hatte Tara in den
Schoß ihrer Familie aufgenommen, sie mit ihrer Wärme
umhüllt, als wären sie Schwestern. Ihre Liebe war tief und
grenzenlos, und sie wollte nichts von Dank hören.

»Ich möchte nur, dass du weißt, wie großartig du bist«,
sagte Tara, beugte sich vor, um Bay zu umarmen, und
blickte ihr unverwandt in die Augen. »Und wie mies er
sich verhält.«

Ihre Blicke trafen sich, und Bay nickte.

»Du solltest unbedingt diesen Bootsbauer aufsuchen«,
meinte Tara.

»Wen?«

»Danny Connolly.«

»Warum?« Bays Augen waren verhangen vor Verwirrung
und Kummer.

Tara schluckte, hielt zurück, was sie wirklich dachte: Dass
Sean in diesem ganzen, grässlichen Jahr möglicherweise
eine gute Tat vollbracht hatte – Bay diese Tür zu öffnen.
Aber sie schwieg. Stattdessen beschwor sie das Bild von
Joe Holmes und ihrem Großvater herauf, kam sich wie ein
Ermittler vor, der auf den Fall angesetzt war.

»Alles ist so rätselhaft«, sagte sie fest. »Und Daniel Connolly ist vielleicht jemand, der etwas Licht in diese Angelegenheit bringen könnte.«

6

Als die Tage ohne neue Entwicklungen vergingen, zogen die Übertragungswagen der Nachrichtensender ab, auf der Jagd nach Geschichten, die mehr Schlagzeilen versprachen, und ließen die McCabes in Ruhe. Joe Holmes registrierte es mit Erleichterung, als er an dem Haus vorbeifuhr. Er bemerkte auch Tara O'Toole, die auf der Treppe vor ihrem Haus saß und der jüngsten Tochter der McCabes, Pegeen, etwas vorlas. Er sah, wie sie ihn mit scharfem Blick musterte, wie eine Adlermutter, jederzeit bereit, die Krallen auszufahren.

Er hatte Nachforschungen über ihren Großvater angestellt. Die von ihr erwähnte Verbindung zu den Gesetzeshütern hatte seine Neugierde geweckt. Deshalb hatte er alle O'Tooles nachgeschlagen, die er finden konnte. Der bekannteste in Connecticut war Seamus O'Toole gewesen, Polizeihauptmann in Eastport. Die Personalien schienen zu stimmen – der Name seiner Frau lautete Eileen, und die beiden hatten den Ruhestand in ihrem Sommerhaus in Hubbard's Point verbracht, das zu Black Hall gehörte.

Captain O'Toole hatte sich in der Abteilung mit seinem unerbittlichen Kampf gegen Drogen einen Namen gemacht, in der Anfangsphase einer Epidemie, die ganze Stadtviertel in Kriegsschauplätze verwandelte. Seine tollkühnen Razzien waren bei den Dealern im West End berüchtigt: Er stürmte mit seinen Männern die geheimen Warenlager in unmittelbarer Nähe der Boote, fing die Drogenschmuggler im Long Island Sound ab oder die LKWs, die ihre heiße Fracht durch den nordöstlichen Korridor der I-95 schleusten.

Seine Personalakte war gespickt mit Schießereien, Festnahmen, bei denen der Polizei große Fische ins Netz gegangen waren, und Einsätzen, bei denen er sein Leben riskiert hatte; er war drei Mal angeschossen worden. Auszeichnungen für besondere Verdienste und Tapferkeit, für seine herausragenden Leistungen als Pistolenschütze. Die Akte enthielt auch einen Bericht darüber, dass Captain O'Toole als Erster am Schauplatz eines Verkehrsunfalls eingetroffen war; es handelte sich um einen Frontalzusammenstoß. Der Fahrer des einen Wagens war betrunken gewesen. Er starb noch an der Unfallstelle, genau wie die Lenkerin des anderen Fahrzeugs. Sein Name lautete Dermot O'Toole. Er war der Sohn des Captains.

Und Taras Vater.

Joe nickte Tara zu, als er langsam vorbeifuhr. Sie nickte mit ernster Miene zurück. Zwei Sprösslinge aus Gesetzeshüter-Familien. Auf einen weiteren dieses Schlages konnte sie vermutlich verzichten – ganz abgesehen davon, dass er nie die Chance erhalten würde, es herauszufinden. Er musste Abstand wahren, schließlich war sie in den Fall verwickelt.

Als er auf den Parkplatz einbog, verdrängte er sie aus seinen Gedanken und betrat die Shoreline Bank. Gestern hatte er sich Eduardo Valenti vorgeknöpft, einen dunkelhaarigen Collegestudenten, der während des Sommers am Schalter arbeitete. Sein Kontakt zu Sean McCabe war unerheblich gewesen. Er hatte Joe von einem Ausflug auf der *Aldebaran* erzählt, gemeinsam mit anderen Angestellten der Bank, und manchmal war Sean an seinem Schreibtisch stehen geblieben, um sich nach seinem Befinden zu erkundigen. Eduardo hatte Sean nicht gemocht.

»Ich fand ihn aalglatt und oberflächlich.«

»Ganz schön gewagt, eine solche Bemerkung über Ihren Chef.« Joe hatte gelächelt und sich über die anmaßende Art des Burschen amüsiert.

»Meine Eltern haben mir beigebracht, hinter die Fassade zu blicken, zu erkennen, ob jemand aufrichtig ist«, hatte Eduardo erwidert. »Bei Mr. McCabe konnte ich nichts dergleichen entdecken.«

Eduardo Valenti stammte aus einer sehr wohlhabenden kastilischen Familie, konservativ und würdevoll, und er wurde stets Eduardo genannt – niemals »Ed«.

Bei Joe hatten keine Warnleuchten geblinkt, der Junge schien ein unbeschriebenes Blatt zu sein. Anschließend hatte er nach Edwin Taylor gefragt und von der Empfangssekretärin erfahren, er werde am folgenden Tag aus dem Urlaub zurückerwartet.

Und nun hatte sie ihm mitgeteilt, er sei im Hause. Joe begrüßte Mark Boland und Frank Allingham mit einem kurzen Hallo, dann durchquerte er die Eingangshalle und wurde von einem Mann von ungefähr fünfunddreißig mit beginnender Stirnglatze, Brille und verdutztem Blick in Empfang genommen.

»Tut mir Leid, dass Sie mich gestern nicht erreicht haben.« Edwin Taylor reichte Joe die Hand. »Ich bin gerade erst aus Schottland zurückgekehrt und kann es noch gar nicht fassen. Stimmt das, was von Sean behauptet wird?«

»Nach unseren bisherigen Erkenntnissen, ja. Warum erzählen Sie mir nicht, was Sie über Sean und sein Geschäftsgebaren wissen?«

Edwin Taylor erzählte in etwa die gleiche Geschichte, die er schon von anderen Shoreline-Mitarbeitern gehört hatte. Sean war ein charmanter, geistreicher Mann mit untadeliger Arbeitsmoral und großem Erfolgsbedürfnis gewesen. Mark Bolands Ernennung zum Vorstand hatte ihn aus dem Konzept gebracht; wie andere war auch Taylor insgeheim davon überzeugt gewesen, dass Sean den Posten bereits in der Tasche hatte.

»Wie nennt man Sie, Mr. Taylor?« Obwohl Joe schon seine Kollegen danach gefragt hatte, wollte er es von ihm selbst hören.

»Entschuldigung?«

»Lautet Ihr Spitzname Ed?«

»Nein. ›Trip‹. Ich bin der Dritte dieses Namens in unserer Familie. Mein Vater wird Ed genannt. Warum?«

»Lebt Ihr Vater in der Nähe? Ist er Shoreline-Kunde?«

»Ja, zu beiden Fragen«, erwiderte Trip Taylor. »Er wohnt in Hawthorne und ist Kunde unserer Bank.«

»Gehört er zu Sean McCabes Klientel? Oder sind Sie für ihn zuständig?«

»Ich habe Sean gebeten, ihn zu betreuen. Sean ist ein Ass in seinem Metier. Er hat den Privatkundenbereich aus der Taufe gehoben und zum Laufen gebracht. Abgesehen davon ist mein Dad mit Augusta Renwick befreundet, eine der größten Shoreline-Kundinnen, und sie pflegte Sean in den höchsten Tönen zu loben.«

»Ich werde mich mit Ihrem Dad unterhalten müssen«, sagte Joe grimmig; er sah wieder Seans rätselhafte Kritzeleien vor sich, erinnerte sich an den Kontobeleg mit dem Namen Edwin Taylor Jr., den Joe auf Seans Boot gefunden hatte.

Eliza Day Boat Builders war in einer großen Halle am hinteren Ende des New London Shipyard untergebracht. Die Werft arbeitete überwiegend für große Schifffahrtgesellschaften, Reparatur und Instandhaltung der Fähren inbegriffen, die im Long Island Sound zwischen New London und Orient Point verkehrten; außerdem bot sie Hellinge, Bau- und Schwimmdocks für große Yachten und gewerbliche Fischkutter an und diente als Heimathafen für einen Anwärter auf den America's Cup, einen unberechenbaren Außenseiter in der Regattaszene, gebaut von Paul James, mit Twigg Crawford als Skipper.

Die Bootsbauer standen auf einem anderen Blatt. Die Firmen waren klein, aber fein. Die große, luftige Halle besaß ungefähr die Größe eines Kuhstalls. Da die Tore zu beiden Seiten offen standen, wehte der Wind vom Meer hindurch, wirbelte Sägemehl und Federn auf, verstreute sie im ganzen Raum. Die Federn stammten von den vielen Schwalben, die im Gebälk nisteten. Das Sägemehl hatte sich von den vielen Holzbooten angesammelt, die von dem Firmeninhaber Dan Connolly gebaut oder repariert wurden. Das Firmenkapital kam von einer stillen Teilhaberin, Charlotte Day Connolly.

Über einen alten Schiffsrumpf gebeugt, löste Dan einen Teil des Furnierholzes, um zu sehen, was sich darunter verbarg. Das war eine Arbeit, die Fingerspitzengefühl erforderte, aber er musste feststellen, ob die ursprünglichen Planken so weit abgeschliffen waren, dass sich die Bodenverkleidung auf gleicher Höhe mit dem Ballast befand.

»Scheiße«, fluchte er, als das Furnierholz in seiner Hand abbrach.

»Wie nett, Dad«, ertönte eine Stimme von oben.

»Du solltest wirklich öfter an die frische Luft gehen«, sagte Dan.

»Willst du mich loswerden?«

»So ungefähr.«

»Man soll Schiffe nicht verfluchen.«

»Würde mir nicht im Traum einfallen. Ich habe mich selbst verflucht.«

»Klar.«

»Ehrlich.« Dan spähte über seine Schulter in die undurch-dringliche Dunkelheit. Alles, was er ausmachen konnte, waren Schatten, Balken und zwei schneeweiße, baumeln-de Beine. »Wie bist du dort raufgekommen?«

»Ich bin geflogen.«

»Quatsch. Also, wie bist du raufgekommen?«

»Ich habe mich auf den Rücken eines Seeadlers ge-schwungen und gesagt: ›Ich bin Eliza Day, bring mich zum Bootshaus.‹ Und der Seeadler gehorchte und flog quer über den Hafen …«

»Du bist wieder als blinder Passagier in meinem Truck mitgefahren, stimmt's?« Dan richtete sich kerzengerade auf, dann schlug er mit voller Wucht auf den nun rampo-nierten Rumpf. »Du hast dich unter der Persenning ver-steckt und dich von mir über den Highway kutschieren lassen; die hintere Klappe ist seit Anfang des Sommers ka-putt, und du hättest runterfallen können, verdammt noch mal, mitten auf die Straße, und das bei dem Verkehr, Herr-gott –«

»Du sollst den Namen Gottes nicht verunglimpfen«, kam abermals die Stimme, dieses Mal mit einem gefährlichen Unterton.

»Und du sollst deinem Vater nicht vorschreiben, was er zu tun und zu lassen hat«, erwiderte Dan mit erhobener Stimme und ging zur Leiter, die zum Dachboden führte.

»Zuerst darf ich in meinem eigenen Laden nicht fluchen, und jetzt willst du mir auch noch verbieten, den Namen –«

»Gottes zu verunglimpfen«, ergänzte sie salbungsvoll.

»Runter da, auf der Stelle«, sagte er, die gebräunten Hän-de auf der rauen Leiter. »Wehe, wenn ich dich holen muss.«

»Und? Was ist dann? Was ist dann? Willst du mir eine

Tracht Prügel verabreichen? Dein eigen Fleisch und Blut schlagen? Ich glaube, ich sollte um Hilfe rufen. Mr. Crawford wird mich hören und retten. Vielleicht nehmen sie mich dir ja weg. Du hast keine Ahnung, wie man für ein mutterloses Kind sorgt.«

»Eliza, halt den Mund.«

»Und JETZT verbietest du mir auch noch den Mund.« Ihre Stimme wurde schrill. Waren die Tränen echt? Dan hatte keine Ahnung. Er war mit seinem Latein am Ende, wusste nicht mehr, wie er sie bändigen sollte – ein Klischee, aber zutreffend. Er dachte an Schiffe, die an die Leine gelegt wurden – bei einem Hurricane, einem steifen Wind aus Nordost, bei Springflut und Ebbe –, Schiffe, die sich aufbäumten und sich ihrer Fesseln zu entledigen suchten.

»Ich habe es nicht so gemeint«, sagte er langsam, bedächtig.

»Welchen Teil? Dass ich den Mund halten soll? Oder, dass du mich sonst verprügelst?«

»Eliza, das habe ich nie getan, und das weißt du. Ich habe lediglich gemeint, lass es nicht so weit kommen, dass ich raufklettern und dich herunterholen muss. Dazu ist es zu heiß, klar? Mach deinem alten Dad das Leben nicht so schwer. Komm runter, dann spendiere ich dir einen Burger bei Dutch.«

»Dutch ist eine Bar.«

»Na und?« Dan sehnte sich nach einem Bier. Zu Charlies Lebzeiten hatte er niemals am Tag getrunken, und auch jetzt kam es selten vor, aber der Wunsch, auszubrechen, war stark. Auszubrechen aus den Fängen von Wut und Kummer, die er fast immer empfand, und der Scham, die er begraben wollte, und es gab nichts Besseres als ein Besuch in Dutch's Tavern, um richtig abzuschalten.

»Mom würde nicht wollen, dass du mich in einen *Saloon* mitschleppst.«

»Mom mochte Peter und Martha sehr gerne, und deshalb hätte sie es vermutlich durchgehen lassen.« Dan dachte an die Besitzer des Dutch's. Die Bar war ein klassisches New-London-Produkt, winzig klein, versteckt in einer Seitenstraße gelegen, in einem alten Gebäude mit Zinndach und zerkratzten Holztischen, an denen angeblich schon Eugene O'Neill gesessen hatte. »Und du magst die beiden doch auch.«

»Ja«, gab Eliza gezwungenermaßen zu.

»Also was soll die Motzerei? Komm runter, damit wir einen Happen zu Mittag essen können.«

Als er die Leiter umklammerte, sah er, wie eine Schwalbe zweimal durch den Schuppen kreiste, bevor sie zur offenen Tür hinausflog. Die weißen Beine baumelten, an den Knöcheln anmutig gekreuzt, unverdrossen weiter.

»Eliza?«

»Muss ich nach dem Essen nach Hause? Weil ich nämlich keine Lust dazu habe.«

Dan atmete aus, schnitt eine Grimasse, die sie nicht sehen konnte, und zählte bis zehn. Er wusste, dass sie ihn auf die Probe stellen wollte. Er konnte lügen, und schon wären sie auf dem Weg zum Mittagessen. Oder sich aus der Affäre ziehen und die Einzelheiten später klären. »Wir werden sehen.«

»Vergiss es.« Sie zog die Beine hoch, in die Dunkelheit, und wurde für ihn unsichtbar. »Ich mache dir einen anderen Vorschlag, Dad. Ich bleibe hier. Das ist mein letztes Wort. Das ist schließlich MEINE Firma, vergiss das nicht.«

»Ach ja? Diese Firma baut Boote, falls du es noch nicht weißt. Wer ist denn derjenige, der hier die Boote baut?«

»Und wer ist diejenige, die ›Eliza Day‹ genannt wurde, nach der Urgroßmutter, der das ganze GELD gehörte?«, kreischte die Stimme.

In dem Moment vernahm Dan Schritte auf dem alten Plankenboden. Er blickte auf und sah eine Silhouette auf der Türschwelle, umrahmt von den Strahlen der Mittagssonne, wie die Lichtgestalten aus einer anderen Welt im Vorspann dieser marktschreierischen religiösen Fernsehsendungen, die sich Eliza dauernd anschaute.

»Kann ich Ihnen helfen?«, fragte er.

»Lange her seit der Uferpromenade«, sagte eine Stimme, deren Vertrautheit ihm durch und durch ging. »Du hast dich verändert. Wir beide.«

Bay stand auf der Schwelle und starrte Dan Connolly an. Sie hätte ihn überall wiedererkannt. Er sah noch genauso aus wie vor fünfundzwanzig Jahren, und doch irgendwie anders. Er lächelte, die Fältchen um Mund und Augen waren tief in seine gebräunte Haut eingekerbt. Seine blauen Augen, von der gleichen Farbe wie seine ausgeblichenen Jeans, waren auf der Hut, als hätte er zu vieles gesehen, was er sich lieber erspart hätte. Schlank und muskulös, sah er aus wie ein Mann, der sein Leben damit verbracht hatte, Dinge zu bauen.

Als er näher kam, verspürte Bay ein Flattern im Bauch. Ihre Blicke trafen sich.

»Du bist es wirklich«, sagte sie, als traute sie ihren Augen nicht.

»Bay?« Er ergriff eine Hand, dann die andere, und schließlich umarmte er sie, denn wie konnte ein Wiedersehen zwischen ihnen anders sein. Sie klammerte sich an ihn, verlor sich im Geruch nach Sägemehl und Maschinenöl, dann lehnte sie sich zurück, um ihn zu betrachten.

»Ich hatte vergessen, wie groß du bist,« sagte sie.

»Warum solltest du dich daran erinnern?« Er lachte.

Sie lächelte. Wenn er wüsste, dass er ihre erste große Liebe gewesen war, dass sie alle anderen, Sean inbegriffen, mit ihm verglichen hatte.

»Bei unserer letzten Begegnung warst du fünfzehn.«

»Knapp sechzehn.«

»Galway«, sagte er, ihren alten Spitznamen benutzend.

»Galway Bay ...« Sie lachte, als sie sich daran erinnerte.

»Wie ist es dir in der Zwischenzeit ergangen, Bay?«

Sie lächelte, aber ihre Miene kam ihr wie erstarrt vor, ihr Inneres verschlossen. »Ich hatte großes Glück im Leben.«

Ob ihm auffiel, dass sie die Vergangenheitsform benutzt hatte?

»Freut mich.«

»Und was ist mir dir, Dan?«

Sein Lächeln erstarb; sein Gesicht wirkte mit einem Mal angespannt, vor allem um die Augen. Sie wartete, fragte sich, was als Nächstes kommen würde. Plötzlich sah er genauso aus, wie sie sich fühlte: vom Leben betäubt. Noch vor einer Woche wäre Bay nicht in der Lage gewesen, zu erkennen, wie sehr jemand litt. Doch nun waren ihr die Augen geöffnet worden.

»Mein Leben ist ...«, begann er.

Genau in dem Moment kam etwas von oben geflogen. Bay hob schützend die Hände, duckte sich, versuchte etwas zu erkennen. Das Licht, das durch die großen, geöffneten Tore fiel, war zu schwach, um die weitläufige Dunkelheit im Gebälk der Halle zu erhellen, aber Bay meinte, zwei schneeweiße Beine ausgemacht zu haben, die von einem Balken herunterbaumelten. Ein weiteres Geschoss schwirrte an ihr vorbei. Bay bückte sich und hob es auf: ein Papierflugzeug.

»Eliza!«, sagte Dan streng.

»Sein Leben ist zerstört«, ertönte eine Stimme von oben.

»Meinetwegen. Das wollte er sagen.«

»Nein, wollte ich nicht. Hör auf, mir irgendwelche Worte in den Mund zu legen.«

»Das ist ein Klischee, das abgedroschenste, das ich kenne. Als ob man jemandem Worte in den Mund legen könnte«, meinte die Stimme.

»Wie alt bist du?«, rief Bay hinauf.

Schweigen.

»Sie ist zwölf«, sagte Dan.

»Eliza kann selber reden«, erklärte Eliza.

»Ist Eliza Day Boat Builders nach dir benannt?« Bay kniff die Augen zusammen und versuchte, die Dunkelheit zu durchdringen.

»Offiziell nicht. Die Firma ist nach meiner Großmutter benannt. Aber ich wurde nach ihr benannt, also ja und nein.«

»Warum kommst du nicht herunter, Eliza?«, fragte Dan. »Ich möchte dich mit einer alten Freundin bekannt machen.«

Bay hörte etwas rascheln; sie sah, wie das Mädchen anmutig einen Balken entlangbalancierte als wäre es ein Turngerät, und eine grob zusammengezimmerte Leiter am anderen Ende der Halle hinabkletterte. Sie war groß und schlank wie ihr Vater, hatte aber im Gegensatz zu ihm eine durchscheinende, blasse Haut und einen Wust blonder Locken. Die Farben musste sie von ihrer Mutter geerbt haben.

»Eliza, das ist meine Freundin Bay Clarke –«

»Bay McCabe«, verbesserte sie ihn und beobachtete seine Reaktion. Dan lächelte.

»Du hast Sean geheiratet.«

»Ich konnte ja nicht bis in alle Ewigkeit warten«, entgegnete sie scherzhaft, weil es wirklich ein Witz war – er hatte ihr damals das Herz gebrochen, ohne es auch nur zu ahnen.

»WARTEN?«, fragte Eliza. »Sie meinen, auf meinen VA-TER?«

Es versetzte Bay einen Stich, als sie an Annies besitzer-greifende Haltung gegenüber ihrem Vater dachte. Kinder klammerten sich an die Illusion, dass die Eltern nur einander geliebt hatten, und niemanden sonst. Sie lächelte beruhigend.

»Dein Vater spielte in einer ganz anderen Liga, Eliza. Ich war noch ein Kind – nicht viel älter als du, und er war bereits ein Mann. Ich sah zu ihm auf, das ist alles. Er brachte mir bei, wie man Dinge repariert.«

Eliza nickte zufrieden. Sie war bleich, als ginge sie nie in die Sonne. Selbst jetzt, als sie zu ebener Erde der großen Halle stand, wich sie in den Schatten zurück, um sich nicht dem Sonnenlicht auszusetzen, das durch die offenen Türen strömte.

Bay reichte ihr das kleine Papierflugzeug, das sie aufgehoben hatte. »Du hast das Talent deines Vaters geerbt. Hast handwerkliches Geschick. Das ist ein richtig gutes Flugzeug.«

»Es ist eine Taube.« Eliza hielt sie in den Händen. »Eine Taube mit weißen Schwingen.«

»Sie ist wunderschön.« Bay spürte, wie die Gefühle aus dem Mädchen herausströmten. Es erging ihr keinen Deut anders. Sie war mit einem schrecklichen Vorhaben hergekommen, und nun wusste sie nicht einmal mehr, was sie fragen wollte. Es fiel ihr leichter, auf das Mädchen einzugehen, das sich in fast jeder Hinsicht von Annie unterschied – Größe, Gesicht, Blässe, Freimütigkeit –, doch ihr im Herzen glich; Bay nahm den Schmerz des Mädchens genauso deutlich wahr wie den ihrer eigenen Tochter.

»Sie erinnert mich an meine Mutter, so wie sie jetzt ist«,

sagte Eliza, das kunstvoll gefaltete Gebilde betrachtend, und Bay erkannte nun, dass es ein Origami war. Das Mädchen sah ihren Vater von der Seite an. Als Bay ihrem Blick folgte, erschrak sie.

Dans Miene war hart und kalt. Die Kiefer waren aufeinander gepresst, als müsste er ein ganzes Sperrfeuer von Gefühlen in seinem Inneren verschließen – und sie waren weder gut noch einfach. Er starrte seine Tochter an, als bereite ihm ihr Anblick Qualen.

Eliza nahm seinen Gesichtsausdruck ebenfalls wahr. Ihre Augen flackerten, dann blinzelte sie, als würde sie akzeptieren, was sie sah, und wandte den Blick ab.

»Ich möchte nach Hause, Dad«, sagte sie.

»Lass mich kurz mit Bay reden, dann fahre ich dich.« Der eisige Blick war verschwunden; seine Stimme klang warm und liebevoll. Aber Bay wusste, dass sie sich nicht getäuscht hatte, und beugte sich zu Eliza.

»Ich kann dich gerne mitnehmen. Ich wollte ohnehin gleich nach Hause fahren …«

»Du wohnst in Hubbard's Point«, sagte Dan, als Eliza vielsagend schwieg.

»Ja – das weißt du?« Ihr Herz klopfte, als sie die Bestätigung erhielt, dass Sean tatsächlich hier gewesen war.

Er nickte. »Existiert die hölzerne Strandpromenade noch?«

»Erzähl mir nicht, du wärst nie mit deiner Frau und Eliza am Strand gewesen! Um ihnen zu zeigen, was du gebaut hast! Ein Hurricane hat die alte Fußgängerbrücke weggefegt, aber wir haben sie ersetzt, und alles andere ist noch da.«

»Dad baut Dinge, die ewig halten«, sagte Eliza. »Schade, dass Menschen nicht aus dem gleichen Holz geschnitzt sind.« Ihre Stimme klang stolz, aber so ruhig, dass es beinahe unheimlich war.

»Menschen?«, fragte Bay.

»Ich warte im Auto, Dad«, sagte Eliza, als hätte ihr Bay das Angebot, sie mitzunehmen, nie gemacht. »Erzähl ihr von Mom.«

»Ich komme gleich nach«, antwortete Dan.

Als er sich nun Bay zuwandte, sah sie die Sorge in seinem Blick. Er hatte es offenbar nicht leicht mit seiner Tochter, und sie hätte ihn gerne gebeten, ihr zu erklären, was mit der Andeutung gemeint war, aber sie wagte es nicht. Sie wusste, was die Krähenfüße um die Augen und die Kummerfalten im Gesicht eines Menschen bedeuteten. Sie konnte selbst ein Lied davon singen.

»Danke für das Angebot«, sagte Dan. »Aber ich muss mit ihr reden. Du hast wahrscheinlich schon bemerkt, dass bei uns einiges im Argen liegt. Ihre Mutter starb im letzten Jahr.«

»Deine Frau? Das tut mir Leid.«

»Danke«, erwiderte er beinahe schroff. »Wie dem auch sei, der Umweg wäre zu groß. Wir wohnen in der entgegengesetzten Richtung, genauer gesagt – in Mystic. In der Nähe meines ehemaligen Elternhauses.«

»Ich hatte keine Ahnung, dass du die ganze Zeit hier in der Gegend warst.«

»Seltsam. Immer, wenn ich auf der 95 an der Ausfahrt Black Hall vorbeigefahren bin, habe ich an den Strand gedacht und mich gefragt, ob du und die anderen noch dort leben.«

»Du musst es aber gewusst haben.« Sie holte das Fax aus der Tasche und reichte es ihm. »Du hattest Kontakt zu meinem Mann.«

»Ach ja.« Er holte eine Lesebrille aus seiner Brusttasche. In seinem dunkelbraunen Haar waren graue Strähnen. Es ist lange her, dachte Bay. Sie hatten sich verändert, waren

116

nicht mehr die Alten. »Ich konnte es kaum glauben, als er plötzlich vor mir stand.«

»Was wollte er?«

»Er wollte, dass ich ihm ein Boot baue.« Danny tippte auf das Fax.

»Das weiß ich. Aber warum? Warum ausgerechnet du?« Dannys Augen flackerten. »Das habe ich mich auch gefragt. Aber nach dem Austausch von Höflichkeitsfloskeln und meiner Frage nach dir kam er sofort zur Sache. Es ging bei dem Besuch ausschließlich um Boote.«

»Hat sich die Polizei oder das …« Sie hielt inne, weil sie es immer noch nicht glauben konnte. »Das FBI …, haben sie sich mit dir in Verbindung gesetzt?«

»Nein.« Er nahm die Brille ab. »Tut mir Leid, dass du das alles durchmachen musst; ich habe die Nachrichten gesehen.«

Sie nickte, so würdevoll es ging. »Danke.«

»Ich erinnere mich kaum an Sean, ich meine, aus der Zeit am Strand – eigentlich nur im Zusammenhang mit dir.«

Sie holte tief Luft, versuchte sich zu beruhigen.

Dans Halle war angefüllt mit Booten in verschiedenen Stadien der Bearbeitung. Bay sah fertige, aber noch ungestrichene Dories und Skiffs, ausnahmslos aus Holz, und ein zwanzig Fuß langes Segelschiff, das sich noch im Bau befand. Überall anmutig geschwungene Spanten, kostbare Zedernplanken, Furnierholzplatten, zugeschnittene Eichenbretter.

»Bist du immer noch so interessiert an Holz, Bay?« Er beobachtete, wie sie sich vorbeugte und ein glatt geschliffenes, gemasertes Brett berührte. »Das ist Okoume-Furnierholz, und das da Luan. Für ein Katboot, ein Auftrag von einem Kunden aus Maine. Wenn ich ihm mit weißer Eiche

117

und Mahagoni den letzten Schliff gegeben habe, wird das ein prachtvolles Segelboot.«

»Es riecht gut.« Sie schloss die Augen.

»Bist du immer noch in den Mond verliebt?«, fragte er ruhig.

»Ja. Vor allem in den aufgehenden …«

Er nickte. In besagtem Sommer hatte sie den Mond beobachtet und ihm über jede einzelne Phase Bericht erstattet. »Alle finden den Vollmond so romantisch«, hatte sie gesagt. »Aber ich finde ihn viel zu hell und auffällig! Ich bevorzuge die Mondsichel, den geheimnisvollen kleinen Splitter am Himmel …«

»Da der Strand mir kein Geld zur Verfügung stellt, um dich für deine unermüdliche Hilfe zu bezahlen«, hatte Dan gescherzt, »musst du mit der Mondsichel vorlieb nehmen. Ich schenke sie dir.«

»Du meinst wohl, dass du alles kannst. Beweise es! Bau mir etwas aus dem Mond!«

Und das hatte er getan. Aus einem verwitterten Stück Treibholz, das wie eine Sichel geformt und nach einem Sturm an den Strand gespült worden war, glatt und silbrig wie das Mondlicht, hatte er eine Schaukel gebaut, nur für sie.

»Gibt es sie noch?«, fragte er und gab zu erkennen, dass er an das Gleiche dachte. Erinnerte er sich an ihre Überraschung und Freude, als sie die Schaukel zum ersten Mal ausprobiert und er sie angeschoben hatte? Sie sah die Stelle genau vor sich: eine sonnige Lichtung mitten im Wald, unweit des Fußpfads zum Little Beach. Die Stricke, an denen die Schaukel befestigt war, hatten wie Kletterpflanzen ausgesehen, und niemand außer Bay konnte sie finden.

»Nein.« Sie sah in seine blauen Augen. »Die Stricke waren

schon vor Jahren verrottet. Ich bin mit meiner ältesten Tochter dorthin gegangen, um ihr die Schaukel zu zeigen. Der Sitz ist noch da. Ich warte immer noch darauf, dass er sich in den Mond zurückverwandelt und einfach am Firmament verschwindet.«

Er stand reglos da, an eines der Boote gelehnt, die Arme vor der Brust verschränkt.

»Du hast sicher ganz andere Sorgen als eine alte Schaukel im Wald«, sagte er.

»Ja.«

»Ich wünschte, ich könnte dir weiterhelfen.« Noch während er sprach, ging er ihr voraus durch die Halle – der Staub flimmerte wie Gold im grellen Sonnenlicht, das durch die offenen Türen fiel – und betrat ein kleines Büro an der Rückseite. Bay, die ihm gefolgt war, sah, wie er in einem Stapel Papiere auf einem alten Schreibtisch kramte.

»Hübsch«, sagte sie, die erlesenen Schnitzereien in dem dunklen Holz betrachtend: Fische, Muschelschalen, Seeungeheuer und Meerjungfrauen.

»Er gehörte dem Großvater meiner Frau. Die Schnitzereien stammen von meinem Großvater. Eine lange Geschichte …«

»Ist sie das? Deine Frau?« Bay musterte das gerahmte Foto von Eliza und einer hübschen Frau mit hellen Haaren und blasser Haut; beide trugen Strohhüte mit langen blauen Bändern.

»Ja. Das ist meine Charlie …«

Bay brach fast das Herz, als sie hörte, wie er *meine Charlie* sagte. Mit so viel Liebe und Gram, dass keinerlei Zweifel an seinen Gefühlen bestehen konnte. Als er nun das Foto ansah, verengten sich seine Augen, als bereitete ihm der Verlust, das Wissen, seine Frau niemals wieder zu sehen, immer noch unendliche Qualen. Bay fragte sich, wie sie gestorben sein mochte, wusste aber, dass es nicht der richtige Zeitpunkt war, danach zu fragen. Ihre Gefühle Sean gegenüber waren gemischt: Sie wünschte sich, nichts als Liebe für ihn empfinden zu können, Bedauern wegen der verpassten Chancen, der guten Zeiten, die sie miteinander verbracht hatten.

»Du musst sie vermissen«, sagte Bay hölzern.

»Ja.« Er runzelte die Stirn, während er weiter in den Rechnungen auf dem alten geschnitzten Schreibtisch blätterte. »Wir beide.«

Bay konnte ihren Blick nicht vom Bild seiner Frau lösen – sie hatte umwerfende Augen, einen offenen Blick. Hatte Dan das Foto aufgenommen? Bay erkannte den Hintergrund – das Karussell auf dem Watch Hill – einem bei allen kleinen Mädchen im Süden Neuenglands beliebten Rummelplatz. Annie und Pegeen waren ganz versessen darauf, genau wie ihre Mutter und Tara vor ihnen.

Ihr Blick schweifte durch den Raum. Große Fenster, die auf den Thames River hinausgingen. Am anderen Ufer Electric Boat, mit einem Unterseeboot in der Werft. Fähren glitten vorüber – das Hovercraftboot raste aufs Meer hinaus, gerade als das Cross-Sound-Boot, von Long Island kommend, einlief. Kleine Segelboote kamen vorbei, mit strahlend weißen Segeln und Rümpfen.

»Irgendwo muss der Auftrag sein«, sagte er. »Er hatte zahlreiche Sonderwünsche; wenn ich ihn nur finden könnte …«

»Mein Mann ist eigentlich kein Mensch, der sich etwas aus Holzbooten macht. Deshalb wundert es mich, dass er zu dir gekommen ist.« Ihr Blick wanderte zum Zeichentisch, auf dem Skizzen von Ruderbooten ausgebreitet waren, zu den Bücherregalen, die neben den gesammelten Werken von E. B. White und einem Stapel alter Schifffahrtmagazine Fachliteratur über die klassischen Yachten wie die Herreshoffs und Concordias enthielten. »Hat er etwas von Briefen erwähnt?«, fragte Bay unvermittelt. »Ich meine die Briefe, die wir uns geschrieben haben?«

»Du und ich?« Dan blickte hoch. »Nein, hat er nicht. Mein Gott, das ist Ewigkeiten her ...«

Und ich habe sie alle aufgehoben, dachte Bay. War das verrückt? Sie musterte abermals das Foto von Charlie und fühlte sich unbehaglich. Woran hatte sie sich all die Jahre geklammert? Hätte sie die Briefe nicht längst weggeworfen, wenn ihre Ehe wirklich jemals glücklich gewesen wäre? Dan hatte in Charlie fraglos die große Liebe seines Lebens gefunden ... Bays Blick schweifte über den Schreibtisch und kam erneut bei Dan zum Stillstand. Er war älter und hagerer, als sie ihn in Erinnerung hatte, gezeichnet vom Leben und von der Liebe. Dennoch, er war ihre erste große Liebe gewesen, und das Wiedersehen mit ihm war immer noch prickelnd.

»Jetzt kommen wir der Sache schon näher«, sagte er. »Bis Juni habe ich es schon geschafft ... warte noch einen Moment.«

»Lass dir ruhig Zeit.« Sie fühlte sich vom Ansturm ihrer Gefühle erschöpft. Sie wölbte den Rücken und ging zum Fenster, um auf den Fluss hinauszublicken, dabei stolperte sie über einen Keilriemen, der auf dem Boden lag.

Sie streckte die Hand nach dem Bücherregal aus, um sich abzustützen, und schrie überrascht auf.

»Wie kommt denn das hierher?« Zitternd streckte sie die Hand nach dem Gegenstand auf dem obersten Brett des Regals aus.

Dans Augen weiteten sich, und er errötete leicht.

»Das Boot gehört meiner Tochter«, erklärte Bay, und ihre Augen füllten sich mit Tränen, als sie die kleine grüne Dory herunterhob. »Annie hat es für ihren Vater gebastelt.«

»Erstklassige Arbeit. Bis in die Details – sauber verleimt und verschalt …«

»Er hat versprochen, es immer bei sich zu behalten.«

»Das hat er wohl auch vorgehabt«, sagte Dan, der endlich den Auftrag gefunden hatte. »Hier ist das Bestellformular für eine zwölf Fuß lange Ruderdory. Er hat mir ihr Boot als Vorlage dagelassen.«

»Aber was wollte er mit einer Dory?« Bay sah in Dans klare blaue Augen. »Sean hat einen ganz anderen Geschmack, was Boote betrifft …«

»Es sollte ein Geschenk für seine Tochter sein.«

»Für Annie?« Ihr Herz klopfte.

Dan nickte. »Ja. Das Boot war für sie gedacht. Ich habe aber noch nicht angefangen, wollte lieber abwarten, nachdem ich die Geschichte mit Sean in der Zeitung las. Jedenfalls bestand er darauf – er sagte, es sei ein Geschenk für Annie. Und er wollte, dass ich das Boot baue – und nicht einer meiner Mitarbeiter. Er zeigte mir das Modell bei seinem ersten Besuch, vor ein paar Wochen. Soll ich mit der Arbeit beginnen?«

»Warte lieber noch.« Bay dachte an das Geld, konnte sich keinen Reim darauf machen.

In diesem Augenblick ertönte die laute Hupe im Hof. »DAAAAADDDD!«, schrie Eliza. Dan warf Bay einen entschuldigenden Blick zu, und sie verabschiedete sich mit der Bemerkung, Kinder seien eben Kinder. Sie reichte ihm über den geschnitzten Schreibtisch hinweg die Hand, klemmte sich ohne zu fragen oder eine Erklärung abzugeben Annies Boot unter den Arm und begleitete Dan zum Parkplatz hinaus.

Sie stieg in ihr Auto und legte Annies Boot auf den Beifahrersitz. Sie steckte den Schlüssel ins Zündschloss, ließ den Volvo an und kurbelte die Fensterscheibe herunter. Salzige Luft wehte durch den Wagen, zusammen mit den typischen Werft-Gerüchen nach Feinspachtel, Bootslack und Fisch. Sie konnte es kaum erwarten, nach Hause zu kommen, an den Strand.

Aber als Dan und Eliza den Parkplatz verließen – in einem großen grünen Truck mit der Aufschrift »ELIZA DAY BOAT BUILDERS« in kleinen goldenen Buchstaben auf den Türen –, griff Bay erneut nach Annies Boot.

Es fühlte sich leicht und zerbrechlich an. Sie erinnerte sich, wie sie mit Annie das Balsaholz gekauft hatte, wie Annie es eingeweicht hatte, um es biegsam zu machen ... wie sie die Holzteile mit winzigen Zwingen und Gummibändern zusammenhalten mussten, bis der Leim getrocknet war.

Zusammenhalten ...

Seans Geheimniskrämerei hatte nichts von ihrer Macht verloren. Bay war sicher, dass Annies Boot und Seans Besuch bei Dan – als er ihm Annies Modellschiff überlassen hatte – Licht in das Dunkel bringen konnten, das sich um sein Verschwinden rankte: Warum hatte er einen ihrer alten Briefe an Dan Connolly aus der Aussteuertruhe geholt, und was verbarg sich hinter all den Rätseln, die er ihnen während seiner letzten Wochen zu Hause aufgegeben hatte?

Sie erinnerte sich, wie viel Mühe sich ihre Tochter gemacht hatte, um ihrem Vater etwas Unvergessliches zu schenken. Annie weinte sich jeden Abend in den Schlaf, dachte an Sean, der sich vor seiner Familie, der Bank und dem Gesetz versteckte, ganz alleine, mit nichts als dem kleinen grünen Boot, das ihm Gesellschaft leistete.

»Sean, wie konntest du nur?«, sagte Bay laut, als sie das Boot in den Händen hielt und sich vorstellte, was Annie sagen würde, wenn sie es sah, wenn sie begriff, dass ihr Vater sein Versprechen gebrochen und es letztlich zurückgelassen hatte.

7

Ziemlich hässlich«, sagte Billy, der neben Annie stand. Es war, als spulte sich der Sommer rückwärts statt vorwärts ab: Die volle Blütenpracht schien schon Ende Juni braun zu werden, zu vertrocknen und sich mit welkenden Blumen zu verabschieden, beinahe so, als hätte sie nie existiert. »Früher hatten wir den schönsten Garten weit und breit, jetzt haben wir den grässlichsten.«

»Das ist nicht Mommys Schuld«, erklärte Peggy. »Sie hat genug damit zu tun, Daddy zu suchen.«

»Ich hab nie behauptet, es sei Mommys Schuld«, meinte Billy geduldig. »Würdest du bitte mal deine Ohren aufsperren?«

»Sie sind offen! Was ist los mit dir? Du solltest heute auf mich aufpassen, und ich hätte Little-League-Training gehabt, aber Mommy ist noch nicht zu Hause, und du hast keine Lust, mir die Bälle zuzuwerfen; wie soll ich da üben? Ich hasse dich!«

»Wenn du ›hassen‹ sagst, meinst du in Wirklichkeit ›lieben‹; du liebst mich also.«

»Das hättest du wohl gerne.«

»Veilchen sind blau, und Rosen sind rot; Erde ist doof und Pegeen ein Idiot.«

»Erde ist nicht doof, sondern intelligent, eine Welt für sich. Deshalb können es die Wurzeln ja kaum erwarten, unter die Erde zu kommen. Und deshalb finden Regenwürmer, dass sie im herrlichsten Palast der Welt leben. Erde ist das Feinste, was es gibt.«

»Wenn Erde das Feinste ist, was es gibt, haben wir den

schönsten Garten am Strand, denn bei uns gibt nichts weiter als Erde und verwelkte Blumen.« Billy nahm Peg den Ball aus der Hand. »Komm, ich spiele dir die Bälle zu. Du kannst üben, auszurutschen und mit dem Gesicht in einem ERDHAUFEN zu landen. Damit du später als Erwachsene einem von diesen bescheuerten Fernsehreportern erzählen kannst, dass du eine schlimme Kindheit hattest. Wenigstens kannst du dann deinem Bruder nicht die Schuld dafür in die Schuhe schieben.«

»Da finde ich schon einen Weg.« Peg rannte in den Garten hinter dem Haus, wo sie ihren Handschuh und ihr Schlagholz deponiert hatte.

Das Ganze dauerte nicht länger als dreißig Sekunden, wobei Annie mitten im Geschehen stand, regungslos, als wäre sie gar nicht vorhanden. Als wäre sie eine rundliche Rasen-Skulptur, passend zu den braunen Blumen, und sah zu, wie ihr Bruder und ihre Schwester bei ihren verrückten Schlagübungen hintereinander herrannten, als sei dies eine Art Familientherapie.

Wenn nur Baseball auch ihr Spaß gemacht hätte, dann wäre sie vielleicht glücklicher gewesen. Sie hatte Billy und Pegeen immer beneidet, die viel schneller über bestimmte Dinge hinwegkamen als sie, wenn sie ihren Frust durch körperliche Betätigung abbauten: Sie taten genau das, was ihr Vater ihr immer geraten hatte.

»Du wärst glücklicher und gesünder, Annie-Bär, und deine Probleme wären verschwunden, wenn du mehr Sport treiben würdest«, hatte er immer gesagt. Doch mit »gesünder« hatte er natürlich schlanker gemeint, aber dieser Zug war abgefahren, zumindest für diesen Sommer.

Sie blickte über die Marsch, zu Taras kleinem weißen Haus und dem blühenden Garten hinüber, dessen Farben wie Juwelen leuchteten.

Blassrosa Fingerhut wogte im Wind, azurblaue Prunk-
winden kletterten an den Rankgittern empor. Vielleicht
konnte sie ja dazu beitragen, den Garten ihrer Mutter wieder herzurichten ...

Genau in dem Moment, als sie sich niederkauerte, bemüht, die Blumen vom Unkraut zu unterscheiden, bog
der Wagen ihrer Mutter in die Auffahrt ein. Annie winkte ihr zu. Ihre Mutter war hübsch und schlank; sie trug
Kakishorts und eine verblichene blaue Hemdbluse, ihre Arme und Beine waren gebräunt und voller Sommersprossen.

»Hallo, Schatz.« Ihre Mutter kam näher. Sie hielt eine
Papiertüte an sich gepresst, als befände sich etwas Kostbares darin.

»Hallo Mom. Wo warst du?«

»Ich musste einige Besorgungen machen. Würdest du
bitte eine Minute mit ins Haus kommen?«

Annie nickte, dann streifte sie mit der Hand über die trockenen Blätter. »Der arme Garten. Ich glaube, er braucht
eine helfende Hand.«

»Ich weiß, Annie. Ich habe mich in den letzten Wochen
kaum um ihn gekümmert. Tut mir Leid.«

»Du musst dich nicht entschuldigen.« Annie gab ihrer
Mutter einen Kuss und umarmte sie, dann trat sie einen
Schritt zurück. »So war das nicht gemeint.«

Ihre Mutter holte tief Luft, versuchte zu lächeln. Die Sonne schien durch das Küchenfenster, verwandelte ihr Haar
in eine Kupfermähne.

»Ach, Schatz.« Ihre Mutter strich ihr über das Haar. Sie
musterte Annie mit einem beklommenen Lächeln, als versuchte sie, ihre Gedanken zu lesen.

»Was ist passiert, Mom?«

»Annie ...« Ihre Mutter bemühte sich immer noch um

ein Lächeln, während sie den Arm um Annies Schultern legte und sie ins Haus lotste. Annies Herz begann zu hämmern. Sie war in großer Sorge um ihren Vater gewesen – hatte ihre Mutter etwas Neues über ihn in Erfahrung gebracht? Darum ging es vermutlich nicht. Denn dann würde sie nicht lächeln. Und wenn es gute Neuigkeiten wären, würde sie sicher vor Freude einen Luftsprung machen.

»Sag schon, Mom. Was ist los?«

»Setz dich, Annie«, erwiderte ihre Mutter ruhig und legte die Hand auf Annies Arm. »Ich muss mit dir reden. Wo sind die anderen?«

Oh weh, dachte Annie. Das verhieß nichts Gutes. Es war nie etwas Gutes dabei herausgekommen, wenn ihre Eltern sie absondern, sie von der Herde trennen wollten. Das war sogar ein sehr, sehr schlechtes Zeichen. Sie fühlte sich sicherer in der Menge – war der Überzeugung, dass Hiobsbotschaften, wenn sie der ganzen Familie mitgeteilt wurden, leichter zu verkraften waren. Ein Gespräch unter vier Augen ließ auf Probleme schließen.

»Sie spielen Baseball«, erwiderte Annie zögernd und schlich zur Tür. »Vielleicht möchten sie, dass ich mitmache … ich sollte …«

»Annie«, sagte ihre Mutter lächelnd. »Wir beide müssen uns nichts vormachen …«

Annie zuckte mit den Schultern und lächelte; sie wusste, dass sich ihre Mutter mit ihr auf der gleichen Wellenlänge befand, was den Sport betraf, insbesondere Sportarten, bei denen ein Ball beteiligt war. Ihr Vater hatte sie dagegen immer gedrängt, jede Chance zu nutzen, in einer Mannschaft mitzuspielen, und ihr Geschichten über seine eigenen Ruhmestaten während der Schulzeit erzählt.

Die Miene ihrer Mutter war ernst, ihre blauen Augen waren besorgt und liebevoll auf Annie gerichtet. »Schatz, ich muss dir etwas sagen, und etwas zeigen …«

»Zeigen?« Annies Stimme klang zittrig und schwach.

Ihre Mutter nickte, und Annie nahm an der Frühstückstheke Platz. Das Herz schlug ihr bis zum Hals, wie ein Bataillon Soldaten, das im Stechschritt marschierte. Die Tüte stand auf der Frühstückstheke, direkt vor ihrer Mutter, und plötzlich bekam Annie Angst.

»Was ist da drin, Mom?«

»Annie, Liebes …«

»Zeig es mir, Mom.« Annie hatte das Gefühl, als würde sich ihre Haut wie ein Reißverschluss öffnen, so dass sie auf und davon fliegen konnte, wie ein Geist. Sie nahm ihrer Mutter die Tüte aus der Hand und begann, das Papier zu entfernen. Schon auf halbem Weg sah sie, was sich darin verbarg. »Mein Boot!«

»Annie, ich weiß, du dachtest, dein Vater würde es überallhin mitnehmen …«

»Ich habe es für ihn gemacht!« Annie weinte und wiegte das kleine grüne Boot in den Armen, hin und her, wie ein Baby, das Liebe und Trost brauchte. »Für Daddy. Er hat gesagt, dass es ihn auf Schritt und Tritt begleiten soll – es hat ihm immer Gesellschaft geleistet. Es war sein Ein und Alles!«

»Ach Annie.« Ihre Mutter eilte zu ihr, um sie in die Arme zu nehmen. »Ich wusste, dass du dich aufregen würdest. Ich hätte es dir nicht gezeigt, aber dein Vater hat es aus gutem Grund zurückgelassen. Aus einem liebevollen Grund.«

»Nein«, schluchzte Annie. »Hat er nicht.«

»Annie, er wollte ein Ruderboot bauen lassen –«

»Das war sein Ruderboot. Das Einzige, das für ihn zählte.

Ich habe es für ihn gebastelt. Er hätte es niemals zurückgelassen.«

»Er hat es einem Bootsbauer als Vorlage gegeben und ist sogar hingefahren, um zu überprüfen, ob er sich hundertprozentig daran hält.«

»Er kommt nie mehr wieder«, sagte Annie schaudernd. Sie fröstelte, als sei eine Kaltfront – die Alberta Clipper – aus Kanada über sie hereingebrochen, die das Blut in ihren Adern und das Mark in ihren Knochen gefrieren ließ.

»Nein, Annie. Das bedeutet nicht –«

Das Telefon läutete. Annie nahm verschwommen wahr, wie ihre Mutter den Raum durchquerte und abhob.

»Hallo?«

Annie drückte das Boot an sich, erinnerte sich, wie sie es gebastelt hatte. Ihre Mutter hatte ihr geholfen – hatte sie zum Bastelladen gefahren, das Balsaholz mit ihr ausgesucht. Annie hatte jedes Stück liebevoll eingeweicht, es entsprechend den anmutig geschwungenen Linien der klassischen Dory aus dem Bootsmagazin gebogen. Sie hatte kleine Sitzbänke und Dollen für die Ruder angebracht. Die Ruder hatte sie selbst geschnitzt. Als der Leim getrocknet war, hatte sie das Boot dunkelgrün gestrichen – im gleichen Farbton wie die Kiefern. Und sie hatte den Namen des Bootes mit goldener Farbe auf das Heck gepinselt:

ANNIE

»Damit du nicht vergisst, zu wem du nach Hause rudern musst«, hatte sie gesagt, als sie ihm das Boot überreichte.

»Ich finde es wunderbar, Annie.« Er hatte sie in seine Arme geschlossen und an sich gedrückt.

»Ich habe es für dich gemacht. Stück für Stück. Mom hat mir nur ein bisschen geholfen.«

»Das ist das schönste Geschenk, das ich jemals erhalten habe.«

»Weil du Boote liebst?«, fragte sie, und ihr Herz klopfte heftig.

»Nein, weil du es für mich gemacht hast«, hatte er erwidert, einen Arm um sie gelegt, während er den anderen ausgestreckt hatte, damit sie beide das Boot bewundern konnten. »Es ist einmalig.«

»Wirklich?«

»Wirklich.« Er hatte Annie ein wenig fester gedrückt, und sie war so glücklich wie nie zuvor. »Es gefällt mir so gut, dass ich es keine Sekunde aus den Augen lassen werde. Das ist ein Versprechen. Das Boot wird mich auf Schritt und Tritt begleiten ...«

Und er hatte sein Versprechen gehalten. Er hatte das Boot ins Büro mitgenommen, doch als nach ein paar Monaten Renovierungsarbeiten in der Bank stattfanden, hatte er es zu Hause deponiert. Es hatte auf seinem Sekretär gestanden, und als der Sommer kam, hatte er es in einer Papiertüte verstaut und wieder mitgenommen. Annie hatte angenommen, dass es wieder in seinem Büro war, oder auf der *Aldebaran*.

Annie hielt das Modell in der Hand, dachte daran, wie sehr ihr Vater es geliebt hatte. Eine tröstliche Wärme durchflutete sie. Als ihre Mutter sich umdrehte, sah Annie, dass ihr Gesicht kreidebleich war. Sie sah aus, als hätte sie einen Schock erlitten. Die Haut um ihre Lippen hatte einen bläulichen Schimmer. Ihre Hand bewegte sich langsam – hölzern – zur Wange, um ihr Gesicht zu berühren, als sei sie nicht in der Lage, es zu finden. Die Augen waren groß und weit aufgerissen. Ihre blauen, mandelförmigen Augen hatten vor Schreck ihre Form verändert.

Als ihre Mutter den Hörer auflegte, beugte sich Annie

über das Boot. Wenn sie schon nicht ihren Vater beschützen konnte, dann wollte sie wenigstens das Boot schützen.

»Schatz.« Ihre Mutter berührte mit zitternder Hand Annies Schulter.

»Ich weiß schon«, flüsterte Annie so leise, dass nur ihr Boot es hören konnte.

»Ich habe schlimme Neuigkeiten.«

»Ich weiß schon«, flüsterte Annie, noch leiser als zuvor.

8

Die Trauerfeier fand an einem Mittwochmorgen in der gleichen kleinen weißen Kapelle statt, in der Sean und Bay getraut, die Kinder getauft und Bay und Tara gemeinsam zur Erstkommunion gegangen waren. In der zweiten Reihe sitzend, blickte Tara auf den Hinterkopf ihrer Freundin und dachte an die erste Klasse zurück, als sie beide weiße Kleider und Schleier mit Silberkrönchen getragen hatten.

Die Kinder hielten sich tapfer. Sie benahmen sich mustergültig, trugen ihre besten Sommerkleider und wirkten weit gefasster als Tara beim Begräbnis ihres eigenen Vaters. Sie war damals elf gewesen, in Billys Alter, als er bei einem Verkehrunfall ums Leben gekommen war. Er war betrunken gewesen und frontal mit einem Kombi zusammengeprallt; die Fahrerin des anderen Wagens war auf der Stelle tot gewesen. Tara hatte vor der Beerdigung gegraut – sie hatte nicht gewusst, wie sie die Tortur durchstehen sollte.

Bay hatte ihr zur Seite gestanden. Sie hatte ihr geholfen, das schwarze Kleid anzuziehen, hatte ihre zitternde Hand gehalten. Nun waren sie abermals hier, um Sean das letzte Geleit zu geben.

Wie war es möglich, dass dieser hoch gewachsene, sportliche, beredsame, lebenslustige Mann tot in dieser Kiste lag? Tara starrte den glänzenden Holzsarg an, hätte Sean am liebsten ein letztes Mal wachgerüttelt.

Das Ende war ganz anders als erwartet gekommen. So völlig ... unspektakulär, dachte Tara. Alle hatten damit gerechnet, dass Sean mit seiner Beute auf der Flucht vor dem Arm des Gesetzes war. In Wirklichkeit war er tot, hatte ganz allein nur drei Meilen von zu Hause entfernt in seinem Wagen auf dem Grund des Gill River gelegen. Die Polizei ging davon aus, dass die Todesursache die Kopfwunde war, die er sich unter welchen Umständen auch immer auf dem Boot zugezogen hatte. Durch den hohen Blutverlust hatte er die Kontrolle über seinen Wagen verloren.

Tara musterte Bay und die Kinder. Sie wirkten ruhig und gefasst, sangen die Lieder aus dem Gesangbuch mit wie in jeder anderen Sonntagsmesse. Billy war der Erste, der zu weinen begann und sichtbare Anzeichen von Trauer zeigte.

Als wäre es ansteckend, brach nun auch Pegeen in Tränen aus. Sie versuchte, ihr Schluchzen zu unterdrücken, aber es gelang ihr nicht. Annie legte den Arm um sie, selbst in Tränen aufgelöst.

»Ich will meinen Daddy wiederhaben!«, weinte Peg.

Tara konzentrierte ihre ganze Energie auf Bay. *Halte durch*, lautete ihre stumme Botschaft. *Du schaffst es. Du bist stark. Die Kinder brauchen dich, mehr als je zuvor.* Taras Augen bohrten sich in den Hinterkopf der Freundin, schickten ihr alle Kraft, die sie aufzubieten vermochte.

Der Priester las die Messe, betete die übliche Litanei herunter: »Sean McCabe, geliebter Ehemann von Bairbre ...«, er verhaspelte sich bei Bays Namen, dem gälischen Wort für Barbara, »geliebter Vater von Anne, William und Pegeen, der zu früh von uns gegangen ist ... die Geheimnisse des menschlichen Geistes ... die unbekannten Regungen des Herzens ...«

»Wovon redet er?«, fragte Billy laut.

»Von Dad«, erwiderte Peg.

»Aber er *sagt* ja überhaupt nichts über ihn«, schluchzte Billy. »Ich weiß nicht einmal, was er *meint*.«

Dann war Annie an der Reihe, die zum Chorpult ging, um das Lieblingsgedicht ihres Vaters vorzutragen. Tara hielt den Atem an, als Annie sich den Weg durch die Bankreihe bahnte, an ihrer Mutter vorbei, und den Mittelgang entlang zum vorderen Teil der Kirche schritt. Sie trug einen marineblauen Rock und ein blassrosa T-Shirt, ihr loses Perlenhalsband und die kleinen Vergissmeinnicht-Ohrringe, die sie von ihrem Vater geschenkt bekommen hatte, als sie sich Ohrlöcher stechen ließ. Ihre Haltung war gebeugt, die Schulterblätter nach vorne gezogen, als besäße sie unsichtbare Schwingen, die sie von hinten beschirmten. Trotzdem, oder gerade deswegen, waren ihre Bewegungen voller Anmut.

Annie räusperte sich. Sie hatte das Gedicht, Frosts »Innehaltend inmitten von Wäldern an einem Schnee-Abend«, auswendig gelernt. Ohne Spickzettel, auf den sie notfalls zurückgreifen konnte, trug sie die eindringlichen Worte des zeitlosen Dichters vor.

Annie wandte ihre Augen kein einziges Mal von ihrem Vater. Für Tara stand fest, dass ihr Patenkind nicht den Sarg, sondern Sean vor sich sah. Sie stellte sich vermutlich den heiß geliebten Vater vor, mitten im Winter, die eisige blaue Luft und ringsum die gefrorene Marsch.

Tara streckte den Arm über die Rücklehne der Kirchenbank, und Bay drückte ihre Hand. Sie waren Schwestern. Nicht durch Blutsverwandtschaft, sondern durch Liebe verbunden. Sie hatten sich schon in frühester Kindheit gegenseitig adoptiert, waren eine lebenslange, innere Verpflichtung ohne Rituale oder Symbole eingegangen, nur bezeugt von der Brise, die über den Sund wehte, und den Rosen in ihren Gärten.

Taras Herz war schwer. Sie hatte unter den zahlreichen Trauergästen viele Freunde entdeckt. *Les Dames de la Roche*, eine Institution in Hubbard's Point – Winnie Hubbard, Annabelle McCray und Hecate Frost –, waren mit Sixtus Larkin gekommen; Zeb und Rumer Mayhew, mit Quinn, die unlängst mit Michael Mayhew durchgebrannt war und heimlich geheiratet hatte, Sam und Dana Trevor mit Quinns Schwester Allie ... Freunde und Bekannte vom Strand, aus der Bank und aus der Stadt.

Auch einige von Seans Kunden waren erschienen: May und Martin Cartier, Ben Atkin von Silver Bay Auto und Augusta Renwick, für die Tara als Reinigungskraft arbeitete. Sie bemerkte Taras Blick und nickte ihr hoheitsvoll zu. Ganz hinten, in der letzten Bank, entdeckte sie ein vertrautes Gesicht aus der Vergangenheit: Dan Connolly. Tara hätte ihn überall wiedererkannt. Das war typisch für Hubbard's Point: Der Ort zog die Leute an wie ein Magnet, sogar diejenigen, die ihm schon vor langer Zeit den Rücken gekehrt hatten.

Und es kamen immer Neue hinzu. Tara erhaschte einen flüchtigen Blick auf Joe Holmes, der hinten neben der Eingangstür stand. Ihr Rücken versteifte sich, und sie fragte sich, warum er gekommen sein mochte – konnte er Bay und ihre Familie nicht zumindest während der Beisetzung in Ruhe lassen?

Als Joe ihren Blick bemerkte, nickte er ihr zu, als wüsste er um ihre Rolle in Bays Leben und übermittle ihr einen Teil seiner eigenen Stärke, damit sie ihrer Freundin an diesem Tag beistehen konnte. Sein Blick war durchdringend, aber freundlich. Tara wurde bewusst, dass seine Anwesenheit mehr war als eine reine Pflichterfüllung – es war eine persönliche Entscheidung, genau das, was ihr Großvater ebenfalls getan hätte. Auch er hätte an der Beisetzung eines Straftäters in seinem Distrikt teilgenommen, um die Hinterbliebenen zu unterstützen.

Tara erwiderte das Nicken und beugte den Kopf. Ein Schluchzen stieg in ihrer Brust auf, als sie an ihren Großvater dachte und ihr bewusst wurde, dass die Familie Sean niemals wiedersehen würde.

Zum Schluss sprach der Priester die übliche Einladung aus, sich zum Leichenschmaus im Haus der Familie einzufinden, aber nur wenige Trauergäste tauchten auf. Bay stand an der Tür, begrüßte Freunde, versuchte die Kinder zu beschwichtigen, die nicht begreifen konnten, warum niemand kam.

»Liegt es daran, dass heute so ein herrlicher Strandtag ist?«, fragte Peggy. »Dass die Leute lieber schwimmen gehen?«

»Oder schneiden sie uns, wegen der Geschichte mit der Bank und weil Dad in den Zeitungen war?«, sagte Billy hitzig.

Beide blickten Bay an, in der Hoffnung, dass sie Billys Behauptung widerlegte. Sie wusste, dass er den Nagel auf den Kopf getroffen hatte, aber sie würde sich hüten, etwas dazu zu sagen. »Daddys Freunde mögen ihn, halten zu ihm«, sagte sie. »Und wir auch. Wir sind hier, oder nicht?«

»Ich gehöre auch zu seinen Freunden.« Tara nickte. »Und ich mochte ihn sehr.«

»Aber es sind nicht viele Leute gekommen«, erwiderte Peggy zweifelnd. »Nicht so viele wie bei Grannys Beerdigung.«

»Granny war sehr alt«, antwortete Bay unerschütterlich. Ihre Mutter war mit einundachtzig gestorben. Sie wünschte, ihre Kinder hätten sich ebenfalls an sie erinnern können. »Sie hatte ein langes Leben, und alle kannten sie …«

»Daddy kannten auch alle«, entgegnete Peggy. »Er hat für sie gearbeitet, in der Bank.«

»Ja. Es ist ÄTZEND, dass sie schlecht von ihm denken, wo er doch für sie gearbeitet hat«, ließ sich Billy vernehmen.

»Weil es auch gute Dinge über ihn zu sagen gibt. Viel mehr gute als schlechte. Stimmt's?«

»Stimmt«, sagte Bay.

»Stimmt«, bestätigte Tara.

»Dad ist, war, und wird immer ein ganz besonderer Mensch SEIN, und das sollten alle WISSEN.«

»Vielleicht wäre es gut, einen Happen zu essen.« Tara deutete auf den Tisch. Sie hatten verschiedene Salate und kleine Sandwichs von Foley's kommen lassen. »Um bei Kräften zu bleiben.«

»Ich habe keinen Hunger«, verkündete Peg.

»Ich auch nicht. Diese Blödmänner, die den echten Sean McCabe nicht kennen, haben mir den APPETIT verdorben«, sagte Billy.

»Ein irischer Heißsporn, wie er im Buche steht«, sagte Bay zu Tara, als Billy davonstürmte. »Immer kampflustig, selbst wenn es nichts zu kämpfen gibt.«

»Als Ire gibt es *immer* etwas, wofür oder wogegen du kämpfst.« Bays Herz war schwer, weil Billy wegen des Unrechts litt, das seinem Vater widerfuhr. Sean war immer ehrgeizig gewesen, und nun dachten die Leute schlecht von ihm, wie Billy richtig erkannt hatte. Dabei hatte er sich im Grunde nur eines gewünscht: beliebt zu sein.

Mark und Alise Boland betraten das Haus, kamen direkt auf sie zu.

Wie gefasst sie auch erscheinen mochte, Bay kämpfte mit den Tränen, als Alise sie umarmte.

»Du bist so stark.« Alise tätschelte ihr den Rücken. »Dich

in der Kirche zu sehen, dich und die Kinder ... Schön, wie deine Tochter das Gedicht aufgesagt hat.«

»Herzliches Beileid, Bay«, sagte Mark.

»Danke.«

»Wir können es immer noch nicht glauben«, meinte Alise. »Nichts von alledem ...«

»Ich weiß.« Bays Stimme brach. Wie konnte sie mit dem Vorstand der Bank über den Tod ihres Mannes sprechen? Sie waren ein attraktives Paar, Mark groß und sportlich, Alise klein und elegant. Als Inhaberin eines Dekorationsgeschäftes besaß sie ein untrügliches Stilempfinden. Bay und Sean hatten die beiden selten gesehen. Da sie keine Kinder hatten, entfielen die üblichen Kontakte beim Fußball und Baseball, aber Alise war ihr immer freundlich und aufgeweckt erschienen – Bay hatte oft gedacht, dass es schön wäre, sie näher kennen zu lernen.

Nun fühlte sie sich durch ihre Anwesenheit wegen Seans Verfehlungen beschämt, obwohl sie heute nur eines wollte: seinen Verlust betrauern.

»Wenn es irgendetwas gibt, was wir tun können«, sagte Mark sanft.

»Egal, was.« Alises Miene war besorgt und betrübt, ein Zeichen für Bay, dass sie es ehrlich meinte.

Bay nickte, dann gingen die beiden. Tara war in der Nähe, hatte die Szene vom anderen Ende der Küche aus beobachtet. Sie kochte gerade eine Kanne Kaffee, doch beim Anblick ihrer Freundin, die in Tränen aufgelöst war, eilte sie herbei.

»Das war eine nette Geste.« Bay zitterte. »In Anbetracht dessen, was Sean in der Bank verbrochen hat.«

»Sie machen dich doch nicht dafür verantwortlich. Das tut niemand.«

»Warum hat er das gemacht? Es geht nicht in meinen Kopf.«

»Vor allem sieht es Sean überhaupt nicht ähnlich«, sagte Tara und legte die Arme um sie.

Bay schloss die Augen und weinte lautlos an Taras Schulter. Sie konnte das alles nicht fassen. Sean würde nie wieder mit den Kindern Baseball oder Basketball spielen, sie nie wieder auf einen Bootsausflug mitnehmen. Er war so lebenslustig gewesen, und nun war er tot. Sie konnte sich nicht vorstellen, wie das Leben ohne ihn weitergehen sollte, dass die Kinder ohne ihn aufwachsen würden. Dass sie ihn nie wiedersehen würde. Nie mehr seine Stimme hören würde ...

Als sie sich von Tara löste, um sich die Augen zu trocknen, sah sie, wie Dan und Eliza Connolly den Raum betraten.

»Danke, dass ihr gekommen seid«, sagte sie tief bewegt, als die beiden näher traten.

»Es tut uns so Leid, Bay«, sagte Dan.

»Ich weiß, was Sie durchmachen«, fügte Eliza hinzu. Sie war ganz in Schwarz gekleidet: ein langärmeliges Ballett-Trikot, knöchellanger enger Rock, Onyx-Halskette. Die lavendelfarbenen Halbmonde unter ihren Augen, die von der blassen Haut abstachen, verrieten Bay, dass sie jemanden vor sich hatte, der ebenfalls Schlafprobleme hatte.

»Ja, das glaube ich.« Bay erwiderte ihren Blick und ergriff spontan ihre Hände. Sie fühlten sich eiskalt und knochig an; Bay hätte sie gerne eine Weile gehalten und gewärmt, und Eliza schien dem nicht abgeneigt zu sein.

»Für Ihre Kinder ist das bestimmt schrecklich«, sagte Eliza.

»Ja«, erwiderte Bay mit brechender Stimme.

Elizas Blick schweifte suchend durch die Küche, nahm alles wahr: die Fotos und Zeichnungen und Merkzettel, mit Magneten an der Kühlschranktür befestigt, die Bälle und Schlaghölzer neben dem Seiteneingang, die große grüne Flasche, in der das Wechselgeld gesammelt wurde, den Eichentisch, auf dem die Zuckerdose mit dem Weidenmuster von Bays Mutter und kobaltblaue Pfeffer- und Salzstreuer standen.

»Annie«, sagte Eliza. »Anne. Ihr Name stand in der Zeitung. In der Todesanzeige. Sie hat das Gedicht aufgesagt. Sie dürfte in meinem Alter sein.«

»Ja.« Bay spürte eine geradezu magische Verbindung, selbst als Eliza ihre Hände zurückzog. »Möchtest du sie kennen lernen?«

Eliza nickte. »Ja.«

»Ich bringe dich in ihr Zimmer.«

»Nicht nötig.« Eliza blickte sich in der Küche um – blickte über ihren Vater hinweg, der sie eindringlich musterte –, betrachtete die anderen Leute, die herumstanden und sich mit gedämpfter Stimme unterhielten. »Ich finde den Weg alleine.«

»Ihr Zimmer ist oben«, sagte Bay. »Die zweite Tür links.«

Eliza ging durch das Haus.

Sie war noch nie hier gewesen, aber sie wusste alles über die Menschen, die hier lebten. Sie waren die neuen verlorenen Seelen.

Im Bruchteil von Sekunden, nicht länger als ein Wimpernschlag, hatte sich das Leben dieser Familie ein für alle Mal verändert. Sie nahm die auf Hochglanz polierten Fußböden, die bunten Webteppiche, die Sporttrophäen auf den Bücherregalen und die Aquarelle an den Wänden mit den heiteren Küstenszenen wahr: Leuchttürme, Strände, Boote, Wellenbrecher.

Sie fragte sich, ob die Familie jemals die idyllischen

Gemälde betrachtete und dabei an die ermordeten Mädchen dachte, deren Leichen letztes Jahr in den Wellenbrechern gefunden worden waren, an die gesunkenen Schiffe, die von den Wirbelstürmen hinweggeschwemmten Strände.

Ihr Herz war schwer, weil sie wusste, das sich solche düsteren Gedanken nun einstellen würden …

Als sie zu Annies Tür auf der linken Seite gelangte, stand sie einen Moment reglos da. Der Gang im ersten Stock war kühl und dunkel. Licht fiel durch eine offene Tür, aber Eliza stand im Schatten. Wie ein Detektiv, das Ohr gegen die schwere Tür gepresst, schärfte sie sämtliche Sinne und spürte sogleich Annies Anwesenheit im Zimmer – den Kummer, der bis zu ihr drang.

Sie überlegte, ob sie später wiederkommen sollte, aber irgendetwas sagte ihr, dass der Zeitpunkt genau richtig war, und so klopfte sie an.

»Annie?«, fragte sie, als ein Mädchen die Tür öffnete.

Sie war pummelig, und ihre Augen waren – wie in den Kindergeschichten – groß wie Untertassen. Sie trug die gleiche Kleidung, die Eliza in der Kirche an ihr gesehen hatte: einen blauen Rock und ein blassrosa T-Shirt.

»Ja?« Sie sah verwirrt aus.

»Ähm, ich bin Eliza Connolly.«

»Oh.«

Eliza holte tief Luft. Sie sah, wie Annie sie von oben bis unten musterte. Sie waren wie die Zerrbilder in einem Spiegelkabinett auf dem Jahrmarkt: die eine ein wenig übergewichtig, die andere viel zu dünn. Instinktiv umklammerte Eliza mit der linken Hand ihr vernarbtes rechtes Handgelenk. Ihr Herz klopfte zum Zerspringen. Sie trat einen Schritt vor, stolperte dabei über ihre eigenen Füße.

Annie fing sie auf, umschlang sie auf eine Weise, die einer Umarmung glich. Als Eliza mit dem weichen Körper zusammenprallte, füllten sich ihre Augen mit Tränen.

»Alles in Ordnung?«, fragte Annie.

Eliza versuchte zu nicken, wurde aber von einem Schluchzen geschüttelt.

»Es geht dir nicht gut, oder?«

Eliza schüttelte langsam den Kopf. Sie hatte das Gefühl, gleich ohnmächtig zu werden.

»Möchtest du ein Glas Wasser?« Annie führte Eliza zu ihrem Bett und drückte sie sanft auf die Kante nieder. »Oder hast du Hunger?«

»Ich habe seit zweieinhalb Tagen nichts mehr gegessen.«

»Oh mein Gott! Warum?«

Eliza starrte in Annies riesige blaue Augen und spürte, wie sich der Schmerz in ihrer Brust löste, in heißen Tränen zerrann. Sie leckte über die Lippen, wünschte sich, der Raum möge aufhören, sich zu drehen, wünschte sich, mit beiden Beinen fest auf dem Boden zu stehen. Ihr Blick fiel auf ein kleines, offensichtlich selbst gebasteltes Schiffsmodell über Annies Bett. Sie konzentrierte sich darauf, und es brachte sie auf die Erde zurück.

»Warum? Weil du mir so Leid tust«, sagte Eliza.

»So Leid, dass du nichts essen kannst?«, fragte Annie, und Eliza wusste, dass es bei ihr genau andersherum war.

»Ja.«

»Aber warum?«

»Wegen deiner Familie. Mein Vater kennt deine Mutter, und er hat mir die Todesanzeige gezeigt … es tut mir unendlich Leid um deinen Vater.«

»Kennt deine Mutter uns auch?«

Eliza schloss die Augen. Das war der harte Teil, der schlimme Teil. Diese Frage ließ sich nicht beantworten – zumindest noch nicht. Das war auch nicht nötig. Annie würde ohnehin merken, dass sie anders waren, dass sie beide alleine auf dieser Welt waren, verlorene Seelen …

»Meine Mutter ist tot«, sagte Eliza. »Deshalb wollte ich dich unbedingt kennen lernen.«

»Weil mein Vater auch …«

Eliza nickte, kam Annie zuvor, damit sie das Wort nicht aussprechen musste, das immer noch so neu, so schrecklich, so unerwünscht war. *Tot.*

»Das Gedicht, das du vorgetragen hast, war wundervoll.«

»Es war das Lieblingsgedicht meines Vaters.«

»Meine Mutter hatte auch ein Lieblingsgedicht. Von Paul Revere.«

»Kannst du ein paar Zeilen aufsagen?«, bat Annie.

Eliza nickte. Sie holte tief Luft, und als sie zu sprechen begann, wurde sie ruhig.

> »*Hängt eine Laterne an den Turm*
> *Der Nordkirche, als Signallicht –*
> *Eine bedeutet, sie kommen über Land, und zwei,*
> *   über das Meer*
> *Und ich werde vom anderen Ufer her …*‹«

»Ich liebe dieses Gedicht«, sagte Annie. »Vor allem den Teil mit dem Signal.«

»Ich auch.« Eliza strahlte in Anbetracht der Gemeinsamkeit, die sofort eine enge Verbindung zwischen ihnen schuf.

»Du musst etwas essen«, flüsterte Annie und holte einen Schokoriegel aus ihrer Nachttischschublade. Sie bot ihn Eliza dar wie ein kostbares Geschenk. Eliza starrte das blaue Rechteck an und schüttelte den Kopf.

»Aber du wirst langsam, aber sicher verhungern, und dann bist du tot.« Annie berührte die Rückseite von Elizas Handgelenk.

Eliza betrachtete ihre langen Ärmel mit dem durchdringenden Blick eines Mädchens, das von seinem Vater gehasst wurde, dessen Mutter ein Geist war, und sah ein Spinnennetz von Narben, das die Wahrheit verriet, eine Wahrheit, von der Annie nichts ahnte. Sie spürte, dass sie diesem trauernden Mädchen nicht sagen konnte, dass genau das ihre Absicht war: sich langsam, aber sicher zu Tode zu hungern.

»Es geht mir prima«, sagte Eliza und gab ihr den Schokoriegel zurück.

»Nein, tut es nicht.« Annie errötete. Mädchen, die viel aßen, taten immer so, als hätten sie keinen Hunger. Eliza wusste das, deshalb war sie geduldig.

Annie blinzelte, die Augen wieder voller Tränen. Eliza folgte ihrem Blick und sah, wie sie das kleine grüne Boot anstarrte, das während der letzten Wochen in der Werkstatt ihres Vaters gestanden hatte. Sie begriff instinktiv, dass dieses Boot im Moment das Wichtigste in Annies Welt war.

»Das kleine Boot gefällt mir«, flüsterte Eliza.

»Es erinnert mich an meinen Vater.« Annie begann zu weinen. »Ich habe es für ihn gemacht.«

»Ich wette, er hat es geliebt«, flüsterte Eliza und nahm Annies Hand. »Mehr als alles andere auf der Welt.«

Dan und Bay standen in der Küche, umgeben von Leuten, die er vage wiederzuerkennen glaubte, aus der Zeit, als er während des Sommers in Hubbard's Point gearbeitet hatte. Es war ein seltsames Gefühl, nach so vielen Jahren zurückzukehren, und er fragte sich insgeheim, warum er wirklich gekommen war. Er hatte damals einen Ferienjob am Strand gehabt, bevor er seine eigene Firma gründete. Er war fünfzehn Meilen weiter östlich aufgewachsen, in der Nähe von Mystic – am anderen Ufer des Thames River, aber Welten entfernt; nach der Heirat mit Charlie hatte er sich dort niedergelassen. Vielleicht hatte er die ganze Zeit unbewusst vermieden, hierher zurückzukommen ... Die Leute, die in der Küche standen, bedienten sich selbst, nahmen sich Kaffee oder Eistee vom Frühstückstresen und spähten neugierig zu ihm herüber.

»Sie fragen sich, woher sie dich kennen«, sagte Bay.

»Von der Uferpromenade, vor ungefähr hundert Jahren. Bei deren Bau du mir geholfen hast.«

Er sah, wie sie sich ein Lächeln abzuringen versuchte. Es gelang ihr nicht ganz. Sie wirkte verändert seit ihrem Besuch in der Werkstatt. Ihre Augen hatten einen verwundeten, wachsamen Ausdruck. Er erinnerte sich mit einem Anflug von Bedauern an das heitere junge Mädchen, das ihm vor langer Zeit viele Stunden am Strand Gesellschaft geleistet hatte, das ihn den Mond lieben gelehrt hatte.

Sie war etwas Besonderes gewesen, und das war sie heute noch. Wärme und Harmonie umgaben sie – ihre grauen Augen blickten traurig, strahlten aber noch genauso wie früher, ihre Haare waren von Sonne und Salz ausgeblichen. Ihr Haus war von Liebe durchdrungen – voller Erinnerungen an ihre Familie und den Strand. Er sah Körbe mit Muscheln und Heidekraut, Basketball- und Baseball-Trophäen auf einem Regal, glatt polierte Steine, von den Kindern bemalt, Treibholz, geglättet von den Wellen. Er konnte nicht umhin, einen Blick auf ihre Füße zu werfen. Sie war immer barfuß gegangen, sogar an Regentagen, und er erwartete halb, sie auch jetzt ohne Schuhe zu sehen.

»Was ist?«, fragte sie.

»Oh, nichts«, erwiderte er verlegen.

»Du hättest nicht kommen müssen.«

»Ich weiß.«

»Aber ich bin froh, dass du da bist.« Ihr Blick schweifte zur Treppe, die Eliza hinaufgegangen war, auf der Suche nach Annie. »Ich wüsste gerne, wie die beiden miteinander zurechtkommen.«

»Eliza wollte Annie kennen lernen.«

»Wie lieb von ihr. Wirklich außergewöhnlich für ein Mädchen in ihrem Alter, derart auf Menschen zuzugehen«, sagte Bay.

»Eliza ist in jeder Beziehung außergewöhnlich.«

»Es muss furchtbar schwer sein, ohne Mutter.«

»Schwer für uns beide«, versetzte Dan.

»Ich mag gar nicht daran denken, was noch vor uns liegt.«

Dan dachte an Charlie, wie dunkel die Welt nach ihrem Tod für lange Zeit geworden war – nur wenige Menschen, nicht einmal diejenigen, die ihm nahe standen, kannten seine wahren Gefühle. Und niemand, vielleicht mit Ausnahme seiner Tochter, ahnte, was in ihm vorging. Er konnte sich vorstellen, was auf Bay zukam – mit dem Verlust eines Ehemanns, für den sie *bestenfalls* gemischte Gefühle hegte –, und wünschte, er könnte sie davor bewahren.

»Ich weiß nicht, wie ich dir helfen könnte, darüber hinwegzukommen, aber ...«

Sie blinzelte, sah ihn an, als spräche er eine ihr unverständliche Sprache.

»Ich weiß natürlich, dass niemand ihn ersetzen kann.«

Dan dachte an Charlie, an die Lücke, die ihr Tod hinterlassen hatte, wie ein riesiges Loch am Firmament.

Bay schwieg immer noch. Aber er sah, wie ihre Augen sich mit Tränen füllten; als er gekommen war, hatte sie auch geweint.

»Er ist dein Mann, ich weiß.« Dan wollte Bays Hand ergreifen, doch sie ballte die Fäuste, das Gesicht vor Qual verzerrt. »Bay, ich habe das Gleiche erlebt – lass mich dir helfen.«

»Du hast nichts dergleichen erlebt.« Tränen rannen über ihre Wangen.

»Ich habe meine Frau verloren –«

»Aber du hast sie geliebt«, sagte sie mit erstickter Stimme. »Du hast Charlie über alles geliebt ... das hört man, sieht man dir an ... du hast sie geliebt ... hast sie angebetet ... aber ich ...«

Dan blickte in ihre geröteten und verweinten Augen. Trotz der Hitze, die ihrer Haut entströmte, trotz der blanken Wut in ihrer Miene hätte er gerne ihre Hände ergriffen, aber sie ließ es nicht zu, sondern ballte die Fäuste, dass die Knöchel hervortraten.

»Ich hasse Sean.« Die Worte brachen aus ihr heraus. Sie blickte zur Treppe hinüber, die Eliza emporgegangen war, zu Annies Zimmer. »Ich hasse ihn! Für das, was er unseren Kindern angetan hat und ...«

Dans Augen weiteten sich erschrocken, als er begriff. Doch dann nickte er, kaum fähig, zu atmen, und trat einen Schritt näher.

Und ... hatte sie gesagt. Sie schlang die Arme um ihre Schultern, als sei es mit einem Mal kalt im Raum geworden, als müsste sie sich wärmen.

»Und mir«, flüsterte sie; der Kampfgeist hatte sie verlassen, der Zorn in ihren Augen hatte sich in Kummer verwandelt. »Wir sind miteinander aufgewachsen, und ich habe *versucht* ihn immer zu lieben, aber ...«

»Aber was, Bay?«

»Ich kannte ihn überhaupt nicht«, flüsterte sie und schluchzte so herzzerreißend, und Dan konnte nichts anderes tun, als in ihrer Nähe zu bleiben, reglos, ohne sie zu berühren, wortlos.

9

Eine Hitzewelle setzte ein, und die nächsten Tage waren drückend heiß; die Sonne glich einem Feuerball am undurchdringlichen, weißglühenden Himmel. Bay bemühte sich, die Kinder um sich zu scharen, ihnen zu helfen, jeden einzelnen Tag zu bewältigen. Tara stand ihr zur Seite, erinnerte sie und plante mit ihr Zerstreuungen, die ihnen immer Spaß gemacht hatten – Picknicks im Schatten, Abstecher zum Strand und zum Paradise Ice Cream.

Bay verrichtete mechanisch ihre Arbeit, so gut sie es vermochte – wenn sie sich gehen ließ, würde sie die Ängste der Kinder noch mehren.

Jeden Morgen ging sie mit ihren beiden Jüngsten zum Strand, breitete die Decke aus und sprang ins Wasser. Billy und Pegeen veranstalteten ein Wettschwimmen zum Floß, als wollten sie die harsche Wirklichkeit durch ihre hektische Betriebsamkeit hinter sich lassen. Annie weigerte sich, sie zum Strand zu begleiten; sie zog es vor, auszuschlafen und zu Hause zu bleiben, um zu lesen. Bay verzehrte sich vor Sorge um sie und bemühte sich, sie im Auge zu behalten, ohne ihr das Gefühl zu vermitteln, dass sie Annie überwachen wollte.

Frank Allingham kam hin und wieder vorbei, mit Schmorgerichten von seiner Frau. Mark Boland hatte zweimal angerufen, um sich zu erkundigen, ob Bay Hilfe brauchte, und Alise hatte sich ebenfalls gemeldet. Ihre Bemühungen waren gut gemeint, aber schmerzlich. Sie führten Bay jedes Mal aufs Neue vor Augen, was Sean getan hatte.

Am Dienstagmorgen läutete es an der Tür. Bay öffnete, in

Strandkleidung: Badeanzug, großes altes T-Shirt. Es war Joe Holmes, wie gewohnt im dunklen Anzug mit dunkler Krawatte, offenbar die FBI-Uniform.

»Darf ich hereinkommen?«

»Bitte.« Sie öffnete die Tür ganz, um ihn eintreten zu lassen. Sie fühlte sich verletzlich, so halbnackt, doch sich umzuziehen hätte Zeit gekostet, und je schneller sie es hinter sich brachte und ihn wieder loswurde, desto besser. Sie ging voran ins Wohnzimmer, und er nahm in Seans Sessel Platz. Ihr Magen verkrampfte sich.

»Tut mir Leid, dass ich einfach so hereinplatze. Aber im Zuge unsere Ermittlungen sind wir zu neuen Erkenntnissen gelangt, über die Sie Bescheid wissen sollten.«

Sie wartete, ihre Haut prickelte, und sie war unfähig, auch nur ein Wort über die Lippen zu bringen.

»Wir haben den Unfallort untersucht, die Stelle, an der das Auto Ihres Mannes von der Straße abkam. Nach Vermessen der Bremsspuren und des Wendekreises ... ist ein Unfall so gut wie ausgeschlossen. Wir gehen davon aus, dass Ihr Mann ermordet wurde.«

»Nein ... Warum? Ich verstehe nicht. *Ermordet* ...«, flüsterte sie entsetzt.

»Wie gesagt, im Moment handelt es sich nur um eine Vermutung«, erklärte der FBI-Agent. Seine Augen waren sanft, und sie hätte schwören können, Mitgefühl in ihnen zu entdecken, als ob ihm das alles wirklich Leid tat. Ihre Augen brannten. Wie sollte sie ihren Kindern diese Hiobsbotschaft beibringen? Und wie sollte sie selbst damit fertig werden? Das Grauen schien kein Ende zu nehmen.

»Wie kommen Sie auf die Idee, eine solche Möglichkeit überhaupt in Betracht zu ziehen?«, fragte sie, als sie ihrer Stimme wieder mächtig war. »Es hieß doch, er hätte sich auf dem Boot verletzt, hätte viel Blut verloren ...«

»Das ist richtig«, erwiderte Joe ruhig. »Trotzdem stellt sich die Frage, warum er das Boot nicht schon früher verlassen hat. Warum ist er nicht auf den Gedanken gekommen, Hilfe zu rufen? Solche Unfälle passieren selten auf einer Landstraße mit wenig Verkehr und einem Wagen, der gut in Schuss ist. Hat Ihr Mann Drogen genommen?«

»Nein, nie. Wie kommen Sie darauf?«

»Wir haben Kokain in seinem Blut gefunden.«

»Das kann nicht sein, NIE IM LEBEN! Sean war strikt gegen Drogen, gleich welcher Art. Er pflegte auf andere Weise über die Stränge zu schlagen – aber Drogen, nein.«

»Vielleicht hat sich seine Einstellung geändert.«

Bay senkte den Kopf. Er hatte seine Einstellung zu vielen Dingen geändert – warum nicht auch im Hinblick auf Drogen? Aber irgendwie kam ihr das unwahrscheinlich vor. »Könnte das die Todesursache sein?«

»Sein Fahrvermögen wäre beeinträchtigt gewesen, vor allem bei dem hohen Blutverlust. Und möglicherweise war er nicht allein im Auto.«

»Was soll das heißen?«

»Es könnte sein, dass jemand bei ihm war.«

»Als er von der Straße abkam? Als er starb? Wer?«

»Das ist wirklich alles, was ich Ihnen zum jetzigen Zeitpunkt sagen kann. Die Ermittlungen laufen; es tut mir Leid. Für Sie und die Kinder.«

»Oh Sean«, stöhnte Bay und ließ den Kopf hängen.

»Ich bin sicher, die Presse wird bis heute Abend Wind von der Geschichte bekommen«, sagte der FBI-Agent. »Ich wollte, dass Sie es als Erste erfahren.«

Sie konnte ihm dafür nicht einmal danken, geschweige denn aufstehen und ihn zur Tür begleiten. Sie saß reglos da, hörte, wie sein Wagen davonfuhr, starrte die Treppe an, die zu den Zimmern ihrer Kinder führte.

Sie dachte daran, wie glücklich Sean und sie an dem Tag gewesen waren, als sie dieses Haus gekauft hatten. Es lag am Strand, in der Nähe von Taras Cottage, war mit Erinnerungen an die schönsten Sommer ihres Lebens verbunden. Sie war blind vor Tränen, trauerte um Sean, der für immer von ihnen gegangen war, ein Gefühl, als würde der Himmel in tausend Scherben zerspringen. Obwohl ihre Ehe alles andere als vollkommen gewesen war, hatte sie zutiefst gehofft, dass doch noch alles gut werden würde.

Sie ging die Treppe hinauf, den Gang entlang, um die Kinder zusammenzutrommeln. Es war jetzt ungeheuer wichtig, Ruhe zu bewahren. Als Ausgleich für die Gewalt, die Sean angetan worden war, galt es, leichte, sanfte Worte für die Kinder zu finden. »Könntest du bitte mal kommen?«, fragte sie, als sie Annies Zimmer betrat, und Annie verließ wortlos ihr Bett.

Sie forderte Billy ebenfalls zum Mitkommen auf, und er fragte als Erstes: »Was hat ER gewollt?«

»Mr. Holmes? Ich erkläre es euch gleich. Kommt bitte einen Moment mit, in Peggys Zimmer.«

Sie bewegte sich langsam, als watete sie durch Wasser. Ihre Stimme war tränenschwer. Die Kinder nahmen auf Peggys Bett Platz, blickten sie mit gequälten Augen an. Jedes Mal, wenn Joe Holmes in ihrem Haus auftauchte, brach ihre Welt ein Stück mehr zusammen.

»Es geht um Daddy«, sagte Bay.

Die Kinder starrten sie schweigend an. Sie hatte ihnen bereits das Schlimmste gesagt, was passieren konnte: dass er tot war. Sie sah an ihren Augen, dass sie den anfänglichen Schock überwunden, eine neue Welt betreten hatten. Bay hätte sie gerne an sich gedrückt, ihnen die verlorene Kindheit zurückgegeben, noch einmal von vorne angefangen.

»Was ist?«, fragte Billy. »Was wollte der Mann vom FBI?«
Als Bay in die Augen ihrer drei Kinder sah, die so aufge-
schreckt und verletzt waren, brachte sie es nicht übers
Herz, ihnen die Wahrheit zu sagen.

»Macht mal Platz.« Sie quetschte sich zwischen Annie und
Peggy aufs Bett. Den Arm um Peggy gelegt, ergriff sie Billys Hand. Ihr Herz klopfte zum Zerspringen. Peggy begann zu wimmern, obwohl Bay noch kein Wort gesagt
hatte.

»Es geht um Daddy.« Das Wort klang liebevoll, so wie bei
ihren Kindern, wenn sie Sean so nannten, der sich immer
unbändig darüber gefreut hatte. Bays Augen füllten sich
mit Tränen, und ihre Kehle war wie zugeschnürt.

»Sag schon, Mom«, bat Annie flehentlich. »Spann uns nicht
auf die Folter.«

»Es ist etwas Schlimmes. Ihr müsst sehr tapfer sein. Wir
alle. Einverstanden?«

Sie nickten.

»Annie, Billy, Peggy. Mr. Holmes hat gesagt, dass Daddy
vermutlich … ermordet wurde.«

»Ermordet.« Peggy sprach das Wort probeweise aus, kaum
hörbar.

»Daddy doch nicht!«, entgegnete Billy.

»Warum sollte jemand so etwas machen?«, fragte Annie.
»Das kann doch nicht sein. Niemand würde ihm so etwas
antun.«

»Das passiert im Fernsehen.« Peggy begann zu weinen.
»Dauernd. Also warum *nicht auch* Daddy?«

»Das hier ist aber nicht das Fernsehen. Hier geht es um
unseren *Dad*«, sagte Billy.

»Das ist nicht fair«, schluchzte Peggy. »Ein Autounfall ist
eine Sache. Aber wenn ihm ein anderer Mensch so etwas
angetan hat … das ertrage ich nicht.«

»Ich ertrage keins von beiden.« Annie hatte ihre Hände im Schoß verschränkt.

»Ich kann nicht glauben, dass er tot ist«, sagte Billy, nach Worten ringend. Er begann zu weinen, rieb sich die Augen mit den Fäusten. »Er war so stark, so *lebendig* – mir kommt es so vor, als wäre er immer noch da. Wie kann er plötzlich gestorben sein? Er gehört hierher, zu uns.«

»Niemand hat das Recht, ihn uns einfach wegzunehmen«, schluchzte Peggy.

»Wir sind eine Familie. Er ist unser Vater«, erklärte Annie.

»Ich finde es gemein, was sie über ihn sagen«, meinte Billy.

»Und jetzt wird es noch schlimmer werden. Ich wünschte, er wäre hier, um sich zu verteidigen.«

Bay saß inmitten ihrer Kinder, inzwischen trockenen Auges, und drückte sie an sich. Sie empfand das Gleiche – dass der Tod eines Mannes, der im Leben so stark und präsent gewesen war, einfach unfassbar schien. Doch was Billys Wunsch anging, so hätte sich Sean möglicherweise nicht verteidigen können, weil all das zutraf, was gemunkelt wurde.

Das war die erste Begegnung ihrer Familie mit dem Tod, die erste herzzerreißende Lektion. Es war, als wäre mit Sean auch ein Teil von ihnen gestorben. Und diese Erkenntnis stärkte ihre Entschlossenheit, mehr als je zuvor.

»Wir werden das durchstehen«, versprach sie.

»Wie?«, jammerte Peggy.

»Gemeinsam«, sagte Bay. »Wir sind zusammen, und das zählt.«

»Aber Daddy nicht. Er ist nicht mehr da«, gab Billy zu bedenken.

»Das stimmt nicht«, entgegnete Bay. »Er ist immer bei euch. Seine Liebe kann euch niemand nehmen.«

»Was soll das bedeuten? Er ist tot. Du hast gesagt, er wurde *ermordet*.«

»Liebe stirbt nicht. Und euer Vater hat euch sehr geliebt. Er liebt euch noch immer. Das schwöre ich euch.« Die Worte klangen so grimmig, dass sich die Kinder aufrichteten und sie mit großen Augen ansahen. »Das schwöre ich euch«, sagte sie abermals.

»Wenn du es schwörst, glaube ich es«, sagte Annie ruhig. Bay küsste ihre Kinder. Die Gewalt war in ihr Leben eingebrochen. Sie würde alles tun, um ihre Kinder zu behüten, das Haus mit Liebe zu füllen.

Das war sie allein schon Annie schuldig, die gesagt hatte: *Wenn du es schwörst, glaube ich es.*

Bereits am nächsten Tag, einem Mittwoch, hatten sich die Neuigkeiten am Strand wie ein Lauffeuer verbreitet. Seans Unfall könnte ein Mord gewesen sein. War *vermutlich* Mord. Und er hatte Kokain genommen. Möglicherweise gab es einen Komplizen bei der Bank. Nachdem man die Topmanager unter die Lupe genommen und von jedem Verdacht ausgenommen hatte, knöpfte man sich nun das Schalterpersonal vor, wenn man den Zeitungsmeldungen Glauben schenken durfte. *Junges, weibliches Schalterpersonal*, wurde am Strand hinter vorgehaltener Hand getuschelt.

Möglicherweise war Sean auch von jemandem außerhalb der Bank angestiftet worden: Man kannte ja die Geschichte von diesem Bankangestellten in Dallas, der von seiner Frau dazu gebracht worden war, Gelder zu veruntreuen und ihr eine Ölquelle zu kaufen.

Während Bay in ihrem Liegestuhl saß, musterte sie ihre Nachbarn und fragte sich, wer von ihnen sie wohl für die Drahtzieherin hielt. Sie nahm die Morgenzeitung aus ihrem Strohkorb. Sie versuchte so zu tun, als sei ihr Mann nicht in die Schlagzeilen geraten, bemühte sich, ihre Hände ruhig zu halten, als sie die Rubrik mit den Stellenanzeigen überflog, auf der Suche nach einem Job.

Tara kam an den Strand, gesellte sich zu ihnen, und die beiden Freundinnen machten einen Spaziergang, marschierten über den harten Sand an der Flutlinie entlang. Ihre Füße hinterließen Abdrücke, und sie gingen langsam, ihrer lebenslangen Gewohnheit folgend, um den Boden nach Schätzen abzusuchen: Muscheln, vom Meer glatt geschliffenes Glas, verlorene Diamantringe. In dem Sommer, als sie beide sechs waren, hatten sie eine Frau weinen hören: Ihr war der Verlobungsring vom Finger gerutscht, als sie aus dem Wasser kam. Sie hatten in all den Jahren nie wirklich aufgehört, nach ihm Ausschau zu halten.

»Wie geht es dir?«, fragte Tara.

»Bestens«, erwiderte Bay in einem Tonfall, den ihre Freundin sofort als »absolut grauenvoll« deuten würde.

»Dachte ich mir schon.«

»Wusste ich. Frank Allingham hat wieder angerufen. Es war nett gemeint, aber ich fühle mich nicht in der Lage, mit ihm zu sprechen … ich suche Arbeit.«

»Hast du schon was gefunden?«

»Noch nicht. Meine Computerkenntnisse sind unzureichend, und heute scheinen nur noch Mitarbeiter gefragt zu sein, die Windows und Excel beherrschen …«

»Die Anzahl der Menschen ohne Computerkenntnisse wird in unserer heutigen Gesellschaft weit unterschätzt. Aber bei mir ging es bisher ganz gut ohne, und du schaffst das auch. Was gibt es sonst Neues?«

»Hast du gehört, was die Leute reden?« Bay hob den Blick. Sie trug einen Strohhut gegen die Sonne und musste unter der Krempe hervorlugen, um Taras Gesicht zu sehen.

Tara schüttelte den Kopf. »Niemand würde es wagen, Sean in meiner Gegenwart schlecht zu machen.«

»Außer mir. Ich habe meinen Mann verloren, er wurde wahrscheinlich ermordet, aber ich habe eine wahnsinnige Wut auf ihn, Tara. Wenn er jetzt vor mir stünde ...« Bay schüttelte den Kopf, als wollte sie jeden Gedanken an Gewalt verscheuchen. »Ich habe mal unsere monatlichen Belastungen, wie zum Beispiel Hypothek, Versicherung, Strom und Lebenshaltungskosten, überschlagen ... ich befürchte, dass wir das Haus verkaufen müssen.«

»Nur über meine Leiche.«

»Oh Tara. Danke. Wie konnte er uns das antun? Was hat er sich dabei gedacht? Wenn ich nicht bald einen Job finde ... einen gut bezahlten ...« Ihr Herz raste angesichts der Möglichkeit eines weiteren Verlusts, als ob sie nicht schon genug verkraften musste.

»Du wirst bestimmt etwas finden. Du liest weiterhin die Stellenanzeigen, und ich werde meine Fühler ausstrecken. Du hast schließlich eine Menge Talente.«

Es hatte ihr nie etwas ausgemacht, hart zu arbeiten, je härter, desto besser.

»Ich habe Dan Connolly erzählt, dass ich Sean hasse«, gestand sie.

»Dass du ihn jetzt hasst, ist verständlich. Wie könnte es auch anders sein? Soll Dan die Dory für Annie bauen?«

»Ich wüsste nicht, wie.«

»Wegen des Geldes?«

Sie nickte. »Der Sommer geht zu Ende. Wir werden jeden Cent brauchen, den wir haben; unsere Ersparnisse müssen reichen, bis ich Arbeit finde. Ich würde meinen Verlobungsring zur Pfandleihe bringen, um die Dory zu bezahlen, aber wozu, wenn sie ohnehin bis zum nächsten Sommer im Garten herumsteht ...« Bay verstummte.

Jeder Teil von ihr schmerzte, wenn sie daran dachte, wie glücklich Annie gewesen wäre, wenn ihr Vater sein Vorhaben wahr gemacht und das Boot für sie in Auftrag gegeben hätte.

Ihr Blick schweifte zur Sanddüne hinüber, auf der silbergrüner Strandhafer schimmerte, zu dem Gestrüpp aus Wachsmyrte und Stechginster, den zerklüfteten Klippen, dem schmalen Pfad, der unter dem umgestürzten Baum entlangführte. Wenn sie ihm folgen würde, käme sie an die Abzweigung, ins Unterholz hinein … Sie konnte beinahe die Lichtung vor sich sehen, die Stelle, an der Dan die Schaukel aufgehängt hatte.

Dann blickte sie nach hinten, zur Uferpromenade. *Er baut Dinge, die ewig halten*, hatte seine Tochter gesagt. Wohl wahr. Die Promenade – aus hundert oder mehr dicken Holzplanken, in gerader Reihe aneinander genagelt, verwittertem Zinn, gepeitscht von der Flut und den bei Nordostwind hohen Wellen – legte Zeugnis von seiner unverwüstlichen Arbeit ab. Ein Bild von Dan aus damaliger Zeit tauchte vage in der Sommerhitze auf: groß, schlank, gebräunt, schmunzelnd.

Der Mann, der Dinge baut, die ewig halten.

Ein Boot für Annie, dachte Bay.

Aber wozu? Wozu sollte es gut sein? Würde sich Annie wirklich über ein Boot freuen können, das ihr Vater in Auftrag gegeben hatte, eine klassische Dory – selbst wenn es aus dem stärksten, härtesten Holz gebaut würde? Wozu sollte das gut sein, wenn er einfach aus ihrem Leben verschwunden war?

Einfach so?

»Hast du gelesen, was über Augusta Renwick in der Zeitung stand?«, fragte Tara.

Bay zuckte zusammen, erinnerte sich an die Geschichte.

Das FBI hatte Nachforschungen bei sämtlichen Kunden von Sean angestellt und herausgefunden, dass ein hoher Prozentsatz seines unrechtmäßig erworbenen Vermögens von den Renwick-Konten stammte – Geld, das Augusta von ihrem verstorbenen Mann geerbt hatte, dem berühmten Maler Hugh Renwick.

»Es könnte schlimmer sein«, meinte Tara sanft. »Es hätte Kunden treffen können, für die fünfzigtausend ein wirklich schmerzlicher Verlust wäre. Wahrscheinlich hat er sie deshalb ausgesucht, weil sie so reich ist und das Geld nicht vermisst würde.«

»Hat sie sich dazu geäußert?«

»Noch nicht. Ich putze morgen bei ihr.«

»Erzähl mir bitte alles, was sie sagt. Versprochen?«

»Versprochen.« Taras Stimme klang besorgt.

Sie gingen schweigend weiter, hoben Muschelschalen auf. Bay verstaute ihre in der Tasche ihres Hemdes. Es war ein altes von Sean, ein blau gestreiftes, dessen Kragen und Manschetten ausgefranst waren. Sie hatte die weichsten alten Hemden immer aufgehoben, sie über dem Badeanzug getragen. Wenn sie mit den Kindern am Strand spielte, seinen Kindern, sollte sein Hemd sie daran erinnern, wie hart er in der Bank für die Familie arbeitete.

Hart arbeiten, stehlen und ermordet werden ...

Zufällig blickte sie über ihre Schulter, zu dem Weg hinunter, den sie gekommen waren. Sie erspähte einen Mann im dunklen Hemd, der die Strandpromenade entlangging, sie keine Sekunde aus den Augen ließ. Seine Kakihose war frisch gebügelt, seine Laufschuhe waren brandneu, und seine Sonnenbrille wirkte eine Spur zu lässig. Aber es war sein Hemd, das ihn verriet.

Irgendjemand sollte dem FBI sagen, dass kein Strandgänger an einem so heißen Tag wie heute ein dunkles Hemd tragen würde. Es zog die Sonne an, der Träger war vermutlich schweißgebadet. Als sie den Mann beobachtete, der sie beobachtete, tat er Bay beinahe Leid.

Annie lag auf ihrem Bett, die Kleider klebten an ihrem Körper. Sie kam sich wie eine große welkende Blume vor, das T-Shirt klebte an ihrer Haut, das feuchte Haar an ihrem Kopf. Trotz der weit geöffneten Fenster hatte die Meeresbrise heute eine Temperatur von mehr als dreißig Grad. *Ermordet. Möglicherweise.*
Ihre Mom und Tara waren mit Billy und Peg an den Strand gegangen. Sie hatten Annie gebeten, mitzukommen, wie immer: »Hey, Annie, lass uns eine Runde schwimmen gehen … uns erfrischen und abkühlen … nur kurz ins Wasser springen …«
Annie rappelte sich hoch und tappte barfuß den dunklen Gang entlang, die Treppe hinunter in die Küche.
Daddy – ermordet? Unmöglich …
Sie öffnete die Kühlschranktür, genoss den Schwall eisiger Luft, der ihre schweißnasse Haut kühlte.
Genauso schockierend wie der Mord waren Drogen – Kokain. Daddy konnte kein Kokain genommen haben, nie im Leben … er hatte ihr immer gepredigt, wie schlimm Drogen waren, dass sie das Gehirn zerstörten, sie daran hindern würden, Spitzenleistungen im Sport zu erzielen, ihren Gegner auf dem Basketballfeld vernichtend zu schlagen. Aber er hatte sie auch ermahnt, niemals zu stehlen. Und nun hieß es, er habe Geld unterschlagen.
Während sie die Gedanken abzuschütteln versuchte, blickte Annie in den Kühlschrank, auf die Auswahl, die sich ihr bot. Ein ganzer Stapel kalorienarmer Fertiggerichte – danke Mom, dass du an mich gedacht hast. Zitronensorbet, fettarmer Joghurt mit Vanillegeschmack. Und ganz

hinten ein großer Becher mit Paradise-Pfirsich-Eis-creme, zum Blaubeerkuchen, den ihre Mutter später ba-cken wollte.

Denk nicht an Mord. Vielleicht war es gar keiner, sondern ein Unfall – und vielleicht war es auch kein Kokain. Das konnte ein-fach nicht sein. Annie wollte gerade nach der Eiscreme grei-fen, als das Telefon klingelte.

Sie hielt inne. Sie umklammerte den Plastikkübel mit Pfir-sich-Eiscreme, zwischen Neigung und Pflicht hin und her gerissen. Sie ließ die Eiscreme im Kühlschrank, hielt die Tür mit dem ausgestreckten Arm offen und beugte sich nach hinten, um den Hörer abzunehmen.

»Hallo?«

»Nicht zu fassen, habe ich doch tatsächlich die richtige Nummer erwischt. Glaub mir, das war nicht so einfach, auch wenn ihr im Telefonbuch steht, wie ich inzwischen weiß; das Problem war, dass ich erstens deinen Familien-namen falsch buchstabiert und zweitens den Namen der Ortschaft, in der du wohnst, falsch verstanden habe.«

»Mit wem spreche ich überhaupt?«, fragte Annie aufge-regt, obwohl sie genau wusste, wer dran war – Eliza – und nicht der Trainer, der mit Billy oder Peggy verbunden werden wollte, nicht die Bank oder ein Anwalt oder ir-gendjemand, der ihre Mutter verlangte: Der Anruf war für sie.

»Drei Mal darfst du raten, aber wenn du es nicht beim ers-ten Versuch schaffst, bin ich sauer.«

»Eliza?«

Annie hörte, wie sie zufrieden lachte. »Gut. ALSO, zuerst habe ich unter MacCabe statt McCabe nachgesehen, und dann habe ich bei der Auskunft Silver Bay statt Black Hall angegeben … aber zu guter Letzt habe ich dich ja doch noch ausfindig gemacht. Alles in Ordnung bei dir?«

»Ähm ...« Annies Augen schweiften zur Kühlschranktür. Bei den meisten Leuten wäre sie nie auf die Idee gekommen, die Wahrheit zu sagen. Aber irgendetwas weckte in ihr den Wunsch, Eliza zu gestehen: *Ich denke, mein Vater wurde ermordet, und ich wollte gerade einen Kübel Pfirsich-Eiscreme in mich hineinstopfen*; sie hatte das Gefühl, dass Eliza sie verstehen würde. Aber stattdessen erwiderte sie: »Ich glaube schon.«

»Ich glaube nicht. Ich weiß, was sie sich über deinen Dad erzählen.«

»Wirklich?«

»Ja. Du musst nicht mit mir darüber reden, aber ich kann mir vorstellen, wie schwer es für dich ist.«

Beide schwiegen.

»Es tut mir Leid«, flüsterte Eliza. »Das kommt alles viel zu plötzlich.«

»Ich vermisse ihn.« Annies Augen füllten sich mit Tränen. »Ich vermisse ihn so sehr; wenn er hier wäre, würde ich sogar Basketball mit ihm üben. Und dabei hasse ich es ...«

»Wenn du dich besser fühlst ... nach einiger Zeit ...«, begann Eliza.

Annie hätte um ein Haar aufgelegt; sie wollte nicht hören, dass sie sich JEMALS besser fühlen, dass sie ihren Vater irgendwann weniger vermissen könnte. Doch das spontane Vertrauen, das sie in Elizas Gegenwart empfunden hatte, half ihr, den Drang zu überwinden; sie atmete tief durch und hörte schweigend zu.

»Wenn du dich besser fühlst, kannst du daran denken, wie gut es ihm dort geht, wo er sich jetzt befindet«, fuhr Eliza fort.

»Wo er sich jetzt befindet?«, fragte Annie verständnislos und dachte an den Friedhof, den Grabstein mit seinem Namen: Sean Thomas McCabe, und danach kamen das

Geburts- und Todesdatum und eine Zeile aus dem Gedicht, das sie in der Kapelle vorgetragen hatte: *Versprechen darf man nicht brechen ...*

»Ja«, sagte Eliza. »Dort ist es unvorstellbar schön ...«

»Ich wünschte, es wäre wahr.« Tränen sammelten sich in Annies Augen.

»Aber es ist wahr! Ich weiß es, ganz sicher!«

»Woher denn?«

Nun war es an Eliza, zu verstummen. Sie atmete tief ein und aus, und Annie hörte den Rhythmus so deutlich, als hätte Eliza ihre Lippen auf die Sprechmuschel gepresst. Annie schloss die Augen, atmete im Gleichtakt mit Eliza.

»Das erzähle ich dir, wenn wir uns das nächste Mal sehen«, flüsterte Eliza.

»Und wann –«

»Wann das sein wird? Gute Frage. Wenn wir näher beieinander wohnen würden, käme ich mit dem Fahrrad zu dir. Habt ihr ein Boot?«

»Mein Vater hat – hatte – eins; warum?«

»Weil Mystic am Wasser liegt und euer Haus auch ...« Sie kicherte. »Wir könnten pendeln.«

Annie lachte und stellte sich vor, wie sie beide durch den Long Island Sound hin und her düsten, um sich gegenseitig zu besuchen. »Hast du denn ein Boot?«, fragte sie.

»Sollte man eigentlich meinen. In Anbetracht der Tatsache, dass mein Vater Bootsbauer und seine Firma nach mir benannt ist ... ich meine, nach meiner Großmutter ... aber wir haben den gleichen Namen ... das ist eine lange Geschichte.«

»Ich möchte sie unbedingt hören.«

»Das könntest du auch, wenn eine von uns ein BOOT besäße! Ich würde dir die Geschichte erzählen und etwas über unsere fehlenden Elternteile ...«

Annie zuckte zusammen, aber weniger als vorher; sie gewöhnte sich im Gespräch mit Eliza langsam an die Vorstellung, dass ihr Vater tot war. Das Wort *Mord* löste nicht mehr so viel Wut aus, wenn sie daran dachte.

»Wir sehen uns bald wieder«, sagte Eliza. »So oder so. Ich werde meinen Vater beknien, mich zu dir zu fahren. Oder deine Mutter, dich herzubringen.«

»Ja!« Annie war fast aufgeregt vor Vorfreude.

»Das ist eine richtige Obsession!«

»Eine was?«

»Das ist ein Wort, das ich in der Klapse aufgeschnappt habe. Es bedeutet, dass man ständig an etwas denken muss.«

»Aha«, sagte Annie. Sie verstand nicht ganz, was mit der »Klapse« gemeint war, wohl aber, was »ständig an etwas denken« bedeutete. Sie musste ständig an ihren Vater und an ihre Familie denken, so wie sie früher gewesen war. Und daran, dass er versprochen hatte, ihr kleines Boot auf Schritt und Tritt mitzunehmen.

Eliza hörte schweigend zu, während Annie schluckte und schluckte, während die Tränen ihre Kehle hinunterrannen. Sie weinte, als sie an all die Dinge dachte, die ihr im Kopf herumgingen, an all die Liebe, die sie für ihre Familie empfand, und wie schmerzlich dieses Gefühl war. Obwohl es ihr ein bisschen besser ging, als sie den Hörer in der Hand hielt und ihn fest ans Ohr presste, nass und glitschig von ihren Tränen, weil sie wusste, dass Eliza noch zuhörte, dass sie *da war*, selbst im angebrochenen Schweigen.

10

Sie pflückten Blaubeeren für den Kuchen. Inmitten ganzer Felder, die in der Hitze blau und grün schimmerten. Netze, die sich meilenweit erstreckten, um das Wild fern zu halten. Bay, Tara, Billy und Pegeen füllten ihre Körbe – sie waren die einzige Familie, die sich heute auf der Plantage eingefunden hatte, an dem bisher heißesten Tag des Sommers –, in der Ferne die Hügel im Norden von Black Hall in Dunst gehüllt, die Silhouette aufgeweicht durch die hohe Luftfeuchtigkeit, ein idyllisches Bild. Die Ruhe übertrug sich auf Bay, als sie sich umsah.

»Wenn man sich das Panorama anschaut, kann man verstehen, warum hier eine Künstlerkolonie entstanden ist«, sagte Tara. »Warum sie in Scharen von New York nach Black Hall gepilgert sind ...«

Bay schirmte ihre Augen ab, betrachtete die Landschaft.

»Das denke ich oft, wenn ich am Strand bin«, sagte sie. »Wenn ich die Küstenlinie vor mir sehe, all die Felsen und Strände, die Marsch ... wir lieben beide das Meer, aber du liebst die Erde ein wenig mehr ... wie es unseren Namen entspricht.«

Bay und Tara ... Meer und Erde.

»Wir sollten Malerinnen werden. Künstlerinnen.«

»Ach Tara.« Der Gedanke ermüdete sie. Sie sah zu, wie ihre beiden Jüngsten durch das weite, offene Feld schlichen, wie kleine Gespenster, wie kleine Zombies, ohne die Aufregung und Munterkeit, die sie früher beim Beerenpflücken an den Tag gelegt hatten. Eine Hirschfamilie graste im Schatten einer Steinmauer an der Ostseite des Feldes, doch die Kinder bemerkten sie nicht einmal.

»Ich möchte lieber selber malen, statt mit Malern auszugehen. Sie riechen allesamt nach Leinöl, und außerdem bin ich überzeugt, dass ich mir ein viel besseres Bild vom Leben machen kann als jeder einzelne von ihnen. Mein Liebesleben dümpelt vor sich hin. Wenigstens habe ich eine sagenhafte Karriere gemacht.« Sie lachte. »Ich putze in den ersten Häusern von Black Hall.«

»Deshalb kannst du es dir leisten, viel Zeit am Strand zu verbringen. Du bist dein eigener Boss, kannst dir die Arbeitszeit einteilen.«

»Verdammt richtig. Wenn es bloß jemanden in meinem Leben gäbe, den ich mit Sonnenschutzmittel einschmieren könnte. Außer dir, natürlich. Ich sehne mich danach, endlich mal einen Mann kennen zu lernen, der stark und umwerfend ist. Das männliche Gegenstück zu dir.«

Bay lachte.

»Ich meine es ernst. Ich hätte gerne jemanden, mit dem ich Händchen halten, ins Konzert gehen und auf die Veranda hinaustreten kann, um die Sterne zu betrachten … aber bisher gab es keinen, der den Wunsch in mir geweckt hätte, den Rest meines Lebens mit ihm zu verbringen.«

»Das verstehe ich«, erwiderte Bay sanft, kroch neben einen kleinen Strauch, griff unter die niedrigsten Zweige und holte die Beeren aus ihrem Versteck.

»Du hast es erlebt«, sagte Tara und kniete sich neben sie. »Du bist das Risiko eingegangen, hast dich verliebt … hast drei wunderbare Kinder bekommen.«

»Ich weiß. Aber Sean und ich hatten keine echten Gemeinsamkeiten. Was beschreibst du da eigentlich? Den Wunsch, Händchen zu halten und zu tanzen? Wenn ich meine Ehe betrachte, frage ich mich, wo diese himmelhoch jauchzende Liebe geblieben ist, ob es sie bei uns überhaupt jemals gab.«

»Tatsächlich?

»Ich weiß nicht. Vielleicht habe ich sie mir so sehr gewünscht, dass ich mir eingeredet habe, sie sei da. Seit die Ermittlungen laufen und ich Dinge erfahre, die Sean getan hat und von denen ich keine Ahnung hatte, würde ich am liebsten von der nächsten Klippe springen. Was sagt das über mich aus – über unsere Ehe –, wenn er mir den größten Teil seines Lebens verschwiegen hat?«

»Er war ein Idiot. Schon deswegen.«

»Ich habe keine Ahnung, wie es weitergehen soll«, sagte Bay.

»Deshalb solltest du malen. Wir beide – wir könnten unsere irische Leidenschaft in sinnvolle Bahnen lenken, in unsere Kunst.«

»Im Augenblick habe ich nicht mehr viel Leidenschaft in mir.« Bay, noch immer auf allen vieren, sah zu Tara hoch, die im Gegenlicht der vom Dunstschleier verhüllten Sonne groß und stark wirkte. Bays Körper schmerzte so, dass sie sich kaum bewegen konnte; sie fühlte sich, als hätte sie mit Sean im Wagen gesessen, hätte all die Tage auf dem Meeresgrund verbracht, vom Wasser erdrückt, Finger und Gesicht von Krebsen und Fischen angeknabbert.

»Doch«, widersprach Tara sanft. »Du bist die Leidenschaft in Person …«

»Ich bin nur eine Kleinstadt-Mami. Mehr nicht.«

»Aber das bist du von ganzem Herzen.«

Bay antwortete nicht, aber sie verinnerlichte Taras Worte. Krank vor Sorge um ihre Kinder, vor allem um Annie, war sie fest entschlossen, alles zu tun, damit sie die Situation meisterten, damit wieder Normalität einkehrte, damit sie sich wieder freuen konnten.

Sie füllten ihre Körbe, bezahlten bei der Frau am Stand und fuhren zur Küste zurück. Als sie in die Zufahrt einbog, galt Bays erster Gedanke Annie. War es falsch, dass sie das Mädchen – so still und zurückgezogen – ihren eigenen Weg gehen ließ, sie nicht zwang, sich der Familie anzuschließen, ihr erlaubte, in ihrem Zimmer zu bleiben?

Doch kaum hatten sie die Küche betreten, stand Annie schon in der Tür.

»Mom, ich brauche jemanden, der mich chauffiert«, sagte sie. »Nicht heute, aber bald.«

»Wohin?«, fragte Bay, überrascht und glücklich.

»Mystic.«

»Du hast doch gar keine Freundinnen in *Mystic*«, warf Billy ein. »Du hast ja nicht einmal Lust, etwas mit deinen Freundinnen auf Hubbard's Point zu unternehmen.«

»Genau«, sagte Peg gekränkt. »Du hast ja nicht einmal Lust, etwas mit mir zu unternehmen.«

»Wen möchtest du denn besuchen?«, erkundigte sich Bay.

»Eliza.«

»Eliza Connolly? Du hast sie doch nur ein einziges Mal gesehen ...«

»Sie hat mich angerufen, Mom.« Annies Augen glänzten. »Als du am Strand warst. Sie möchte, dass ich zu ihr komme. Sie hat meine Telefonnummer ausfindig gemacht.«

Als sie das Lächeln ihrer Tochter sah, das Leuchten in ihren Augen, das so lange Zeit verschwunden war, spürte Bay, wie ihr das Herz aufging.

»Sie hätte doch einfach ihren Vater fragen können, wie sie dich findet«, meinte Tara. »Den Weg nach Hubbard's Point hat er ja noch ganz gut gekannt.«

Bay spürte, wie sie rot wurde.

»Mom?«, fragte Annie.

»Klar. Ich fahre dich. Sag mir einfach, wann.«

Sie lächelte ihrer Tochter zu und blickte zum Seitenfenster hinaus. Sie entdeckte einen dunklen Wagen auf der anderen Straßenseite, in dem zwei Männer saßen. Sie hatte sie nie zuvor gesehen, aber sie wusste, wer sie waren. Sie observierten das Haus. Dachten sie, Sean hätte ihr das Geld gegeben, damit sie es behielt und versteckte? Vielleicht sollte sie ihnen ihr schrumpfendes Bankkonto zeigen, die heute Morgen von ihr mit einem Kreis gekennzeichneten Anzeigen, in denen Aushilfen gesucht wurden. Die Fenster des Wagens waren hochgekurbelt, die Klimaanlage lief. Die Männer sahen aus, als hätten sie vor, den ganzen Tag auf ihrem Posten zu bleiben.

Genau in dem Moment klingelte das Telefon; erleichtert über die Ablenkung, nahm Bay den Hörer ab.

»Hallo?«

»Bay, ich bin's, Dan Connolly.«

»Wie geht es dir?«

»Gut ... aber es ist etwas passiert. Ich muss dich sehen.«

»Mich sehen? Kannst du es mir nicht am Telefon sagen, weil ...«

»Nein«, unterbrach er sie. »Wir müssen uns treffen. Kannst du dir morgen Nachmittag freinehmen? Gegen zwei?«

»Ja, kann ich. Möchtest du herkommen?«

»Lieber nicht ... ich möchte nicht, dass die Kinder etwas mitbekommen.«

»Dann treffen wir uns im Foley's«, sagte Bay und drehte der Gruppe den Rücken zu, weil sie plötzlich merkte, dass alle mithörten. Seans Tod hatte die Familie in einen Zustand erhöhter Wachsamkeit versetzt. »Erinnerst du dich? Du fährst unter dem Eisenbahnviadukt durch und dann geradeaus –«

»Ich weiß. Wir sehen uns morgen.«

»Gut.« Als sie auflegte und aus dem Fenster blickte, zu den beiden Wächtern auf der anderen Straßenseite hinüber, hatte Bay das Gefühl, aus dem Gleichgewicht geraten zu sein.

Die Hitze hielt an, und der nächste Tag, der heraufdämmerte, war genauso heiß und schwül wie die Tage davor. Augusta Renwick lebte in künstlerischer Grandezza auf einer Klippe mit Blick aufs Meer, nur wenige Meilen westlich von Hubbard's Point, an der Küste. Das weiße Haus hatte mehrere weitläufige Veranden mit weißen Weidenmöbeln, auf denen verblichene gestreifte Sitzpolster lagen. Überall standen Töpfe mit Geranien. Darauf beschränkte sich Augustas Gartenarbeit: rosa Geranien, bei Kelly's gekauft. Dort gab es Pflanzen von bester Qualität. Doch als Augusta heute über ihre Veranda schlenderte, in der Hoffnung auf eine kühle Meeresbrise, war sie höchst unzufrieden mit ihren Blumen. Sie als »welk« zu bezeichnen, wäre noch geprahlt. Die Ärmsten waren völlig hinüber.

»Ihr Schlappschwänze lasst die Köpfe hängen«, sagte Augusta geringschätzig, über ihren schwarzen Weißdorn-Gehstock mit Silberknauf gebeugt. Sie seufzte. Sie hatte gelernt, auch die weniger robusten Exemplare zu schätzen und schützen, sogar in der Pflanzenwelt. Seit ihr Ex-Schwiegersohn, der garstige, inzwischen hinter Schloss und Riegel sitzende Simon, ihre Tochter Skye angegriffen und Augusta, die sich dazwischenwerfen wollte, eins über den Schädel gezogen hatte, war ihre rechte Körperhälfte so geschwächt, dass sie einen Gehstock brauchte. Das einzig Positive daran war – und nach Augustas Ansicht hatte *jede* Situation ihre Licht- und Schattenseiten –,

171

dass sie dadurch mehr Einfühlungsvermögen für alle Kreaturen entwickelt hatte.

Mit Ausnahme der niederen Kreaturen männlichen Geschlechts.

Augusta hatte kein Verständnis für Männer – auch nicht für Frauen, nebenbei bemerkt –, die anderen Schaden zufügten. Simon war ein Paradebeispiel für das Unheil, das ein Mensch anrichten konnte, aber er war beileibe nicht der einzige Schurke.

Sie warf abermals einen Blick auf ihre verwelkten Geranien in ihren Kübeln und ging humpelnd durch die Fliegengittertür in die verhältnismäßig kühle, weitläufige Eingangshalle im vorderen Trakt des Hauses. Ein Ventilator an der Decke bemühte sich nach Kräften gegen die Hitze.

Hugh, ihr angebeteter, verstorbener Ehemann, hatte die Werke von Somerset Maugham und Noël Coward geliebt; er hatte das Anwesen sogar nach Cowards imposantem Herrensitz auf Jamaica »Firefly Hill« genannt. Augusta vermutete, dass Noël ebenfalls Deckenventilatoren geduldet hatte, die der Meeresbrise auf die Sprünge halfen.

Hugh war Maler gewesen, vom Format eines Hassam oder Metcalf – das Beste vom Besten, was Amerika an Impressionisten zu bieten hatte. Er hatte ein Bohemeleben geführt, wild und ungezügelt. Sammler hatten auf Anhieb seine Bedeutung erkannt, und Hugh war einer der wenigen Künstler gewesen, die noch zu Lebzeiten reich wurden. Umsichtige Investitionen und schlaue Finanzberater hatten den Wohlstand der Renwicks in ein sagenhaftes Vermögen verwandelt.

Einer dieser Berater war Sean McCabe gewesen.

Augusta setzte ihren Weg durch die Eingangshalle fort, durchquerte das Wohnzimmer, vorbei an den Porträts, die Hugh von seinen drei Töchtern gemalt hatte, und betrat ein kleines Arbeitszimmer im Westflügel des Hauses. Durch die hohen Fenster drang keine Morgensonne herein. Der Raum war anheimelnd, wie geschaffen für Winterabende am offenen Kamin. Bücher säumten jede einzelne Wand.

Augusta lehnte sich zur Türschwelle hinaus, um zu lauschen, wo sich Tara, ihre Reinigungskraft, befand. Sie war oben – Augusta hatte nach wie vor ein scharfes Gehör und konnte das leise Rumpeln des Kehrichtbesens gegen den senkrechten, hinteren Teil der Treppenstufen ausmachen. Es würde mindestens zehn Minuten dauern, bis sie die Treppe bis zur untersten Stufe gefegt hatte und zur Tür hereinkommen würde.

Augusta ging zu dem Bücherregal, das Gedichte und Dramen enthielt. Die Bücher an allen vier Wänden des Arbeitszimmers waren nach Themen geordnet. Die bei weitem umfangreichste Sammlung enthielt Kunstbücher, etwa zwanzig Biografien und Bildbände über Hugh und sein Werk inbegriffen, und weitere fünfzig Bände, die sich mit der Künstlerkolonie von Black Hall im Allgemeinen und den Malern befassten, die hier Rang und Namen hatten.

An einer anderen Wand waren historische und wissenschaftliche Werke aufgereiht, mit deren Hilfe man Vögel, Gestirne, Muscheln und Fische bestimmen konnte, die es in der Gegend um Black Hall gab, aber auch anspruchsvolle und kompakte Werke über Geologie und Geophysik der östlichen Meeresküste.

Doch es waren die Gedichte und Dramen, denen sich Augusta nun zuwandte. Sie hatte ein Faible für jede Form von Bildung, aber die Poesie liebte sie besonders. Sie streckte die Hand nach dem abgegriffenen, oft gelesenen Band mit den gesammelten Werken des Barden heraus, der auf dem dritten Brett ganz rechts stand. Als Augusta ihn herauszog, klickte es, und das Bücherregal schwang nach außen und enthüllte einen verborgenen Safe.

In aller Eile, da Tara jeden Moment auf der Bildfläche erscheinen konnte, um wie jede Woche den Raum zu putzen, stellte Augusta die Zahlenkombination ein, die einfach und leicht zu merken war: die Geburtstage ihrer Töchter – zuerst der Monat, dann der Tag.

Als sich der Safe öffnete, schob Augusta einen Sack mit Golddublonen und ein kleines Kästchen mit burmesischen Rubinen beiseite, die ihr Schwiegersohn, der Schatzsucher, ihr zur Aufbewahrung gegeben hatte; dahinter befanden sich ein Stapel Inhaberschuldverschreibungen, ein Geldbündel, Vintage-Armreifen von Harry Winston und Halsketten aus Platin mit Diamanten und Saphiren. Außerdem die Smaragdohrringe von Vuarnet.

Augusta suchte ein bestimmtes Blatt Papier. Ein Schreiben von ihrer Bank, das sie in diesem Monat erhalten hatte. Sie nahm es hastig heraus, schlug die Safetür zu, stellte den Shakespeare an seinen angestammten Platz zurück und nahm am Schreibtisch Platz. Sich die langen weißen Haare aus dem Gesicht streichend, griff sie zum Taschenrechner, blickte mit fieberhafter Aufmerksamkeit auf das Blatt Papier und begann, die Zahlen zu addieren.

Tara arbeitete sich Schritt für Schritt durch das Herrenhaus der Renwicks. Sie hatte an diesem Tag nur noch ein weiteres Haus zu putzen, das kleine Cottage eines Malers auf der Uferböschung des Ibis River. Ein Sonntagsspaziergang im Vergleich zu Firefly Hill. Trotzdem war Eile geboten, wenn sie rechtzeitig in Hubbard's Point sein wollte. Bay traf sich um zwei Uhr mit Dan Connolly, und sie wollte bei ihr sein, bevor sie losfuhr – zum einen, um ihrer

Freundin den Rücken zu stärken, und zum anderen, weil sie vor Neugier platzte.

Beim Kehren und Wischen der unteren Räume hatte sie sich das Arbeitszimmer für den Schluss aufgehoben. Wie immer. Dieser Raum war ihr der liebste im ganzen Haus, gemütlich und einladend, gefüllt mit Büchern und Familienfotos. Als sie um die Ecke bog, sah sie zu ihrer Überraschung Augusta Renwick an dem großen Mahagoni-Schreibtisch sitzen.

»Nanu, Mrs. Renwick! Ich dachte, Sie wären draußen, auf der Veranda.«

»Nein, Tara.« Die Matriarchin starrte ein Blatt Papier an, das auf dem Schreibtisch lag. »Ich mache mir zu große Sorgen, um draußen zu faulenzen.«

»Tut mir Leid. Soll ich das Arbeitszimmer später putzen?«

Augusta schob das Blatt Papier beiseite und sah Tara über den Rand ihrer Schildpatt-Lesebrille an. »Sie kannten ihn gut. Oder?«

»Wen?« Tara verspürte ein Flattern im Magen.

»Sean McCabe. Lassen wir doch das Theater. Er war es, der Sie mir empfohlen hat. Ich brauchte eine Reinigungskraft, und als er mir sagte, dass die beste Freundin seiner Frau eine solche Firma betreibt, habe ich Sie eingestellt.«

»Ja, ich kannte ihn sehr gut.« Tara sah Augusta offen in die Augen.

»Erzählen Sie etwas über ihn.« Augusta forderte sie mit einer Geste auf, in dem rissigen Ledersessel auf der anderen Seite des Schreibtisches Platz zu nehmen. Tara holte tief Luft. Sie befand sich in einer Zwickmühle: Einerseits war sie Bay Loyalität schuldig, andrerseits wäre es unhöflich gewesen, die Bitte ihrer Arbeitgeberin einfach zu ignorieren. Vorsichtig nahm sie auf der Kante des Sessels Platz und ließ Augusta dabei nicht aus den Augen.

»Er war ein Freund. Ein langjähriger Freund. Wir sind miteinander aufgewachsen, haben die Sommermonate in Hubbard's Point verbracht.«

»An der irischen Riviera«, bemerkte Augusta.

Tara lächelte zuvorkommend. Die WASPs bezeichneten Hubbard's Point oft als »die irische Riviera von Connecticut«. Aus purem Neid, hatte ihre Großmutter immer gesagt.

»Weiter«, drängte Augusta.

»Er ging auf die St. Thomas Aquinas Highschool in New Britain, danach ans Boston College. Er war an beiden Mitglied der Basketballmannschaft und machte an der UConn seinen MBA. Er heiratete ein Mädchen aus der Gegend. Danach trat er in die Shoreline Bank and Trust ein.«

Augusta winkte ungeduldig ab. »Das hätte ich auch aus seinem Lebenslauf erfahren können. Solche Dinge interessieren mich nicht.« Sie trommelte auf das Papier, das auf ihrem Schreibtisch lag, strich mit dem Fingernagel dem Blatt entlang. »*Das da* interessiert mich.«

»Was ist das?«

»Eine Aufstellung meines Guthabens. Für ein kleines Konto. Ich hätte es um ein Haar vergessen. Sean riet mir vor einigen Jahren, es anzulegen. Er hatte Einlagenzertifikate zu verkaufen, zu einem günstigen Preis. Ich erinnere mich, dass es an dem Morgen geschneit hatte, als er anrief, in seiner mitreißenden Art – Sie wissen ja, wie er sein konnte.«

»Sean besaß große Menschenkenntnis. Und ihm lag daran, gute Beziehungen zu seinen Kunden aufzubauen.«

»Gut genug, um sie zu bestehlen?«, fragte Augusta scharf.

»Das kann niemand begreifen.«

»Brauchte die Familie Geld? Vielleicht für eines der Kinder? Für die Ausbildungskosten? Oder gab es Gesundheitsprobleme?«

»Den Kinder geht es bestens. Alle sind kerngesund«, erwiderte Tara gleichmütig.

»Und was ist mit seiner Frau? Wünschte sie sich einen aufwändigeren Lebensstil? War sie – ist sie – sehr anspruchsvoll?«

Tara starrte die alte Frau an. Sie musterte Augustas schwarze Perlen, die mehr wert waren als die meisten Häuser in dieser wohlhabenden Kleinstadt am Meer. Die weißen Haare waren früher schwarz gewesen, vielleicht genauso dunkel wie Taras, was man an den imposanten Augenbrauen sah, die sich über den violetten Augen wölbten. Tara war nur die Putzfrau und ihre Arbeitgeberin eine große Dame, doch als sie sich nun mit Blicken maßen, musste Augusta ihre Augen als Erste abwenden.

»Bay ist alles andere als anspruchsvoll«, erwiderte Tara und stellte sich ihre Freundin vor, barfuß, mit roten, vom Wind zerzausten Haaren, Wäscheklammern im Mund, während sie die Wäsche aufhing.

»Sein Verhalten muss einen zwingenden Grund gehabt haben.«

»Da stimme ich Ihnen zu. Wir wissen aber nicht, welchen.«

»Eine andere Frau? Ist es das?«

Tara saß mit ausdrucksloser Miene wie versteinert da, nichts und niemand auf der Welt konnten sie dazu veranlassen, darüber auch nur ein Wort zu verlieren.

»Loyalität ist bewundernswert.« Augusta sah Tara mit zusammengekniffenen Augen an. »Eine hervorragende Charaktereigenschaft.«

»Danke.«

»Ich hatte sie eigentlich auch bei Sean erwartet.«

Wir alle, dachte Tara.

»Was wird seine Frau jetzt tun? Arbeitet sie?«

»Sie arbeitet hart. Zieht ihre Kinder groß.«

»Wie viele?«

»Drei.«

»Genau wie in unserer Familie.« Augustas Stimme klang sanfter, mit einem Mal nachdenklich. »Drei Kinder ohne Vater. Meine Töchter haben ihren Vater auch sehr früh verloren.«

»Ich weiß, es ist ein schwacher Trost, Mrs. Renwick, aber ich bedaure sehr, was Sean Ihnen angetan hat. Wäre Ihnen wohler, wenn ich kündige? Ich könnte es durchaus verstehen, wenn Ihnen das lieber wäre, in Anbetracht von Seans Empfehlung.«

»Großer Gott, nein!« Augusta klang entsetzt. »Tara, ich brauche Sie dringender als je zuvor. Obwohl die unterschlagene Summe nicht die Welt ist, hat der Mann mich schwer enttäuscht. Ich hasse es, übervorteilt zu werden. Ich bin alt, Tara, und die Gesellschaft hält nicht viel von den älteren Mitbürgern und bringt ihnen wenig Achtung entgegen. Man bevormundet uns und denkt, wir wären zu senil, um es zu bemerken, wenn wir über den Tisch gezogen werden.«

»Sie sind alles andere als senil, Mrs. Renwick.« Tara lächelte. »Ganz im Gegenteil, Sie gehören zu den scharfsinnigsten Menschen, die ich kenne.«

»Das hört man gerne.« Augusta richtete sich hoheitsvoll auf. »Und ich dachte, Sean wäre der gleichen Ansicht. Das ist das Erschütternde daran. Mein Vertrauen in die Menschheit ist zerstört. Ich bin nicht die Erste, der so übel mitgespielt wurde; begüterte alte Damen sind dafür besonders anfällig. Denken Sie daran, wenn Sie in die Jahre kommen und Ihre Arbeit reiche Früchte getragen hat – Sie legen doch hoffentlich was fürs Alter beiseite?«

»Ja. Meine Mutter hat mich gelehrt, mit wenig auszukommen. Meine größte Ausgabe ist der Garten –«

»Ihr Garten?«

»Ja. Mein ganzer Stolz, ich habe viel Freude an ihm. Leider kaufe ich zu viele Pflanzen … und ich kann den Gartenhandschuhen aus butterweichem Leder nicht widerstehen, oder den Gießkannen aus Kupfer, oder dem neuesten Superspaten …«

»Ah, die Iren hatten schon immer ein Händchen für Blumen und Erde. Hugh beschäftigte früher einen Gärtner aus Wicklow. Damals, als Firefly Hill noch ein richtiges Schmuckstück war. Er liebte schöne Gärten als Motiv zum Malen. Inzwischen habe ich nur noch den alten Kräutergarten hinter dem Haus und die vertrockneten braunen Geranien. Ich habe keinen grünen, sondern einen schwarzen Daumen.«

»Wasser, Wasser, Wasser.« Tara lächelte und dachte an Bay. »Das ist das ganze Geheimnis.«

Augusta hob ihren schwarzen Gehstock vom Fußboden auf, dann beugte sie die geschwächte rechte Hand. »Ich kann den Schlauch nicht mehr so wie früher mit mir herumschleppen. Oder eine Gießkanne tragen. Und meine Töchter sind vollauf mit ihrem eigenen Leben beschäftigt, haben keine Zeit, den Garten ihrer alten Mutter zu pflegen – *trop occupé*, wie Caroline sagen würde, seit sie in Frankreich lebt; und genau genommen wohnen sie zu weit weg.«

»Ich könnte das für Sie übernehmen«, erbot sich Tara, als ihr plötzlich eine Idee kam. »Oder …«

»Oder was?«

»Sie könnten eine Gärtnerin einstellen.«

11

Kurz vor zwei holte Bay ihr altes Fahrrad aus der Garage. In einer Ecke verstaut, zusammen mit Seans Golfschlägern und Basketball, war es mit Spinnweben bedeckt, die sie nun abstaubte.

Als sie an den Männern in dem dunklen Wagen vorbeifuhr, kam sie sich wie die Gangsterbraut in einem Kinofilm vor, die den Gesetzeshütern ein Schnippchen schlug. Sie verließen den Parkplatz und folgten ihr die Straße entlang, doch sie nahm eine Abkürzung mitten durch die grüne Marsch, über eine Reihe schmaler Holzplanken, die ihr Sohn in den Matsch gelegt hatte, um das Radfahren und Krabbenfischen zu erleichtern – ein Saumpfad, den einzuschlagen kein Ford LTD wagen würde.

Sie richtete ihr Augenmerk auf den Boden, achtete darauf, mit den Reifen auf den Brettern zu bleiben. Eine falsche Bewegung, und sie würde im schwarzen Morast landen. Ihr Körper war angespannt, sie wusste nicht, was sie bei dem Wiedersehen mit Danny erwartete. Was musste er ihr so dringend sagen, was würde sie empfinden? Sie hatte schon viel zu viel von sich preisgegeben und wünschte, sie könnte es ungeschehen machen.

Als der Sumpf endete, fuhr sie die Mute Swan Road entlang, eine Landstraße, die so entlegen war, dass die meisten Bewohner von Hubbard's Point nicht einmal ahnten, dass sie existierte, und an dem Haus vorbei, in dem der Wachmann wohnte, der im Winter für die Sicherheit von Hubbard's Point zuständig war, die blauen Lichter auf seinem grünen Wagen waren im Schatten der umliegenden Wälder gut getarnt.

Endlich tauchte die Hauptstraße und der unbefestigte Parkplatz des Foley's auf – ein grünes, scheunenartiges Gebäude, der Gemischtwarenladen der Küstenregion. Bay entdeckte Dannys Pick-up, als sie die Autos musterte. Ihr Puls schlug schneller; nach all den Jahren hatte sie immer noch Lampenfieber bei dem Gedanken, ihn wieder zu sehen. Sie stieg vom Rad und stellte es, sich der Präsenz der Gesetzeshüter in ihrem Leben bewusst, außer Sichtweite unter der breiten Veranda des Gebäudes ab.

Als sie den großen, luftigen Laden betrat, sah sie, dass die drei Gänge menschenleer waren – offenbar war es zu heiß zum Einkaufen –, aber sie fand Danny hinten, an einem der Tische sitzend. Er erspähte sie auf Anhieb, stand auf, um ihr zuzuwinken und einen Stuhl für sie zurechtzurücken. Als sie Platz nahm, ließ sie wie immer ihre Hand über die vernarbte Tischplatte gleiten. Generationen von Teenagern aus Hubbard's Point hatten ihre Initialen in das Holz geritzt: SP+DM, ML+EE, ZM+RL, AE+PC. An der Seite waren Bays und Seans: BC+SM.

»Das ist lange her«, sagte Bay, als sie sah, wie Dan sie mit ernstem Blick betrachtete.

»Ich weiß, was du meinst.« Er entspannte sich, ein Lächeln glitt über sein Gesicht. »Danke, dass du gekommen bist.«

Sie nickte, erwiderte das Lächeln. Danny Connolly hatte schon immer ein herzerwärmendes Lächeln gehabt, eine der Eigenschaften, die ihr besonders gut an ihm gefallen hatten. Es war das aufrichtigste Lächeln der Welt, und es erfasste sein ganzes Gesicht. Als Allie Grayson – ein Mädchen vom Strand, das zum ersten Mal während der Sommerferien im Foley's arbeitete – an ihren Tisch kam, bestellten beide Limonade.

»Also. Was wolltest du mir sagen?«, fragte sie.

Das Lächeln verschwand. »Ich bekomme neuerdings ziemlich viele Anrufe. Leute, die wortlos wieder auflegen. Zuerst dachte ich, jemand hätte sich verwählt. Oder versuchte, mir unter meiner Telefonnummer ein Fax zu schicken. Schließlich ging ich ran, und die Person wollte wissen, ob ich mit Sean McCabe gesprochen oder ihn gesehen hätte. Einen Moment lang dachte ich, du wärst es.«

»Ich?«

»Es war eine Frau.«

»Wirklich?«

»Ja. Ich merkte natürlich gleich, dass du es nicht warst, aber ich konnte mir nicht vorstellen, wer sonst von Seans Besuch bei mir gewusst haben könnte. Und was sie mit dem Anruf bezweckte.«

»Wie klang ihre Stimme?«

»Vorsichtig. Sehr vorsichtig, als würde sie jedes Wort auf die Goldwaage legen.«

»Hast du keine Rufnummererkennung?«

Dan schüttelte lächelnd den Kopf. »Nein, mit Elektronik habe ich nichts am Hut. Eliza predigt mir ständig, dass ich endlich mit der Zeit gehen soll – vielleicht liegt es an meiner Holzboot-Mentalität. Ich halte nichts von Dingen, die dem Leben das Geheimnisvolle nehmen.«

Bay zuckte verdutzt die Schultern. »Ich habe keine Ahnung, wer die Anruferin gewesen sein könnte. Hast du die Polizei verständigt?«

Er schwieg. Allie brachte die Limonade, und er wartete, bis sie gegangen war. Gedankenverloren berührte er das beschlagene Glas. Dann sah er hoch und erwiderte ihren Blick. »Nein. Habe ich nicht, deinetwegen.«

»Meinetwegen? Was soll das heißen?«

Er kniff leicht die Augen zusammen, dann lächelte er. »Weil ich dummerweise immer noch das Bedürfnis habe, dich zu beschützen.«

»Danke. Ich kann es gut gebrauchen.«

»Ich bin froh, dass du es so siehst. Ich weiß, du bist erwachsen, eine fantastische Mutter, tüchtig wie keine andere … Trotzdem, für mich bist du immer noch das kleine Mädchen, das nur aus Haut und Knochen bestand und mich ständig von der Arbeit abhielt, als ich die Uferpromenade zu bauen versuchte«, sagte er und bemühte sich um eine neutrale Miene, aber das Lächeln war stärker.

»Ich war kein kleines Mädchen! Ich war fünfzehn.«

»Stimmt, Galway, ich glaube, du hast Recht«, sagte er, als ihn die Erinnerungen überfielen. Er hatte sie zu seiner Assistentin ernannt und ihr seinen Werkzeugkoffer zum Halten gegeben, damit sie ihm Nägel zureichen konnte, während er Planke um Planke aneinander fügte. Er hatte sie Galway Bay genannt, oder nur »Galway«, nach der berühmten Bucht in Irland, in einer scheinbar barschen Art, hinter der sich ein so liebevoller Spott verbarg, dass ihre Haut jedes Mal prickelte, wenn sie den Namen hörte – genau wie jetzt.

»Ich war eine gute Gehilfin«, protestierte sie. »Die Uferpromenade hätte nie so lange gehalten, wenn ich dir nicht zur Hand gegangen wäre.«

»Du warst gar nicht so schlecht. Für einen blutigen Laien.«

»Beim Zureichen der Nägel?«

»Und beim Umgang mit dem Hammer. Wenn ich mich recht erinnere, hast du deine Sache sogar ganz gut gemacht.«

»Wie könnte es auch anders sein? Du warst schließlich mein Lehrmeister. Ich habe deine Anweisungen bis zum heutigen Tag beherzigt: Wenn ich Bilder aufhänge, fasse ich den Hammer kurz, hole locker aus und behalte die ganze Zeit den Nagel im Auge – als würde ich einen Baseball schlagen ... Ich denke gar nicht mehr darüber nach ... es ist wie Zen – und ich treffe nie versehentlich den Daumen. Nachdem ich Lehrgeld zahlen musste ...«

»Als du den Daumen erwischt hattest und ich den ganzen Tag in der Klinik mit dir verbringen musste, um die Wunde nähen zu lassen«, ergänzte er grinsend. »Damals befürchtete ich, dass ich dir nicht viel beigebracht habe.«

»Aber das hast du, und die Lektionen sind mir noch heute gegenwärtig. Als die Kinder klein waren und Baseballschläge übten, dachte ich oft daran, wie du gesagt hast: den Hammer kurz fassen, locker ausholen, er findet den Nagel von alleine, nicht darüber nachdenken ... und ich sagte ihnen, haltet das Schlagholz locker in der Hand, es findet den Ball von allein. Damit habe ich Sean auf die Palme ...« Sie verstummte, blickte auf ihre Knie herab.

»Warum hat ihn das auf die Palme gebracht?«

»Weil er es nicht verstand. Er machte alles mit Brachialgewalt. Er predigte den Kindern, mit voller Wucht auf den Ball einzudreschen, was das Zeug hielt, und ihn in Richtung Sonne zu jagen.«

»Regt es dich auf, wenn du daran denkst?«

»Allein an Sean zu denken, regt mich schon auf.« Sie sah hoch. »Aber nicht wegen dem, was ich dir neulich erzählt habe, nach der Beisetzung. Das war nicht so gemeint, weißt du. Ich hasse meinen Mann nicht.«

»Das habe ich auch nicht angenommen, Bay.«

»Es ist ziemlich kompliziert. Ich bin wütend auf ihn. Wegen der Dinge, die er getan hat, und weil er gestorben ist. Weil er die Kinder alleine gelassen hat. Weil er mich belogen hat.«

»Ich weiß«, sagte Dan. »Ich war auf Charlie genauso wütend, aus den gleichen Gründen.«

Bay nickte, obwohl sie überrascht war, zu hören, dass Charlie irgendetwas getan haben sollte, das ihn in Wut versetzte. Hatte sie ihn belogen? Oder bezogen sich seine Worte lediglich auf die Lücke, die der Tod eines Menschen im Leben der Familie hinterließ?

»Da wir gerade von Sean sprechen. Es gibt da etwas, worüber ich mit dir reden wollte. Du erinnerst dich noch an unsere Briefe?«

»Und ob, Galway. Du meinst sicher diejenigen, die du mir im Winter nach dem Uferpromenaden-Sommer pausenlos geschickt hast.«

»Du hast ein paar Mal geantwortet, wenn ich mich recht erinnere.«

»Nur weil ich nicht wollte, dass du alles verlernst, was ich dir beigebracht habe … und um dich wissen zu lassen, dass ich nicht aufgehört habe, den Mond zu beobachten.« Er grinste, als würde er es bereuen. »Aber es stimmt, ich habe dir wirklich ein paar Mal geantwortet …«

»Das ist lange her.« Bay war verlegen, weil sie nicht wollte, dass er auf falsche Gedanken kam. »Ich habe sie aufgehoben.«

Überraschung flackerte in seinen Augen auf; mit Sicherheit hatte er ihre schon vor Jahren weggeworfen.

»Ich hebe alles auf«, erklärte sie. »Ich habe eine ganze Truhe mit alten Briefen, Bildern, Jahrbüchern … Locken von den Kindern …«

»Du willst also damit sagen, dass ich mir nicht einbilden soll, etwas Besonderes zu sein. Keine Bange, tue ich nicht. Wahrscheinlich wolltest du meine weitschweifigen Ausführungen über seltene Hölzer oder die Eigenschaften von Mahagoni im Vergleich zu Teak für die Nachwelt erhalten – richtig?«

»So in der Art«, meinte sie, froh über den scherzhaften Ton, aber plötzlich unfähig, darüber zu lachen.

»Und, was ist damit?«

»Sie waren irgendwo in besagter Truhe vergraben; ich habe sie seit Ewigkeiten nicht mehr gesehen. Aber ich fand einen der Briefe auf Seans Boot.«

»Hattest du ihn dort vergessen?« Er sah verwirrt aus.

»Nein. Sean muss ihn mitgenommen haben. Ich hatte keine Ahnung, dass er überhaupt davon wusste. Und ich kann mir beim besten Willen nicht vorstellen, wieso ihn die Briefe interessieren sollten. Und wenn doch, warum er mir kein Sterbenswort davon gesagt hat. Aber allem Anschein nach hat er sie einfach gefunden und beschlossen, dich in eigener Regie aufzuspüren.«

»Ich bin sicher, Sean hatte lediglich beschlossen, für seine Tochter ein Boot bauen zu lassen. Und er wusste, dass ich Bootsbauer bin.«

»Aber es gibt doch gewiss etliche in der Gegend. Bei all den Häfen und Liegeplätzen entlang der Küste …«

Dan antwortete nicht, doch an der Stille, die eintrat und kaum länger als drei Sekunden dauerte, spürte Bay, dass ihm das Thema unangenehm war.

»Du bist der Beste, oder?« Sie fragte sich, ob er nur bescheiden war.

»Keine Ahnung.«

»Deshalb kam Sean zu dir. Weil er immer das Beste vom Besten haben musste.«

»In manchen Dingen hatte der Mann offenbar einen guten Geschmack. Aber Holzboote waren nicht seine Welt. Jetzt, da du es ansprichst, fällt mir wieder ein, dass ich mich wunderte, wie er überhaupt auf die Idee kam. Es besteht

186

ein himmelweiter Unterschied zwischen Menschen, die Kunststoff mögen – große, glänzende Motorboote –, und solchen, die Holz bevorzugen.«

»Ja, ich weiß«, erwiderte Bay ruhig. Für sie waren Holzboote wie der Mond: Sie wirkten unaufdringlich, kühl, beschaulich. Während Motorboote riesigen Sonnen glichen, die jeden blendeten und verbrannten. Aber sie hütete sich, ihre Gedanken auszusprechen.

»Als er bei mir in der Werkstatt auftauchte, konnte ich mir zunächst keinen Reim darauf machen. Er stellte eine Menge Fragen, war bereit, jeden von mir verlangten Preis zu zahlen, aber er war nicht –« Er hielt inne, suchte nach Worten. »Mit Leib und Seele dabei. Menschen, die Holzboote kaufen, haben ihr Herz an diesen Schiffstyp verloren.«

»Und was war Sean?«

Dan trank einen großen Schluck Limonade, als wollte er die Antwort auf diese Frage so lange wie möglich hinausschieben. »Keine Ahnung.« Er wandte den Blick ab. »Vielleicht missfiel es ihm nur, dass wir uns geschrieben hatten.«

»Er hätte mich schon vor langer Zeit damit aufziehen können, aber ich glaube nicht, dass er sich jemals dadurch bedroht fühlte. Er hatte keinen Anlass zu der Vermutung, es gäbe in meinem Leben einen anderen ...« Ihre Augen füllten sich mit Tränen bei dem Gedanken, dass es genau umgekehrt gewesen war.

»Es tut mir Leid. Habe ich etwas Falsches gesagt?«

Bay schüttelte den Kopf, riss sich zusammen. Es ging nicht an, Danny Connolly ihr Leid zu klagen, ihm ihre Eheprobleme anzuvertrauen.

»Der Brief bereitet mir Kopfzerbrechen«, sagte sie. »Ich habe der Polizei nichts davon erzählt.«

»Warum solltest du?« Er runzelte die Stirn.

»Weil ich ihn in einem Aktenordner auf Seans Boot gefunden habe. Sie haben alles unter die Lupe genommen, was sich im Ordner befand – Kontoauszüge, Kritzeleien von Sean. Ich wüsste gerne, was der Brief darin zu suchen hatte.«

»Warum zeigst du ihn dann nicht der Polizei?«

»Weil er privat ist. *Sehr* privat, und ich mag es nicht, wenn Fremde in meinem Leben herumschnüffeln. Ich will nicht, dass sie von uns beiden erfahren – und überhaupt, wozu das Ganze? Sean ist tot.«

»Willst du nicht wissen, warum er die Unterschlagungen begangen hat?«

»Ich bin mir nicht sicher. Das Einzige, was ich mir wünsche, ist, dass meine Familie wieder ein einigermaßen normales Leben führen kann.«

»Das wünsche ich euch auch, Bay, von ganzem Herzen. Ich wollte, ich könnte irgendwie dabei helfen.«

»Annie mag Eliza. Sehr sogar. Sie hat mich gefragt, ob ich sie irgendwann nach Mystic fahre, damit sie sich sehen können. Und wir würden uns freuen, wenn Eliza uns besucht.«

»Sie auch, da bin ich mir sicher. Hast du an einen bestimmten Tag gedacht?«

»Wir müssen uns natürlich erkundigen, was bei den beiden im Terminkalender steht.« Bay lächelte. »Ich möchte nicht vorgreifen, aber wie wäre es mit Samstag?«

»Gut. Und was ist mit der anderen Sache – der Anruferin?«

»Ich schätze, du wirst es der Polizei nicht verheimlichen können. Es tut mir Leid, dass du jetzt auch noch in die Ermittlungen hineingezogen wirst, nur weil du Sean kanntest.«

Dan zuckte zusammen, als wäre ihm der Gedanke noch

gar nicht gekommen. Sein Blick umwölkte sich, wirkte besorgt. Sie wartete auf eine Antwort, aber er blieb stumm.

»Danny?«, fragte sie nach mehreren Sekunden.

»Wie du bereits sagtest, es gibt Dinge, die ganz privat sind. Seltsamer Gedanke, sich mit der Polizei in Verbindung zu setzen oder zu warten, dass sie Verbindung zu mir aufnimmt.«

Bay schloss die Augen. Sie wünschte, die Polizei würde endlich aus ihrem Leben verschwinden. »Ich weiß. Wenigstens fällt auf dich kein Verdacht. Erzähl ihnen von dem Anruf, was immer du für richtig hältst. Und ich werde sie wohl auch über den Brief informieren müssen.«

»Gut. Dann wäre das geklärt.«

Sie öffnete die Augen und trank einen Schluck Limonade. »Warum kommt es mir so vor, als wären wir Verschwörer, wir beide gegen den Rest der Welt?«

»Genau wie früher. Als die Herrschaften vom Strandausschuss grüne Fensterläden am Wachhäuschen haben wollten und ich sie blau strich, weil Blau deine Lieblingsfarbe war.«

»Stimmt.« Sie versuchte zu lächeln. »Das hatte ich ganz vergessen. Du hast mich manchmal hierher eingeladen, mir eine Limonade spendiert ... als kleines Dankeschön dafür, dass ich dir so fleißig zur Hand gegangen war, wie du sagtest.«

»Damit du mich nicht für einen Ausbeuter hieltest. Und außerdem gab es hier die beste Limonade. Daran hat sich nichts geändert.« Er leerte sein Glas. »Was macht sie so einmalig?«

Die Limonade im Foley's war berühmt, sie wurde aus frischen Zitronen und zwei weiteren Zutaten zubereitet, die allerdings geheim waren. Nur die Foley-Familie – nicht einmal die Jugendlichen, die hier im Sommer als Aushilfe arbeiteten – kannte das Rezept. Zu Bays Zeiten hatte Tara Allies Job gehabt und gelobt, nicht eher Ruhe zu geben, bis sie die beiden Ingredienzien erraten hatte. »Frische Minze«, lautete ihr Tipp, wenn sie von der Arbeit nach Hause kam. Oder »Limettenschale«, oder »Cayennepfeffer!« Doch ungeachtet aller Bemühungen gelang es niemandem in Hubbard's Point, den Geschmack haargenau zu kopieren.

»Was sie so einmalig macht? Das weiß keiner«, sagte Bay.

»Nicht einmal du, Galway? Nach so vielen Sommern, die du hier verbracht hast?«

Sie sah ihn an und dachte daran, wie schnell diese Sommer vergangen waren. Sein Gesicht war von Wind und Wetter gegerbt, die Haare ergrauten an den Schläfen, doch seine blauen Augen waren noch genauso lebendig wie früher, jederzeit zu einem Lächeln bereit.

»Nicht einmal ich.«

»Der alte Mr. Foley wollte, dass ich seine Tische restauriere«, sagte Dan. »Das Holz bis zur Maserung abschleife. Um die Initialen zu entfernen …«

»Die Jugendlichen hätten sie nur wieder eingeritzt.«

»Das wurde ihm wohl auch klar.«

»Ein alter Brauch am Strand … eine einfache Sache.« Bay zeichnete Seans tief eingeritzte Initialen mit den Fingerspitzen nach.

»Ich wünschte, wieder Farbe in dein Leben zu bringen wäre genauso leicht, wie damals die Fensterläden blau zu streichen, Bay McCabe«, sagte er. »Oder dir eine Limonade zu spendieren.«

Sie blieb ihm die Antwort schuldig. Sie trank aus und saß stumm da, an dem alten vernarbten Tisch, hielt das kühle, leere Glas in den Händen und wartete darauf, dass der Kloß in ihrem Hals verschwand.

12

Joe Holmes saß in seinem Büro, einer zeitweiligen Niederlassung des FBI in einer Einkaufsmeile zwischen East Shore Coffee Roasters und Andy's Used Records, soweit man in Black Hall, Connecticut, von einer Einkaufsmeile reden konnte. Diese Kleinstadt legte Wert auf Gediegenheit und schrieb Klasse groß. Sie hatte der Kommerzialisierung Rechnung getragen, indem sie dem Coffeeshop die Genehmigung erteilt hatte, einen Wimpel mit dem firmeneigenen Logo – ein dampfender Kaffeebecher mit dem Aufdruck »ESCR« – an einer Stange aufzuhängen, die über der Ladenfront aus dem Mauerwerk ragte. Joe mochte den Kaffee, und er mochte Andy und seine Schallplatten aus zweiter Hand, doch im Augenblick musste er sich konzentrieren.

Er hatte sein Jackett über die Stuhllehne geworfen, und nun lockerte er die Krawatte und krempelte die Ärmel seines weißen Hemdes hoch; dann ging er noch einmal die Liste mit den gesicherten Erkenntnissen und den noch offenen Fragen durch, die einer Klärung bedurften, bevor er den Fall abschließen konnte. Eigentlich hätte er sich Bay McCabe noch einmal vorknöpfen müssen, aber im Moment konnte er sich nicht dazu aufraffen. Andy Crane war nach wie vor mit dem Sammeln von Hintergrundinformationen beschäftigt und fühlte den Nachbarn auf den Zahn. Und wozu? Um in Erfahrung zu bringen, ob Bay ein Geheimnis hatte? Eine verborgene Vorliebe für Diamanten und Platin? Joe starrte Seans Dossier an.

Sean McCabe: skrupelloser Krimineller oder hirnverbrannter Idiot, der durch seine eigene Dummheit mit dem

Gesetz in Konflikt geraten war? Offenbar hatte er wie die meisten, die in Joes Fänge gerieten – »Gesetzesbrecher« war ein zu starkes Wort für Menschen seines Schlags –, ein bisschen was von beidem. Während die Klimaanlage summte, blätterte er das Dossier durch, das er angelegt hatte. Sein Blick fiel auf das Firmenfoto, das einen strahlenden Sean zeigte: akkurat gekämmtes sandfarbenes Haar, grüne Augen, breites Lächeln, blauer Anzug und rote Krawatte. Es übermittelte die Botschaft: »Ich habe die gleiche Schule wie du besucht; wir können Pferde miteinander stehlen; unsere Frauen kaufen im selben A&P-Laden ein.«

Das Farbfoto hatte im Foyer der Bank gehangen, inmitten einer ganzen Galerie von Mitarbeiterporträts, die die Kunden überzeugen sollte, dass ihr Geld gut aufgehoben war. Aber das hatte sich als Trugschluss erwiesen.

Die meisten Manager von Kleinstadtbanken waren nette, ehrliche Männer, denen nicht im Traum einfallen würde, Gelder zu veruntreuen. Sie verdienten sich das Vertrauen ihrer Kunden durch harte Arbeit, untadeligen Führungsstil, kluge Investitionen und gute Beziehungen zur Gemeinde. Sie hatten ihren Abschluss an einem erstklassigen College gemacht und konnten sich, was das finanzielle Know-how betraf, in jeder Beziehung mit ihren Wall-Street-Kollegen messen.

Die Arbeit in einer kleinen Bank entsprach eher ihrem Naturell. Ihr Ehrgeiz hielt sich in Maßen, genau wie ihre Risikofreudigkeit. Die Belohnungen mochten nicht so üppig und spektakulär sein, aber sie erfolgten stetig und systematisch. Statt Penthouse-Wohnung mit Vogelperspektive und Nachtleben in der Großstadt besaßen die Manager der kleinen lokalen Banken große Häuser auf teuren Grundstücken und kamen fast jeden Abend rechtzeitig nach Hause, um vor dem Essen noch mit den Kindern zu spielen.

Joe hatte landauf, landab in Betrugsfällen ermittelt; er hatte auch in New York und Boston einige Zeit auf der Jagd nach Ganoven verbracht, die der Oberliga angehörten und ihr Geld in der Schweiz oder in Buenos Aires in Sicherheit brachten. Die Öffentlichkeit konnte besser mit dem Gedanken umgehen, dass sie von einem aalglatten, mit allen Wassern gewaschenen Gauner hereingelegt worden war als von jemandem, der völlig unbedarft wirkte, wie der nette Nachbar von nebenan, der in seiner Freizeit die Baseballjugend trainierte.

Sean war eine besonders harte Nuss. Alle hatten ihn gemocht. Joe bekam immer wieder zu hören: »Ich kenne Sean seit frühester Kindheit – dazu wäre er nie fähig gewesen.«, »Er hat die beste Frau der Welt. Vergessen Sie's.«, »Wir sind oft miteinander angeln gegangen!«, »Wir haben zusammen Golf gespielt!«, »Ich habe ihn damals bei dem Endspiel um die Landesmeisterschaft im Basketball gesehen!«, »Wir haben ihn jeden Sonntag in der Kirche gesehen ...«

Das Gefühl, dass man ihr Vertrauen verraten hatte, war groß bei den Bewohnern der Stadt und wurde nur noch – sofern überhaupt möglich – von ihren Bemühungen übertroffen, es zu leugnen. Mit solchen Reaktionen wurde Joe ständig bei derartigen Fällen konfrontiert: Die Betroffenen wollten oder konnten nicht glauben, dass ein so netter, vertrauenswürdiger Mensch ihr Geld unterschlagen haben könnte. Die Opfer zu einer Zeugenaussage zu bewegen war nicht selten ein hartes Stück Arbeit. Abgesehen von Augusta Renwick, dachte Joe und lächelte, als er sich an ihren Anruf von heute Früh erinnerte: Sie hatte gesagt, sie wünschte, dass Ganoven drei Leben besäßen, damit sie mehrmals das Vergnügen hätte, im Zeugenstand zu sitzen und ihren Abscheu vor Sean McCabe aktenkundig zu machen.

Doch sie war die Ausnahme, nicht die Regel. Die Mehrzahl der Zeugen redete sich ein, es müsste eine Erklärung geben oder es liege nur ein Versehen vor – vielleicht sei das Geld infolge eines Buchungsfehlers auf einem falschen Konto gelandet. *Auf Nimmerwiedersehen*, wie Joes Mentor in solchen Fällen zu sagen pflegte.

In Seans Fall war jedoch ein Teil des Geldes wieder aufgetaucht. Von den einhundertfünfundsiebzigtausend Dollar, die mit Sean verschwunden waren, hatte man hunderttausend hinter der Innenverkleidung der Fahrertür gefunden.

Joe ging das Beweismaterial noch einmal durch und versuchte sich darüber klar zu werden, ob Sean die Tat alleine begangen hatte. Er überflog die Dokumente in dem Aktenordner, der auf der *Aldebaran* gefunden worden war. Warum nahmen diese Konten eine Sonderstellung ein? Waren es die einzigen Kunden, die Sean bestohlen hatte? Und warum hatte er so vehement den Rand bekritzelt? Wer war Ed, und weshalb war sein Name mehrmals unterstrichen und mit einem Kreis markiert worden?

Bei seinen Stippvisiten in der Zentrale der Shoreline Bank wurde Joe stets von Mark Boland, dem Vorstand, höchstpersönlich begrüßt. Er hatte alle nötigen Unterlagen zur Verfügung gestellt und sein Personal angewiesen, offen und entgegenkommend zu sein.

Boland, um den guten Ruf der Bank besorgt, war daran interessiert, dass die Ermittlungen so bald wie möglich abgeschlossen wurden.

»Wir hatten alle keine Ahnung«, sagte Boland; er saß Joe gegenüber in seinem wuchtigen Drehsessel auf der anderen Seite des Schreibtisches. »Sean war bei jedermann beliebt. Ohne Ausnahme.«

»Wie war Ihr privates Verhältnis?«

»Gut. Es gab eine Phase – vor ein paar Jahren, als ich von der Anchor Trust kam, um den Posten zu übernehmen, den er ins Auge gefasst hatte –, in der die Beziehung angespannt war, aber das legte sich bald. Wir interessieren uns beide für Sport, haben während der Schul- und Collegezeit in einer Mannschaft gespielt; er hat mir zur Mitgliedschaft im Yachtclub verholfen … außerdem spielt mein Neffe mit Billy Baseball, und wir saßen immer zusammen auf der Zuschauertribüne. Ich hätte nie mit so etwas gerechnet. Niemals.« Boland strich sich mit einer Hand die Haare zurück; seine Augen waren schmerzerfüllt. »Wenn er Geld gebraucht hätte – was auch immer –, hätte er zu mir kommen können.«

»War er mit irgendeinem Mitarbeiter der Bank besonders eng befreundet?«

»Mit Frank Allingham.«

Das war Joe bereits bekannt, aber sie hatten die Gelegenheit genutzt, Allingham ins Büro zu bitten. Frank war ein kleiner, kahlköpfiger Mann, leutselig und umgänglich. Er war derjenige gewesen, der Bay am ersten Tag angerufen und ihr gesagt hatte, dass Sean nicht zur Ausschusssitzung erschienen war.

»Hatten Sie irgendeinen Verdacht, was da lief? Wirkte Sean besorgt? Unkonzentriert? Verschlossen?«

»Nein, nichts von alledem.«

»Drogen. Wussten Sie, dass er Kokain nahm?«

Mark Boland schüttelte heftig den Kopf. Allingham zögerte.

»Wussten Sie etwas davon?«, hakte Joe nach.

»Einmal, auf der Heimfahrt von Eagle Feather, fragte mich

Sean, ob ich jemals Kokain geschnupft hätte. Ich sagte nein, und er meinte –«

»Nur zu, Mr. Allingham.«

»Er meinte, es sei fantastisch, als könnte man fliegen. Und …« Trotz der Sommerbräune sah man, wie der Mann vom Hals bis zum glänzenden Scheitel seines kahlen Schädels errötete. »Und der Sex sei damit unglaublich.«

»Hatte er an jenem Abend geschnupft?«

Frank schüttelte den Kopf. »Nicht in meinem Beisein. Ich habe keine Ahnung, warum er das Zeug brauchte. Sean strotzte vor Energie und Selbstbewusstsein – war immer im Aufwind. Er brauchte kein Kokain, um zu fliegen.«

»Wenn ich gewusst hätte, dass er Drogen nimmt«, warf Mark Boland ein, »hätte ich ihn fristlos entlassen. Wir machen Drogentests bei unseren Mitarbeitern – Sean selbst hatte das eingeführt! Abgesehen davon war er früher Hochleistungssportler gewesen.«

»Er liebte das Risiko«, sagte Joe. »Er hatte vermutlich seinen Spaß daran, Koks zu nehmen, während andere Angst gehabt hätten, erwischt zu werden.«

»Sie haben doch …« Mark errötete. Joe spürte die Anspannung des Mannes, aber er saß stumm da und wartete. »Sie haben doch nach ›dem Mädchen‹ gefragt.«

»Ja.«

»Ich weiß, wen Sean damit gemeint haben könnte.« Mark warf Frank einen raschen Blick zu. »Sie doch auch, Frank, oder?«

»Herrgott, ja.« Frank schüttelte den Kopf. »Ich möchte mich lieber nicht dazu äußern – weil es Bay verletzen wird.«

»Deshalb haben wir beide geschwiegen«, sagte Mark. »Bitte missverstehen Sie mich nicht – die Shoreline Bank möchte keinesfalls Ihre Ermittlungen behindern. Die Entscheidung, diese Information zurückzuhalten, lag allein bei mir.«

»Und bei mir«, fügte Frank hinzu.

»Also …« Mark drehte verlegen einen Kugelschreiber zwischen den Zeigefingern und sah nicht hoch. »Mit dem ›Mädchen‹ war Seans neueste Flamme gemeint, die Nächste auf der Liste seiner Eroberungen.«

»Auf der was?«

»Seans Libido war Weltklasse«, sagte Frank. »Frauen zu erobern war für ihn wie eine olympische Sportart, ein spannendes Spiel. Er täuschte nie vor, es sei Liebe. Für ihn zählte nur die Jagd nach Trophäen.«

»Was Sie nicht sagen«, meinte Joe.

Mark nickte. »Sogar in der Bank. Ich möchte nicht auf die Einzelheiten eingehen, aber mir kam zu Ohren, dass er mit einer unserer weiblichen Führungskräfte die Grenze des Schicklichen überschritten hatte. Ich nahm ihn ins Gebet, sagte ihm, dass er sich – und die Bank – ins Gerede bringen würde, ein Prozess wegen sexueller Belästigung sei geradezu vorprogrammiert. Ich forderte ihn auf, die Geschichte sofort zu beenden. Und er meinte: ›Mark, ich mache dem Mädchen nur den Hof. Das ist alles.‹«

»Bezog er sich auf eine bestimmte Frau?«

»Nein.« Frank blickte von Mark zu Joe. »Ich habe den Ausdruck oft von ihm gehört. Im Hinblick auf völlig Fremde. Im Casino – ›das Mädchen‹. Am Kai – ›das Mädchen‹. Die ganze Sache …« Frank verstummte. »Ich habe es nie begriffen. Ein Mann mit einer so netten Familie …«

Das war der Teil, der auch Joe unter die Haut ging. Eigentlich sollte er neutral bleiben, aber er konnte nicht anders. Was für ein Trottel hatte eine Frau wie Bay und ließ sie allein, flüchtete und setzte alles aufs Spiel mit Kokain und anderen Frauen? Und welcher Vater, der Töchter hatte, würde so ungezwungen über Mädchen sprechen? Das alles war unvorstellbar abstoßend und kaum zu glauben, selbst bei einem Mann wie Sean.

Unlängst hatte Joe Holmes begonnen, seine Aufmerksamkeit auf ein Schließfach zu konzentrieren.

Schließfach 436 in der Silver Bay-Zweigstelle der Anchor Trust Company. Joe wäre möglicherweise nie darüber gestolpert, wenn nicht im Laufe seiner Befragung mit Ralph »Red« Benjamin, dem Justiziar der Bank, die Rede auf Seans Reserverad gekommen wäre.

»Sein Wagen war schlimm beschädigt, wie ich hörte?«, hatte Mr. Benjamin gefragt.

»Schlimm genug, um McCabes Schicksal zu besiegeln.«

»Er starb an den Folgen des Unfalls? Es hieß, es sei Mord gewesen.«

»Davon gehen wir nach wie vor aus.«

»Könnte es sein, dass er vorsätzlich von der Fahrbahn abkam? Weil Sie ihm auf den Fersen waren und er keinen anderen Ausweg mehr sah?«

»Das war keine Absicht.« Joe dachte an die tiefe, klaffende Kopfwunde, die scharlachroten Ränder und den sichtbaren weißen Knochen. Sean wäre seiner Verletzung in jedem Fall erlegen, wenn sie unbehandelt geblieben wäre; er wäre verblutet, was letztlich ja auch passiert war.

Aber es gab noch andere Anhaltspunkte für einen Mord – die Reifenmuster, die gegen einen Unfall sprachen, die toxikologische Untersuchung, bei der das Kokain nachgewiesen worden war, und Indizien, dass sich noch jemand im Auto befunden hatte: die Beifahrertür, die sperrangelweit offen stand, eine mit Kokain gefüllte Parfümflasche, die auf die Anwesenheit einer Frau hindeutete, ein Paar Latexhandschuhe, das sich am Ufer im Schilf verfangen hatte.

»Warum suchen die Taucher immer noch den Fluss ab?«, hatte Red Benjanim gefragt. »Als ich heute Morgen an der Unfallstelle vorbeikam, sah ich die Mannschaftswagen und die rot-weiße Flagge auf dem Schwimmer auf und ab hüpfen ...«

»Wir ermitteln in einem Mordfall«, hatte Joe erwidert. Er hatte nicht vor, dem Anwalt zu erzählen, dass sie McCabes Handy gesucht hatten. Alle Befragten hatten übereinstimmend erklärt, dass Sean keinen Schritt ohne es machte, aber das Handy war nicht im Wagen gewesen. Möglicherweise war es von den starken Strömungen unter der Brücke mitgerissen worden; die Taucher suchten den Schlickboden auf dem Grund des Flusses ab.

»Hmm«, hatte Benjamin erwidert, den Kopf geschüttelt und Joe mit einem trockenen Lächeln bedacht. »Vielleicht sollten sie mal in Seans Reserverad nachsehen.«

»Warum denn das?«

Benjamin zuckte die Schultern, immer noch mit einem halben Lächeln. Er war ungefähr in McCabes Alter, mit beginnender Stirnglatze und ausladendem Bauch. Joe war ein paar Jahre älter, doch er hielt sich mit schweißtreibenden Fitnessübungen in Form.

»Hat Ihnen das niemand gesagt?«, fragte Benjamin überrascht. »Mist, ich hätte selbst die Initiative ergreifen und nachschauen sollen ...«

»Der Wagen ist nicht mehr im Wasser.« Joes Interesse erwachte, als er die Reaktion des Anwalts bemerkte.

»Das ist mir schon klar. Was das Reserverad betrifft ... Sean pflegte seine Wertsachen, einschließlich der Spielbankgewinne, hinten im Laufradschacht aufzubewahren. Wahrscheinlich dachte er, dort wären sie sicherer.«

»Wertsachen?«

»Ja. Wenn es welche gab. Keiner von uns hatte viel Glück

im Casino. Sean sprach davon, nach Vegas oder Monte Carlo zu fliegen, aber das war nur Gerede. Er meinte, seiner Frau würde Monte Carlo gefallen.«

»Was Sie nicht sagen!« Joes Miene war ausdruckslos; er hörte zum ersten Mal, dass McCabe den Namen seiner Frau auch nur erwähnt hatte.

»Ja. Er meinte, es würde ihr gefallen, die Blumen an der Côte d'Azur mit eigenen Augen zu sehen. Sie sei ein nettes Mädchen; liebe die Natur. Die einfachen Dinge des Lebens.« Der Gesichtsausdruck des Anwalts enthüllte, dass er den einfachen Dingen des Lebens keinen großen Wert beimaß, genau wie Sean. Joe verstand seine eigene Reaktion nicht: Er hätte dem Anwalt am liebsten ein Ding verpasst, damit ihm das selbstgefällige Grinsen verging.

»Wie dem auch sei«, fuhr Benjamin fort. »Dort hätte er seine Gewinne aufbewahrt – im Reserverad. Hören Sie, ich muss zum Gericht. Wenn Sie sonst keine Fragen mehr haben …«

Joe hatte ihn gehen lassen. Er hatte das gerichtsmedizinische Labor im Hauptdezernat der Staatspolizei in Meriden angerufen und Louie Dobbie verlangt. Louie hatte den Laufradschacht für das Reserverad natürlich untersucht. Und den Wagenheber. Aber da war kein Bargeld, keine einzige Spielmarke vom Casino gewesen. Joe bat ihn, sicherheitshalber noch einmal alles auf den Kopf zu stellen. Und obwohl er auch dieses Mal weder Bargeld noch Spielmarken fand, entdeckte er etwas, was er beim ersten Mal übersehen hatte:

Einen Schlüssel.

Zwischen Kurbel und Handgriff des Wagenhebers war ein kleiner Schließfach-Schlüssel geklemmt, der aussah, als sei er ein Teil des Werkzeugs. Der eingestanzte Zahlencode wies ihn als Eigentum der Anchor Trust-Zweigstelle

Silver Bay aus. Joe hatte sich eine richterliche Verfügung besorgt. Er war damit zur Bank gegangen, ein beeindruckendes Institut mit Blick auf den Stadtpark, die Eisenbahnschienen und über Silver Bay, mit dem rot-weißen Schornstein des Mayflower Power Plant-Reaktors, der sich auf der Landzunge im Westen befand.

Der Schlüssel passte zum Schließfach 436.

Und in dem Schließfach lagen drei Dinge:

Ein antiker Silberbecher, graviert und mit dem Stempel des Silberschmieds versehen.

Drei Briefe, vor mehr als zwanzig Jahren von Daniel Connolly an Bay geschrieben.

Ein gelbes Blatt Papier, aus dem Branchenverzeichnis eines Telefonbuchs herausgerissen, mit zwei Buchstaben und sieben Zahlen, beinahe in Schönschrift geschrieben: CD9275482.

Ein Nummernkonto, erkannte Joe sofort, so sicher, wie er seinen eigenen Namen schreiben konnte. Sean McCabe hatte ein Geheimkonto – im Ausland, in irgendeinem Steuerparadies. Die Bahamas, die Cayman-Inseln, Costa Rica, Zürich, Genf …

Ob Bay etwas davon wusste?

Joe hätte wetten mögen, dass sie keinen blassen Schimmer hatte. Bei seiner Frage, was sie über Seans Finanzgebaren wusste, hatte sie ihm in die Augen geblickt und ihm ohne zu zögern geantwortet. Joe hatte ihr geglaubt. Er wusste, dass eingefleischte Lügner jeden hinters Licht führen konnten, aber Bay schien nicht in diese Kategorie zu gehören. Die Sommersprossen, die Art, wie sie ständig aus dem Fenster sah, auf den vor ihrem Haus parkenden Wagen, ihre durchdringenden Augen, denen man ablesen konnte, dass sie Joe hasste, weil er ihre Kinder in den Schmutz zog: All das sprach für ihre Unschuld.

Joe war sich nicht sicher, wie, aber er würde diesen Fall aufklären und ihr einige Antworten präsentieren. Das war das Mindeste, was Tara O'Toole von ihm erwarten würde. Genau wie sein Dad, nebenbei bemerkt. Joe wollte, dass Bay und die Kinder die Sache ohne weitere Verluste durchstanden. Sie hatten bereits den Familienstolz und die Würde eingebüßt, hatten den Ehemann und Vater verloren. Joe, der ihr Sparkonto gesehen hatte, wusste, wie hoch die Hypothek war, und befürchtete, sie würden auch noch ihr Haus verlieren.

Sean hatte seine eigenen Gewinne vorsorglich zwischen Reserverad und Wagenheber zu verstecken gewusst, aber es war ihm nicht gelungen, für seine eigene Familie vorzusorgen – ihr die Sicherheit zu geben, dass sie ein Dach über dem Kopf hatte.

Möglich, dass Joe nie Frau und Kinder haben würde, aber eines war sicher: Wenn es dazu käme, würde er es besser machen. Er hatte aus den Fehlern der Schwachköpfe gelernt, die ihm im Laufe seiner jahrelangen Ermittlertätigkeit begegnet waren – den Familienvätern, die ihre Familie an die allerletzte Stelle setzten; er würde alles ganz anders machen.

Aber er war siebenundvierzig, die Zeit lief ihm davon. Im Gegensatz zu Ralph Benjamin, dem Anwalt, und Frank Allingham, dem Bankmanager, besaß er noch alle Haare und war, dank der Zugehörigkeit zum FBI, in Topkondition. Trotzdem war er ein paar Jahre zu alt, um jetzt noch vor den Traualtar zu treten und ein Kind in die Welt zu setzen. Er fragte sich, ob Tara jemals verheiratet gewesen war. Und wie es wäre, am Abend zu ihr zurückzukehren, nach Hause, wo sie an der Türschwelle auf ihn wartete mit ihren umwerfenden blauen Augen und dem verführerischen Lächeln.

Konzentriere dich lieber darauf, Verbrechen aufzuklären, Holmes, ermahnte er sich. Die Bösewichter zu fangen. Das ist deine Aufgabe, also tu es.

Doch jetzt war es Zeit, für heute Feierabend zu machen, und so schloss er den Silberbecher, die Fotokopien der Briefe und das gelbe Blatt Papier in den Safe seines Büros ein, schob den Gedanken beiseite, was für ein guter Ehemann er gewesen wäre, und ging in den Laden nebenan, um zu sehen, ob Andy vielleicht irgendetwas Altes von Bob Dylan hatte.

Der Abend war windstill und kühl, doch die extreme Hitze des Tages stieg unvermindert aus der trockenen Erde, dem blauen Felsgestein und den Rosenbüschen empor. Sie waren mit dem Essen fertig – gegrilltes Hühnchen und in Scheiben geschnittene Tomaten aus Taras Garten. Billy und Pegeen waren im Freilichtkino am Strand; Annie saß im Fernsehzimmer, der Ton war leise gedreht, aber das bläuliche Licht wurde von den Wänden reflektiert.

»Komm doch raus, Annie«, sagte Bay ruhig. »Komm zu Tara und mir. Wir halten nach Sternschnuppen Ausschau.«

»Ich habe keine Lust.« Annie sah hoch. »Muss ich?«

Bay lächelte. »Nein, aber wir würden uns freuen.«

»Ich weiß. Ich bin okay, Mom. Eliza hat gesagt, dass sie vielleicht anruft. Ich möchte in der Nähe des Telefons bleiben.«

»Wir hören das Läuten auch draußen.«

»Schon, aber –«

»Keine Bange«, sagte Bay und küsste sie. »Ich verstehe schon.«

Sie erinnerte sich daran, wie Tara und sie mit zwölf gewesen waren. Sie waren füreinander das Wichtigste auf der

Welt gewesen. Als Bay nun in die Küche ging, stellte sie fest, dass Tara bereits abgewaschen hatte und draußen wartete. Sie saß barfuß auf einer Chaiselongue und betrachtete die vom Dunst verhangene und mit Sternen angefüllte Milchstraße. Bay trat ins Freie, um ihr Gesellschaft zu leisten.

»Hörst du das?«, fragte Tara, als Bay nach dem Gespräch mit Annie aus dem Haus trat, versunken in den Moment. »Du meinst die Grillen?« Bays Garten grenzte an die Marsch mit dem dichten, dornigen grünen Gras, einem Paradies für Grillen.

»Nein, den Ziegenmelker. Hör doch!«

Sie warteten beide schweigend, bis der Nachtvogel abermals schrie – weit entfernt, auf der anderen Seite des Wassers. Bay hob die Brauen, um anzudeuten, dass sie es vernommen hatte.

»Ein gutes Omen«, meinte Tara.

»Glaubst du?«

»Ich weiß es.«

»Hmm.« Sie schwiegen abermals, und Tara fragte sich, ob Bay wohl über ihr Treffen mit Dan Connolly nachdachte. Sie ergriff Bays Arm und zog sich von der Chaiselongue hoch. »Komm, du brauchst ein bisschen Übung.«

»Übung?«

Wortlos ging Tara um Bays Haus. Der Schlauch lag zusammengerollt, wie eine vertrocknete grüne Schlange, hinter einem welkenden Sharon-Rosenstrauch. Sie drehte den Hahn auf – ein Seepferdchen aus Messing, das sie Bay vor ein paar Jahren zu Weihnachten geschenkt hatte – und drückte ihrer Freundin den Schlauch in die Hand.

»Wasser Marsch«, befahl sie.

»Oh, dafür ist es zu spät. In diesem Sommer wird das

nichts mehr. Ich kann von Glück sagen, wenn nächstes Jahr überhaupt wieder etwas blüht.«

»Davon will ich kein Wort hören, meine Süße. Bewässere deinen Garten. Das ist ein Befehl. Ich hätte mich schon vor Wochen mit deinem Fall befassen sollen, aber besser jetzt als nie. Keine Angst, du wirst mir nicht den Rang streitig machen, den schönsten Garten im ganzen östlichen Connecticut zu haben, aber es macht keinen Spaß, so leicht zu gewinnen.«

Bay ergriff den Schlauch. Es zischte, als der silberne Wasserstrahl die alten Rosen, Strandrosen, Lavendel, Rittersporn, Kapuzinerkresse, Löwenmaul, Schmuckkörbchen, Steinkraut, Gartenwicken, Schwarzäugige Susanne, Salbei, Heidekraut und wilde Minze traf.

»Unfassbar, dass ich ihn so vernachlässigt habe.«

»Das wird sich ab jetzt ändern.«

»Fragt sich nur, wie lange ich mich noch um meinen Garten kümmern kann. Ob wir das Haus bis zum nächsten Jahr halten können.«

»Darüber wollte ich mit dir reden. Ich habe einen Job für dich gefunden.«

»Du machst Witze!« Bay hätte Tara beinahe nass gespritzt.

»Keineswegs … Er ist wie geschaffen für dich, und du wirst dich schwarz ärgern, dass du nicht selber darauf gekommen bist. Du arbeitest als …« Sie legte eine kunstvolle Pause ein, um die Spannung zu steigern – »GÄRTNERIN!«

Bay antwortete nicht gleich. »Das ist beinahe zu schön, um wahr zu sein«, sagte sie endlich grinsend.

»Stimmt. Es war wie eine Erleuchtung: Niemand versteht sich besser auf Gartenarbeit als du, Anwesende ausgenommen. Du bringst alles mit, was man dafür braucht: einen grünen Daumen, einen schäbigen Strohhut, die Liebe zu Sonnenschutzmitteln und vor allem das Talent deiner Granny, mit Erde umzugehen.«

Bay lächelte zaghaft. »Weißt du noch? Sie sagte immer, dass jeder, der Erde liebt, etwas Wundervolles daraus machen kann; die Blumen kommen wie von selbst.«

»Sie liebte mich meines Namens wegen.« Tara blickte über den Strand zum Point hinüber. »Der irische Ausdruck für ›steiniger Hügel‹. Genau wie die Felsbank dort drüben, von der sie sagte: ›Wenn du dort Blumen zum Blühen bringst, wird dir das überall gelingen.‹ Sie meinte, du und ich wären wie das Meer und die Erde …«

»Bay und Tara.«

»Du solltest wenigstens eine Arbeit verrichten, die dir Spaß macht«, meinte Tara bekümmert. Sie litt mit Bay.

»Meine Kinder haben in diesem Sommer ihren Vater verloren und ich meinen Mann.« Bay betrachtete ihren Garten. »Gartenarbeit … das kommt mir angesichts dessen so trivial vor.«

»Das sehe ich anders«, erwiderte Tara ruhig. »Ich finde, wir sollten das Leben genießen, es uns so schön wie möglich machen … es gibt genug traurige, schreckliche Dinge auf der Welt, und gerade deshalb betrachte ich es als unsere Aufgabe, Blumen zu pflanzen. Um die Schönheit zu fördern.«

Bay richtete den Schlauch auf das Gras. Es war dürr und braun, jeder Halm hart und knochentrocken. Taras nackte Füße sehnten sich nach einem Spaziergang im kühlen weichen Sand. Stattdessen nahm sie mit dem Wasserstrom vorlieb, der sich aus dem Schlauch ergoss.

»Und was deine berufliche Laufbahn angeht, habe ich bereits deine erste Kundin an Land gezogen.«

»Wen?«

»Augusta Renwick.«

»Das ist nicht dein Ernst.«

»Sie ist eine Seele von einem Menschen, Bay.«

»Mein Mann hat sie bestohlen.«

»Dafür macht sie *dich* doch nicht verantwortlich!«

»Ihr habt euch darüber unterhalten? Ich wusste, dass sie das Thema zur Sprache bringen würde. Was hat sie gesagt?«

»Du kennst ja Augusta. Genauso möchte ich sein, wenn ich in ihr Alter komme – hart im Nehmen, souverän und völlig unabhängig. Ich weiß, dass sie ihr Geld von Hugh geerbt hat, aber trotzdem – jetzt sind es *ihre* Millionen.«

»Und? Was hat sie gesagt?«

»Sie ist sauer. Stinksauer. Auf *Sean*. Aber sie braucht jemanden für die Gartenarbeit.«

»Wie nett – ein Job aus lauter Mitleid. Vergiss es, Tara. Du glaubst doch nicht im Ernst, dass ich für Mrs. Renwick arbeiten würde, nach allem, was Sean ihr angetan hat – dass ich ihr noch in die Augen sehen könnte …«

»Tut mir Leid, dich zu enttäuschen, aber von ›in die Augen sehen‹ kann keine Rede sein. Du wirst sie überhaupt nicht zu Gesicht bekommen, weil du genug damit zu tun hast, auf der Erde zu knien, dich abzurackern und mit den Dornen von tausend Rosen zu kämpfen …«

»Jetzt mach aber mal einen Punkt. Sie gehört mit Sicherheit zu den Frauen, die alles, was auf ihrem Anwesen geschieht, mit Argusaugen überwachen. Wahrscheinlich wird sie mir auch noch erzählen, wie ich ihre Rosen zu beschneiden habe.«

»Da bist du aber auf dem Holzweg. Diese Frau setzt nur einen Fuß ins Freie, um die Sonnenuntergänge zu bewundern, die ihr Mann früher gemalt hat, und mit ihren Enkelkindern zu spielen, wenn sie zu Besuch kommen. Ihre Geranien sind noch brauner als deine. Ich meine es ernst.«

»Du hast ihr den Vorschlag gemacht, mich einzustellen?«
»Ja.«

»Wirklich? Und sie hat keine Einwände erhoben?«

»Ganz im Gegenteil. Man muss Augusta kennen. Es gibt nichts, was sie mehr liebt als das Gefühl, über solchen Dingen zu stehen, oder über anderen Menschen. Sie hat lediglich gefragt, ›Wann kann meine neue Gärtnerin anfangen?‹«

»Und, was hast du geantwortet?«

»Sofort. Morgen, wenn möglich. Sie war schwer begeistert ... dass ihre neue Gärtnerin gleich loslegt.«

»Unfassbar ... aber weißt du, was? Ich habe ein gutes Gefühl. Ich weiß nicht, warum, aber so ist es. Vielleicht kann ich den Schaden wieder gutmachen, den Sean ihr angetan hat. Der einzige Nachteil ist, dass es den Kindern nicht gefallen wird, wenn ich außer Hause bin.«

»Mach dir doch nichts vor. Sie werden überglücklich sein, sturmfreie Bude zu haben.«

»Was ist, wenn es Probleme gibt? Wäre ja kein Wunder, nach allem, was passiert ist ... so fängt es oft an. Peggy ist erst neun ...«

»Glaubst du, es ginge ihnen besser, wenn du die Hypothek für das Haus nicht mehr bezahlen kannst? Ihre Geschwister werden ein Auge auf sie haben. Und du weißt, dass ich jederzeit für sie da bin. Ich werde meine Arbeitszeit so einteilen, dass ich einspringen kann.«

Bay stand reglos da und starrte auf das silberne Wasser, das sich in hohem Bogen auf den Rasen ergoss.

»Also gut ... wenn du sicher bist, dass sie mich will.«

»Darauf gebe ich dir Brief und Siegel«, sagte Tara, und die Freundinnen reichten sich über das nasse Gras hinweg die Hand.

13

Bay hätte sich gewünscht, ihre Kinder bis in alle Ewigkeit behüten zu können, oder wenigstens noch ein paar Jahre: ihnen das Gefühl der Geborgenheit vermitteln, das Wissen, dass immer für sie gesorgt war, dass sie ihre Eltern, ihr Elternhaus hatten.

Sie erklärte jedem Kind einzeln, dass sie beschlossen hatte, arbeiten zu gehen; sie unternahm mit Billy eine Spritztour im Auto, machte mit Annie einen Spaziergang am Strand und mit Peggy eine Wanderung zum Point. Jedes Kind reagierte anders. Annie freute sich für sie, vor allem, weil es sich um Gartenarbeit handelte, und versprach, sich um die jüngeren Geschwister zu kümmern. Billy machte sich Sorgen, dass ihr eigener Garten dann völlig verwildern würde. Sie versicherte ihm, das werde nicht geschehen, vor allem, wenn er ihr dabei zur Hand gehen würde.

»Mache ich«, versprach er. »Darf ich den Rasen mähen, mit dem Traktor?«

»Wenn du zwölf bist«, erwiderte Bay. »Wie es dein Vater und ich beschlossen hatten.«

»Du hattest mit Dad darüber gesprochen?«

»Ja. Er war überzeugt, dass du ihn dann schon fahren kannst.«

Billy blickte aus dem Fenster. »Als ich klein war, durfte ich auf seinem Schoß sitzen und lenken. Deshalb hatte ich immer gemeint, er würde mir das Fahren beibringen.«

»Das hat er auch gewollt, Billy.« Bay schluckte bei dem Gedanken an all die Augenblicke im Leben, in denen die

Kinder ihren Vater noch vermissen würden; Augenblicke, die ihm entgingen. Sie streckte den Arm aus, um die Hand ihres Sohnes zu ergreifen, und stellte erschüttert fest, dass er ihr zuvorkam und sich an sie klammerte.

Pegeen war ungewohnt schweigsam während des Spaziergangs, als die Dunkelheit über Hubbard's Point hereinbrach und der erste kühle Abendhauch in der Luft lag, der das nahende Ende des Sommers verkündete. Bay erklärte ihr, dass sie nächste Woche mit der Arbeit beginnen musste und Annie, Billy und Tara sich an den Tagen, wenn sie außer Haus war, nach der Schule um sie kümmern würden. Sie wartete auf die eine oder andere Frage, aber Peggy ging stumm neben ihr her. Und so erzählte Bay von Firefly Hill, dem imposanten Anwesen der Renwicks auf der Meeresklippe, das auf den Leuchtturm, den Wickland Ledge Light, hinaussah.

»Mrs. Renwick möchte, dass ich ihren Garten wieder herrichte«, sagte sie. »Früher war er wunderschön, und ihr Mann hat viele Bilder von ihm gemalt, die berühmt geworden sind. Manche hängen sogar im Museum. Ich fahre mal mit dir ins Wadsworth Atheneum nach Hartford, wo wir uns das Porträt von seinen drei Töchtern auf einer Gartenbank anschauen können.«

»Hast du die roten Blätter gesehen?«, fragte Peggy, als sie aus dem gelben Lichtschein der Straßenlaternen in die Dunkelheit traten. »An dem Baum dort drüben?«

»Nein, Schatz.« Bay blickte auf den Scheitel ihrer Tochter hinunter.

»Ich schon. Ich wünschte, wir müssten nicht zur Schule. Der Herbst steht vor der Tür. Ich möchte, dass es immer Sommer bleibt.«

»Vielleicht fahren wir in den Weihnachtsferien nach New York.« Bay nahm Peggys schmale Hand; die Aussicht, ihr eigenes Geld zu verdienen und der Familie den Weg in die Zukunft ebnen zu können, beflügelte sie. »Im Metropolitan Museum of Art hängt ein Renwick-Gemälde, ›Mädchen im weißen Kleid‹. Hättest du Lust, hinzufahren? Wir könnten uns den Weihnachtsbaum am Rockefeller Center anschauen und ins Ballett gehen, in den *Nussknacker* ...«

»Ich möchte nur, dass der Sommer bleibt. Ich mag diese roten Blätter nicht«, sagte Peggy.

Bay sollte nächste Woche bei Augusta Renwick anfangen, aber Peggy wurde von einer roten Qualle gebissen und war so aufgelöst, dass Bay beschloss, ihren ersten Arbeitstag zu verschieben. Sie fragte sich, ob Peg das beabsichtigt hatte.

Sie küsste Pegeen und ging in die Küche. Annie sprang vom Tisch auf, als sie eintrat.

»Mom, darf ich Eliza anrufen? Ich möchte mit ihr besprechen, was wir Samstag unternehmen könnten.«

»Ist Eliza das Mädchen, das nach Dads Dingsda zu uns kam, ganz in Schwarz, mit den Narben an den Armen?«, erkundigte sich Billy.

»Das ›Dingsda‹ war Dads Beerdigung«, konterte Annie. »Und da ist es nur natürlich, dass man Schwarz trägt.«

»Und was ist mit ihren Narben? Wir haben in Gesundheitslehre etwas über Mädchen wie sie gelernt. Sie ritzen und schneiden sich absichtlich ins eigene Fleisch, man nennt das Autoaggression!«

Bay verspürte ein Flattern im Magen. Sie sah Annie an, die langsam die Augen zusammenkniff, als hätte sie das Wort noch nie gehört.

»Annie, stimmt das?«, fragte Bay.

»Nein.«

»Woher willst du das wissen?«, platzte Billy wütend he-

211

raus, den Tränen nahe. »Glaubst du etwa, das würde sie dir auf die Nase binden? ›Ach übrigens, ich schneide mir gerne mit Rasierklingen die Haut in Fetzen?‹ Aber das macht sie – das konnte jeder sehen.«

»Und selbst wenn, ich mag sie.« Annie war blass geworden, Tränen traten in ihre Augen. »Und sie mag mich. Also sei vorsichtig mit deinen Äußerungen, Billy. Sie ist meine Freundin. Und ich besuche sie am Samstag. Stimmt's, Mom?«

Bay holte tief Luft. Die beiden Streithähne standen am Tisch, hatten sich unbewusst hinter den verwaisten Platz ihres Vaters gestellt.

»So war es geplant«, erwiderte sie ruhig.

»Darf ich sie anrufen?«

»Ja natürlich.« Bay beschloss, mit Danny zu sprechen, um behutsam nachzuforschen, ob an Billys Behauptung etwas dran war.

Doch im Moment waren ihre eigenen Kinder einer enormen Belastung ausgesetzt, es war offensichtlich, dass ihnen die vielen Veränderungen das Äußerste abverlangten: Der Sommer neigte sich dem Ende zu, die Schule würde in Kürze beginnen, und sie würde arbeiten gehen.

»Aber zuerst möchte ich, dass ihr mir einen Moment zuhört.«

»Was ist?«, fragte Annie.

»Ja, was gibt's?«, meinte Billy.

»Ich wollte euch nur sagen, dass ich euch wunderbar finde.«

Die Kinder standen reglos da, leicht verwirrt, und warteten darauf, dass sie fortfuhr. Es fiel ihr schwer, weiterzusprechen, aber sie zwang sich dazu. »Ich habe keine Ahnung, wie wir das geschafft haben.«

»Was denn?«, fragte Annie.

»Den Sommer durchzustehen. Es war so schwer, und ihr musstet so viel verkraften.«

»Daddy zu verlieren«, flüsterte Annie.

»Das Schlimmste, was einem passieren kann«, sagte Billy.

»Ja«, bestätigte Bay. »Das war schrecklich. Und alles andere auch: die Zeitungen, das Fernsehen, all die Geschichten, die kursierten …«

»Die Leute am Strand, die sich das Maul über uns zerrissen haben«, sagte Billy.

»Die Geldsorgen«, ließ sich Annie vernehmen.

»Und dass du jetzt arbeiten gehen musst«, fügte Billy hinzu.

»Nein«, meinte Annie. »Das ist doch toll – sie wird Gärtnerin.«

»Werden wir unser Haus behalten können?«, fragte Billy. Annie sah sie an, mit angehaltenem Atem.

»Wir behalten es. Das ist ein Versprechen«, sagte Bay.

»Wir könnten alle nach der Schule arbeiten gehen«, erbot sich Billy. »Um zu helfen.«

»Ich bin stolz auf dich, Billy. Und ich weiß, dein Vater wäre es auch.« Die Kinder versuchten zu lächeln, aber die Erinnerung war noch zu frisch. Bay küsste sie, und während Annie hinausging, um Eliza anzurufen, rannte Billy nach draußen, um die Sprinkleranlage im Garten einzuschalten.

Bay kam sich beinahe wie ein Schulmädchen vor, das dem ersten Unterrichtstag nach den Ferien entgegenfieberte. Ihre Kinder sahen dem September mit mehr Gelassenheit entgegen. Peggys Quallenbiss hatte ihr noch ein paar Tage Aufschub gewährt – nicht nur, weil es sich um eine Verletzung handelte, mit der nicht zu spaßen war, sondern weil ihre Jüngste so verschlossen wirkte, seit sie von Bays Berufsplänen erfahren hatte.

Bay betrat Peggys Zimmer. Es war in Dunkelheit gehüllt; Peggy war die Einzige in der Familie, die schwere Vorhänge liebte. Sie schien sich in den Schlaf zu flüchten wie in einen schützenden Kokon, sperrte das Mondlicht aus, die aufgehende Sonne, um die Traumzeit bis zum letzten Moment hinauszuzögern, bevor sie sich voller Energie in das grelle Tageslicht stürzte.

»Peg?«, sagte Bay leise, setzte sich auf die Bettkante und wischte sich über die Augen.

»Hallo Mom.«

»Ich bin froh, dass du noch wach bist. Was macht der Quallenbiss?«

»Besser. Juckt nicht mehr so. Was gibt's?«

»Ich wollte dich etwas fragen ... Was hältst du davon, dass ich arbeiten gehen werde?«

»Hast du die Wildgänse gesehen, die heute Nachmittag über das Haus geflogen sind, wie ein ›V‹? Sie ziehen fort, wie jedes Jahr im Herbst, oder? Das möchte ich nicht, Mom. Ich möchte, dass dieses Jahr der Sommer bleibt.«

»Peggy ...«

»Und die Blätter wechseln die Farbe. Das möchte ich nicht. Ich möchte, dass sie grün bleiben.«

Bay holte tief Luft, strich Peggy behutsam das Haar aus den Augen.

»Lass mal einen Moment die Blätter. Oder die Wildgänse. Würdest du mir bitte sagen, was du davon hältst, dass ich arbeiten gehe?«

Pegeen lag auf dem Rücken in ihrem Bett und sah ihre Mutter an. Sie zuckte die Achseln. Ihre Augen trafen sich, und trotz der Dunkelheit sah Bay Tränen darin glitzern. Sie ergriff die Hand ihrer Jüngsten. Über ihrem Bett hing ein Poster von *Playboy of the Western World*, Erinnerung an eine Aufführung des Connecticut College. Bay hatte sich im College mit den Werken von Synge befasst und im letzten Studienjahr die Pegeen in dem bekannten Bühnenstück gespielt.

»Das möchte ich nicht«, flüsterte Peggy.

»Nein?« Bays Herz sank.

Peg schüttelte den Kopf. »Ich finde es schön, wenn du zu Hause bist. Du *warst immer* zu Hause. Früher haben mir die Kinder Leid getan, deren Mütter nach der Schule nicht da waren …«

»Peggy, ich arbeite nicht rund um die Uhr. Ich erledige nur stundenweise Gartenarbeit für Mrs. Renwick. Du weißt, wo sie wohnt, oder? In diesem großen Haus auf der Klippe … erinnerst du dich? Ich habe dir von ihrem Mann erzählt, dem berühmten Maler, und den Bildern, die er vom Garten gemalt hat – ich möchte, dass er wieder genauso schön wird wie –«

»Du wirst für eine reiche Dame arbeiten.« Peggys Stimme war tränenschwer. »Und ich dachte, wir wären selber …«

»Wir wären selber reich?«

Peggy nickte. »Daddy war Bankmanager …«

Bay saß wie angewurzelt da, hielt Peggys Hand. Sie dachte an ihr hübsches Haus, die beiden Autos, Seans großes Boot, an die Kinderfahrräder, Brettspiele und Spielsachen. Was bedeutete das alles? »Wir sind auf eine andere Art reich. Auf die einzige Art, die zählt.«

»Warum willst du dann arbeiten gehen?«

»Weil man von dieser Art Reichtum keine Familie ernähren kann.«

»Ich wünschte trotzdem, es wäre anders. Ich *hasse* es, dass du arbeiten gehen musst.«

»Ich weiß. Aber ich tue etwas, was mir Spaß macht – Gartenarbeit. Das ist doch ein Glück.«

»Finde ich nicht. Es ist schrecklich. Einfach schrecklich! Beinahe so schrecklich wie die Blätter, die sich rot färben!«

»Ach Peggy.« Bay schloss sie in die Arme. »Du magst doch den Herbst. Das war immer deine liebste Jahreszeit. Warum findest du ihn dieses Jahr so grauenvoll?«

»Wegen Daddy«, schluchzte Peggy und umklammerte Bays Hals. »Weil ich ihn nicht im Sommer zurücklassen will. Ich möchte, dass er das ganze Jahr bei mir ist. Er wird nie mehr die Blätter fallen sehen, Mommy – niemals! Ich möchte, dass der Sommer nie vergeht.«

Bay hielt Peggy in den Armen, wiegte sie hin und her, während beide weinten. Bay spürte die heißen Tränen ihres Nesthäkchens und wusste nicht, wie sie diesen neuen Kummer verkraften würde. Es herrschte ein ständiges Auf und Ab, mit mehr oder weniger Traurigkeit. Sie dachte an die Jahre, die vor ihnen lagen, an jeden nächsten Schritt, den Sean verpasste – und dass die Kinder ihn schmerzlich vermissen würden.

Als Peggy vom Weinen erschöpft war, küsste Bay sie und bettete sie behutsam auf das Kopfkissen. Sie saß noch eine Weile bei ihr, bis ihr Atem gleichmäßig und ruhig wurde. Doch als Bay die Küche betrat, fand sie Annie in heller Aufregung vor. Sie hatte nicht mit Eliza sprechen können – ihr Dad war am Telefon gewesen und hatte ihr eröffnet, es sei etwas dazwischengekommen und sie müssten das Treffen am Samstag verschieben. Eliza habe »einen Tapetenwechsel« gebraucht.

»Was soll das heißen, Mom?«

»Schwer zu sagen. Vielleicht ist sie verreist und besucht jemanden.«

»Sie hätte mich anrufen und Bescheid sagen können.« Annies Unterlippe zitterte.

»Das wird sie bestimmt tun, gleich nach ihrer Rückkehr.«
Bay nahm sie in die Arme.

»Falls sie sich überhaupt an mich erinnert«, flüsterte Annie an Bays Schulter.

»Keine Bange, mein Schatz. Das tut sie.«

Sie standen in der Mitte der Küche, und Bay wiegte ihre Tochter, während draußen die Grillen zirpten. Sie dachte an Dan, fragte sich, was wirklich geschehen war, ob er sich auch ständig Sorgen um seine Tochter machte wie Bay um ihre Kinder. Sie überlegte, ob sie ihn anrufen sollte, sobald die Kinder eingeschlafen waren, um sich zu vergewissern, dass mit Eliza alles in Ordnung war.

Um zehn hatte sie das Haus endlich für sich alleine. Als sie auf der hinteren Veranda saß, fiel ihr Danny wieder ein. Aber es war zu spät, um ihn anzurufen. Sie hatte keine Ahnung, was mit Eliza war, und wollte ihn nicht behelligen. Die Zeit hatte alles verändert, und es stand ihr nicht mehr zu, einfach so in seinem Leben aufzutauchen, wenn er es am wenigsten erwartete.

Sie dachte an den Sommer zurück, als sie fünfzehn gewesen war und Danny Connolly kennen gelernt hatte. Ein perfekter Sommer. Sie war der großen Liebe ihres Lebens begegnet, ohne dass sie darauf gehofft hatte. Es war einfach passiert, als hätte dieses Gefühl in der Luft gelegen, und es hatte sie Tag für Tag zur Uferpromenade getrieben. Nie hatte sie so große Nähe zu einem Menschen empfunden; sie hatte keine Minute ohne ihn verbringen wollen.

Sie überlegte, wie töricht die erste Liebe anderen erscheinen mochte – abgestempelt als Schwärmerei eines Backfischs. Für sie waren der Sommer und der Point, die Promenade und der blaue Himmel eine herrliche Kulisse gewesen, um sich zum ersten Mal zu verlieben. Heute, fünfundzwanzig Sommer später, dämmerte es Bay, dass dieses Gefühl wahrhaftig und unvergänglich gewesen war, ihre Seele angesprochen hatte. Und sie erkannte, dass es prägenden Einfluss auf ihr gesamtes späteres Verhalten gehabt hatte.

Sie musste zugeben, auch wenn es ihr nicht leicht fiel, dass sie Sean immer mit ihm verglichen hatte. All die Jahre hatte sie gewartet, dass er endlich erwachsen würde, wie Danny. Dass sich seine Zügellosigkeit und sein Bedürfnis, über die Stränge zu schlagen, legte.

Als er ihr im letzten Winter geschworen hatte, sich zu bessern, hatte sie glauben wollen, dass es für sie beide noch eine Chance gab, ihre Ehe zu kitten. Doch der angerichtete Schaden war zu groß, und es war ihm nicht gelungen, auch nur eines seiner Versprechen zu halten. Und selbst wenn es ihm gelungen wäre, sich zu ändern, hatte er Bay zu oft das Herz gebrochen, als dass sie es ihm wieder vorbehaltlos hätte öffnen können.

»Unsere Kinder lieben dich mehr, als du verdienst«, flüsterte sie zum Himmel gewandt, für den Fall, dass Sean es hörte.

Im Schein der Kerosinlampe versuchte sie, das vergilbte und abgewetzte Exemplar von *Gardens by the Sea* zu lesen; es hatte ihrer Großmutter gehört, die es aus dem Haus ihrer eigenen Großmutter in Irland mitgenommen hatte. Wenn sie schon einen Beruf ergriff, wollte sie es richtig machen. Sie würde dem verdorrten Rasen zu neuem Leben verhelfen, die Beeteinfassungen von dem Gestrüpp der Kletterpflanzen befreien, die wild wuchernden Rosenbüsche beschneiden, die Gärten von Black Hall schöner als je zuvor gestalten.

Und angesichts der Pracht und des neuen Lebens würden alle vergessen, was ihr Mann zerstört hatte.

Aber ihre Kinder würden niemals vergessen. Sie würden

niemals aufhören, sich zu fragen, warum er ihnen so etwas angetan hatte. Und sie würden niemals aufhören, ihn zu lieben. Und möglicherweise würden sie, wie Peggy, niemals aufhören, sich zu wünschen, das Jahr möge genau zu diesem Zeitpunkt enden: ohne dass die Blumen verblühten, die Blätter ihre Farbe wechselten und Schnee fiel. Weil jeder Tag, der verging, sie weiter von ihrem Vater entfernte, vom Klang seiner Stimme und der Berührung seiner Hand. Und weil Sean McCabe in den Augen seiner Kinder eine Lichtgestalt war, ungeachtet dessen, was er seinen Kunden und seiner Frau angetan hatte.

14

Dad, bist du da?«
»Ja, bin ich.«
»Es wollte es nicht – ich schwöre es.«
»In Ordnung. Sei aber bitte ehrlich mit deinem Doktor.«
»Ich hasse meinen Doktor. Er ist Atheist.«
»Aber er ist ein sehr guter Arzt. Und das zählt.«
»Du erwartest, dass ich einem Mann vertraue, der nicht an Gott glaubt?«
»Erstens bezweifle ich, dass Dr. Reiss mit dir über seine religiösen Überzeugungen diskutiert. Zweitens ist er ungeachtet seines Glaubens eine Koryphäe auf seinem Gebiet, und ich möchte, dass du auch weiterhin offen und aufrichtig mit ihm bist«, erwiderte Dan, obwohl er gerne gesagt hätte, *»anfängst,* offen und aufrichtig mit ihm zu sein ...«
»Na toll.« Eliza begann zu weinen. »Du hältst deine eigene Tochter für eine Lügnerin. Zuerst für eine Mörderin, dann für eine Lügnerin.«
»Ich habe niemals, NIEMALS behauptet, du wärst eine Mörderin.«
»Aber du DENKST es.«
Dan presste die Kiefer zusammen und machte sich wieder daran, das Teakholzbrett zu glätten, das auf zwei Sägeböcken lag. Trotz der sparsamen Bewegungen und des Bemühens, so leise wie möglich zu Werke zu gehen, hörte Eliza ihn. »Du arbeitest, oder?«
»Ja, in meiner Werkstatt.«
»Deine eigene Tochter ruft dich praktisch von der

SCHWELLE DES TODES aus an, und du baust seelenruhig an deinem hübschen kleinen Segelschiff weiter! Wie SCHÖN, dass sich deine Kunden ein Original von Daniel Connolly leisten können, um mit allem Scheiß-Tralala zu segeln, zu segeln, und noch einmal zu segeln, in den verdammten Sonnenuntergang hinein mit –«

»Eliza.«

»In den SCHEISS-Sonnenuntergang hinein.«

»Es reicht. Du hast nicht einmal die Erlaubnis, zu telefonieren. Geh zu deiner Gruppe zurück, damit sich dein Arzt um dich kümmern kann.«

»Ich will nach Hause.«

»Bald. Sobald du so weit bist.«

»SOFORT, Dad. Noch heute!«

»Das ist ausgeschlossen, schon rein rechtlich, selbst wenn ich es wollte.«

»Annie sollte morgen zu mir kommen!«

»Sie weiß, dass du nicht da bist.«

»Du hast ihr doch wohl nichts GESAGT?« Eliza heulte.

»Nein, natürlich nicht. Ich habe ihr erzählt, dass du eine Weile verreist bist.«

»TOLL, Dad. Kaum habe ich eine Freundin, eine richtige Freundin, musst du ihr auch schon auf die Nase binden, dass ich in der Geschlossenen sitze …«

»Eliza, reiß dich zusammen. Ich habe ihr nicht gesagt, wo du bist.«

»Natürlich kann sie sich das an allen fünf Fingern abzählen! Sie wird wissen, dass ich mich nur dann nicht mit ihr treffen würde, wenn Pferde durchgegangen sind und mich mitgeschleift haben, ich von einem Hai gefressen wurde oder weil ich hinter Schloss und Riegel sitze!«

»Vielleicht ist sie nicht so … theatralisch wie du. Vielleicht denkt sie, du besuchst deine Großmutter.«

»Wir sind Seelenschwestern, ich weiß, sie kennt die Wahrheit.«

»Dann ist es ohnehin egal, ob ich es vermasselt und das Falsche gesagt habe«, versetzte Dan. Das Erschreckende war, dass ihm Elizas Logik einzuleuchten begann.

»Ich werde mich mit ihr treffen, sobald ich hier rauskomme.«

»Prima, tu das.«

»Hör auf, mich zu bevormunden. Nur weil ich weggesperrt bin«, knurrte sie.

»Nie im Leben.«

»Hey, ich habe eine neue Technik gelernt, um nicht wieder auszuflippen. Soll ich dir sagen, wie?« Sie war mit einem Mal wie verwandelt, ihre Stimme klang wie die eines netten jungen Mädchens und nicht wie die Reinkarnation von Bela Lugosi in seiner Paraderolle als Vampir.

»Natürlich. Schieß los.«

»Mit tiefgefrorenen Orangen. Man legt eine Orange ins Gefrierfach, und wenn man spürt, dass man aus dem Lot gerät, nimmt man sie in die Hände. Sie fühlt sich so kalt und fest an ... und sie duftet wunderbar. Legst du eine Orange für mich ins Gefrierfach? Wenn ich nach Hause darf?«

»Selbstverständlich, Schatz.«

Beide schwiegen, aber die Gefühle zwischen ihnen waren beinahe spürbar.

»Es tut mir Leid, was ich getan habe«, flüsterte sie.

»Ich wünschte, ich könnte es ungeschehen machen. Ich wünschte, du hättest mit mir geredet.«

»Ich denke immer, dass ich lieber tot wäre. Du würdest dich bei meinem Anblick nicht daran erinnern müssen, dass Mom meinetwegen gestorben ist.«

Dan schloss die Augen. Sein Herz klopfte, als er an Char-

222

lies Tod dachte, an Eliza, die stundenlang geweint hatte. Ein einziger Abend – voller Wut und Entsetzen – war der Grund für die Probleme, die seine Tochter jetzt hatte, die Ursache ihrer Narben, der sichtbaren und unsichtbaren. Das stand für ihn außer Frage. Er hätte seine Aufgabe besser meistern, sein Kind nicht nur lieben, sondern ihm auch die Mutter ersetzen müssen.

Deshalb war er auf der Hut, wusste, dass Elizas Leben in seiner Hand lag, und deshalb drängte er die eigenen Tränen zurück und räusperte sich.

»Du bist auf dem Holzweg«, log er. »So habe ich das nie gesehen.«

»Ehrenwort, Dad?«, fragte sie weinend.

»Ehrenwort, Eliza. Sprich mit dem Arzt, damit du bald wieder gesund bist und nach Hause kommen kannst.«

»Könntest du mir noch eine Telefonkarte schicken, Dad? Oder mitbringen, wenn du mich besuchst?«

»Mache ich, Eliza. Und jetzt geh zu deiner Gruppe zurück.«

»Ja. Bis dann, Dad. Ruf mich an.«

»Bald. Sehr bald.«

Als er auflegte, konzentrierte er seine ganze Kraft auf das Glätten des Holzes. Teak war hart und urwüchsig. Es besaß eine herrliche Maserung. Er spürte sie unter seiner Hand, als er den Hobel ansetzte und Späne auf den Boden zu seinen Füßen fielen. Deshalb liebte er seinen Beruf – es war eine solide Tätigkeit, und dabei so befriedigend, weil man die Ergebnisse sah: ein glatt gehobeltes Brett, ein nahtlos zusammengefügtes Boot.

Wenn das Leben nur so glatt verliefe.

Damals, als er die hölzerne Uferpromenade in Hubbard's Point gebaut hatte, waren seine Vorstellungen von der Liebe unausgegoren gewesen. Charlie und er hatten sich im darauf folgenden Jahr ineinander verliebt, nach der Rückkehr von seiner Irlandreise; kurz danach hatte er ihr einen Heiratsantrag gemacht. In manchen Dingen war sie das Gegenteil von Bay gewesen – kühl, reserviert, von einer rätselhaften Schwermut, die Dan anfangs als Herausforderung betrachtet hatte: Er war fest entschlossen gewesen, sie zur glücklichsten Frau der Welt zu machen.

Sie waren in der Kirche auf dem Dorfanger von Stonington getraut worden, dort hatte er ihr ewige Liebe geschworen. Und er hatte sein Bestes getan, um das Gelöbnis zu halten …

Die Ehe war zwölf Jahre lang kinderlos geblieben, und sie waren nahe daran gewesen, aufzugeben, als Eliza geboren wurde. Dans Liebe zu seiner Tochter kannte keine Grenzen. Eliza hatte Charlie und ihn nicht nur zu einer Familie zusammengeschweißt, sondern war auch der lebende Beweis dafür, dass es noch Wunder gab.

»Sie gehört uns«, hatte Charlie einmal gesagt, während Dans Arme sie umfingen und Eliza in ihrem Bettchen schlief.

»Nein, sie gehört *zu* uns«, hatte Dan sie berichtigt, was sich bewahrheiten sollte. Eliza, von klein auf eine eigenständige Persönlichkeit, hatte die Augen und das Kinn ihres Vaters, die Nase und Wangen ihrer Mutter geerbt. Wenn er sie ansah, staunte er immer wieder über das Wunder der Schöpfung. Dan – der herrliche Boote aus weißem Zedernholz mit bronzefarbenen Silikonschrauben baute – kam sich mit einem Mal wie ein blutiger Amateur vor, der in einer ganz anderen Liga spielte. Elizas Gegenwart schuf ein Band zwischen den Eltern, wie nichts anderes auf der Welt es vermochte.

Bis zu dem Abend, als der Unfall geschah.

Dan konnte nicht leugnen, dass Eliza bis zu einem gewissen Grad Recht hatte. Bei ihrem Anblick wurde er immer noch an ihre Mutter erinnert – und an all die Hoffnungen, die mit ihr in dieser Nacht gestorben waren. Dan hatte nie aufgehört, zu glauben, dass es seine Aufgabe war, sie glücklich zu machen, seine reservierte, unergründliche Charlie. Im letzten Jahr ihres Lebens schien sie plötzlich aufzublühen, sich für alle möglichen Dinge zu interessieren – und Dan hatte gehofft, dass sie endlich etwas gefunden hatte, was ihr Freude machte, und die ihr zu geben ihm bisher nicht wirklich gelungen war.

Nun bot sich Dan keine Gelegenheit mehr, seine Frau glücklich zu machen, eine harmonische Ehe zu führen, die Nähe zuließ. Das Leben, das sie miteinander aufgebaut hatten, war wie ein Kartenhaus eingestürzt. Eliza trug keinerlei Schuld daran, beileibe nicht. Aber sie erinnerte ihn an das, was geschehen war, und manchmal, wenn er in ihre Augen blickte, meinte er die gleiche unerträgliche Schwermut darin zu entdecken, unter der ihre Mutter gelitten hatte.

Dan hatte nicht nur seine Frau, sondern auch das Gefühl der Hoffnung und Geborgenheit verloren: Seine kleine Familie war für ihn ein sicherer Hafen gewesen. Nun fürchtete er, auch noch seine Tochter zu verlieren.

Während er versuchte, die über Dampf gebogenen Rahmen zum Rumpf zu formen, spürte er, wie seine Rücken- und Schultermuskeln vor Anspannung brannten, und dachte an einen anderen Menschen, der litt: Bay McCabe. Der Sommer neigte sich dem Ende zu, Herbst und Winter standen vor der Tür. Das erste Thanksgiving und Weihnachtsfest der Kinder ohne ihren Vater. Er hoffte, dass sie nicht gleichermaßen am Boden zerstört sein würden wie Eliza. Dan beugte sich tiefer über den gebogenen Rahmen; er war froh über die Arbeit und wünschte, Bay hätte etwas, um sich von den Sorgen abzulenken, von denen, die sie bereits hatte, und den übrigen, die noch auf sie zukommen würden. Dan hatte ebenfalls eine neue Befürchtung, zu all den anderen: Die anonyme Anruferin, die nach Sean McCabe gefragt hatte, wusste etwas. Das Telefonat war eine Warnung gewesen, aber wovor?

Obwohl der August noch nicht zu Ende und die Luft in der Werkstatt schwül und mit Sägemehl angefüllt war, erschauerte Dan bis auf die Knochen, als wäre es schon so eisig wie mitten im Dezember. Er dachte an den Mond, den Bay so liebte. Würde er ihr Trost spenden? Er hoffte, dass sie heute Abend aus dem Fenster sah und wusste, dass er für sie schien.

Später am Abend, als er im Bett lag, aber nicht einschlafen konnte, weil seine Tochter sich meilenweit entfernt in einer Klinik befand, stand Dan auf. Er ging zum Fenster, blickte hinaus. Da war er, im schrägen Winkel am Himmel, der weiße Mond – noch nicht ganz voll, aber kurz davor.

»Ein aufdringlicher Mond, der keine Geheimnisse offen lässt«, hatte Bay vor Jahren zu ihm gesagt. »Die Mondsichel gefällt mir besser, da ist ein Teil vor der untergegangenen Sonne verborgen und ruht.«

Aber das war alles, womit der Himmel heute Nacht aufwarten konnte; Dan stieg wie unter Zwang in seinen Pickup. Es war schon nach zwei, als er nach Westen fuhr. Der beinahe volle Mond leuchtete ihm, wob einen silbernen Teppich auf dem Wasser, das er vom Highway aus sehen konnte. New London breitete sich unter der Gold Star Bridge aus. Er sah die Werft, in der sich seine Werkstatt befand, nur wenige Anlegestellen südlich des Bahnhofs; die Masten der Schiffe schimmerten in dem geheimnisvollen Licht.

Er nahm die Ausfahrt, die nach Hubbard's Point führte, und fuhr die geschlängelte Shore Road hinab. Eine ländliche Idylle, dunkel und still, die Bäume versperrten die Sicht auf den Mond. Er war merkwürdig aufgeregt, als befände er sich auf einer geheimen Mission, die es vor dem Morgengrauen zu beenden galt.

Er fuhr unter dem Eisenbahnviadukt hindurch in Richtung Marsch, danach durch die schlafende Ortschaft. Die kleinen Cottages waren ausnahmslos dunkel, die Spielsachen für den Strand bis zum Morgen auf den Veranden verstaut.

Er parkte auf dem unbefestigten Parkplatz, schlenderte am Hafenbecken vorbei auf die hölzerne Strandpromenade. Von hier aus hatte man den besten Blick auf den Mond: Er stand im Westen am Firmament, direkt über dem großen Felsen hinter dem Floß, und breitete sein weißes Licht wie eine Decke auf den Wellen aus.

Konnte Bay den Mond von ihrem Fenster aus sehen?

Er wünschte es sich für sie …

Als er über die Marsch blickte, sah er ihr Haus. Sean hatte natürlich damit geprahlt. Auf dem Strand, der zum Besitz des großen weißen Farmhauses zählte, hatte der Farmer, dem es gehört hatte, früher seine Schafe weiden lassen. Dan war froh, dass Bay dieses herrliche Anwesen, ein Wahrzeichen von Hubbard's Point, besaß. Er hätte Sean eigenhändig umgebracht, wenn ihm zu Ohren gekommen wäre, dass er das Haus, in dem Bay und die Kinder wohnten, durch seinen Leichtsinn aufs Spiel gesetzt hatte.

Der Mond war an den Rändern von der Feuchtigkeit des Sommers verhangen und weil es bis zum richtigen Vollmond noch ein paar Tage dauerte.

»Aufdringlich« … ein gewichtiges Wort. Schade, dass er nie eingehend darüber nachgedacht hatte, den offenkundigen Dingen im Leben zu viel Aufmerksamkeit geschenkt hatte. Dabei hatte es ihn eigentlich immer zu den unterschwelligen Dingen, den Geheimnissen hingezogen. Während er Bays Haus betrachtete, flammte im ersten Stock ein Licht auf. Sein Herz begann zu klopfen. Er wünschte, sie würde aus dem Fenster schauen und zur Promenade hinuntergehen, um das Spiegelbild des Mondes im Wasser zu betrachten. Zur Strandpromenade, die sie gemeinsam errichtet hatten.

Dan hätte gerne mit ihr gesprochen, ihr die ganze Geschichte erzählt. Doch noch mehr wünschte er sich die Gesellschaft einer Frau, mit der er zusammen etwas aufgebaut hatte. Er sehnte sich danach, mit Bay zu reden, wieder ihre sanfte Gegenwart in seinem Leben zu spüren. Damit sie ihn daran erinnerte, den Blick zum Himmel zu richten.

Sein Wunsch war genauso offenkundig wie der beinahe volle Mond über dem großen Felsen.

Am letzten Dienstag vor dem Labour Day – dem ersten Montag im September –, als Tara zur Arbeit ging, begleitete Bay sie zu Mrs. Renwick. Sie trug ihre Gartenkleidung: weite Hosen, ein langärmeliges Hemd aus gemustertem Baumwollstoff, weiße Socken, grüne Plastikclogs. Außerdem hatte sie ihren abgewetzten alten Strohhut, weiche, zehn Zentimeter lange Rehlederhandschuhe, um sich vor den Dornen zu schützen, und eine Thermosflasche mit Eiswasser aus ihrer Pfadfinder-Zeit eingepackt.

»Du bist die Einzige, die sich nicht unterkriegen lässt und heute noch an dem Brauch festhält, Leitungswasser in dieses Ding zu füllen.«

»Ich werde keinen einzigen Dollar für Mineralwasser ausgeben.« Bay musterte das Renwick-Anwesen, als wäre es ein verwunschenes Schloss. »Nur aus diesem Grund bin ich hier – weil wir das Geld brauchen.«

»Was hätten wir damals wohl gesagt, wenn uns jemand prophezeit hätte, dass wir eines Tages Geld für Wasser ausgeben würden? Wir sind inzwischen ganz schön verwöhnt.«

»Du sagst es.« Bay gähnte, weil sie in den letzten Nächten schlecht geschlafen hatte. Der Mond, der durch ihr Fenster schien, hatte versucht, sie an den Strand zu locken.

Die beiden Freundinnen standen vor Augustas Haus, direkt neben der Küchentür. Die meisten Fenster standen weit offen, so dass Durchzug entstand, und weiße Vorhänge flatterten im Wind, der vom Meer herüberwehte. Bay blickte nach oben, meinte einen Schatten am Fenster vorbeihuschen zu sehen.

»Ist Augusta im Haus?«, fragte sie.

»Wahrscheinlich. Sie ist ziemlich unzugänglich. Sie bat mich, dich einzuweisen.«

»Richte ihr bitte aus, dass sie im nächsten Sommer die schönsten Blumen an der ganzen Küste haben wird. Schau dir diese Büsche an. Schwarze Rosen, Hortensien, Lilien, Anemonen ...«

»Dann viel Glück!«, sagte Tara. »Ich muss mich heute mit dem Putzen beeilen. In der Black Hall Art Academy findet am Abend eine Vernissage statt, und ich möchte Punkt sechs dort sein, um einen Blick auf die Maler zu ergattern. Wozu auch immer.«

»Geh ruhig, wenn du fertig bist – ich finde alleine nach Hause.« Bay lächelte und winkte, als Tara davoneilte.

Sie betrat den Schuppen mit den Gartengeräten, wo sie Scheren zum Stutzen und Schneiden, Schaufeln, Rechen und Spaten entdeckte. Überall hingen Spinnweben, doch die Wände waren mit den fantasievollen Zeichnungen Hugh Renwicks bedeckt. Gebannt betrachtete Bay die Skizzen von seiner Frau mit Sonnenhut, von seinen Töchtern, die Sandburgen bauten und mit Meerjungfrauen tanzten, von einem mit Seesternen gefüllten Himmel und einem fliegenden Hund mit einem Knochen in seinem lächelnden Maul und einem roten Band um den Hals, auf dem »Homer« geschrieben stand.

Dann füllte sie ihre Arme mit Gartengeräten und ging hinaus.

Vier Stunden lang wanderte sie ohne Unterlass über das Gelände, machte sich mit dem Terrain vertraut und nahm sich als Erstes die am schlimmsten verwilderten Hecken und Beete vor. Ihre Großmutter hatte ihr beigebracht, keine Angst vor dem Stutzen zu haben.

»Bis runter zum Boden bei diesen Blaustern-Büschen«, hatte Granny Clarke mit ihrem Wicklow-Akzent gesagt.

»Aber das bringe ich nicht übers Herz. Dann gehen sie ein!«, hatte Bay protestiert.

»Nein, mein Kind … Blüten können nur aus den neuen Trieben entstehen. Also weg damit … so ist's brav …«

Und genau das tat Bay nun: Sie schnitt und hackte alle abgestorbenen Triebe ab, stutzte die Pennybright-Büsche bis zu den Blattknoten. Eine Spur kleiner und großer Hügel aus Zweigen und braunen Blättern hinter sich lassend, wie Scheiterhaufen, die darauf warteten, angezündet zu werden, arbeitete sie sich langsam durch den Garten. Erst als die Luft kühl zu werden begann und die Schatten länger wurden, merkte sie, dass es Zeit für das Abendessen war und sie zu ihren Kindern nach Hause musste.

»Ich sehe, dass Sie an die Macht der Zerstörung glauben«, ertönte plötzlich eine strenge, kehlige Stimme.

Als sie über einen besonders großen Abfallhaufen spähte,

sah sich Bay ihrer Arbeitgeberin von Angesicht zu Angesicht gegenüber.

»Oh, Mrs. Renwick.« Bay zog ihre Gartenhandschuhe aus und streckte ihr über das Gestrüpp die Hand entgegen.

»Sie sind also meine neue Gärtnerin.«

»Ja.« Bay lächelte. »Keine Sorge – ich weiß, es sieht so aus, als hätte ich ziemlich viel weggeschnitten, aber ich verspreche Ihnen, dass alles nachwächst.«

»Sorge machen mir vor allem die zerhackten Stöcke, die früher einmal die preisgekrönten Blaustern-Büsche meines Mannes waren.« Mrs. Renwicks Stimme hatte einen ausgesprochen aristokratischen Klang.

»Die kommen wieder«, versicherte Bay. »Sie waren gewissermaßen im Würgegriff von Efeu und Nachtschattengewächsen, ihnen fehlte die Luft zum Atmen; da nun alle abgestorbenen Triebe und Kletterpflanzen entfernt sind … können sie ihre Kraft während der Wintermonate bündeln und im nächsten Sommer gestärkt nachwachsen.«

»Das hoffe ich sehr, um Taras willen«, erwiderte Mrs. Renwick düster.

»Tara?«

»Sie ist doch Ihre Freundin, oder? Sie hat Sie empfohlen.«

»Ich weiß. Danke, dass Sie mir diese Chance geben.«

Mrs. Renwick stand kerzengerade da mit ihren weißen, im Wind flatternden Haarsträhnen und der legendären schwarzen Perlenhalskette, die sie überall trug, selbst zum Einkaufen im A&P. Ihre Miene war verdutzt. »Warum sagen Sie das? Tara versicherte mir, Sie wären die beste Gärtnerin weit und breit.«

»Sie ist vielleicht ein wenig voreingenommen. Ich bin schließlich ihre beste Freundin.«

»Das sagte sie bereits.«

Bay versuchte zu lächeln. »Sie waren bei der Beerdigung meines Mannes.«

»Wir sind uns noch nicht richtig vorgestellt worden, Barbara«, sagte die alte Dame. »Sie wissen vermutlich auch so, wen Sie vor sich haben. Ich bin Augusta Renwick.«

Barbara?, dachte Bay. Niemand nannte sie so; außerdem war das nicht einmal ihr richtiger Name.

»Ich heiße Bairbre, aber meine Freunde nennen mich ›Bay‹.«

»Bay«, sagte Mrs. Renwick. »Ich dachte immer, das sei ein ausgefallener Spitzname, wenn Ihr Mann von Ihnen sprach.«

»Sean hat von mir gesprochen?« Die Sonne neigte sich dem Horizont zu, und Bay spürte, wie sie mit jeder Minute blasser wurde.

»Ja.« Mrs. Renwicks Stimme klang schwach. »Er dachte wohl, dass ich zugänglicher sein würde, wenn er mir etwas über seine Frau und seine Kinder erzählte. Ich habe selbst drei Kinder.«

»Ich weiß.«

»Sean hatte ein untrügliches Gespür dafür, welche Register er ziehen musste, um sein Ziel zu erreichen. Er sah, dass wir eines gemein hatten, nämlich drei Kinder, und deshalb sprach er oft über seine. Ihre.«

»Er liebte sie sehr.«

Der Wind wurde stärker, und Bay fröstelte, als sie den Ausdruck in den Augen ihrer Arbeitgeberin bemerkte. Die Unterhaltung war angespannt, und plötzlich hatte Bay das Gefühl, dass Taras gut gemeinte Bemühungen sie beide in eine verfahrene Situation gebracht hatten.

»So sehr, dass er Schande über sie brachte?«, sagte Mrs. Renwick.

Bays Gesicht wurde kreidebleich, und sie drehte mit zitternden Händen ihre Lederhandschuhe hin und her.

»Er hat mich bestohlen,« fügte Mrs. Renwick hinzu.

»Ich weiß. Es tut mir Leid.«

»Ich hasse es, betrogen zu werden.« Mrs. Renwick wirkte mit einem Mal alt und zerbrechlich. »Ich habe ihm vertraut. Ich habe Ihrem Mann vertraut.«

»Es tut mir so Leid«, sagte Bay abermals und wollte nach ihrer Hand greifen, doch Mrs. Renwick wich zurück, und Bay griff nach dem nächsten Busch, um nicht den Halt zu verlieren. Es war ein Busch voller Dornen, die in ihre Hand drangen.

Bay schnappte nach Luft, wollte mit einem Mal nur noch weg angesichts des Desasters und sammelte hektisch das Werkzeug ein. »Ich bringe es in den Schuppen zurück. Mrs. Renwick. Es ist schon spät, ich muss nach Hause, das Abendessen für meine Kinder zubereiten, aber ich komme gleich danach zurück und reche das Gestrüpp zusammmen –«

»Es wird bald dunkel!«

»Das ist schon in Ordnung. Ich erledige das lieber heute Abend, damit Sie mich morgen nicht mehr vor Augen haben«, sagte Bay und trat versehentlich auf die Zinken eines Rechens, so dass der Stiel hochschnellte und sie mit voller Wucht an der Stirn traf. Sie war einer Panik nahe und wütend auf sich selbst, weil sie so dumm gewesen war, zu glauben, den idealen Job gefunden zu haben.

»Was haben Sie denn jetzt schon wieder gemacht!« Augusta klang, als sei sie außer sich vor Zorn. »Jetzt sind Sie auch noch verletzt. Haben Sie es vielleicht darauf angelegt, mich zu verklagen? Aber das sage ich Ihnen gleich: Wenn Sie sich einbilden, ich würde mich von einem weiteren Mitglied der Familie McCabe ausnehmen lassen …«

»Mrs. Renwick!« Bays Kopf hämmerte, und der rechte Augenbrauenbogen begann zu schwellen. »Auf die Idee würde ich nie im Leben kommen –«

»Das hätte ich über Ihren Mann auch gesagt!« Mrs. Renwicks Stimme wurde lauter. »Ich habe ihm vertraut. Ich *mochte* ihn – das ist es, was mir am meisten zu schaffen macht.«

Bay versuchte, die Stimme auszublenden, sammelte hastig das Werkzeug ein, ließ die Gartenscheren fallen, hob sie auf und schnitt sich dabei in die rechte Handfläche. Damit Mrs. Renwick nichts merkte, schob sie die Hand in die Hosentasche.

»Und jetzt kommen SIE daher, metzeln Hughs Blausterne nieder und verletzen sich auch noch zu allem Überfluss! Das ist zu viel! Einfach zu viel!«

Bays Hand blutete, Sterne tanzten vor ihren Augen, sie war blind vor Tränen. Doch als sie über den Haufen mit dem Gestrüpp und den vertrockneten Zweigen blickte, sah sie, wie die alte Frau ihr Gesicht in den Händen barg – knorrig vom Alter, aber mit langgliedrigen zarten Fingern, die sie gegen die Augen presste – und zu schluchzen begann.

»Oh, Mrs. Renwick.« Bay ging um den Abfallhaufen herum. Dann blieb sie stehen, unsicher, was sie tun sollte, da sie der Frau nicht noch mehr zumuten und selbst nichts wie wegwollte.

»Ich habe ihm vertraut … er war mir ans Herz gewachsen«, fuhr Augusta fort. »Ich sah Sie beim Begräbnis … wir haben beide Kinder … Tara liebt Sie … Ich wollte Ihnen helfen. Ich wollte es wirklich.«

»Ich brauche Ihre Hilfe nicht, Mrs. Renwick. Es tut mir Leid, dass wir Ihnen so viel Kummer bereitet haben.« Bay brach ebenfalls in Tränen aus, als sie sich an die Worte ihrer Großmutter erinnerte: »Sei immer nachsichtig mit alten Leuten, Bairbre … Weil sie die Menschen viel länger geliebt haben als du und wesentlich mehr zu verlieren haben …«

»Wenn ich an Ihre Kinder denke … grauenvoll«, sagte Augusta, unfähig, den Blick zu heben. »Ich kann den Gedanken, was sie durchmachen müssen, einfach nicht ertragen …«

»Es geht ihnen gut. Sie werden es verkraften. Das ist mein Problem, nicht Ihres. Bitte vergessen Sie einfach, dass ich hier war. Ich gehe jetzt …«

Benommen vor Kummer und Schmerzen, eilte sie davon.

15

Black Hall Art Academy.
Abenddämmerung, Zwielicht.
Weißwein, der in Strömen floss, wie es bei diesem Wein üblich war. Künstler und Leute, die Künstler kennen lernen oder werden wollten, geschäftiges Treiben, die Kunst ein beiläufiges Thema in den Gesprächen. Die echten Kunstkenner anderswo, weil gemunkelt wurde, dass Dana Underhill einen Vortrag in einer Privatgalerie hielt, anderswo, wo immer sich dieses auch befand. Vielleicht in New York. Tara gebräunt, in einem roten Sarong, die Menge ins Auge fassend.

Der Abend war ein Reinfall, was die Gäste betraf, die Eröffnung sterbenslangweilig, bis inmitten der beleibten Künstler und knochigen Kunststudenten, die sich ausnahmslos wünschten, Hugh Renwick zu sein oder zumindest so malen zu können wie er, ein Mann von echtem Schrot und Korn auftauchte. Arme wie Stahl, ein harter Brustkorb, blaue Augen, die einen Stein erweicht hätten: Dan Connolly.

Tara sah, wie er die Galerie von der Parkplatzseite aus betrat; er sah blendend aus in seinem blauen Blazer, auch wenn er den Eindruck vermittelte, dass er sich fehl am Platz fühlte. Bei den Exponaten handelte es sich um Skulpturen, »Maritime Objekte und Medien« – Installationen, bei denen Fundstücke verarbeitet wurden, die aus Häfen und Werften stammten.

»Wärst du damals, als du das Dach des Wächterhäuschens von Hubbard's Point neu gedeckt hast, auf die Idee gekommen, dass man als Künstler berühmt werden kann, wenn man eine von Muscheln verkrustete Schiffsplanke mit Draht an einem abblätternden Propeller befestigt?«, fragte Tara und gesellte sich zu ihm.

»Nein, das leuchtet mir heute noch nicht ein.« Dan grinste. »Aber ich habe Eddie Wilson versprochen, mir anzuschauen, was er aus dem alten Binnenvorsteven und den Enden der Innenplanken gemacht hat, die ich ihm geschenkt habe … ich muss jedoch zugeben, dass ich hoffte, Bay oder dich hier zu treffen.«

»Wirklich?«

»Ja.«

»Sie ist leider nicht da, aber ruf sie doch einfach an und überrede sie zu kommen. Sie hatte heute ihren ersten Arbeitstag und wird sich bestimmt über eine Ablenkung freuen. Apropos, siehst du das Werk deines Freundes irgendwo?«

Dan nahm ein Glas Wein von dem Tablett, das eine junge Kunststudentin herumreichte, und deutete auf eine Installation, bei der ein morsches altes Schiffsheck und ein gleichermaßen morscher, noch älterer Schiffsbug verwendet worden waren.

»Die amerikanischen Impressionisten würden sich im Grabe umdrehen, wenn sie sehen könnten, was aus Black Hall geworden ist.« Tara kramte in ihrer Tasche, auf der Suche nach ihrem Handy.

»Meinst du?« Dan trank einen Schluck Wein. »Die Exponate gefallen mir. Was ich nicht gedacht hätte, aber es ist so.«

»Oh.« Tara riss erschrocken die Augen auf, als sie sah, wer in diesem Moment zur Tür hereinkam.

»Bay!« Dans Stimme, die gerade noch so aufgeregt geklungen hatte wie die eines verliebten Teenagers, wurde mit einem Mal so beunruhigt, als sei er unfreiwillig Zeuge einer Katastrophe geworden. »Was ist passiert?«

Bay näherte sich ihnen; Schmutzstreifen durchzogen ihr Gesicht, Zweige und Blätter hatten sich in ihren roten Haaren verfangen, und auf der Stirn befand sich eine Platzwunde, die geschwollen war. Blut sickerte durch ihre rechte Hosentasche.

»Tara«, sagte Bay atemlos.

»Was ist passiert?« Taras Herz klopfte wie verrückt, sie war zu Tode erschrocken über Bays Blässe und ihre hohe, zitternde Stimme.

»Ich habe deinen Wagen gesehen. Würdest du mich bitte nach Hause bringen?«

»Oh Bay, was ist passiert?« Bay schien einer Ohnmacht nahe; Tara legte den Arm um sie und führte sie zu einem Sessel.

»Sie beobachtete mich vom Fenster aus und dachte, ich würde die Blausternbüsche ihres Mannes zerstören. Sie vertraut niemandem mehr, kein Wunder, nach diesem Sommer ...« Bay verstummte, senkte den Kopf. »Es war ein großer Fehler von mir, dort zu arbeiten, Tara.«

»Ich hoffte, es würde euch beiden gut tun.«

»Es war die reinste Katastrophe.«

»Was ist mit deiner Hand?«, fragte Dan und berührte ihren Ellenbogen. Ihre rechte Hand steckte immer noch in der Hosentasche.

»Ich habe mich geschnitten.« Bay schien ihn zum ersten Mal wahrzunehmen.

»Lass mal sehen.« Dan runzelte besorgt die Stirn.

»Ich muss nach Hause, zu den Kindern. Fährst du mich, Tara?«

»Komm.« Tara half ihr aus dem Sessel. »Bay, du weißt, dass ich das Ganze nur eingefädelt habe, weil ich dich liebe und weil du Arbeit brauchtest, und Augusta jemanden für den Garten ... es war wie ein Wink des Schicksals, alles schien perfekt zusammenzupassen.«

»Ich weiß, dass du es gut gemeint hast«, flüsterte Bay.

Sie drehte sich um, weg von Tara, ging ein paar Schritte auf eine der Skulpturen zu, schwankend wie ein Schilfrohr im Wind. »Bay!«, schrie Dan, als sie die Besinnung verlor und er sie in seinen Armen auffing.

Als Bay zu sich kam, lag sie auf der Untersuchungsliege der Coastwise-Klinik. Zwei Männer blickten auf sie herab: ein Mann im grünen OP-Kittel und Dan.

»Was ist passiert?«

»Du bist ohnmächtig geworden«, sagte Dan.

»Meine Kinder.«

»Tara ist hingefahren, um ihnen etwas zu essen zu machen.«

Sie merkte, dass er ihre linke Hand hielt und ihre rechte steif war und schmerzte. Ein durchsichtiger Plastikbeutel, gefüllt mit einer Flüssigkeit, hing an einem Infusionsständer über ihrem Kopf; ein Schlauch war an ihrem Arm befestigt. Die Geräusche in der Klinik, das Piepsen von Maschinen und Polizeifunkgeräten, waren gedämpft, drangen von der anderen Seite eines Vorhangs zu ihr herüber.

»Gut, Sie sind wach«, sagte der Mann im grünen OP-Kittel. »Ich hole den Doktor.« Er verließ die Kabine, ließ Dan und Bay alleine.

»Ich hätte nicht zur Galerie gehen sollen.« Bay drehte den Kopf, so dass ihre Wange auf der kühlen Fläche der Liege ruhte. »Aber ich sah Taras Wagen und war mir nicht sicher, ob ich es zu Fuß bis nach Hause schaffen würde.«

»Hättest du nicht.« Dan drückte ihre unverletzte Hand.

»Tara war froh, dass du gekommen bist. Obwohl sie sich Vorwürfe macht, dass sie dich zu Mrs. Renwick geschickt hat. Sie ist noch genau wie früher – nicht unterzukriegen. Immer mit dem Kopf durch die Wand, komme, was da wolle, aber sie hat ein Herz aus Gold. Ich bin froh, dass ihr beide noch immer die besten Freundinnen seid. Sie weiß, dass sie dich in eine furchtbare Situation gebracht hat … sie lässt ausrichten, du möchtest ihr bitte verzeihen.«

»Das ist selbstverständlich, das weiß sie doch.« Sie verstummte. »Wie bin ich überhaupt hergekommen?«, fragte sie nach einer Weile.

»Ich habe dich gefahren. Tara wollte die 919 anrufen, aber ich wollte nicht auf die Ambulanz warten.«

»Und wie bin ich ins Auto gekommen?«

»Ich habe dich getragen. Zu meinem Pick-up. Wenn sich dein Zustand jetzt stabilisiert hat, werden sie die Hand nähen. Vermutlich wollen sie einen plastischen Chirurgen hinzuziehen, der sich die Wunde anschaut; sie ist ziemlich tief.«

»Ich weiß.« Trotz der Schmerzmittel, die man ihr verabreicht hatte, fühlte sich ihre Handfläche an, als sei sie mit weißglühendem, geschmolzenem Eisen gefüllt.

»Und du hast ein blaues Auge und eine Beule am Kopf, so groß wie ein Hühnerei. Was war los, hat Mrs. Renwick dich verprügelt?«

Bay schüttelte benommen den Kopf. »Ich bin auf einen Rechen getreten und habe in eine scharfe Gartenschere gefasst.«

»Du warst schon immer sehr geschickt, Galway.«

»Wie nett von dir.« Bay bemühte sich, deutlich zu sprechen. »Dein Verhalten am Krankenbett ist vorbildlich, einfach Weltklasse. Ich erinnere mich noch, wie es war, als ich mir mit dem Hammer auf den Daumen geschlagen hatte.«

»Ja, richtig. Du hattest den Daumennagel verloren.«

»Aber nicht gleich. Es tat grauenhaft weh – an der Seite war die Haut in Fetzen und du musstest mich in die Klinik bringen – hierher –, zum Nähen.«

»Deshalb habe ich den Weg auch auf Anhieb gefunden«, erwiderte Dan, immer noch ihre Hand haltend. »Schließlich musste ich mehrmals alles stehen und liegen lassen, um dich in die Notaufnahme zu schaffen.«

»Nur noch ein weiteres Mal!«, korrigierte sie ihn.

»Wenn du es so genau nimmst.«

»Schon damals warst du eine enorme Hilfe. Hast mir erzählt, dass ich den Daumennagel verlieren und der nachwachsende mit Sicherheit deformiert und abgrundtief hässlich sein würde.«

Dan hob ihre linke Hand vor sein Gesicht und inspizierte den Daumennagel. »Offenbar habe ich mich geirrt. Er ist sehr hübsch.«

»Es war der rechte Daumen.«

Als sie den rechten Arm unter dem Laken hervorzog, zuckte sie zusammen. Ihre Hand schmerzte trotz der Spritze, und mit jeder Bewegung wurde es schlimmer. Aber sie hielt Dan den Daumen zur Begutachtung hin.

»Aha«, sagte er, als wäre er Arzt und wüsste genau, worauf er zu achten hatte.

»Und, zu welchem Ergebnis bist du gelangt?«, fragte Bay, benommen von dem Schmerz, den Medikamenten und ihren Gefühlen.

»Ich bin noch dabei, mir ein Urteil zu bilden, junge Dame.«

»Ich wusste gar nicht, dass du Medizin studiert hast.«

»Zwölf Jahre als Vater verleihen einem Mann eine gewisse Erfahrung auf dem Gebiet der medizinischen Versorgung.«

»Eliza.« Bay erinnerte sich an die rätselhafte Nachricht, dass sie verreist sei. »Wie geht es Eliza?«

»Im Moment bist du meine Patientin – also keine Ablenkungen, wenn ich bitten darf.«

»Na gut. Und, ist der nachgewachsene Nagel nun deformiert und abgrundtief hässlich?«

»Du hast ein Gedächtnis wie ein Elefant. Erinnerst dich sogar noch an den genauen Wortlaut.«

»Mit fünfzehn, wenn man *Seventeen* liest und die perfekt geformten, ovalen Nägel der Models sieht, haben Worte wie ›deformiert‹ und ›abgrundtief hässlich‹ enormes Gewicht.«

»Es tut mir Leid, Bay.« Dan hielt ihre zerfetzte rechte Hand und sah ihr in die Augen. »Ich habe mich geirrt. Weißt du, die meisten Lehrlinge im Uferpromenadenbau, die sich den Daumen zerschmettern, haben am Ende deformierte, abgrundtief hässliche Nägel. Du nicht.«

»Ich nicht?« Plötzlich konnte sie die Tränen nicht länger zurückhalten.

»Nein, dein Nagel ist ausgesprochen hübsch.« Dan beugte den Kopf und hob den rechten Daumen an die Lippen, um ihn zu küssen.

Bay weinte, benommen von dem Ansturm der Gefühle, und klammerte sich an seine Hand, als wollte sie nie mehr loslassen. In dem Augenblick öffnete sich der Vorhang, und eine junge Ärztin trat ein, mit einem strahlenden Lächeln und einer großen Nadel.

»Hallo. Ich bin Dr. Jolaine.«

»Hallo«, erwiderte Bay.

»Hallo Doc«, sagte Dan.

»Vielleicht möchten Sie so lange draußen warten.« Der Doktor deutete auf die Patientin und die Nadel.

»Das kann ich nicht machen.«

»Nein?«, fragte die Ärztin.

»Nein. Ich bin ein Mensch, der langfristig denkt und plant. Ich war früher schon einmal hier, um mich zu vergewissern, dass ihr rechter Daumennagel nicht rettungslos verloren war, und da ist es das Mindeste, dabeizubleiben und Acht zu geben, dass Sie ihre Hand anständig zusammenflicken.«

»Nun, einige Leute können nicht dabei zusehen, wenn genäht wird, aber wenn die Patientin Ihren Beistand wünscht und es Ihnen nichts ausmacht –«

»Macht es nicht.« Dan legte Bays Hand auf die Liege und berührte sanft ihre Schläfe. »Ich bin bei dir, Galway.«

»Danke«, flüsterte sie.

Und so schloss Bay die Augen und versuchte tapfer zu sein, so wie sie es ihren Kindern immer gepredigt hatte, wenn sie verletzt waren und ins Krankenhaus mussten.

Auch Dan hatte sie ermutigt – wie ihr mit einem Mal wieder einfiel –, vor Ewigkeiten, als sie fünfzehn war und das Leben ein hoffnungsvolles Geheimnis, als sie sich mit dem Hammer auf den Daumen geschlagen hatte und ihre größte Sorge darin bestand, einen hässlichen Nagel zurückzubehalten.

Dieser Zuspruch kam auch jetzt, mit sanfter, aber fester Stimme, und er erinnerte sie daran, dass sie stark war, und nicht so alleine, wie sie geglaubt hatte.

»Sei tapfer, Bay«, sagte er, als ihr die Ärztin ein Betäubungsmittel in die Hand spritzte. »Du schaffst das.«

Bay war sich dessen keineswegs sicher, aber sie würde es zumindest versuchen.

16

Genau eine Woche später, als die Schule begann und der Sommer endete – nicht der kalendarische Sommer mit der Tagundnachtgleiche, die den Herbst einläutete, sondern der echte Sommer mit Strandleben, Krabbenfang, Eis vom Süßigkeitenstand und endloser Freizeit –, sahen sich Annie und Eliza wieder. Dan hatte seine Tochter nach Black Hall gefahren, wo die Mädchen den Tag miteinander verbringen wollten.

Eliza war blasser als je zuvor.

Das war das Erste, was Annie bemerkte. Das Zweite war, dass sie abgenommen hatte, falls das überhaupt ging. Und das Dritte, dass feine, kaum sichtbare Narben wie Tentakel von Quallen kreuz und quer über ihre Unterarme, Handrücken und Waden verliefen. Einige waren alt und weiß, andere frisch und rot. Billy hatte Recht: Eliza ritzte oder schnitt sich, litt unter Autoaggressionen.

»Wo hast du gesteckt?«, erkundigte sich Annie, als sie den unbefestigten Weg zum Strand hinuntergingen. Nicht direkt an den Strand, natürlich. Sie hassten beide die Sonne, hielten sich im Schatten auf. Aber sie gingen, um etwas zu unternehmen, um den Argusaugen der Eltern zu entgehen.

»Die Hand deiner Mutter ist ja immer noch bandagiert«, sagte Eliza, als hätte sie die Frage nicht gehört.

»Ja, sie hat sich verletzt.«

»Ich weiß. Von meinem Dad. Er hat sie in die Klinik gefahren.«

»Genau wie damals, als sie ihm beim Bau der Uferpromenade geholfen hatte.«

»Der edle Ritter in schimmernder Rüstung.« Eliza kicherte. »Gibt es die Promenade noch? Ich würde sie mir gerne anschauen.«

»Also, wo hast du gesteckt?«, fragte Annie erneut.

»Mein Dad mag deine Mom«, sagte Eliza rundheraus, und wich der Frage abermals aus.

»Sie mag ihn auch. Sie liebt ihre alten Freunde.«

»Was wäre, wenn sie mehr sind als das? Wenn sie sich am Ende ineinander verlieben? Und wir Stiefschwestern würden? Du hättest keine Lust, aus eurem Haus auszuziehen, und ich nicht aus unserem, und deshalb werden wir uns am Ende streiten und hassen.«

»Du bist ja verrückt.« Annie lachte. »Sie sind Freunde. Nichts weiter.«

»Bingo! Du hast vermutlich Recht.«

»Dass sie nichts weiter als Freunde sind?«

»Nein, dass ich verrückt bin. Das beantwortet deine Frage, wo ich gesteckt habe – in der Klapse.«

»Klapse?«

»Klapsmühle. Irrenanstalt«, sagte Eliza mit lauter Stimme, obwohl sie an Gärten vorbeikamen, in denen Leute waren. Sie sagte es genauso beiläufig, als sei sie in der Schule, im Ferienlager oder im Urlaub gewesen. Annie schluckte und musterte Eliza, um zu sehen, ob sie Witze machte. Sie trug ein langes, eng anliegendes schwarzes Kleid mit einer künstlichen Rose, die mit einer Nadel am Mieder befestigt war, und einen gelben Schlapphut.

»Du nimmst mich auf den Arm«, sagte Annie.

»Nein. Ich war im Banquo Hospital in Delmont, Massachusetts. Meine Alma Mater. Ich habe so etwas wie D.I.D. und P.T.S.D. … und ich war ein paar Mal dort.«

»Warum?«

»Weil … ich manchmal vor mir selbst nicht sicher bin.«

Annie verzog das Gesicht. Das klang wirklich verrückt. »Was soll das heißen?« Annies Blick wanderte unwillkürlich zu den Narben an Elizas Armen.

»Machst du das nie?« Elizas Augen glänzten. »Dich verletzen?«

»Absichtlich? Warum sollte ich?«

»Um den eigentlichen Schmerz herauszulassen. Den inneren, wenn er nicht mehr auszuhalten ist … dann wird der Druck so groß, dass man ein Ventil braucht.«

»Und sich verletzt?«

»Sich mit Nadeln stechen, mit einer Rasierklinge schneiden«, erklärte Eliza, als sei das völlig normal, die einfachste Lösung der Welt. »Oder den Finger in eine Kerzenflamme halten.« Sie zeigte Annie die Kuppe ihres rechten Zeigefingers, sie war dunkel und von einer so dicken Hornhaut bedeckt, als sei sie wieder und wieder durchs Feuer gezogen worden.

»Eliza, du bist WIRKLICH sonderbar.«

»Ich nicht, aber die anderen«, erwiderte Eliza, zuckte beleidigt mit den Schultern und ging voraus, ein Mädchen, so spindeldürr, dass man sie mit dem Schatten eines kahlen Zweiges verwechseln konnte. Als sie sich umdrehte, lachte sie verschmitzt, als müsste sie jemandem ein Geheimnis anvertrauen und sei außerstande, es auch nur noch eine Minute für sich zu behalten. Sie umfasste die künstliche Blüte an ihrem Mieder mit der gewölbten Hand.

»Ich liebe diese Blüte. Sie gehörte meiner Mutter. Und die hat sie wiederum von *ihrer* Mutter geerbt. Ist sie nicht schön und altmodisch?«

»Ja, finde ich auch.«

»Heute trägt niemand mehr Blüten am Kleid. Ist das nicht originell, für jemanden in unserem Alter?«

»Sehr.«

»In der Klinik durfte ich sie nicht haben. Wegen der Nadel. Keine spitzen Gegenstände.«

»Spitze Gegenstände?«

»Stecknadeln, Nadel und Faden, die silberne Spirale von Notizheften. Und natürlich keine Rasierklingen in der Dusche, alle Mädchen hatten die behaartesten Beine, die du je gesehen hast.«

»Igitt.«

»Genau. Nach meiner Rückkehr habe ich als Erstes gesagt: ›Dad, entweder besorgst du mir einen elektrischen Rasierer oder du siehst mich nie wieder.‹«

»Und, hat er dir einen besorgt?« Annie bückte sich und hob Elizas langes Kleid an, um ihre glatten Beine zu betrachten. »Sieht ganz so aus.«

»Ja. Ich liebe meinen Dad. Auch wenn er mich hasst.«

»Er dich hassen? Nie im Leben!«

»Warte, bist du die ganze Geschichte kennst. Auch Freunde fürs Leben sollten sich ein paar Geheimnisse aufheben. Solche Dinge kann man nicht überstürzen. Das habe ich in der Klapse gelernt, wo wir alle wie Flüchtlinge in einem Rettungsboot sitzen, uns aneinander klammern und lebenslange Freunde sind … bis wir auf Nimmerwiedersehen zur Tür herausmarschieren. ›Schreib mir, ruf mich an, ich werde dich nie vergessen!‹ Aber wir haben ein kurzes Gedächtnis … hey, ist das die Uferpromenade meines Vaters?«

»Ja, das ist sie.«

Gemeinsam gingen sie die Treppe hinauf, in ehrfürchtigem Schweigen, als befänden sie sich auf einer Pilgerreise – zur Kathedrale von Notre-Dame, nach Mekka, zum Taj Mahal, zur St. Patrick's Cathedral … oder zur Uferpromenade von Hubbard's Point.

»Stell dir vor, wie lange mein Vater gebraucht hat, um sie zu bauen.« Eliza ging in die Hocke, um mit den Fingerspitzen über die Planken zu streichen.

»Mit der Hilfe meiner Mom.«

Um sicherzugehen, dass ihre Zehen jede einzelne Planke berührten, trippelte Eliza über die Promenade. Annie wusste, dass sie nicht besonders lang war. Ungefähr fünfzig Meter von einem Ende bis zum anderen; in der Mitte befand sich ein Pavillon mit blauem Dach, der Schatten spendete.

Auf der einen Seite führte die Promenade direkt an den Strand, einem weißen Sandstreifen, der sanft zum Meer abfiel. Auf der anderen war sie von Bänken gesäumt, die an einem brusthohen weißen Zaun standen; er sollte verhindern, dass jemand in das Hafenbecken fünf Meter weiter unten stürzte.

»Was war eigentlich hier, bevor mein Dad die Uferpromenade gebaut hat?«, erkundigte sich Eliza.

»Auch eine Promenade. Ich glaube, sie wurde von einem Hurricane weggeschwemmt und musste ersetzt werden.«

»Habt ihr dort ein Boot?« Eliza machte immer noch Trippelschritte, während sie auf den Hafen zeigte.

»Nein. Leider. Das Boot von meinem Dad war zu groß für das Becken; deshalb lag es an den Liegeplätzen von Black Hall vor Anker. Aber mein Vater wollte deinem Vater ein Boot für mich in Auftrag geben.«

»Ich weiß. Hat er mir erzählt.«

»Ich wünschte, er hätte es noch geschafft.«

»Hier gibt es kaum Ruderboote«, meinte Eliza mit Blick auf die Schiffe.

»Nein. Eigentlich ziemlich seltsam. Meine Mom hat erzählt, als sie jung war, gab es hier richtige Gezeiten – das Hafenbecken war bei Flut mit Wasser gefüllt und bei

Ebbe trocken. Die Boote waren klein und aus Holz, es gab nur einige Boston Whalers. In der Mitte war eine Insel, wo die Schwäne ihre Nester bauen konnten …« Annie betrachtete die hässliche Wellblechverkleidung des Hafenbeckens und erinnerte sich an die Beschreibung der Natursteinmauern, die sich hier früher befunden hatten.

»Viele Zugereiste bezeichnen das Ganze heute als ›Yachthafen‹.«

»Zugereiste. Ich nehme an, du und deine Familie seid Alteingesessene.«

»Ja. Wir sind schon seit Ewigkeiten hier. Deshalb wünschte ich, wir besäßen ein kleines Boot, das in den Bootshafen passt«, erwiderte Annie traurig. »So wie es sich gehört.«

»Und du könntest mich zu einer Ruderpartie einladen.«

»Ja.« Annie lächelte.

Die beiden Mädchen betrachteten die bewegungslose Oberfläche des Hafenbeckens, als sähen sie das Ruderboot bereits vor sich, als schaukelten sie schon auf dem Meer. Annie konnte die sanfte Bewegung spüren, das leise Plätschern der Wellen hören.

»Es ist hübsch hier«, sagte Eliza und betrachtete die idyllischen Cottages, die Promenade, die sich am weißen Strand erstreckte.

»Hier verlieben sich viele Leute. Heißt es. Die Luft ist voller Magie, oder so ähnlich.«

»Ich will mich nicht verlieben«, sagte Eliza. »Niemals. Das bringt nur Kummer und Leid mit sich.«

»Es gibt verschiedene Arten von Liebe. Auch hier in Hubbard's Point. Viele Cottages werden nur im Sommer genutzt. Viele der Besitzer sind miteinander verwandt. Schwestern, Brüder, Eltern, Großeltern, Kinder … sie kommen alle hierher zurück, Jahr für Jahr, zum Familientreffen.«

»Wirklich?«, fragte Eliza sehnsüchtig.

»Ja. Aber genauso wichtig ist das, was die Bewohner vom Point als ›Seelenverwandtschaft‹ bezeichnen. Dabei spielt es keine Rolle, ob man verheiratet oder überhaupt verwandt ist – man kann jeden heiß und innig lieben. Die beste Freundin meiner Mutter – Tara, du hast sie kennen gelernt – wohnt direkt gegenüber, auf der anderen Seite des Flüsschens. Die beiden sind seit ihrer Jugend die besten Freundinnen.«

»Schon als sie in unserem Alter waren?«

»Noch früher. Und ihre Großmütter waren auch schon die besten Freundinnen – sie lernten sich auf dem Schiff kennen, das von Irland kam. Meine Mutter sagte, sie hätten sich gegenseitig an die Hand genommen und nie mehr losgelassen.«

Und damit ergriff sie Elizas Hand und blickte ihr in die Augen. »So?«, fragte Eliza.

»Ja. Ich denke schon.« Annie nickte.

»Glaubst du, dass Freundschaften bis in alle Ewigkeit halten können? In guten wie in schlechten Zeiten?«

Annie dachte an das Chaos, das Tara angerichtet hatte, als sie ihre Mutter und Mrs. Renwick zusammengebracht hatte; sie gehörte zu den Kunden, die von ihrem Vater bestohlen worden waren. Die Sache war irgendwie völlig schief gegangen.

Ihre Mutter hatte sich so beschämt gefühlt, dass sie es geschafft hatte, sich eine Verletzung am Kopf und eine Schnittwunde an der Hand zuzuziehen, als sie gehen wollte, um Mrs. Renwick nicht noch mehr aufzuregen. Obwohl ihre Mutter allen Grund gehabt hätte, wütend zu sein, hatte sie nur gelacht und gemeint, ihr würde schon noch etwas einfallen, wie sie es Tara heimzahlen konnte, nachdem sie sie erwürgt hätte.

»Davon bin ich überzeugt«, erwiderte Annie.

»Dann werde ich deine Hand nie mehr loslassen. Glaubst du, wir könnten wie diese Großmütter werden, die sich heiß und innig geliebt haben? Und beide ein kleines weißes Häuschen in Hubbard's Point bewohnen?«

»Die Grannys, die seelenverwandt waren?« Annie lächelte bei dem Gedanken. »Ja, ich glaube schon.«

»Und in hundert Jahren werden unsere Enkelinnen an der gleichen Stelle stehen, sich über Ruderboote unterhalten und sich ausmalen, wie es ihre Familien hierher verschlagen hat. Und die ganze Geschichte hat in dem Moment angefangen – in dem wir beschlossen haben, Freundinnen zu werden.«

»Für immer und ewig«, sagte Annie.

»Für immer und ewig«, sagte Eliza. Und damit war die nächste Generation der Seelenverwandten in Hubbard's Point geboren.

17

Mom, was ist D.I.D.?«, fragte Annie am nächsten Morgen, unmittelbar bevor sie zur Schule ging.

»Klingt wie Igitt«, rief Billy vom Frühstückstisch herüber.

»Wie: Igitt, heute geht die Schule wieder los.«

Annie ignorierte ihn mit einem derart beeindruckenden Gleichmut, dass Bay lächeln musste.

»Im Ernst, Mom, was haben die Buchstaben D-I-D zu bedeuten?«

»Ich bin mir nicht sicher, Schatz.«

»Und was ist P.T.S.D.?«

»Ich glaube, das ist eine Abkürzung für Posttraumatisches Syndrom. Darunter leiden viele Menschen, die ein Trauma erlitten haben.«

»Wie die Vietnam-Veteranen«, sagte Billy. »Habe ich im Fernsehen gesehen. Wieso fragst du? Kennst du jemanden, der im Krieg war?«

»Nicht in so einem Krieg«, erwiderte Annie leise. »Ich würde trotzdem gerne wissen, was D.I.D. ist. Ich werde in der Schulbibliothek nachschlagen.«

»Schön zu hören, dass du so wissbegierig bist«, sagte Bay, die ahnte, dass die Frage mit Eliza zu tun hatte.

Annie blickte ihrer Mutter in die Augen. »Sie ist meine beste Freundin«, sagte sie. »Ich möchte alles von ihr wissen.«

Bay umarmte sie, als der Schulbus draußen vorfuhr und das Telefon läutete. Sie verabschiedete alle drei Kinder mit einem Kuss, nahm den Hörer ab und zog die Schnur hinter sich her, während sie ihnen von der Tür aus nachwinkte.

»Hallo?«

»Hallo Bay.«

»Dan! Hallo.«

»Bei meiner letzten Kontrolle war deine Hand recht gut verheilt. Du warst fast in der Lage, wieder einen Hammer zu halten.«

Bay lächelte. »Fast.« Sie wölbte die Handfläche, musterte die Bandage. »Wie geht es dir?«

»Prima. Hör mal, ich habe ein altes Katboot restauriert; es ist so gut wie fertig, und ich dachte, du hättest vielleicht Lust auf eine Segelpartie.«

»Eine Segelpartie?«

»Der ultimative Härtetest auf dem Meer. Um mich zu vergewissern, dass es hochseetauglich ist. Vielleicht erinnerst du dich, wie du zum ersten Mal über die Uferpromenade gegangen bist, um dich zu vergewissern, dass die Planken hielten.«

»Natürlich.« Bay blickte aus dem Fenster, auf einen schwarzen Wagen, der am Haus vorbeifuhr. Joe Holmes ließ ihre Familie nicht mehr observieren, aber sie war ziemlich sicher, dass er von Zeit zu Zeit eine Streife vorbeischickte. Was sollte das sonst für ein Wagen sein, in dem zwei Männer in Anzügen saßen und der ohne Kennzeichen durch Hubbard's Point schlich?

»Also wann?«, hakte Dan nach.

»Mmm, ich muss noch einige Anrufe erledigen, Arbeitssuche, wie du weißt, und falls ich etwas finde, muss ich unter Umständen sofort anfangen …«

»Verstehe … wie wäre es mit Samstag? Das Wetter soll mild bleiben, und vielleicht haben wir dann mehr Wind als heute. Am späten Nachmittag? Gegen fünf?«

»Klingt gut. Also, bis dann.«

Sie hielt den Hörer in der Hand und warf einen Blick auf

die Zeitungsanzeigen, die auf dem Küchentisch ausgebreitet lagen. Auf der gegenüberliegenden Seite der Marsch schimmerte Taras Haus im Sonnenlicht, ihre Stockrosen und Trichterprunkwinden wiegten sich im Wind. Bay wählte ihre Nummer.

»Hallo«, sagte Bay.

»Hallo. Ich habe den Bus gesehen. Sind sie weg?«

»Ja – ich bin alleine, mit den Annoncen. Danny hat gerade angerufen und mich zum Segeln eingeladen.«

»Wirklich? Das ist fantastisch, Bay. Und was die Anzeigen angeht ... tut mir Leid.«

»Es ist nicht deine Schuld.«

»Trotzdem. Ich hätte es besser wissen müssen. Ihr seid wie Tag und Nacht, du und Augusta. Du bist meine allerbeste Freundin, die ich liebe, und ich mag und respektiere sie, und ihr Garten braucht Hilfe. Ich weiß, dass Sean euch beide verletzt hat, ich habe bloß gedacht –«

»Ich weiß. Bitte, Tara – nicht«, erwiderte Bay hastig, um dem Schwall der Entschuldigungen ein Ende zu setzen und weil sie nicht daran denken mochte, wie aufgewühlt Mrs. Renwick gewesen war.

»Siehst du? Du regst dich immer noch auf. Ich wusste es.«

»Ja, ein bisschen. Aber nicht über dich. Du hast nur versucht zu helfen. Wie auch immer, ich werde mir selber etwas suchen. Vielleicht klappere ich zuerst die Gartenzentren ab, könnte ja sein, dass sie eine Aushilfe brauchen. Als Gärtnerin zu arbeiten war deine Idee – und dafür muss ich mich bei dir bedanken.«

»Hör ja auf, dich zu bedanken, nach allem, was passiert ist. Ich werde es wiedergutmachen, das schwöre ich dir. Hoch und heilig ...«

»Tara, es ist in Ordnung. Hör auf damit, bitte. Also, bis später.«

Sie legte auf und blickte aus dem Fenster. Tara stand an *ihrem* Küchenfenster. Sie winkten sich zu. Wie oft hatten sie sich in all den Jahren auf diese Weise verständigt ...

Bay erinnerte sich, als ihre Großmütter, beide um die achtzig, beschlossen hatten, nach Irland zu reisen. Sie waren beide verwitwet und hatten seit ihrer Ankunft in Amerika keinen Fuß mehr auf irischen Boden gesetzt. Bay und Tara waren sechzehn, hatten gerade den Führerschein gemacht. Taras Mutter hatte ihnen erlaubt, die Großmütter zum Flughafenshuttle nach New Haven zu bringen – doch dort angekommen, bedurfte es nur eines einzigen Blicks zwischen den Mädchen, und sie waren sich darüber einig, dass sie die zwei die ganze Strecke bis nach New York fahren würden.

Tara hatte bis Bridgeport am Steuer gesessen und dann den Sitz mit Bay getauscht, die den Rest der Strecke übernahm. Sie erinnerte sich noch an den Nervenkitzel, als sie sich ihren Weg durch das New Yorker Verkehrsgewühl gebahnt hatten.

Dank Taras Fähigkeit, eine Karte zu lesen und sie zu lotsen – durch die Bronx, über die Whitestone Bridge auf den von LKWs und gelben Taxis verstopften Van Wyck Expressway –, erreichte Bay problemlos das Air Lingus-Terminal auf dem JFK-Flughafen. Bay und Tara hatten in der Halle für internationale Abflüge gestanden und den beiden Großmüttern nachgewunken, die Hand in Hand die Treppe zu ihrem Flugzeug hochgestiegen waren.

Bay hatte Hausarrest erhalten, weil sie vier Stunden zu spät nach Hause gekommen war, und sich die ganze nächste Woche darauf beschränken müssen, Tara vom Fenster aus zuzuwinken; deren Mutter war nicht so streng wie Bays, und sie nutzte jede Gelegenheit, um sich bei einem Spaziergang oder mit dem Rad vor dem Cottage zu zeigen.

Bay hatte Tara auch bei der Abschlussfeier im College vom Podium zugewunken, und vom Rücksitz des Motorrads – einer BMW, die Sean in dem Sommer fuhr –, und vom Altar bei der Taufe ihrer Kinder, und – peinlich berührt – vom Deck der *Aldebaran*, als er die Yacht zum ersten Mal nach Hubbard's Point gebracht hatte, um sie am Strand zu vertäuen, damit jeder sie sehen konnte.

Das Leben gewann an Bedeutung, wenn sie es mit Tara teilen konnte. Sie konnten über alltägliche Dinge, über Beobachtungen und den Klatsch sprechen, der ihnen zu Ohren gekommen war, konnten sich alles von der Seele reden.

Ihre Freundschaft war alt und sturmerprobt; Bay konnte sich nicht vorstellen, dass es irgendetwas gab, was sie jemals entzweien könnte. Tara und sie waren seelenverwandt, Mitglied der Irischen Schwesternschaft, Hüterinnen des großmütterlichen Erbes.

Denn was war eine Schwesternschaft, wenn es keine Seelenverwandtschaft gab?

Tara legte den Hörer auf.

Egal wie Bay dazu stand, sie war entschlossen, Abbitte zu leisten.

Sie setzte sich aufs Fahrrad und fuhr die Straßen zum Strand entlang. Unterwegs hielt sie an, pflückte einen Strauß Astern, Goldrute und Wilde Möhren, Wildblumen, die sie Bay schenken würde, zusammen mit einem Gedicht, das zu schreiben sie mehrere schlaflose Nächte gekostet hatte.

Das Gedicht war kurz, aber bedeutungsschwer, die Worte stark und dennoch lyrisch, kamen von Herzen, gingen durch und durch.

Sie hatte gestern in Andy's Used Records gestöbert, auf

der Suche nach einer Möglichkeit, mit Musik zum Ausdruck zu bringen, was sie empfand und Bay bisher nicht deutlich machen konnte, weil sie zu aufgewühlt war. Doch an dem Ständer mit der Musik aus der Rubrik »Britische Invasion« wäre sie Joe Holmes um ein Haar in die Arme gelaufen und hatte den aussichtslosen Versuch gemacht, sich davonzustehlen, als gehörte sie auf der Fahndungsliste des FBI zu den zehn meistgesuchten Delinquenten.

»Miss O'Toole?«, hatte er ihr nachgerufen und die Platte *Let it Bleed* zu Boden fallen lassen, in einer wie selbstverständlich wirkenden Bewegung, als wenn es ein Verbrechen zu bekämpfen galt.

Tara hatte sich bemüht, ihn zu ignorieren, aber er folgte ihr auf den Parkplatz. Wenn man sich dem Zugriff des FBI in einer Kleinstadt wie Black Hall entziehen wollte, kämpfte man von vornherein auf verlorenem Posten, und deshalb fuhr sie herum, bereit, um zum Angriff überzugehen.

»Was wollen Sie denn noch hier?«, fragte sie.

»Oh, Spurensuche, Kleinigkeiten, die noch zu erledigen sind.«

»Aha. Ich wünschte, Sie würden sich beeilen, um den Fall endlich abzuschließen und von hier zu verschwinden.«

Seine Augen weiteten sich, und Tara konnte kaum glauben, was sie da gerade gesagt hatte. Er war attraktiv, für einen FBI-Agenten – kurzes braunes Haar, Sorgenfalten um die Augen, eine Ausbuchtung unter dem Jackett, die von einer Glock 9 oder einer ähnlichen Waffe stammen musste.

»Entschuldigen Sie, dass ich so unhöflich war. Aber meine Freundin ist mit ihren Kräften am Ende.«

»Ich weiß, und das tut mir sehr Leid. Aber Sie werden sicher verstehen, dass ich die Ermittlungen in diesem Fall nicht ad acta legen kann, solange es noch unbeantwortete Fragen gibt.«

»Haben Sie mit der Frau gesprochen, mit der Sean liiert war? Seine allerletzte Flamme müsste Lindsay Beale gewesen sein, eine Kollegin von ihm, sie lebt in Westerly, soweit ich weiß.« Tara wollte bei der Aufklärung helfen, aber gleichzeitig daran erinnern, dass Seans Seitensprünge ihn aus Black Hall heraus in östliche Richtung geführt hatten; außerdem war es eine Genugtuung, sich vorzustellen, dass es Lindsay keinen Deut besser erging wie Bay. Vielleicht sollte er seine Recherche gleich auf Rhode Island konzentrieren …

»In der Regel stelle ich die Fragen«, antwortete Agent Holmes mit einem angedeuteten Lächeln. »Trotzdem – ja, ich habe mit ihr gesprochen.«

»Ähm. Gut.« Tara wurde bei dem halben Lächeln des Agenten von einer seltsamen Unruhe erfasst. Es war eine Art Elvis-Lächeln, halb belustigt, halb maliziös. Oder belustigt und maliziös zugleich, gepaart mit Sarkasmus. Es war schwer zu deuten. Tara beherrschte die Kunst des Flirtens sehr gut, aber wenn ihr jemand wirklich gefiel, fehlten ihr bisweilen die Worte.

»Miss O'Toole, ich weiß, wir haben schon zu Beginn der Ermittlungen Ihre Zeit über Gebühr in Anspruch genommen, aber es gibt inzwischen einige neue Erkenntnisse, und da würde ich gerne …«

»Mich noch einmal in die Mangel nehmen? Tun Sie sich keinen Zwang an. Schießen Sie los.«

Agent Holmes zuckte leicht zusammen. Sie hatte ihn offenbar wieder einmal aus dem Gleichgewicht gebracht. Hatte er vorgehabt, sie zum Verhör in sein Büro zu schleifen? Sie warf einen Blick auf ihre Uhr. Obwohl sie nichts

Dringendes vorhatte, wollte sie nicht den Eindruck vermitteln, als wüsste sie nichts Besseres mit ihrer Zeit anzufangen.

»Schön«, sagte er. Und dann stellte er ihr eine Reihe von Fragen über mögliche Auslandsbankkonten, ein Schließfach und einen Silberbecher. Tara hörte aufmerksam zu, war aber nicht in der Lage, wirklich hilfreiche Informationen beizusteuern.

»Bedaure«, sagte sie. »Die Kinder haben Silberbecher ... aus denen sie früher manchmal Saft tranken. Ein Geschenk von Bays Mutter, zur Geburt. Und Sean besaß ein ganzes Sammelsurium von Silberpokalen, Basketball-Trophäen von früher ...«

»Der Becher ist antik. Sieht eher wie ein henkelloser Kelch aus ... wären Sie so nett, einen Blick darauf zu werfen? Er befindet sich in meinem Büro.«

»Selbstverständlich.«

Agent Holmes führte sie über den Parkplatz zu einer Ladenfront, deren Schaufenster mit Vorhängen verhängt waren, zwischen dem Schallplattengeschäft und dem Café. Taras Herz schlug schneller – nicht nur, weil sie zum ersten Mal im Leben eine FBI-Dienststelle betrat, sondern weil Agent Holmes ein umwerfendes Lächeln hatte. Man hätte beinahe auf die Idee kommen können, er sei auf ihre Unterstützung *angewiesen*, um den Fall zu lösen. »Ich wünschte, Sie könnten mir etwas über das Motiv sagen«, meinte Agent Holmes, während er den Büroschlüssel aus seiner Tasche zog.

»Warum Sean dies alles getan hat? Ich kann es mir selber nicht erklären.«

»Gab es irgendwelche Anzeichen?«

»Das fragen wir uns ständig.« Tara blickte nach Osten, in Richtung Strand. Selbst hier in der Stadt roch die Luft nach Salz. »Und ob ihn überhaupt jemand richtig gekannt hat.«

»Sie kannten ihn doch schon lange. Es ist schwer, ein ganzes Leben auf Lug und Trug aufzubauen und jeden hinters Licht zu führen.«

»Vielleicht war er nicht immer so. Aber, wie werden Menschen ... kriminell? Aus heiterem Himmel?«

»Kommt darauf an, was Sie unter ›kriminell‹ verstehen«, sagte der Agent und sperrte die Tür auf. Tara folgte ihm und stellte überrascht fest, dass der Raum eher einer Ein-Mann-Versicherungsagentur glich: Faxgerät, Kopierer, Computer, Telefon, stapelweise Unterlagen, Einwickelpapier von McDonald's im Abfalleimer.

»Was meinen Sie damit?« Tara roch sein Rasierwasser – würzig, mit einem Hauch Zitrone und Zimt –, während er an ihr vorbeigriff und die Deckenbeleuchtung anknipste.

»Beim FBI ist die Definition des Begriffs ›kriminell‹ ziemlich weit gefasst. Bei Normalsterblichen ist sie meistens noch weitläufiger. Wenn ein Mann beispielsweise seine Frau betrügt, ist dies moralisch verwerflich, aber nicht kriminell im Sinne des Gesetzes.«

»Wollen Sie jetzt von mir wissen, wann Sean angefangen hat, fremdzugehen, oder wann er kriminell wurde? Und muss das eine zwangsläufig zum anderen führen?«

»Schwer zu sagen. Manchmal schon, aber nicht immer.«

»Sean war von jeher ein Heißsporn. Ein Basketball-Star und Motorbootfan, der Bier und Partys liebte. Seine Frau war der Inbegriff eines netten, anständigen Mädchens, und Gegensätze ziehen sich bekanntlich an. Stimmt's?«

»Sieht ganz so aus«, sagte Joe, und Tara errötete.

»Egal, das war eine Sache, solange wir noch nicht trocken hinter den Ohren waren. Aber die fortwährenden Seitensprünge und Besuche in den Spielcasinos standen auf einem anderen Blatt.«

»Veränderte sich sein Verhalten – ich meine, seit er zu spielen begann?«

»Hier gab es nicht immer Spielcasinos. Als wir aufwuchsen, war der östliche Teil von Connecticut eine ländliche Idylle. Seehäfen an der Küstenlinie, Farmen und Kühe im Landesinneren. Natursteinmauern in Hülle und Fülle. Aber plötzlich wurde daraus ein zweites Las Vegas, in unserem Mini-Staat. Ich glaube, keiner der Einheimischen konnte diese Entwicklung voraussehen.«

»War Sean gleich Feuer und Flamme?«

»Nein – normalerweise schimpfte er auf die Casinos, weil er dadurch länger brauchte, um zu seinem Boot zu gelangen. Wegen des höheren Verkehrsaufkommens und der Staus auf der I-95. Er meinte, dieser Teil unseres Staates befände sich wirtschaftlich auf dem Abstellgleis, seine Bank sehe sich gezwungen, immer mehr Hypotheken von Eigenheimen und landwirtschaftlichen Betrieben für verfallen zu erklären. Außerdem fand er es unmoralisch, dass sich ausgerechnet hier Casinos angesiedelt hatten – sie würden den Arbeitslosen das Geld aus der Tasche ziehen, die kaum ihre Familien über Wasser halten könnten.«

»Trotzdem ist er irgendwann der Versuchung erlegen …«

»Ja, wie viele, die anfangs keinen Fuß hineingesetzt hätten – die Casinos boykottierten, genauer gesagt: Die Neugier siegte. Sean nahm Bay bei seinem ersten Besuch mit, sie sahen sich eine Show an. Mit Carly Simon, ist schon ein paar Jahre her. Ich war auch dabei, mit einem Bekannten, und nach der Vorstellung blieben wir noch da und spielten ein paar Runden. Es war der Reiz des Neuen, aber ich hatte keine Lust auf eine Wiederholung.«

»Und Bay?«

»Ihr gefiel es noch weniger. Sie fand es deprimierend, die vielen alten Leute zu sehen, die einen Vierteldollar nach dem anderen an den Automaten verspielten. Sie meinte, dass da ihre Rente dahingehen würde, Münze für Münze.« Tara lächelte, als sie an Bays Worte dachte. »Sie machte mich auf eine kleine alte Dame aufmerksam, die auf einem Barhocker saß, den Henkelkorb mit den Münzen an einem Arm, während sie mit der anderen Hand ohne Unterlass den Hebel der Slotmaschine bediente. Da war eine *ganze Reihe* alter Damen wie sie, die aussahen, als würden sie dort *wohnen*: Münzkorb mit eigenen Namen, Schirmmützen gegen das grelle Licht ... ›Kannst du dir unsere Großmütter an einem Ort wie diesem vorstellen?‹, hatte Bay gefragt. ›Ohne das zu tun, was sie sonst taten? Ohne uns Geschichten zu erzählen oder uns beizubringen, wie man den Garten hegt, und uns stattdessen zu lehren, wie man spielt?‹«

»Missbilligte sie Seans Besuche im Casino?«

»Erst als er dort Stammgast wurde ... und sie deswegen belog.«

»Sie glauben also, dass seine Spielsucht zur Entfremdung beitrug.«

»Würde das nicht auch zur Entfremdung von *Ihrer* Frau beitragen?«, fragte Tara. »Und wenn Sie jedes Mal eine andere im Schlepptau hätten, sobald Sie das Haus verlassen?«

Der Agent wurde rot. Kaum zu glauben, aber wahr – Tara sah die Hitze am Hals aufsteigen, und in den Wangen. Er trug keinen Ehering. Sie natürlich auch nicht. Sie spürte, wie ihr ein Schauder über den Rücken rann, als er den

Kopf zur Seite legte und ihr wieder dieses halbe Lächeln zuwarf, das sie so ungemein sexy fand.

»Können Sie mir sagen, wann das Ganze angefangen hat? Könnte das in der Zeit gewesen sein, als er bei der Beförderung zum Vorstand der Bank übergangen wurde?«

Tara dachte nach. »Seltsam, dass Sie es erwähnen, aber das könnte *tatsächlich* hinkommen. Ich erinnere mich, dass er sich kurz darauf das neue Boot kaufte und zu spielen begann, und Bay sich zunehmend Sorgen machte. Sie dachte, er befände sich in einer ziemlich kostspieligen Midlife-Krise. Aber ich glaube, dass er einfach der Versuchung erlag und unehrenhaft wurde.«

»Das Wort klingt nach Neuengland, mit Verlaub.«

»Vergessen Sie nicht, dass unser Staat von Puritanern gegründet wurde. Von Thomas Hooker.«

»War Sean puritanisch?«

»Nie im Leben.« Tara lachte. »Er wollte seinen Spaß haben, sich amüsieren, von Kindesbeinen an. Er brauchte den Kick.«

»Sie stehen seiner Frau sehr nahe.«

»Sehr.« Es versetzte Tara abermals einen Stich, wenn sie an Bay dachte. Daher beschloss sie, das Thema zu wechseln. »Was ist, zeigen Sie mir jetzt Ihre Waffe?«

»Meine Waffe?«

»Ja. Was ist es für eine?«

»Eine Zehn-Millimeter«, erwiderte er lächelnd. »Ihre Fragen sind auch nicht ohne, Miss O'Toole. Sie denken wie ein Polizist.«

»Muss in der Familie liegen. Mein Großvater war Polizeihauptmann in Eastford. Er war der beste Pistolenschütze in ganz Amerika, damals, in den vierziger Jahren.«

»Ich weiß.«

»Tatsächlich?«, fragte sie erschrocken.

»Ähm, ja. Seamus O'Toole. Sie erwähnten, Ihr Großvater sei bei der Polizei gewesen, und im Zuge meiner Ermittlungen stieß ich auf seinen Namen.«

»Agent Holmes.« Tara hob lächelnd eine Augenbraue.

»Ihr Großvater war also der beste Pistolenschütze in ganz Amerika …«

»Ja. Ich habe seine legendären Pistolen geerbt. Aber ich wollte sie nicht im Haus haben, weil Bays Kinder mich oft besuchen, deshalb habe ich sie der State Library als Schenkung überlassen. Dort gibt es eine große Sammlung von Handfeuerwaffen.«

»Beeindruckend. Also, Miss O'Toole …«

»Tara.«

»Tara. Ich heiße Joe.«

»Wahnsinn, ich darf einen FBI-Agenten beim Vornamen nennen.«

»Und ich die Enkelin des legendären Captain Seamus O'Toole; die Freude ist ganz meinerseits. Vielleicht könnten Sie jetzt einen Blick auf den Becher werfen und mir einen Hinweis geben, woher McCabe ihn hatte. Er befand sich in seinem Schließfach bei der Anchor Trust …«

Doch in dem Moment klingelte sein Handy. Es war wichtig, und Tara musste gehen.

Er hatte gesagt, dass er das Gespräch fortsetzen wolle, hatte aber keinen neuen Termin genannt. Auch gut, dachte sie, als sie den Strandweg entlangfuhr. Das fehlte gerade noch, dass sie sich in einen FBI-Agenten verliebte, der versuchte, Sean in den Schmutz zu ziehen.

Und Joe Holmes war eindeutig die Sorte Mann, bei der sie schwach wurde. Er wirkt so stark und selbstsicher, als ob er völlig in sich ruhen würde, dachte Tara, während sie in

Bays Zufahrt einbog. Ihr Herz raste, als sie an die Hintertür klopfte. Normalerweise trat sie einfach ein und rief: »Ich bin da!«

Bay kam an die Tür; sie trug ein altes weißes Strandhemd, abgeschnittene Jeans und eine Lesebrille. Die Beule am Kopf war verschwunden und einem blauen Fleck gewichen, der sich gelblich verfärbt hatte.

»Hallo, wir haben doch gerade erst aufgelegt«, sagte Bay lächelnd.

»Der Anruf auf dem Handy war zu kurz, um dir zu sagen, was ich auf dem Herzen habe.«

»Tara – hör bitte auf, dich ständig zu entschuldigen. Das meine ich ernst, okay?.«

Tara blickte an Bay vorbei in die Küche, auf die Fotos der Kinder, den Korb mit den Muscheln, den Bay und sie bei gemeinsamen Strandspaziergängen gesammelt hatten, das Stück Treibholz, das die Form eines Affen besaß. Sie hatte einen Kloß im Hals. »Nein, nichts ist okay«, sagte sie. »Hier, die sind für dich, zusammen mit einem Gedicht.« Sie reichte Bay die Blumen.

»Sie sind herrlich.«

Dann verschränkte Tara die Hände, wie sie es von den Nonnen gelernt hatte, wenn man Gedichte aufsagte, und legte los:

> »Wildblumen
> Ganz für dich allein,
> Schenk ich mit der Bitte,
> Mir zu verzeihn.
> Du bist das Liebste in meiner Welt
> Wichtiger noch als Gut und Geld.
> Drum bin ich, in guten und schlechten Zeiten
> Immer getreu an deiner Seiten.«

Bay hielt die Wildblumen in der Hand, ihr Kinn bebte, und ihre Augen flossen über, aber auf ihrem Gesicht lag ein Lächeln, das keinen Zweifel offen ließ. Sie breitete die Arme aus und drückte Tara an sich.

Erleichterung überflutete Tara – wie eine Riesenwelle, nach einem vorangegangenen Sturm, wenn die Sonne aufgegangen ist und das Meer wieder ruhig scheint. Sie umfing Bay mit aller Kraft.

»Ach Bay. Es tut mir Leid, dass ich mich so idiotisch benommen habe, absolut bescheuert.«

»Tara!« Bay schob sie ein Stück von sich, ihre Stimme klang streng.

»Was ist?«

»Liebe bedeutet, dass man sich niemals selbst herabsetzen und sich als blöden Idioten bezeichnen darf.«

Tara grinste. »Nein?«

»Nein. Und jetzt komm endlich rein und trink Kaffee mit mir, ja?«

»Bis wir dann vor lauter Koffein das große Zittern kriegen?«

»Genau. Ich hab die französische Röstung.«

Das Telefon läutete, noch bevor der Kaffee eingeschenkt war. Tara holte Becher und silberne Löffel heraus und warf einen kurzen Blick auf die Zeitungsannoncen, die auf dem Tisch ausgebreitet lagen, während Bay den Hörer abnahm.

»Ja …«, sagte Bay. »Es tut mir Leid … ich wusste nicht, dass … Bitte, Sie müssen sich nicht entschuldigen … wirklich, ich verstehe durchaus … nein, aber … sind Sie sicher … ja, sie ist gerade bei mir … wir können in fünfzehn Minuten bei Ihnen sein.«

Bay legte auf, drehte sich zu Tara um und sah sie aufgekratzt an.

»Marschbefehl«, sagte sie, und ihre Augen funkelten fröhlich.

»Was?«, fragte Tara. »Hat jemand mein Gedicht gehört und möchte, dass ich beim Talentwettbewerb mitmache?«

»So in der Art«, sagte Bay. »Augusta Renwick möchte uns sehen. Uns beide. In ihrem Haus, in fünfzehn Minuten.«

»Ups«, sagte Tara.

18

Augusta Renwick ging in ihrem Haus auf und ab. Sie machte die Runde durch jeden Raum und nahm durch einige der Gemälde Verbindung zu ihrem Mann auf. Nicht alle »sprachen« zu ihr, aber einige. Das Porträt von ihren Töchtern beispielsweise. Wenn Augusta die Bilder von Caroline, Clea und Skye betrachtete, spürte sie, dass sie von seiner Liebe zu ihren Kindern durchdrungen waren.

»Es reicht noch nicht aus, Hugh, dass ich bei meinen – unseren – eigenen Kindern so viel Unheil angerichtet habe«, sagte sie, als sie vor dem großen Gemälde von den drei Mädchen am Flügel stand. »Nun habe ich mich auch noch wie ein Tollpatsch gegenüber einer Wildfremden benommen.«

Kies knirschte unter Reifen in der Auffahrt.

»Da sind sie ja, mein Liebster.« Augusta warf einen prüfenden Blick in den Spiegel, der sich im Vestibül befand: weißes Haar, beigefarbener Kaschmirschal über einem schwarzen Kaschmir-Ensemble, schwarze Perlenkette, Vuarnet-Smaragdohrringe. Augusta trug sie selten, aber heute brauchte sie alles an Charme, was sie aufzubieten vermochte.

Klopf, klopf – eine reichlich kühne Handhabung des Türklopfers, der die Form eines Satyrkopfes besaß. Augusta pflegte Besucher nach der Stärke des Klopfens zu beurteilen, und diese Person hatte Mumm in den Knochen. Bewundernswert furchtlos.

»*Entrez*«, rief Augusta, als sie Bay und Tara auf der weitläufigen Veranda entdeckte.

Die beiden Frauen traten ein, gekleidet wie Landpomeranzen, was sie bezaubernd fand – abgeschnittene Jeans und weite alte Hemden, Tara trug ihres in der Taille gegürtet.

»Hallo Tara, hallo Bay.«

»Guten Tag Mrs. Renwick«, erwiderten beide wie aus einem Munde.

»Nennt mich bitte Augusta. Gehen wir ins Haus, ja?« Sie führte sie durch das Wohnzimmer, vorbei an Hughs fantastischem Gemälde von Renwick Barn, vorbei an den Vitrinen mit dem Renwick-Silber, einschließlich der leeren Stelle … Was hatte sie nur mit diesem Becher gemacht? Sie liebte es, Florizars daraus zu trinken …

Im Arbeitszimmer forderte Augusta ihre Gäste mit einer Handbewegung auf, Platz zu nehmen. Sie wählten das Sofa und saßen Seite an Seite – wie es Augustas Töchter vermutlich auch gemacht hätten. Taras Miene wirkte ein wenig beunruhigt, als befürchtete sie, für ihre Rolle in dem Drama Vorwürfe zu ernten.

»Entspannen Sie sich, Tara«, sagte Augusta. »Ich habe meinen Frieden mit der Situation und Ihrer Mitwirkung gemacht. Die ja im Grunde eine nette Geste war und gut gemeint obendrein.«

»Mrs. Renwick –«

»Augusta. Dass ich Sie nach all den Jahren in meinen Diensten bitte, mich beim Vornamen zu nennen, will etwas heißen. Das tue ich nicht oft … eine Ausnahme war Ihr Mann, Bay.«

»Mein Mann?«

»Ja.«

Beim Anblick von Bays Miene, die sich verschloss, als der Name ihres Mannes fiel, floss Augusta über vor Mitleid. »Bitte denken Sie nicht, ich hätte Sie hergebeten, um Sie für die Sünden Ihres Mannes büßen zu lassen. Ganz im Gegenteil.«

Die beiden Frauen blickten sie stumm an.

»Als Erstes bitte ich Sie, die Arbeit im Garten wieder aufzunehmen. Ich habe inzwischen einen Rundgang über das Anwesen gemacht und mir alles in Ruhe angeschaut – übrigens, danke, dass Sie zurückgekommen sind und die Gartenabfälle beseitigt haben. Das war bestimmt nicht leicht mit Ihrer verletzten Hand.« Bay sah verdutzt aus, aber Augusta fuhr unbeirrt fort. »Ich möchte, dass Sie in meinen Diensten bleiben, alle beide. Ist das ein klares und annehmbares Angebot?«

»Ja. Vielen Dank«, erklärte Bay.

»Danke, Augusta«, sagte Tara. »Es tut mir sehr Leid –«

Augusta forderte sie mit einer Handbewegung zum Schweigen auf. »Genug! Ich hasse tagelange Entschuldigungen. Lassen wir es dabei bewenden. Ich habe Töchter in Ihrem Alter. Auch wenn sie kurz vor der Lebensmitte stehen oder sich darin befinden, werden es immer Mädchen für mich sein. Ich weiß, dass meine Mädchen alle Hebel in Bewegung setzen würden, um sich gegenseitig zu helfen. Genau das haben Sie getan, nicht mehr und nicht weniger.«

»Wir sind Schwestern«, erwiderte Tara. »Seelenverwandt.«

»Wie sehr habe ich mich als Kind nach Schwestern gesehnt«, seufzte Augusta. »Ich hatte keine Geschwister … nur eine Reihe von Haustieren, mit einem verhängnisvollen Schicksal … aber das ist eine andere Geschichte. Doch nun zurück zu dem Grund, weswegen ich Sie heute hergebeten habe.«

»Um über Ihren Garten zu sprechen?«, fragte Bay.

»Nein, meine Liebe. Über Sie.«

270

»Über mich?«

»Ja. Und über unsere Situation.«

»Sie meinen Seans Verhalten?«

»Ja. Ich würde mich gerne mit Ihnen über ein paar eigene Erfahrungen auf diesem Gebiet unterhalten. Vielleicht helfen sie Ihnen.«

»Bitte«, sagte Bay, aber Augusta sah, wie sie sich kaum merklich verschloss. Eine normale Schutzreaktion, die das Leben mit sich brachte und die Menschen härter machte. Sie trugen ein unsichtbares Schneckengehäuse mit sich herum, das mit jeder Enttäuschung undurchdringlicher wurde.

»Ihr Mann war ein Charmeur. Er war attraktiv, intelligent und humorvoll, konnte sehr gut mit Geld umgehen und verstand sich meisterhaft darauf, mir das Gefühl zu vermitteln, wieder jung und begehrenswert zu sein. Nun, vielleicht nicht gerade jung. Aber zumindest nicht uralt.«

»Das klingt ganz nach Sean.«

»Glauben Sie mir, ich kannte Sean gut – weil er genau wie mein Mann war, Hugh Renwick.«

Augusta sah, dass sie Bay mit dieser freimütigen Eröffnung überrascht hatte und ihr nun ihre ungeteilte Aufmerksamkeit zuwandte. Was mochte einen Kleinstadt-Bankmanager mit einem Giganten der amerikanischen Kunstszene verbinden?

»Die ganz Welt lag Hugh zu Füßen. Die Männer wollten so sein wie er, und die Frauen wollten mit ihm ins Bett. Bedauerlicherweise, für mich, konnte er ihren Verführungskünsten nicht widerstehen – den Frauen, meine ich –, sosehr die Mädchen und ich es uns auch gewünscht hätten.«

»Das tut mir Leid«, sagte Bay.

»Danke. Und mir tut es Leid für Sie. Aber die größte Gemeinsamkeit der beiden Männer war das Konkurrenzdenken. Wenn ich es richtig verstanden habe, zog Sean bei der Besetzung des Vorstands den Kürzeren gegenüber Mark Boland. Das hätte Hugh zur Weißglut gebracht.«

»Sean war auch furchtbar wütend.«

»Wer könnte es ihm verdenken? Er war eine hochgeschätzte, tüchtige Führungskraft, und dann holte sich der Aufsichtsrat aus heiterem Himmel einen Außenseiter ins Haus, Mark Boland von Anchor Trust. Ein herber Schlag für das männliche Ego!«

»Er war außer sich, das ist richtig.« Bays Stimme klang angespannt. Augusta spürte, dass sie wieder zu mauern begann. »Aber ich kann mir trotzdem nicht vorstellen, dass er deswegen Kundengelder unterschlagen hat, nur um es der Bank heimzuzahlen –«

»Ich kannte einmal einen Juwelendieb. In Villefranche-sur-Mer. Er besuchte uns dann und wann mit den anderen Malern, und eines Tages fragte ich ihn nach seinen Motiven. Warum er stahl.«

»Und?« Bays Augen wirkten traurig und stumpf.

»Er meinte, wegen des Nervenkitzels. Er hatte zahlreiche Frauengeschichten und einen teuren Geschmack und musste sein chaotisches Leben irgendwie finanzieren. Er hatte das Bedürfnis, ständig noch eins draufzusetzen, um die Spannung zu erhöhen.«

»Sean liebte den Kick«, sagte Tara mit Blick auf Bay.

»Vielleicht werden wir nie genau wissen, warum er das Geld unterschlug; möglich, dass er Mark Boland eins auswischen wollte, damit der schlecht aussah. Was ja auch keine große Kunst ist; Boland ist ein kalter Fisch. Und ein Kriecher. Ich weiß genau, warum er mir um den Bart geht.«

»Sind Sie sicher, dass ich für Sie arbeiten soll?«, fragte Bay, ihre gesamte Würde aufbietend. »Ich würde verstehen, wenn Sie lieber auf meine Dienste verzichten möchten. Die Ermittlungen sind noch nicht abgeschlossen. Das FBI ist noch an der Sache dran.«

»Wie könnte es auch anders sein, meine Liebe. Hier geht es um Bankgeschäfte. Wenn Sean ein Einbrecher gewesen wäre, der Bargeld und Gemälde bei mir gestohlen hätte, wäre der Fall längst abgeschlossen. Aber Sean war Bankmanager – und hatte vermutlich einen Komplizen. In solchen Dingen habe ich einen untrüglichen Instinkt.«

»Haben die Leute vom FBI irgendetwas verlauten lassen? Wird jemand verdächtigt?«

»Die sind verschlossen wie eine Auster. Aber ich war jahrelang Mitglied des Aufsichtsrats der Bank und habe so meine Verbindungen.«

»Dieser FBI-Agent, Joe Holmes, hat mich neulich ausgequetscht«, sagte Tara und errötete vielsagend.

»Ein schmucker Bursche«, meinte Augusta. »Und intelligent obendrein.«

»Du magst ihn?«, fragte Bay, an Tara gewandt. »Ich finde ihn unerträglich.«

Tara zuckte die Achseln und errötete stärker, was Augusta auf Anhieb zu deuten wusste.

»Das Leben ist erstaunlich.« Augusta umklammerte die Lehnen ihres Sessels und sah die beiden jungen Frauen mit blitzenden Augen an. Waren sie sich eigentlich darüber im Klaren, wie wunderbar sie waren und wie kurz das Leben sein konnte, nicht länger als ein Wimpernschlag? »Und die Leidenschaft«, fügte sie melancholisch hinzu.

Bay riss die Augen auf, ungewöhnlich blaue Augen, von so viel Liebe und Kummer erfüllt, dass Augusta sie am liebsten wie ihre eigene Tochter in die Arme genommen hätte.

Augusta sah sie an. »Vielleicht habe ich deshalb bei unserer ersten Begegnung so heftig auf Sie reagiert. Ich weiß, was Sie durchmachen. Ich weiß, wie sehr Sie gelitten haben. Wenn ich mir die Bilder anschaue, die mein Mann von mir gemalt hat, muss ich leider eingestehen, dass es ihnen an Leidenschaft mangelt.«

»Leidenschaft?«

Augusta nickte. »Die Liebe zu seinen Kindern war so übermächtig, dass sie sich in jedem seiner Gemälde widerspiegelt. Eine ungestüme, ungezügelte Liebe! Doch in den Bildern von mir findet man – Warmherzigkeit, Eleganz, Anmut, Besitzerstolz … aber keine Leidenschaft.«

»Das tut mir Leid …«

»Mir nicht«, entgegnete Augusta. »Nicht mehr. Früher war ich deswegen untröstlich …« Sie hielt inne, weil ihr das Wort unangemessen erschien. »Doch das ist lange her. Ich habe es inzwischen überwunden.«

»Aber Sie sind zusammengeblieben«, sagte Bay, die offensichtlich an sich selbst und Sean dachte.

»Ja. Unserer Ehe fehlte die Leidenschaft, wir hatten uns entfremdet, und vielleicht wäre es hundert Mal besser gewesen, die Scheidung einzureichen. Aber ich tat es nicht.«

»Ich hätte es tun sollen«, meinte Bay.

»Kinder halten eine Ehe zusammen«, sagte Augusta. »Lassen Sie es damit gut sein. Betrachten Sie die Leidenschaft, die er eigentlich für Sie empfunden haben sollte – und Hugh für mich –, als eine Kraft, die Sie in Zukunft gezielt in Ihr Leben einfließen lassen. Achten Sie darauf, wenn Sie sich aufs Neue verlieben: Der Mann sollte verrückt nach Ihnen sein. Verstehen Sie? Geben Sie sich angesichts dessen, was Sie heute wissen, nicht mit weniger als mit Leidenschaft zufrieden.«

»Mich verlieben? Nie wieder!«, beteuerte Bay.

»Aber FALLS doch.«

»Ich nicht.«

»Versprechen Sie es mir – nur für den FALL.«

»Also gut, Augusta. Versprochen«, sagte Bay, als wollte sie eine alte Frau beschwichtigen. Augusta war das egal, sie hatte eine gute Tat vollbracht, ihr ein Versprechen abgerungen. Sie betrachtete Bay McCabe und wusste, dass das Leben noch etwas Wunderbares für sie bereithielt.

»Und Sie kommen wieder und verwandeln meinen Garten in ein Paradies, wie Monets in Giverny?«

»Ich werde mein Bestes tun. Danke.« Bay lächelte.

»Und *Sie* bringen mein Haus auf Hochglanz?«, fragte Augusta, an Tara gewandt.

»Gerne.«

»Und helfen mir, meinen Becher zu suchen? Ich habe keine Ahnung, wo er sein könnte. Florizars schmecken nicht so gut, wenn man ihn aus etwas anderem trinkt.«

»Ich werde ihn finden«, versprach Tara. »Erinnern Sie sich, wie Sie einen Ihrer Vuarnet-Smaragdohrringe verlegt hatten? Ich entdeckte ihn in der Spitze Ihrer Pantoffeln mit dem Marabubesatz.«

»Meine Liebe, Sie haben ein himmlisches Gedächtnis. Und wie Sie sehen, trage ich sie. Vielen Dank. Ihnen beiden. Bay, die langweiligen finanziellen Einzelheiten besprechen wir, wenn Sie wiederkommen. Und nun lassen Sie mich bitte allein, ich habe eine wichtige Besprechung mit dem Vater meiner Töchter!«

»Danke Augusta«, sagten die beiden Freundinnen im Chor.

»Keine Ursache, Kinder.«

Dann erhob sie sich und küsste sie beide rechts und links auf die Wange, ein alter Brauch aus der Zeit, als Hugh und sie in Paris gelebt hatten, im sechsten Arrondissement. Damals waren sie noch jung gewesen, hatten sich an Picasso berauscht, sich in den Cafés von St.-Germain-des-Prés gegenseitig mit in Armagnac getauchtem Würfelzucker gefüttert und sich an den Ufern der Seine geliebt.

Damals, zu einer Zeit, in der ihnen ein Leben ohne Leidenschaft wie eine Tragödie vorgekommen wäre.

Am Samstagabend ging Bay segeln.

Danny hatte angerufen: Luft und Wasser waren noch warm genug, der Wind war stetig und der Tag ideal für eine Probefahrt mit dem neuen Katboot. Tara hatte alle Kinder ins Kino und anschließend ins Paradise Ice Cream eingeladen, Eliza eingeschlossen.

Bay hatte sich warm eingepackt, trug Jeans und einen dicken Pullover; ihre Hand war fest eingebunden und sie kam sich völlig nutzlos vor, als sie im Heck saß, während er das Boot klar zum Auslaufen machte. Dann setzte er die Segel, die der Wind aufblähte, und schon fuhr das Boot schnurstracks aus dem Dock in den New London Harbor.

Er saß neben ihr, die Hand an der Ruderpinne, als das schnittige Boot den Thames River entlangsegelte, mit Kurs auf den Sund. Ihre Rücken waren gerade, und ihre Arme berührten sich fast, als das Boot den Ledge Light umrundete, den imposanten viereckigen Leuchtturm aus Ziegelstein, der über der Einfahrt zum Fluss wachte.

Als der Wind auffrischte, trimmte er das Segel, und das Boot legte sich auf die Seite, den Rausch der Geschwindigkeit und Freiheit auskostend. Bay spürte den Wind in den Haaren, die salzige Gischt in den Augen. Hier draußen konnte sie frei durchatmen, und zum ersten Mal seit Monaten fühlte sie sich unbeobachtet.

»Danke«, sagte sie.

»Wofür?«

»Dafür. Weil du mir geholfen hast, mal rauszukommen.«

»Es tut gut, der Realität eine Weile zu entfliehen«, pflichtete er ihr bei, und sie wusste, dass er sie verstand.

Sie warf ihm einen verstohlenen Blick zu. Er war immer noch so einfühlsam wie früher, als wäre er eher ein Teil der Natur und des Meeres statt in der Hektik des modernen Lebens verwurzelt. Seine Haut war gebräunt, von Wind und Wetter gegerbt, mit tiefen Linien um Augen und Mund – vom Blinzeln, wenn er draußen in der Sonne arbeitete.

»Gibt es viele Seesterne auf deinem Dock in der Werft?«, fragte sie.

»Ein paar. Warum?«

Sie lächelte, erinnerte sich daran, wie er das Floß repariert hatte, das zum Strand gehörte, und dabei die Seesterne entdeckt hatte, die an der Unterseite der Holzbohlen hafteten; er hatte sie ins Wasser zurückgeworfen, um sie zu retten, bevor er das Floß an Land gebracht und mit der Arbeit begonnen hatte.

»Du hast mir damals erzählt, dass die Seesterne vom Himmel gefallen sind und im Meer eine neue Heimat gefunden haben.«

»Tatsächlich?«

»Ja. Und dass Narwale in Wirklichkeit Einhörner sind.«

»Scheint, als ob ich in dem Sommer ganz schön poetisch gewesen wäre.«

»Und – diese Geschichte mochte ich am liebsten – du sagtest, dass die Wale nur deshalb auftauchen und ihre riesigen Körper mit unermesslicher Kraft aus dem Meer hieven, weil sie dafür geschaffen wurden, um den Mond von einer Phase zur nächsten zu befördern, wie angeschirrte Zugpferde ...«

»Immer rund um die Erde.« Dans Augen waren sanft wie der Mondschein, als er Bay ansah.

»Erinnerst du dich daran?«

»Und ob.«

»Hast du das wirklich geglaubt? Oder hast du dir die Geschichten nur für mich ausgedacht?«

»Vielleicht lag es an dir«, sagte Dan und verstummte, als das Katboot sanft über die Wellen glitt, oder weil er einen Kloß im Hals hatte.

»Wieso?« Sie barg ihre verletzte Hand in der unverletzten. Er schwieg eine Weile. Es dämmerte beinahe, und Himmel und Erde trafen sich am weiten, rosafarbenen Horizont. Bay suchte das Firmament nach dem Mond ab, als könnte sie ihn dahingleiten sehen, von einem Wal-Gespann gezogen.

»Bauen ist eine praktische Angelegenheit«, sagte er schließlich. »Du hast mich gelehrt, nach magischen Dingen Ausschau zu halten.«

»Wirklich?«

»Mehr als irgendjemand vor oder nach dir.«

Sie beugte den Kopf über ihre bandagierte Hand und dachte an die Polizei und die FBI-Agenten, an die Gerüchte, die kursierten, und vor allem an Annie, Billy und Peggy, die so viel Kummer hatten und auf ihre Rückkehr warteten.

»Ich wünschte, ich hätte in meinem eigenen Leben mehr darauf geachtet«, sagte sie.

»Die Bay, die ich früher kannte, hätte gesagt, dass diese Dinge da sind, gleich ob man nach ihnen Ausschau hält oder nicht.«

In diesem Augenblick sprang das Boot über eine Welle und ließ beide durch die heftige Bewegung auf ihrer Bank zusammenrutschen. Bay beschloss, es dabei zu belassen.

»Wer ist diese Bay, die du früher kanntest?«, flüsterte sie.

»Sie ist hier, bei mir«, flüsterte er zurück, ließ die Ruderpinne los und legte ihr den Arm um die Schultern.

Es fühlte sich völlig natürlich an. Sie saßen im selben Boot,
auch im übertragenen Sinne. Als sie den Leuchtturm um-
rundet hatten, nahm Danny wieder Kurs auf den Hafen.
Die Wellen kamen nun von hinten, und er ließ alle Segel beistehen, fuhr mit dem Wind im Rücken, wobei das
große Segel jeden Lichtstrahl der untergehenden Sonne
einfing.

Das Licht spiegelte sich auf ihren Gesichtern. Sie dachte
an den Mond, eisiges Silber im Licht der untergehenden
Sonne, von blassgrauen Walen gezogen.

Die Bay von früher … Sie schluckte schwer, versuchte sich
mit dem Gedanken vertraut zu machen, dass sie jemals
wieder die Alte sein könnte. Der Sommer war unendlich
leidvoll gewesen, und sie begann erst jetzt zu spüren, welchen Schaden die Jahre voller Lügen angerichtet hatten,
die Jahre, in denen sie im gleißenden Licht der Sonne gelebt hatte.

Als sie den Kopf hob, der in Dannys Armbeuge gelegen
hatte, um ihm für die Segelpartie zu danken, sah sie, dass
er sie betrachtete.

Der Ausdruck in seinen Augen verschlug ihr den Atem.

Er spiegelte vieles wider: alte Liebe, neue Sorge und etwas
Unergründliches, für das sie keine Worte fand. Es war, als
blickte man in das Gesicht des Mondes, aus Millionen
Meilen Entfernung, und ihr fiel ein, was Augusta neulich
zu ihr gesagt hatte: »*Geben Sie sich angesichts dessen, was Sie
heute wissen, nicht mit weniger als mit grenzenloser Leidenschaft zufrieden.*« Bay zitterte, weil sie diese Leidenschaft in
Dans Gesicht entdeckte und sie in ihrem eigenen Herzen
spürte.

Als sie sich dem Dock näherten und es an der Zeit war, das

Segel einzuholen, sagte er: »Ich gebe zu, Galway, ich habe Jahre auf diesen Augenblick gewartet. Da ich dir die Mondsichel schon einmal geschenkt habe, musste ich für diese Überstunden machen.«

Er deutete zum Himmel, in Richtung Nordosten.

Bei Groton, hinter den Industriegebäuden und Unterseebooten, direkt über der Gold Star Bridge, stieg eine riesige, schimmernde, orangefarbene Scheibe am Himmel empor, ein Vollmond im September, bereit, die Nacht zu erhellen.

»Ist das zu offenkundig?«, flüsterte Dan ihr ins Ohr.

Bay schnappte nach Luft und hatte Tränen in den Augen. »Sag mir nicht, dass du das geplant hast.«

»Ich habe nur im Almanach nachgeschaut. Und mich vergewissert, dass wir rechtzeitig auslaufen.«

»Dan.« Sie verstummte. Sie brachte keinen Ton über die Lippen, aber sie dachte: Sean hat so etwas nie für mich getan.

Trotz der vielen gemeinsam verbrachten Jahre schien er nie bemerkt zu haben, wie sehr sie den Mond liebte.

Grenzenlose Leidenschaft, hatte Augusta gesagt, und Bay hatte gedacht, ein solcher Zustand sei unmöglich. Bis jetzt.

19

Dan schnitt zwei zweieinhalb Zentimeter dicke Schichtholzplatten zu, die Maserung verlief parallel zur Längsachse, der Schönheit und Stärke wegen. Vorsichtig trug er Epoxidharz auf, um die Oberfläche zu versiegeln. Er schrägte die Kanten entlang der Mittellinie ab, so dass beim fertigen Boot eine deutlich sichtbare Krone entstand. Es sollte ein ganz besonderes Dingi werden, perfekt bis in jedes Detail.

Er hatte einen Bleistift hinters Ohr geklemmt, den er von Zeit zu Zeit benutzte, um sich Notizen auf einem Blatt Papier oder auf dem Holz selbst zu machen. Seine weiße Gesichtsmaske war heruntergerutscht, und er ließ sie um den Hals hängen. Er trug Jeans und Sweatshirt; der Septemberwind war frisch, die Luft kühl und klar.

Jede Minute erinnerte ihn an die Segelpartie mit Bay. Er befand sich in einem Gefühlskonflikt, den er durch Arbeit zu verdrängen suchte. Seine Empfindungen für Bay waren stark, aber mit mannigfaltigen Altlasten gepaart – wie konnte er sich nach der Geschichte mit Charlie jemals wieder auf eine neue Beziehung einlassen? Ganz zu schweigen von der Rolle, die Sean – ihr Mann – dabei spielte. Er schuftete den ganzen Tag, machte sich selbst verrückt mit seinen Gedanken, bis er schweißgebadet war und sich bis auf ein altes Springsteen-T-Shirt ausziehen musste.

»Convention Center, Ashbury Park, mit Big Man am Dudelsack«, ertönte plötzlich eine Stimme von der Tür.

»Wie bitte?«

»Proben für die *Rising*-Tournee«, fuhr die Stimme fort.

»Clarence Clemons spielte den Dudelsack bei ›Into the Fire‹. Wussten Sie das?«

»Nein.« Dan blickte an seinem Springsteen-T-Shirt herunter. »Ich habe das Konzert im Madison Square Garden gesehen. Es ging das Gerücht – muss von der Jersey-Küste gekommen sein –, Clarence wäre mit von der Partie, aber in New York hat er den Dudelsack nicht gespielt.«

»Schade. War ein unvergessliches Erlebnis. Geradezu gespenstisch«, sagte der Besucher bedauernd.

»Kann ich mir vorstellen. Die Show, die ich gesehen habe, war ebenfalls atemberaubend.«

»Muss irre gewesen sein, diese Musik in New York City zu hören.«

»Kann man wohl sagen. Womit kann ich dienen?«

»Ich bin Joe Holmes vom FBI. Ich wurde von der Ortspolizei benachrichtigt, dass Sie Informationen über den Fall Sean McCabe haben.«

»Oh, richtig.« Dan legte sein Werkzeug beiseite, stand auf und wischte sich die Hände an den Jeans ab. »Sean McCabe wollte ein Boot bei mir bestellen. Er tauchte ein paar Wochen vor seinem Tod in meiner Werkstatt auf, und wir sprachen über Konstruktionsmöglichkeiten und Materialien. Er hatte als Vorlage ein Modell mitgebracht, das seine Tochter gebaut hatte.«

»Was für ein Boot war das?«

»Ein Holzboot. Ein klassisches.«

»Nicht gerade typisch für McCabe, was Boote anging.«

»Wohl kaum.«

»Wofür war es gedacht?«, fragte Holmes, und Dan konnte beinahe die Gedanken des Mannes lesen, der mit Leib und Seele FBI-Agent war: Was taugte ein altmodisches Holzboot in einer modernen Welt, in der nur Geschwindigkeit und Spitzenleistung zählten?

»Er wollte es für seine Tochter.«

Joe Holmes nickte. Dans Handflächen waren feucht; er widmete sich wieder seiner Arbeit, damit er beschäftigt war. Er hatte die Rahmen des Dingi eingekerbt und begann nun, während das Epoxidharz des Bugbandes trocknete, die Dollborde zu verfugen, so dass sie mit der Verblendung und Außenhaut des Schiffes bündig abschlossen; dabei wandte er dem Agenten halb den Rücken zu.

»Hatten Sie den Eindruck, er sei ein guter Familienvater gewesen?«, fuhr Joe fort.

»Keine Ahnung. Ich kannte ihn ja kaum.«

»Aber dass er ein Boot für seine Tochter in Auftrag geben wollte, sagt doch einiges über ihn aus, oder?«

»Vermutlich.« Dan konzentrierte sich auf das Boot, um nicht weiter auf die Frage eingehen zu müssen. Der Geruch nach Sägemehl und Epoxidharz war stark, und Dan konnte seinen eigenen Herzschlag in den Ohren hämmern hören.

»Mrs. McCabe hat mir erzählt, dass Sie miteinander befreundet sind.«

Dan sah hoch und nickte. *Gut*, dachte er. *Bay hat bereits mit ihm gesprochen.*

»Kennen Sie sich schon lange?«, fragte Holmes.

»Wir sind Jugendfreunde. Später gingen wir beide getrennte Wege und hatten uns aus den Augen verloren, bis zu diesem Sommer.«

»Bevor ihr Mann starb.«

»Nein. Danach.«

»Und Sean McCabe wusste von dieser Beziehung? Oder war er ebenfalls ein Jugendfreund von Ihnen?«

»Ich kannte Sean nicht besonders gut. Er wuchs am selben Strand wie Bay auf, und ich erinnere mich, ihn ein paar Mal gesehen zu haben. Aber das war auch schon alles.«

»Was für ein Zufall, dass Sean McCabe bei Ihnen zur Tür hereinspazierte. Ohne zu wissen, dass Sie seine Frau kannten.«

Dan überhörte die Bemerkung. »Ich hatte mich mit der Polizei in Verbindung gesetzt, weil ich einen anonymen Anruf erhielt, von einer Frau, die nach Sean McCabe fragte.«

Joe Holmes hob die Brauen.

»Wann war das?«

»Vor ein paar Wochen. Ende August.«

»Was hat sie genau gesagt?«

»Sie wollte wissen, ob Sean hier gewesen sei, ob ich mit ihm gesprochen hätte.«

»Sagte sie, weshalb sie nach ihm Ausschau hielt?«

»Nein. Das Gespräch war sehr kurz. Ich dachte, sie würde noch einmal anrufen, aber seither habe ich nichts mehr von ihr gehört.« Sein Herz klopfte, allein deshalb, weil er Zeuge in einem Mordfall war; zum Glück hatte er nichts verbrochen. »Was glauben *Sie*, was sie wollte?«

Der Agent stand hoch aufgerichtet da, die Hände hinter dem Rücken verschränkt. Er musterte Dan, als wollte er seine Gedanken lesen. »Schwer zu sagen. Der Mann hatte eine Menge Dreck am Stecken.«

»McCabe wusste, dass seine Frau und ich uns von früher kannten«, sagte er. »Offenbar las er ein paar Briefe, die wir uns damals geschrieben hatten.«

»Ich weiß. Sie befinden sich bei den Akten.«

»Bay hat Sie Ihnen gegeben?«

»Es sind Fotokopien, und sie befanden sich unter den Sachen ihres Mannes, die sichergestellt wurden.«

Davon hatte Bay gewiss keine Ahnung, dachte Dan. Sie hatte ein ungutes Gefühl gehabt, dem FBI die alten Briefe vorzuenthalten, obwohl sie nichts enthielten, was belastend oder für die Ermittlungen aufschlussreich gewesen wäre; und Holmes hatte dabei die ganze Zeit von ihrer Existenz gewusst.

»Wissen Sie, warum Sean McCabe die Briefe fotokopiert hat?«

»Kann ich mir nicht vorstellen«, erwiderte Dan mit klopfendem Herzen.

Dan versuchte, sich den Wortlaut der Briefe, die er Bay vor so langer Zeit geschrieben hatte, ins Gedächtnis zurückzurufen. Er erinnerte sich kaum noch daran, aber sie hatten sich um ihre gemeinsame Liebe zur Natur, zum Strand und den einfachen Freuden des Lebens gedreht. Dinge, die Sean so fern lagen. Dan fragte sich seit geraumer Zeit, ob Sean die Briefe ausgegraben hatte, um ein Druckmittel gegen ihn in der Hand zu haben. Aber er hütete sich, das Thema von sich aus anzuschneiden.

»Sie hatten eine rege Korrespondenz mit seiner künftigen Frau geführt«, sagte Holmes. »Vielleicht war er eifersüchtig.«

»Ich habe die Briefe seit fünfundzwanzig Jahren nicht mehr zu Gesicht bekommen, aber der Tenor ist mir noch geläufig. Sie war damals ein halbwüchsiges Mädchen, während ich gerade das College hinter mir hatte, und wir waren miteinander befreundet, nichts weiter. Wenn ich mich recht erinnere, ging es um die Uferpromenade und um eine Schaukel, die ich für sie gebaut hatte … und um den Mond. Und den Daumen, den sie sich verletzt hatte, als sie mir zur Hand ging. Nicht zu vergessen die Quallen, Krebse und Seemöwen, alles Mögliche eben, was zum Strandleben gehört.«

»Wenn es also keinen Grund zur Eifersucht gab …«, meinte Holmes.

»Dann weiß ich es auch nicht. Das alles ist lange her«,

unterbrach ihn Dan wütend und ungeduldig angesichts der Erkenntnis, dass er offensichtlich in eine Falle gelockt worden war. Sean McCabe hatte genau gewusst, was er tat. »Hören Sie, ich muss arbeiten.«

»Schon klar. Tut mir Leid. Ich habe nur noch ein paar Fragen, dann sind wir fertig«, sagte Agent Holmes.

Dan schwitzte, als er sich wieder dem Dingi zuwandte. Er hatte die kurzen Innenbord-Rahmen über der Persenningleiste eingekerbt und die Enden abgerundet; nun begann er, sie von außen durch die Verschalung und von innen durch das Dollbord festzuschrauben. Jeder Handgriff erfolgte wie im Schlaf, und er war froh darüber, etwas mit den Händen tun zu können.

»Hatten Sie ein Konto bei der Shoreline Bank?«

»Ich? Nein«, sagte Dan. *Jetzt kommt es heraus.*

»Sean McCabe hatte also nie etwas mit Ihrem Geld zu tun?«

»Die Familie meiner Frau hatte ein Giro- und Treuhandkonto bei der Shoreline.«

»Ein Treuhandkonto?«

»Ja, für meine Tochter.«

»Und Sie sind einer der Treuhänder für dieses Konto?«

»Jetzt ja. Seit dem Tod meiner Frau. Vor etwas mehr als einem Jahr.«

»Ah. Tut mir Leid. Und wer ist der zweite Treuhänder?«

»Mark Boland«, erwiderte Dan wahrheitsgemäß. »Die Korrespondenz wird ausschließlich von seinem Büro abgewickelt.«

»Kennen Sie Ralph, oder ›Red‹ Benjamin?«

»Er ist der Justiziar der Shoreline Bank, oder?«

»Richtig.«

Das Ganze ist eine Farce, ein riesiges, dummes Schachspiel, dachte Dan. Er wollte es nur noch hinter sich bringen und weiterarbeiten. Dinge, die auf den ersten Blick völlig harmlos wirkten, erhielten mit einem Mal einen zweifelhaften Anstrich; das hatten ihn die Begegnungen mit Sean gelehrt.

»Wie gehen die Geschäfte?«, fragte Holmes.

»Bestens.« Dan blickte hoch.

»Mit der Wirtschaft geht es bergab. Und da haben die Leute noch Geld für hübsche Holzboote?«

»Scheint so.«

»Wie war das vor zwölf, dreizehn Monaten? Wie stand es damals um Ihre Firma?«

Worauf will er hinaus?, überlegte Dan. »Gut«, erwiderte er. »Ich habe die Talsohle hinter mir. Und bin immer noch im Geschäft, wie Sie sehen.«

»Gut zu hören. Und danke, dass Sie mir Ihre Zeit geopfert haben. Hier ist meine Karte – rufen Sie mich an, falls Ihnen noch etwas einfällt.«

»Mache ich.« Dan warf einen Blick auf die Visitenkarte des Agenten, die dieser auf den Bug des kleinen Bootes gelegt hatte. Er streckte die Hand danach aus, dann zuckte er entschuldigend die Schultern – seine Finger waren mit Flecken vom getrockneten Epoxidharz und Bootslack übersät.

Er konzentrierte sich wieder auf die Arbeit, vermied es krampfhaft, den Kopf zu heben und dem Agenten nachzusehen, der sich nun entfernte. Seine Hände zitterten. Dieser Fremde mit seinen persönlichen Fragen weckte in ihm das Bedürfnis, in eines seiner selbst gebauten Boote zu steigen und davonzusegeln. Er war wie Bay; er wünschte sich nichts sehnlicher als ein einfaches, unkompliziertes Leben und eine ungestörte Privatsphäre.

Schließlich hörte er, wie der Agent den Motor anließ; Muschelschalen knirschten unter den Reifen, als der Wagen über den Parkplatz fuhr. Nach ein paar Minuten kehrte wieder Ruhe auf der Werft ein. Keine Grabesstille – die gab es nie. Immer waren die Geräusche von Elektrowerkzeugen zu hören, Schiffsmotoren, die Schreie der Seemöwen, der Zug, der in New London ankam, das Läuten, wenn sich die Schranken am Bahnübergang schlossen.

Und sein eigenes Blut, das ihm in den Ohren rauschte. Irgendwie war er mitten in ein Drama geraten, in dem er keine Rolle spielen wollte.

Joe Holmes verließ den Parkplatz von Eliza Day Boat Builders mit einem flauen Gefühl. Es drängte ihn, an den Straßenrand zu fahren und in den Rückspiegel zu schauen. Er hielt vor dem Chirpy Chicken an der Bank Street. Es befand sich in einer Umgebung mit einem ganz eigenen, unverkennbaren Charakter. Vor zwei Abenden, als er ganz im Stil der Gesetzeshüter in der Werft herumgekurvt war und auf eine Eingebung gehofft hatte, war er in das Vergnügungsviertel an der Bank Street geraten.

Es als »heruntergekommen« zu bezeichnen, wurde ihm nicht gerecht. Die Lichter tauchten die Szenerie in einen warmen, orangefarbenen Schein. Hier und da wechselten Drogen den Besitzer, an der Straßenecke standen ein paar käufliche Mädchen, und es gab einen Laden mit reizvoll verdunkelten Fenstern und dem Schild »Book and Mag« über der Tür.

Andererseits besaß das Viertel eine unverkennbare, maritime und literarisch angehauchte Atmosphäre. Joe konnte sich ohne weiteres vorstellen, wie Eugene O'Neill hier seine Studien trieb und alles wie ein Schwamm aufsaugte, Absinth und Morphium, das menschliche Elend und die grenzenlose Sehnsucht des Herzens: der Stoff, aus dem Literatur und FBI-Ermittlungen gemacht sind.

Dort drüben war das imposante Custom House aus massivem Granitgestein, das älteste Zollgebäude der Nation; eine Reihe Backstein- und Schindelhäuser; der anheimelnde Buchladen mit integriertem Café aus Backstein; die kleinen Restaurants; die Saloons – wo Joe gerne ein paar gehoben hätte – und gepflegte Bars wie The Roadhouse und das Y-Knot.

Salzige Luft wehte vom Atlantik herüber, durch The Race – die Stromschnellen am Thames River, wo der Atlantische Ozean und der Long Island Sound zusammentrafen. Joe konnte den Ledge Light ausmachen, den viereckigen Backstein-Leuchtturm an der Einfahrt zum Fluss, und den Chemiekonzern Pfizer mit seinen Schornsteinen, Labors und Büros am anderen Flussufer, und Electric Boat, mit seinen von Atomkraft angetriebenen Unterseebooten.

Züge verkehrten im Uferbezirk, pendelten zwischen Boston und New York hin und her; Fähren überquerten den Sund, so dass beinahe ständig eine Kakophonie aus Pfeiftönen und knirschendem Räderwerk, Hörnern und Glocken zu hören war, die Geräusche des Reisens, eine gemischte Botschaft, in der sich Freude, Dringlichkeit und der Kummer des Abschiednehmens paarten.

Joes Ermittlungen hatten ihn im Laufe der Jahre in viele Kleinstädte geführt, aber keine hatte ihn so fasziniert wie New London. Ein Sammelbecken der Sehnsüchte. Die Straßen waren mit Blut, Bier, Walfischtran und Begehren getränkt.

Der Ancient Burial Place, das Huguenot House; die State Street, verbunden in der Senke durch die Union Station – den höhlenartigen Bahnhof von H. H. Richardson, einem Wahrzeichen der Stadt aus rotem Backstein –, und auf dem Gipfel des Hügels das elegante, 1784 erbaute Gerichtsgebäude. Ganz aus Holz, mit weißen Schindeln und schwarzen Fensterläden, wirkte es zu pittoresk und anmutig, um als Schauplatz für Mordprozesse zu dienen.

Joe gefiel New London. Ihm gefiel die Küste überhaupt. Jeder Ort, an dem Tara O'Toole lebte, wäre für ihn annehmbar gewesen. Der Höhepunkt dieser Ermittlung war, dass er in Andy's Records Tara über den Weg gelaufen war.

Bay McCabe fand er ebenfalls sympathisch. Sie waren Freundinnen, konnten von Glück sagen, dass sie einander hatten. Tara war ein Mensch mit eigenwilligem Charakter: raue Schale nach außen, und innen butterweich, loyal, verletzlich. Joe kannte diesen Typ. Kannte ihn nur allzu gut. Er lebte in Southerly, wenn er nicht gerade damit beschäftigt war, Betrugsdelikte in einer Bank in Black Hall aufzudecken, aber er stellte fest, dass er Dan Connolly beneidete, auch wenn er jetzt im Wagen saß und nichts weiter zu tun hatte, als in den Rückspiegel zu blicken.

Der Mann war ein Glückspilz – oder so schien es zumindest. Sean McCabe allerdings auch. Beide hatten, zu unterschiedlichen Zeiten, Bays Zuneigung gewonnen. Ob Dan gewusst hatte, dass sie in ihn verliebt gewesen war? Das war eigentlich für jeden offensichtlich, der die Briefe las.

Joes Ermittlungen hatten Unregelmäßigkeiten in der Treuhand- und in der Kreditabteilung der Shoreline Bank ans Tageslicht gebracht. Von zwei Treuhandkonten war Geld verschwunden, ein Gesamtverlust von mehr als fünfhunderttausend Dollar. Während er die Bankunterlagen durchforstet hatte, um dem Täter auf die Spur zu kommen, war Joe auf ein weiteres Treuhandkonto gestoßen, den Eliza Day Trust.

Vor achtzig Jahren von Obadiah Day angelegt, war er zunächst in den Besitz seiner Frau Eliza übergegangen und danach an seine Tochter vererbt worden – Dan Connollys Frau Charlotte; nun gehörte er seiner Enkelin, der jungen Eliza. Das Treuhandvermögen belief sich auf neun Millionen Dollar.

Die Zinsen wurden vierteljährlich gezahlt. Bis zu ihrem Unfall hatte Charlotte als einer der beiden Treuhänder fungiert, der andere war Sean McCabe gewesen. Nun hatte Mark Boland die Aufgabe des Vermögensverwalters übernommen, wie Connolly gesagt hatte. Aber erst nach McCabes Tod. Und Daniel Connolly war nach Charlottes Unfall Treuhänder geworden. Warum hatte er nicht erwähnt, dass Sean bis zu seinem Tod im Juni Treuhänder gewesen war?

Was, wenn die Geschichte in Zusammenhang mit den Finanzmanipulationen stand, die vor dreizehn Monaten entdeckt worden waren?

Genau zu dem Zeitpunkt, als Charlotte Connolly gestorben war.

Durch die Ermittlungen im Fall McCabe hatten sich Abgründe in der Shoreline Bank aufgetan. Joe suchte nach einem UNSUB – einem nicht identifizierten Subjekt: mit anderen Worten, nach einem unbekannten Komplizen. Er war sich nicht sicher, wer oder warum oder wie diese Person McCabe geholfen hatte, oder ob sie überhaupt existierte.

Er wusste nur, dass in zwei Abteilungen Gelder veruntreut worden waren: in der Kreditabteilung und in der Treuhandabteilung.

Und obwohl das Geld bereits nach kürzester Zeit zurückgezahlt und das Vermögen von Eliza Day wieder in voller Höhe aufgestockt worden war – gab es Unterlagen als Beweis für diese Transaktionen.

Bob Dylans *Oh Mercy* war auf Joes CD-Spieler gelaufen;

inspiriert von Connollys T-Shirt, nahm er die Scheibe nun heraus und legte Springsteens *The Rising* auf. Er wartete und beobachtete, ließ die Musik auf sich wirken.

Und dann wurde seine Geduld belohnt: Dan Connolly war im Aufbruch begriffen.

Er trat aus dem Bootsschuppen, schloss die schwere Tür hinter sich und sperrte ab. Dann ging er über den Parkplatz und stieg in seinen Pick-up. Er bog in die Straße ein, fuhr unmittelbar an Joes Wagen vorbei nach Westen, in Richtung Shore Road.

Er wohnte im Osten der Stadt, auf der anderen Seite der Gold Star Bridge, in Mystic, und so konnte Joe nur raten, wohin Dan unterwegs war. Er hatte keinen handfesten Grund, sondern nur eine Vorahnung aus reinem Instinkt, für die Annahme, welches Ziel Connolly anpeilte. Vielleicht hätte er sich an seiner Stelle genauso verhalten.

Die Fahrt dauerte etwa zwanzig Minuten.

Es herrschte wenig Verkehr. Mit dem Sommer war auch die Masse der Touristen verschwunden. Die Route 156 war beinahe leer, abgesehen vom Stau vor den Lebensmittelgeschäften in Waterford und Silver Bay. Danach ging es geradeaus weiter, am Lovecraft Wildlife Refuge, dem Rocky Neck State Park, am Wellsweep und am Fireside Restaurant vorbei. Unter dem Eisenbahnviadukt – den Schienen, die nach New London, an seiner Werkstatt vorbeiführten – bog Connolly nach links ab, und war in Hubbard's Point.

Joe fuhr an Bays Haus vorbei, dann an Taras, auf den Parkplatz am Strand. Im September war der Platz menschenleer. Er hielt am Straßenrand, direkt um die Ecke, stieg aus und durchquerte ein unbebautes Grundstück, um Connolly zu beschatten.

Dan Connolly war ausgestiegen und überquerte die Fußgängerbrücke, die zum Strand führte. Seine Haare wehten im Wind, als er über die Uferpromenade schlenderte, wie es Joe sich gedacht hatte.

Obwohl er einen kleinen Feldstecher in seiner Jackentasche hatte, beobachtete Joe Connolly mit bloßen Augen vom anderen Ende des unbebauten Grundstücks und des Parkplatzes aus. Er sah, wie der Mann den Blick senkte, als ob er sich daran erinnerte, dass er selbst die Promenade gebaut hatte, vor zwei Jahrzehnten.

Dann nahm er auf der weißen Bank Platz, der langen weißen Bank, auf der mit Sicherheit viele Menschen im Laufe der Jahre Ruhe und Trost gefunden hatten. Sein Kopf war leicht zur Seite gewandt, nach Westen, er hatte Bays Haus im Blick. Joe war sicher, dass Connolly an sie dachte, während er den Wellen und Möwen lauschte.

Wellen und Möwen – zwei Grundelemente des Meeres, untrennbar mit den Sommermonaten in Hubbard's Point oder anderen Stränden verbunden, die an Sommer und Jugendzeit erinnerten.

Und an die verlorene Unschuld.

20

Der September war wolkenlos und sonnig, erfüllt von goldenem Licht, als der Sommer nahtlos in den Herbst überging; im Oktober wurde die Luft kühler, obwohl das Wasser warm genug zum Schwimmen blieb, und das Licht nahm die Farbe von Bernstein an. Wie der Bernstein selbst, der urzeitliches Leben für die Ewigkeit bewahrte, Blätter, Bienen und Grillen, trug das Oktoberlicht in Hubbard's Point für immer Erinnerungen an den Sommer in sich.

Bay arbeitete unermüdlich in Augustas verwildertem Garten, deckte Beete für den Winter mit Stroh und Laub ab, beschnitt Bäume und Sträucher und pflanzte Zwiebelgewächse auf Firefly Hill. Danach eilte sie, beflügelt durch die Verheißung der Blütenpracht im kommenden Frühjahr, noch vor Einbruch der Dunkelheit nach Hause, um ihrem eigenen Garten die gleiche Pflege angedeihen zu lassen.

Das Wissen, dass diese Knollen, hart, trocken und tief in die steinige Erde des Hügels eingesetzt, im April und Mai ein Meer von Schneeglöckchen, Blausternen, Osterblumen, Narzissen und Tulpen hervorbringen würden, verlieh ihr Hoffnung und Trost.

Abends saßen Tara und sie oft bei einer Tasse Tee vor dem offenen Kamin, immer in Bays Haus, wo sie die Kinder im Auge behalten konnten, die ihre Hausaufgaben machten. Bay war mit ihrem Beruf und dem Bemühen, den Kindern nach dem Tod des Vaters den Schulbeginn zu erleichtern, voll ausgelastet.

»Im Oktober gehe ich am liebsten segeln«, sagte Tara, in einen Schal eingemummelt. Es war ein lauer Abend, und der Mond schien, deshalb saßen die beiden Freundinnen draußen. »Der Wind ist beständiger und das Wasser warm, und wenn man kentert, könnte man seelenruhig an Land schwimmen.«

»Verlockender Gedanke.« Bay trank lächelnd einen Schluck Tee und wünschte sich, Dan wäre hier, um mit ihr gemeinsam den Mond zu betrachten. »Sehr verlockend …«

»Warum rufst du nicht an und lädst dich selber ein?«

»Das kann ich nicht.«

»Weil du es unschicklich findest, oder? Wie könntest du es auch wagen, wieder mit jemandem segeln zu gehen, der dich mag!«

»Es hat mir gut getan, draußen mit ihm auf dem Wasser zu sein«, gestand Bay. »Ich hatte vergessen, wie das sein kann. Er ist so sanft.«

»Du verdienst jemanden, der sanft ist, Bay.«

»Sean war ständig in Eile und mit tausenderlei Dingen beschäftigt, stand immer unter Druck … Es war eine Wohltat, mit dem alten Katboot ins Blaue zu segeln, und nicht schnell an irgendein Ziel kommen zu müssen.«

»Ihr seid eben auf der gleichen Wellenlänge. Ich weiß noch, wie viel Zeit ihr früher beide immer miteinander verbracht habt – ich bekam dich in besagtem Sommer kaum zu Gesicht. Ihr wart damals schon gerne beisammen, als du noch ein Teenager warst.«

»Ich weiß.« Bay glühte bei der Erinnerung, wie sie den Aufgang des Mondes beobachtet hatten. »Es war wirklich eine ganz besondere Freundschaft.«

»War? Warum lädst du ihn nicht mal zum Abendessen ein?«

Bay war bereits der gleiche Gedanke gekommen. Annie

hatte ihr mit dem Wunsch in den Ohren gelegen, Eliza wieder zu sehen, und sie hatte es versprochen.

Sie betrachteten die zerklüftete, mit Bäumen bedeckte Hügellandschaft jenseits der Marsch. Sie wirkte dunkel und geheimnisvoll, silbrig im Mondlicht, das nur die Andeutung eines Saumpfades sichtbar machte, der ins Unterholz führte, zum Little Beach. Bay dachte an das Abenteuer des Lebens, an den unvorhersehbaren Weg, den es nahm, und fragte sich, wohin er sie alle als Nächstes führen würde.

»Möchtest du am Samstag zum Abendessen zu uns kommen?«, fragte Bay.

Tara schüttelte lächelnd den Kopf. »Nein danke. Bei Andy's beginnt an dem Tag eine Werbeaktion. Vielleicht fahre ich hin; mal schauen, was er an Sonderangeboten hat.«

»Und ob Joe Holmes auch da ist, oder?«

»Ich komme mir vor wie eine treulose Tomate. Wenn man bedenkt, dass er in Seans Fall die Ermittlungen führt.«

»Du hast offenbar die Nase voll von deinen Künstlern.«

»Gestrichen voll«, sagte Tara. »Du kannst dir nicht vorstellen, wie voll.«

Bay lachte, als sie einen Wagen in der Auffahrt hörte. Sie stand auf, gerade rechtzeitig, um zu sehen, wie Alise Boland einen großen Kübel mit orangefarbenen Winterastern um die Ecke trug.

»Ich weiß, es ist schon spät«, rief sie und stellte den Kübel auf der Hintertreppe ab. »Ich hätte vorher anrufen sollen, aber ich habe gerade den verrücktesten Auftrag aller Zeiten erledigt und ein paar Ableger übrig, die ich Ihnen schenken möchte!«

»Danke – das ist aber nett von Ihnen. Möchten Sie eine Tasse Tee?«, fragte Bay.

»Ja bitte, wir würden uns freuen«, fügte Tara hinzu.

Alise schüttelte den Kopf. »Vielen Dank, ein anderes Mal

gerne. Sie wissen ja, wie das ist – wenn man den ganzen Tag werkelt und nur noch nach Hause, unter die Dusche möchte.«

»Oh.« Bay lächelte. »Wie lieb von Ihnen, dass Sie sich die Mühe gemacht haben und vorbeigekommen sind. Ich wusste gar nicht, dass Sie mit Blumen arbeiten ...«

»Normalerweise nicht«, erwiderte Alise. »Ich bin ausschließlich für die Inneneinrichtung zuständig, aber eine Kundin von mir bat mich, ihre Terrassen neu zu gestalten, und ich habe mir dieses Mal ein bisschen zu viel zugemutet. Mark sagte, dass Sie inzwischen als Gärtnerin tätig sind.«

»Richtig. Für Mrs. Renwick.«

»Ist sie nicht ein Unikum?« Alise lachte. »Sie gehört zu Marks liebsten Kunden. Er kommt jedes Mal mit amüsanten Augusta-Geschichten nach Hause.«

Bay nickte zuvorkommend; Alise hatte vermutlich keine Ahnung, dass Augusta Seans Kundin gewesen war, bis letzten Juni ...

»Egal, viel Spaß mit den Blumen. Vielleicht ergibt sich einmal eine Gelegenheit zur Zusammenarbeit, Bay. Sollte ich hören, dass ein Kunde jemanden für den Garten sucht, werde ich Sie gerne weiterempfehlen.«

»Danke, das würde mich freuen.«

Es war keine große Sache, aber Bay hatte heute Abend zum ersten Mal das Gefühl, als ob wieder ein gewisses Maß an ... Normalität einkehrte, nach den Monaten der Trostlosigkeit. Es tat gut, mit Tara draußen zu sitzen und eine gute Bekannte zu haben, die vorbeikam, um ihr eine so herrliche Pflanze zu schenken. Es bestärkte sie in dem Glauben, dass es von nun an bergauf gehen würde. Sie hatte sich in Seans Leben unerwünscht gefühlt, und dann hatte sie ihn verloren; ihr Kummer wog doppelt schwer.

Doch heute Abend fühlte sie sich gut. Das Wissen, Freunde zu haben, Teil einer Gemeinschaft zu sein, gab ihr ein Gefühl der Sicherheit. Einer beruflichen Tätigkeit nachzugehen, die ihr gefiel, die ihr lag, und die ihr und den Kindern den Beginn einer annehmbaren Zukunft versprach. Draußen vor dem Haus zu sitzen, das sie liebte, die Kinder behütet und geborgen in den eigenen vier Wänden.

Und den Mond betrachten zu können, und sich zu fragen, ob Danny ihn ebenfalls sah.

Die gute – die tolle – Neuigkeit war, dass sie bei den McCabes zum Abendessen eingeladen waren, aber vorher durfte sie den ganzen Tag mit Annie verbringen.

Nicht so gut war, dass Eliza spürte, wie die Dunkelheit zurückkehrte. Sie fühlte sich ständig bedroht: ein Klopfen an der Tür, wenn ihr Vater nicht daheim war. Das Gefühl, verfolgt zu werden. Oder das Kratzen am Fliegengitter vor ihrem Schlafzimmerfenster letztes Wochenende, an einem warmen Abend, und eine leise Stimme: *Eliza, Eliza, deine Mutter braucht dich.*

Sie klang so echt, als gäbe es sie wirklich!

Als sie am nächsten Tag nachgeschaut hatte, hatte sie Kratzer am Metallgitter entdeckt – als hätte jemand versucht, es mit einem Messer aufzuschlitzen. Sie hatte sie sogar ihrem Dad gezeigt. Er hatte sie in Augenschein genommen und gemeint, das sei lediglich Verschleiß, Zweige, die bei Sturm und heftigen Nordostwinden an der Hauswand entlangscharrten. Natürlich dachte er, dass sie sich das Ganze nur einbildete. *Sehen wir doch den Tatsachen ins Auge*, dachte Eliza. *Ich glaube ja selber schon, dass ich unter Halluzinationen leide.* Genau wie bei dem Hirtenjungen, der ständig schrie, der Wolf kommt – so dass ihm niemand mehr glaubte, als er tatsächlich auftauchte. Und der größte Teil von Elizas Leben war ein einziger großer Hilfeschrei gewesen.

Einiges hatte geholfen. Annie beispielsweise. Tage, an denen die Sonne schien. Neue Kleider, zumindest kurzfristig. So kurzfristig, dass sie sich fragte: Warum überhaupt Geld dafür ausgeben?

Ohrringe gehörten ebenfalls dazu, und noch mehr Piercings. Ein kleiner schmerzhafter Stich, ein weiteres Loch in der Haut, um den Druck in ihrem Inneren herauszulassen.

Hungern war gut. Und so real. Der Körper war ziemlich einfältig, genau genommen. Er war darauf programmiert, Hunger zu empfinden, auch wenn er in Wirklichkeit keine Nahrung benötigte. Zeigte man ihm beispielsweise ein Sandwich mit Schinken, lief einem das Wasser im Mund zusammen. Das Gleiche galt für Schokoriegel, wobei Elizas Körper solche mit Mandeln bevorzugte.

Das Verrückte daran war: Andere Körper gierten nach Erdnüssen oder Kokosnuss. Körper waren sehr individuell, was ihren Appetit betraf. Annie hatte beispielsweise ständig mit ihrem Gewicht zu kämpfen. Inzwischen hatte sie ihre Heißhungerattacken ein wenig unter Kontrolle, wie sie im letzten Telefongespräch anklingen ließ, und ihr Körperumfang begann allmählich zu schrumpfen.

Für Eliza war das Leben ein fortwährender Kampf. Sie fühlte sich wie eine Arbeiterin in einem Kernkraftwerk: Es galt, den Druck konstant zu halten, ihn zuerst aufzubauen, und wenn er das obere Ende der Skala erreichte, musste man das Ventil aufdrehen und Druck ablassen.

Genau das tat Eliza durch Hungern und Schneiden. Durch Hungern baute sich Druck auf, bis die Muskeln nach Vitaminen und Nährstoffen schrien, und durch das Schneiden ließ sie diese Schreie aus ihrem Organismus heraus, in den Himmel hinaufsteigen.

Ihr Dad war draußen auf der Werft und Eliza im Schuppen; sie saß am Schreibtisch, wo sie am liebsten ihrer Arbeit nachging: Schneiden.

Sie nannte ihn »Großväter-Schreibtisch«, weil er von einem Großvater für den anderen gebaut worden war. Die Geschichte war indes nicht ganz so wie die von Annie über die heiß geliebten Grannys. Bei den Großvätern war es ums Geschäft gegangen, nicht um Freundschaft: Die Familie ihrer Mutter hatte Geld im Überfluss besessen, und Obadiah Day, ihr Großvater mütterlicherseits, hatte Michael Connolly, einen armen irischen Einwanderer und ihren Großvater väterlicherseits, beauftragt, den Schreibtisch zu zimmern und zu schnitzen.

Er war prachtvoll, aus Mahagoni, verziert mit Meerjungfrauen, Kammmuscheln, Fischen, Seepferdchen, Meeresungeheuern und dem Gott Poseidon. Als kleines Mädchen hatte Eliza herrliche Träume von Meerjungfrauen und Seepferdchen gehabt. Inzwischen litt sie unter Albträumen, in denen Meeresungeheuer vorkamen.

Sie saß am Schreibtisch und holte langsam und ehrfürchtig das Messer aus seinem Versteck in ihrer Socke. Ihr Puls beschleunigte sich vor Erregung. In ihrer Kehle brannten ungeweinte Tränen. Manchmal dachte sie, wenn sie weinen könnte, müsste sie sich nicht schneiden; ihr Körper würde auf normale Weise Tränen vergießen können.

Sie ließ die Finger über die geschnitzte Oberfläche des Schreibtisches gleiten und fragte sich, ob auf diesem Möbelstück ein Fluch lastete. Hätte ihre Familie überhaupt jemals existiert, wenn der eine Großvater nicht den anderen beauftragt hätte, ihn zu bauen und zu verzieren?

Wäre ihre Mutter ihrem Vater begegnet?

Sie wünschte sich oft, alle diese Dinge wären niemals geschehen. Das war einer der Gründe, weshalb sie gerne in Banquo, in der Klinik, war, es als Sanktuarium empfand – wenn auch eines, das zugesperrt wurde, Kopfkissen mit harten Kunststoffbezügen hatte und für ihren Geschmack zu viele Ärzte und Pflegepersonal besaß. Dort gab es Menschen, Mädchen wie sie, die verstanden, was für ein Leben sie führte, und es nicht sonderbar fanden, wenn sie nachts fremde Stimmen vor ihrem Fenster hörte, die sie zu ihrer Mutter riefen, und die zumindest nachfühlen konnten, wie es war, wenn man in ihrer Haut steckte.

Wenn man so war wie sie.

Eliza Day Connolly.

Annie ahnte es. Sie hatte ein einfühlsames Herz, wie die Mädchen in Banquo, aber gleichzeitig eine verblüffende innere Stärke, die ihr gefiel. Es war faszinierend, wie sie jede Situation meisterte, und Eliza wünschte sich, sie könnte von ihr lernen.

Aber sie wohnte viel zu weit weg; sie hätte gerne in Hubbard's Point gewohnt, dann hätte sie Annie häufiger sehen können. Der kleine Ort wirkte verwunschen, als würden dort die Geister aller Verstorbenen zusammenkommen, die geliebt worden waren. Eliza wusste, dass Annie es genauso empfand – ein Grund mehr, sie zu lieben.

Geister und Sorgen und Geheimnisse.

Elizas Mutter, zum Beispiel. Wann würde ihr abscheuliches Geheimnis ans Tageslicht kommen? Hatte ihr Vater es bereits entdeckt? Sie liebte ihn über alle Maßen, mehr als er es ahnte, und würde ihr Leben dafür geben, um ihn davor zu bewahren. Deshalb bereitete ihr die Stimme am Fenster so große Sorgen – weil sie Eliza an die Nacht erinnerte, in der ihre Mutter starb.

Aber die Stimme am Fenster kannte Elizas wahre Gefühle

nicht. Und auch nicht das Geheimnis. Deshalb hatte sie überprüfen müssen, ob ein Mensch aus Fleisch und Blut draußen auf dem Dach herumschlich – weil die Stimmen in ihrem Kopf Bescheid gewusst hätten. Und die Stimme am Fenster war ahnungslos. Sie wusste nicht, dass Eliza keine Lust hatte, zu ihrer Mutter zu gehen. Nicht die geringste.

Familiengeheimnisse.

Die Banquo-Klinik existierte in ihrem Leben genau genommen nur wegen dieser Familiengeheimnisse. Weil Menschen von Menschen verletzt wurden, die sie am meisten liebten. Was für andere Gründe könnten jemanden sonst in den Wahnsinn treiben? Eliza fiel kein einziger ein. Ihr Vater, einer der größten Geheimniskrämer aller Zeiten, sollte sich in Acht nehmen, denn wer konnte wissen, wie er sein Leben sonst bewältigen wollte. Er brauchte Eliza, um ihn auf Kurs zu halten.

Eines musste sie allerdings zugeben: Sie machte ihm das Leben bisweilen ziemlich schwer.

Genauer gesagt – sie tat bisweilen ihr Bestes, um es ihm zur Hölle zu machen. Um ihn als Vater bei der Stange zu halten, ihn daran zu erinnern, dass SIE noch da war, dass SIE ihn noch brauchte, dass SIE ihn nie im Stich lassen würde. Wenn er damit beschäftigt war, sie im Auge zu behalten, hatte er weniger Zeit, sich mit der Frage herumzuquälen, was mit ihrer Mutter geschehen war.

Der Mann war ein Schatz, aber vollkommen blind, was bestimmte Wahrheiten betraf. Er dachte, seine liebe Charlotte hätte ihn erst mit ihrem Tode verlassen, an ihrem letzten Abend am Straßenrand. Ha!

Manchmal wusste eine Tochter es besser.

Ihre Lungen brannten, und ihr Herz hämmerte in der knochigen Brust, als Eliza ihren Vater durch das Fenster beo-

bachtete. Sie wusste, dass er eine Weile beschäftigt sein
würde …

Sie schloss die Augen, dachte an das Gespräch ihrer Mutter mit Sean McCabe. Der ihre Bankangelegenheiten re-
gelte, dem sie vertraute.

Seltsam, dass Annie, ihre neue und einzige beste Freundin, Sean McCabes Tochter war; aber wozu sollte es gut
sein, an D.I.D. – auch Schizophrenie genannt – zu leiden,
wenn man die Krankheit nicht benutzen konnte, um sich
gelegentlich aus der Realität auszuklinken, wenn man es
am meisten brauchte? Um nicht von dem maronenfarbenen Van zu träumen …

Oder krampfhaft zu überlegen, woher sie ihn kannte. Der
Gedanke quälte sie, sie wusste, dass sie den Wagen schon
einmal gesehen hatte. Aber wo? Und wo hatte sie die
Stimme vor ihrem Fenster schon einmal gehört?

Diese Fragen raubten ihr den Verstand, deshalb hob sie
das Messer.

Sie wählte eine Stelle am Körper aus, die ihr Vater nicht sehen würde – die Oberseite des Unterarms, direkt unter
dem Gelenk; es war mittlerweile Herbst und kühl, und
lange Ärmel waren in Ordnung. Eliza setzte die Klinge an,
unendlich behutsam, und ritzte die Haut.

Nichts Dramatisches. Nur um dem Blut seinen freien Lauf
zu lassen, es fließen zu sehen. Einen Tropfen Blut. Und
noch einen.

Ihr Blut; Elizas Blut.

Sie erschrak jedes Mal, wenn sie es sah.

Sie wünschte, sie könnte weinen. Ihr war danach zumute,
beinahe …

Sie sah zu, wie das Blut aus der winzigen Schnittwunde
quoll, an ihrem Arm hinabrann, und litt Höllenqualen,
weil sie wusste, dass der Mensch nur aus Blut und Kno-

chen bestand und der Tod das alles blitzschnell dahinraffen konnte, und dass die Liebe oft dem Zorn wich, und dass man mit beiden nicht wusste, wohin …

Sie ließ das Blut an ihrem Arm herunterrinnen, auf den Schreibtisch ihres Großvaters aus dunklem seltenen Holz, und sie beobachtete, wie es über Poseidons Mahagoni-Gesicht floss, in die Meereswellen, die sich zu seinen Füßen kräuselten, und mit zusammengebissenen Zähnen, aber ohne eine Träne in den Augen, rieb Eliza ihr Blut in das Gesicht des Königs, ins Meer.

21

Samstag war ein langer, herrlicher, einsamer, schrecklicher Tag. Annie hatte das Gefühl, als würde sie sich einen Kinofilm ansehen, der ihr gefiel, nur um festzustellen,
dass sie keine Zuschauerin, sondern Mitwirkende war, weil
sich in Wirklichkeit ihr eigenes Leben vor ihren Augen ab-
spulte. Zumindest zeitweilig schienen die meisten ihrer
Wünsche wahr zu werden. Aber auch Ängste, von denen
sie nichts geahnt hatte ...
Es begann damit, dass Eliza um halb zehn gebracht wurde. Ihr Dad bog mit dem Pick-up in die Auffahrt ein, und
Annies Mom ging nach draußen, um ihn für halb sieben
zum Abendessen einzuladen. Eliza durfte nur deshalb so
früh kommen, weil sie beide versprochen hatten, zwei
Stunden Hausaufgaben zu machen, und sie beschlossen,
das Unangenehme zuerst zu erledigen.
Während sich ihre Eltern in der Auffahrt berieten, gingen
die Mädchen nach oben, in Annies Zimmer, wo Annie
Eliza den Platz an ihrem Schreibtisch anbot.
»Nein, lass nur. Ich nehme lieber dein Bett«, sagte Eliza
und ließ sich darauf fallen.
»Aber am Schreibtisch kann man sich besser konzentrie-
ren«, warf Annie ein.
»Vielen Dank. Ich weiß, aber ich bin ein bisschen lahm.
Meinem Körper ist heute nicht nach aufrechter Haltung
zumute.«
»Isst du was?«
Eliza schüttelte den Kopf. »Aber verrat es niemandem.
Mein Vater hat gedroht, mich nach Banquo zurückzu-

schicken, wenn ich nicht endlich damit anfange. Er ist …
nervig.«

»Er macht sich Sorgen um dich.« Annie war auch besorgt.
Eliza sah dünner aus als je zuvor, als wäre jede Zelle ihres
Körpers unterernährt und im Schwinden begriffen.

»Dazu besteht keine Veranlassung. Ich bin diejenige, die
allen Grund dazu hätte, sich Sorgen zu machen. Um IHN.
Er ist der Nagel zu meinem Sarg.«

»Dein Vater?«, fragte Annie entgeistert und darüber erschrocken, wie Eliza von ihrem Vater redete.

»Ja. Seit seine Werkstatt beinahe Konkurs anmelden musste, ist er völlig verändert. Lacht kaum noch. Apropos Essen … Wenn Männer mittleren Alters magersüchtig sein
können, wäre er ein Kandidat. Seit letztem Jahr …«

»War das nicht die Zeit, in der deine Mutter starb?«

Eliza hatte auf Annies Bett alle viere von sich gestreckt
und blickte sie mit funkelnden Augen an. »Ja. Und du
weißt ja, dadurch verändert sich alles.«

»Vielleicht ist dein Vater nur traurig.«

»Das ist ziemlich kompliziert.« Eliza nahm Annies Kissen
in den Arm und küsste es, als wäre es ein Baby. »Danke,
dass du mir helfen willst, mir über verschiedene Dinge klar
zu werden, aber das ist das Problem mit Familiengeheim-
nissen: Wir würden uns lieber die Zunge abbeißen, als ein
Sterbenswörtchen darüber zu verlieren. Also … was hast
du als Hausaufgaben auf? Ich muss Englisch machen.«

»Und ich Französisch.« Annie lächelte, aufgeregt bei dem
Gedanken an Familiengeheimnisse … Sie hatte selber ein
paar, und es war noch früh am Morgen, und der Tag lag
noch vor ihnen. Genau in dem Moment ging die Tür auf,
und ihre Mutter trat mit einem Teller Obst ein, in mundge-
rechte Stücke geschnitten – als wäre sie von Mr. Connolly
vorgeschickt worden.

»Hier, ihr zwei. Nahrung fürs Gehirn, während ihr lernt.«

»Mmmm, Äpfel und Birnen«, sagte Eliza und strahlte, als hätte man ihr gerade eine Platte mit Gold und Silber gereicht. »Die LIEBE ich. VIELEN Dank.«

»Keine Ursache, Eliza. Wir freuen uns, dass du da bist.«

»Ich auch.« Eliza strahlte noch immer.

Als ihre Mutter den Raum verlassen hatte, nahm sich Annie ein paar Scheiben, dann reichte sie Eliza den Teller. Sie schüttelte den Kopf. »Nein danke.«

»Aber du sagtest doch, du magst Obst.«

»Tue ich auch.« Eliza holte ihr Englischbuch aus dem Rucksack. »Aber ich esse es nicht.«

Annie nickte. Sie verstand und respektierte Elizas Entscheidung. Die Mädchen erledigten ihre Hausaufgaben – Eliza auf dem Bett, Annie am Schreibtisch. Die Hausaufgabe in Französisch war sehr schwer, aber auch schön, weil die Sprache wie Musik klang ... Im Französischunterricht fühlte sich Annie grazil und schick, kess und knabenhaft, die Art Mädchen, die ihr Vater hübsch gefunden hätte.

Annie saß an ihrem Schreibtisch und flüsterte den Dialog vor sich hin, bezaubert vom Klang der Worte, und selig, dass ihre Freundin bei ihr war. Dadurch vermisste sie ihren Vater weniger schmerzlich. »Du kannst ruhig laut lesen«, kam Elizas Stimme vom Bett.

»Ich wollte dich nicht bei deiner Englisch-Hausaufgabe stören.«

»Keine Bange. Wir nehmen gerade Dickens durch – *Große Erwartungen*. Ich kann den Text in- und auswendig. Einige von uns führen ein Leben wie bei Dickens ... vor allem, wenn er über Waisen und Tragödien schreibt ...«

Sie seufzte und kratzte sich am Arm, was in Annie den Wunsch weckte, einen Blick unter ihren Ärmel zu werfen, um zu sehen, ob es dort neue Narben gab. »Mein Leben ist leider ein riesiges Kapitel aus einem Dickens-Roman«, fuhr sie fort. »Mit Kobolden und ausgegrabenen Schädeln und Hunger und schmutzigen Straßen und Bösewichtern, die auf dem Dach stehen und schlafenden Mädchen etwas zuflüstern ... also bitte, nur zu: Lies mir deine Französisch-Lektion vor.«

»Was für Bösewichter?«

»Menschen, die mich VERFOLGEN.« Eliza fletschte die Zähne und formte ihre Hände zu Klauen. »MONSTER ...«

»Wirklich?« Annie überkam ein wohliges Schaudern bei einem so fantasievollen Spiel.

»Ja ... auf Schritt und Tritt. Ich spüre, dass sie da sind, aber wenn ich über meine Schulter spähe, sind sie VERSCHWUNDEN. Nur um in der Nacht zurückzukehren ...«

»Was tun sie nachts?«

»Sie rufen mich – ›Eliza, deine Mutter braucht dich.‹«

»Ich wünschte, mein Vater würde mich rufen.«

»Es ist nicht meine Mutter. Sondern nur mein verrückter Kopf«, flüsterte Eliza.

»Du bist nicht verrückt.«

»Manchmal fürchte ich, doch.« Dann lächelte Eliza. »Es ist aber nicht schlimm, sondern vielmehr eine gute Möglichkeit, Kontakt zu den Menschen herzustellen, die man geliebt hat ... Weißt du, gestern Nacht hatte ich ein Gespräch mit den zwei Großmüttern, denen ich erzählte, dass wir beide die besten, frisch gebackenen Freundinnen von Hubbard's Point sind. Hey, vielleicht ist es ja eine von den beiden, die mich an meinem Fenster ruft!«

»Möglich wär's.« In Annies Kopf drehte sich alles, wie so oft, wenn Eliza loslegte – wie es wohl in ihrem Kopf AUSSEHEN mochte? Und so las sie ihren Dialog vor, wobei ihre Aussprache zunehmend besser wurde, weil sie es herrlich fand, dass sie eine Zuhörerin hatte, eine Freundin, eine Schicksalsgenossin im Rettungsboot.

Ein wenig später endete der Film, und ein neuer begann. Nach den Hausaufgaben, als die beiden Mädchen beschlossen, das Mittagessen einzupacken und am Little Beach ein Picknick zu machen – damit Eliza, wen hätte es überrascht, sich seiner unterwegs entledigen konnte –, bemerkte Eliza den schwarzen Wagen, der ihnen folgte.

»Aha, Polizei«, sagte sie.

»Mmm.« Annie runzelte verlegen die Stirn.

»Wollen sie deinem Dad etwas anhängen?«

»Mmm.« Annies Schulter sackten noch mehr zusammen.

»Du brauchst dich nicht zu schämen. Dein Dad war also nicht perfekt. Wer ist das schon?«

Annie brachte zunächst keinen Ton heraus. Sie sah zu, wie der kennzeichenlose Wagen langsam vorbeifuhr, wie ein Hai auf Rädern: schwarzer Wagen, weißer Tod. »Ich dachte aber, er *wäre* es«, erwiderte Annie kläglich.

»Ich weiß, Annie. Das dachte ich von meiner Mutter auch.«

»Wann hast du herausgefunden, dass sie es nicht war?«

Eliza musterte Annie verstohlen, während sie weitergingen, als versuchte sie zu entscheiden, ob sie ihr vertrauen konnte.

»Was immer sie getan hat, es kann nicht so schlimm gewesen sein wie bei meinem Dad.«

Die beiden Mädchen gingen den Weg zum Strand hinunter, weg von der Promenade, die ihre noch lebenden Elternteile errichtet hatten. Als sie den steinigen Saumpfad am Fuße des mit Kiefern und Zedern bewachsenen Hügels erreichten, legte Eliza den Kopf in den Nacken und blickte nach oben.

»Was ist denn das?«, fragte sie.

»Der Weg zum Little Beach.« Sie erwartete halb, dass Eliza – in ihrem langen, eng anliegenden Spandex-Kleid und den Schuhen mit Plateausohlen – protestieren würde. Aber Elizas Augen weiteten sich fasziniert.

»Sieht wie der ideale Platz aus, an dem man über Geheimnisse sprechen kann. Ein verborgener, verzauberter Weg, wo sich brave Mädchen gegenseitig schreckliche und unglaubliche Dinge anvertrauen können ... und wo die Monster sie niemals finden!«

»Monster? Du machst Spaß, oder?«, fragte Annie beunruhigt.

»Ich denke schon.«

Annie spürte abermals, wie ihr ein wohliger Schauer den Rücken herunterlief. Das wunderbare Gefühl, sich schreckliche und unglaubliche Dinge erzählen zu können, die Wahrheit nicht verbergen zu müssen, bewog sie, Elizas Hand zu nehmen und ihr den steilen Pfad hinaufzuhelfen. Bäume säumten den Wegrand, die ausladenden Zweige über ihren Köpfen verschlungen, so dass grün gesprenkeltes Sonnenlicht auf ihre Schultern fiel.

Kaum hatte sie den Wald betreten, wickelte Eliza auch schon das Sandwich aus, das Annies Mutter zubereitet hatte, und warf es ins Gebüsch.

»Für die Vögel«, erklärte sie. »Oh, ich habe vergessen zu fragen, ob du meines auch noch willst ... du hättest beide essen können.«

»Mir reicht schon die Hälfte von meinem.« Annie entfernte die Plastikfolie von ihrem Truthahn-Sandwich und warf es Elizas hinterher.

»Du hast abgenommen.«

»Sieht man das?«

»Ja. Die Pfunde schmelzen nur so dahin. Sei vorsichtig, dass du nicht die Grenze zur Magersucht überschreitest. Wenn man einmal damit angefangen hat, kommt man nur schwer davon los. Hungern ist wie eine Droge. Wer braucht da schon Heroin?«

»Ich nehme keine Drogen.«

»Ich auch nicht ... nur mein PRN.«

»Dein was?

»In der Klinik. Beruhigungsmittel, wenn wir sie brauchen. Sie wollen damit verhindern, dass wir durchdrehen – äußerlich zumindest. Wie wir uns innerlich fühlen, steht auf einem anderen Blatt. Wir waren dort, weil wir innerlich durchgedreht haben.«

»Warum *warst* du in der Klinik?«, fragte Annie, als sie den dunklen, gewundenen Pfad entlanggingen, zwei Mädchen in einem Märchen, auf dem Weg zur Hütte des Hexenmeisters ...

»Willst du die ganze Geschichte hören?«

»Ja.«

»Sie ist nicht besonders lustig. Es geht dabei um meine Mutter ... und deinen Vater.«

»MEINEN Vater?«, fragte Annie fassungslos.

»Ja. Überleg dir also, ob du sie wirklich hören möchtest ...«

»Erzähl schon!«

Eliza hob die Hand und bedeutete Annie mit einer Geste, weiterzugehen. Sie gingen eine Minute schweigend nebeneinander her, dann verließen sie die Dunkelheit und gelangten – wie durch ein Wunder, als würden sie neu geboren – ins Sonnenlicht des Little Beach. An diesem Punkt des Weges begann sich Annie normalerweise zu entspannen, doch im Moment war jeder Muskel ihres Körpers verkrampft, als befürchtete sie, jeden Moment einem Ungeheuer zu begegnen. Und was war das für ein Rascheln im Unterholz – als ob ihnen jemand folgte? Sie zwang sich, die Angst abzuschütteln; Eliza hatte ihr nur einen Schrecken einjagen wollen.

Als sie ungefähr die Hälfte des ersten Strandes hinter sich hatten und auf den »Super Simmy«-Haifischfelsen zustrebten, hielten sie an, um zu lauschen: Jemand streifte *tatsächlich* durch den Wald, gerade außer Sichtweite. Annie hörte Zweige knacken und Blätter unter den Füßen eines Menschen rascheln. »Hörst du das?«, fragte sie Eliza.

»Hmmm.« Eliza spitzte die Ohren.

»Sind das die Monster?«, flüsterte Annie.

»Ja!« Eliza zog ein furchterregendes Gesicht. »Sie wollen die Geschichte ebenfalls hören. Was ist mit dir, bist du bereit?«

»Ich denke schon.« Annie spähte zum Wald hinüber, konnte aber nichts entdecken und wusste, dass sie sich mit ihrer Freundin auf ein Spiel einließ, bei dem man leicht den Verstand verlieren konnte.

»Dein Dad war mein Treuhänder«, begann Eliza.

Annie zog die Nase kraus, versuchte sich zu erinnern, was ein Treuhänder war. Museen hatten welche, wie sie wusste, weil ihr Vater zu den Treuhändern des Kunstmuseums gehört hatte. Sie wollte nicht den Anschein erwecken, hinter dem Mond zu leben, aber wozu brauchte Eliza einen?

»Mein Großvater war sehr reich«, fuhr Eliza beinahe entschuldigend fort. »Sein Vater besaß Walfängerboote, die auf allen Weltmeeren segelten und Wale abschlachteten, prachtvolle Tiere, die keinem etwas zuleide tun. Ihm gehörte eine ganze Fangflotte … das Geld, das er damit verdiente, investierte er in eine Schifffahrtsgesellschaft …

und danach vergrößerte er seine Anlagen und investierte in Stromversorger.«

»Aha«, sagte Annie. Einer ihrer Großväter hatte Eis verkauft, der andere Steinmauern gebaut.

»Großvater Day – Obadiah Day – richtete ein Treuhandvermögen ein, was bedeutet, dass er tonnenweise Geld auf ein besonderes Konto einzahlte, an das niemand herankommt.«

»Wozu soll es dann gut sein?«

»Oh, man bekommt Zinsen dafür. Die Zinsen kann man nach Lust und Laune ausgeben.«

»Du und dein Dad?«

»Ähm, eigentlich nur ich. Ich sage ›wir‹, aber ich meine, ich. Ich zahle praktisch alles.«

»Du meinst, du zahlst alles selbst, was du dir kaufst?«

»Nein. Ich zahle *alles*. Unsere Lebenshaltungskosten, die Geschäftskosten meines Vaters ... Boote aus Holz zu bauen ist teuer. Mom zog ihn immer damit auf und sagte, sein Hobby würde uns noch in den Ruin treiben.«

»Aber ... für die Boote, die er baut, verlangt er gesalzene Preise. Das weiß ich von meiner Mutter.«

»Klar, weil das Material so viel kostet. Er verwendet extrem teures Holz. Manches ist selten, aus Sansibar oder Costa Rica. Kannst du dir vorstellen, was es kostet, eine Ladung Plantagen-Teakholz von Lamu hierher zu schaffen? Ein Vermögen! Und seine Arbeitskraft muss ja auch bezahlt werden. Er fertigt jedes Boot in Handarbeit, ganz alleine, daher baut er nicht viele.«

»Aber er ist der Beste auf seinem Gebiet. Hat mir meine Mom erzählt.«

»Sicher. Ich sage ja nur, dass er sein Hobby zum Beruf gemacht hat. Und sie hat es finanziert.«

»Hat ihn das gestört?«, fragte Annie verwirrt. Bei ihr zu

Hause war ihr Vater stolz darauf gewesen, dass ihre Mom nicht arbeiten gehen musste. Es hatte ihm gefallen, die »Brötchen zu verdienen«.

Eliza zuckte die Achseln. »Ich glaube, das war ihm egal. Oder ist ihm egal. Er ist anders als alle anderen; er liebt seine Arbeit, er liebt das Meer, er liebt mich. Er liebte meine Mutter. Gewisse Dinge sind für meinen Dad wichtig. Solange er sie hat, ist alles in Butter.«

»Du sagtest, mein Dad sei dein Treuhänder gewesen.« Annie schluckte.

»Ja. Er hat den Trust verwaltet. Zusammen mit meiner Mom.«

»Daher kannten sie sich?«

Eliza nickte, hob kleine Muschelschalen auf und ließ sie in ihrer Hand klimpern. Sie gingen weiter, zum zweiten Strand, zwischen dem riesigen Felsen hindurch, der ganz mit giftigem Efeu überwuchert war – gerade so, als würde ein Zauberer den Wanderern den Weg versperren wollen, doch Annie zeigte Eliza, wie man dem Hindernis auswich, schrittweise, mit dem Rücken zum Felsen, um die glänzenden grünen Blätter nicht zu berühren.

Abermals glaubte Annie, jemandem im Wald gehört zu haben, der ihnen unsichtbar zum Strand folgte. Wenn sie stehen blieben, hörte das Rascheln der Blätter auf. Vielleicht ein Reh? Sie schauderte, ging Eliza zum zweiten Strand voran.

Der Strand bestand nur aus Felsen: große Granitblöcke im Wasser, kleinere eigroße Steine oberhalb der Gezeitenlinie. Die Mädchen kamen nur langsam voran – Annie war barfuß, und Eliza hatte Angst, umzuknicken und sich den Knöchel zu verstauchen. Annie blickte zu dem kleinen Felsenarchipel hinüber, der in den Sund hineinragte; dort sah sie oft Quinn Mayhew, die weiße

Blüten in den Wellen verstreute, Gaben für die heimischen Meerjungfrauen.

»Er half ihr bei Investitionsentscheidungen«, fuhr Eliza fort. »Sie hielt ihn für einen guten Finanzberater.«

»Kanntest du ihn persönlich?«

»Ja. Sie nahm mich hin und wieder mit, wenn sie zur Bank fuhr.«

»Was sagte er? Was für einen Eindruck hattest du von ihm?« Annies Stimme brach, sie war so ausgehungert nach neuen Einzelheiten über ihren Vater, den sie nie wiedersehen würde, dass sie den unsichtbaren Beobachter im Wald vergaß, ebenso wie die Monster, die Ungeheuer, die hinter Elizas Geschichte lauerten.

»Er war sehr nett«, erwiderte Eliza sanft. »Er behandelte mich, als sei ich die wichtigste Person auf der Welt. Er nannte mich ›Miss Connolly‹.«

»Typisch Dad.« Annie schnaufte. »Er kam mit allen Menschen gut aus.«

»Ich vertraute ihm, damals, und das will etwas heißen. Als ich deinem Dad begegnete, dachte ich: ›Kein Wunder, dass er Treuhänder ist. Ihm würde ich mein Geld auch zu treuen Händen überlassen …‹«

»Warum hast du mir das nicht früher erzählt?« Annie begann zu weinen. »Du hättest wissen müssen, wie froh ich darüber gewesen wäre. Warum hast du mir die Geschichte verheimlicht?«

»Oh Annie.« Elizas Gesicht war bekümmert, und ihr Kinn zitterte wie Espenlaub. »Ich wollte dir den Rest nicht zumuten, auch jetzt …«

»Du musst, Eliza. Was war mit meinem Vater?«

»Er hat meine Mutter geküsst«, flüsterte Eliza, während Tränen über ihre Wangen kullerten. »Ich habe keiner Menschenseele etwas davon erzählt, nicht einmal meinem Vater. Aber ich habe es mit eigenen Augen gesehen. Sie dachten, ich sei auf dem Rücksitz eingeschlafen … und da küssten sie sich.«

»Nein.« Annie schloss die Augen.

»Er gab ihr irgendwelche Papiere, die sie unterschrieb, und dann küssten sie sich. Ich hasse die beiden … ich konnte ihm nie wieder vertrauen. Und ihr auch nicht. Tut mir Leid, dass du es von mir erfährst.«

»Du musstest es mir sagen.« Annie unterdrückte ein Schluchzen. Es lag nicht daran, dass die Neuigkeit sie schockierte; sie wusste schließlich über Lindsay Bescheid. Sie hatte gehört, wie sich ihre Mutter in den Schlaf weinte. Doch diese Tränen waren anders, noch schrecklicher.

Eliza hatte es mit eigenen Augen gesehen.

Annies Schamgefühle reichten tief, aber niemand wusste davon. Es war ihre ureigene, ganz private Scham, eingeschlossen und verborgen in ihrem Körper und ihrem Gedächtnis. Das Wissen, dass ihre beste Freundin Zeugin der Untreue ihres Vaters gewesen war, brach ihr das Herz.

Doch dann schloss Eliza sie in die Arme, und Annie wusste, dass sie die Situation gemeinsam durchstehen würden – Schwestern wie Annie und Pegeen – nur noch inniger verbunden. Schwestern, von denen jede mit ihren eigenen imaginären Monstern kämpfte.

Schwestern mit einem Geheimnis.

22

Während die Mädchen den Samstag miteinander verbrachten, absolvierte Bay einen Transport-Marathon: Sie brachte Billy zum Fußball nach Hawthorne und Pegeen zum Malunterricht nach Black Hall; dann fuhr sie weiter zu Kelly's, um noch mehr Zwiebelgewächse für Firefly Hill und ihren eigenen Garten zu besorgen. Als sie ihre beiden Jüngsten wieder abholte, musste sie Billys großen Augenblick als Torschütze würdigen, Peggys Pastellzeichnung bewundern und am Lebensmittelladen halten, um fürs Abendessen einzukaufen, bevor sie nach Hause fuhr.

Annie und Eliza waren von ihrem Spaziergang zum Little Beach zurück, und Bay freute sich, als sie Elizas Begeisterung bemerkte – der Strand vermittelte jedem das Gefühl, einen verwunschenen Garten entdeckt zu haben, in dem die Zeit still stand.

Als Dan eintraf, gab es Limonade für die Kinder und Mount Gay-Rum mit Tonicwasser für die Erwachsenen. Sie saßen im Garten und warteten darauf, dass der Grill heiß wurde, während Eliza wieder und wieder vom Little Beach erzählte.

»Wie in dem Musical ›Brigadoon‹, Dad. Man fragt sich, ob es den Strand wirklich gibt oder ob er nur ein Produkt der Fantasie ist … ein verzauberter Ort mit Elfen und Feen und boshaften, spionierenden Trollen und Magie.«

»Spionierende Trolle.« Dan lachte. »Die sind mir entgangen, aber ich kenne Little Beach gut, von dem Sommer, als ich in Hubbard's Point gearbeitet habe. Dort habe ich die Schaukel für deine Mutter aufgehängt, Annie.«

»Ich glaube, die hat sie mir gezeigt, als ich klein war.«
Bay sah sie an. Eliza war redselig, aber Annie wirkte unge-
wöhnlich schweigsam, seit sie vom Spaziergang zurück
waren. In letzter Zeit hatte sie einen großen Bogen um
Junk-Food gemacht, doch jetzt stopfte sie mit beinahe ver-
zweifelter Selbstvergessenheit Nachos in sich hinein. Bay
bat sie, ihr in der Küche zu helfen, und machte die Tür zu.
»Alles in Ordnung?«
Annie nickte.
»Wirklich? Sieht mir aber gar nicht so aus –«
»Daddy hat versucht, Familien zu helfen, ihre Häuser zu
behalten, oder?«
»Ja.« Sie hatte alles Mögliche erwartet, nur nicht das.
»Und er wollte verhindern, dass Geschäfte Bankrott ma-
chen?«
»Richtig. Warum fragst du mich das, mein Schatz?«
»Und deshalb war er ein guter Mensch, stimmt's, Mom?
Er war nicht durch und durch schlecht.«
»Oh Annie – nein. Das war er nicht. Hat Eliza etwas
Schlechtes über ihn gesagt? Bist du deshalb so aufge-
löst?«
»Nein, Mom ... ich habe mich nur gefragt ... Hatte Dad
viele Affären?«
Bay hatte ein flaues Gefühl im Magen. Es war grauen-
haft, dass ihre Tochter von Seans Fehltritten wusste, sich
sogar noch nach seinem Tod damit herumquälte. Und
warum brachte sie das Thema ausgerechnet heute Abend
zur Sprache? Lag es daran, dass sie Dan eingeladen hatte? Dass sie nicht mit ansehen konnte, wie ihre Mutter
mit einem anderen Mann zu Abend aß?
»Ich weiß nicht«, antwortete Bay. »Aber was zählt, ist, wie
sehr er dich geliebt hat. Dich, Billy und Peggy. An seinen
Gefühlen für euch hätte sich nie etwas geändert.«

Annie nickte bedrückt, als würde sie ihr diese Antwort nicht ganz abnehmen, hätte aber beschlossen, so zu tun, als ob.

»Alles in Ordnung, Annie?«, fragte Bay abermals. »Wäre es dir lieber, wenn die Connollys nicht mit uns zu Abend essen würden?«

Doch Annie schüttelte den Kopf und wich zurück. »Nein, Mom. Nein. Ich bin froh, dass sie da sind. Ich habe nur … nachgedacht. Aus keinem besonderen Grund … mir ging Verschiedenes durch den Kopf. Nach dem Essen gehen Eliza und ich noch einmal zum Little Beach, ja?«

»Dann ist es aber schon dunkel.«

»Ich weiß. Wir nehmen Taschenlampen mit.«

Bay nickte lächelnd und war erleichtert. Tag, Nacht, es spielte keine Rolle, die Jugendlichen von Hubbard's Point kannten den steilen Pfad durch den Wald zu dem verborgenen Strand und nutzten ihn bei jeder Gelegenheit. Der Gedanke gefiel ihr, dass die beiden Mädchen von der Magie dieses Ortes bezaubert waren, wie Tara und sie im gleichen Alter.

Als das Hühnchen fertig gegrillt war, bereiteten Bay und Billy für alle Fajitas zu. Die Luft im Oktober war kühl, und sie gingen ins Haus, um die Mahlzeit am Esszimmertisch einzunehmen. Annie und Eliza zündeten sämtliche Kerzen im Raum an. Bay hatte vorsorglich Holzscheite im Kamin aufgeschlichtet und erlaubte Billy, ihn anzuzünden.

Doch Annie und ihre Fragen gingen Bay nicht mehr aus dem Kopf. Sie redete sich ein, dass dies ganz normal war – solange die Ermittlungen liefen, würden die Kinder alle möglichen Dinge über ihren Vater zu hören bekommen. Annies sichtbare Freude an Elizas Gesellschaft war beruhigend. Und obwohl sie Billy einmal dabei ertappte, wie er Elizas Handgelenke anstarrte, um die sich Narben wie ein schmales Armband wanden, schlossen auch die anderen Kinder sie ins Herz.

Das Abendessen verlief heiter. Alle wollten die Geschichte hören, wie Dan die Uferpromenade gebaut und Bay ihm dabei geholfen hatte.

»Wie ihr vielleicht wisst, ist die Sixtinische Kapelle das Meisterwerk Michelangelos. Meines ist die Uferpromenade.«

»Ich finde es toll, dass sie bis heute gehalten hat«, schwärmte Pegeen.

»Ja, hier gibt es manchmal schlimme Stürme. Sie hätten die Promenade wegspülen können«, meinte Billy.

»Ich behaupte nicht, dass es die schönste Promenade der Welt ist«, meinte Dan. »Aber sie befindet sich direkt vor der Haustür. Atlantic City, Coney Island, Hubbard's Point. Ich glaube, ich habe sie sogar einmal auf der Titelseite des *Boardwalk Magazine* gesehen. Natürlich hätte sie es ohne die Hilfe eurer Mom nie so weit gebracht.«

»Und worin bestand ihre Hilfe?«, fragte Billy. Er kicherte. »Dad sagte immer, sie hätte zwei linke Hände.«

»Das hat er behauptet«, stimmte Bay zu.

»Weil du die gewissermaßen auch hast, Mom. Überlass den Hammer lieber mir.«

»Da schau her, was für ein kleiner sexistischer Macho!«, sagte Eliza.

»Ich glaube, das heißt ›sexistisches Schwein‹«, sagte Peggy, unbewusst Tara imitierend.

Annie und Eliza lachten, und Billy wurde rot. Er war in dem Alter, wo er sich für die Freundinnen seiner Schwestern zu interessieren begann, und es lag ihm daran, in ihren Augen einen guten Eindruck zu machen.

»Damals hatte oder war sie eine ganz passable rechte Hand«, erklärte Dan. »Und ich muss es wissen: Schließ-

320

lich bin ich darauf spezialisiert, Leute auszusuchen, die gut mit dem Hammer umgehen können. Ich hatte damals freie Auswahl am Strand, aber ehrlich gestanden, ich hätte keine bessere Hilfe als eure Mutter finden können.«

»Seid ihr gleich alt?«, fragte Peggy.

»Nein, sie ist ein junger Hüpfer im Vergleich zu mir. Ich hatte in dem Sommer, als ich hier arbeitete, bereits das College abgeschlossen; eure Mutter war gerade fünfzehn.«

Bay lächelte – die Kinder nahmen Dan gehörig in die Mangel. Aber er ließ es über sich ergehen, schien jede Minute zu genießen.

»Und jetzt bauen Sie Boote?«, fragte Billy.

»Ja.«

»Schnelle?«

»Segelschiffe und Dories, Billy – sie sind so schnell, wie man segeln oder rudern kann. Ruderst du gerne?«

Billy zuckte die Achseln und grinste. »Ich mag Jet-Ski.«

Ganz der Vater, dachte Bay.

»So etwas baue ich nicht. Du solltest mal ein Ruderboot ausprobieren.«

»Vielleicht mach ich das.«

»Mir gefällt rudern, Mr. Connolly«, sagte Annie.

»Habe ich schon gehört, Annie. Ich wette, du machst das ganz prima.«

»So gut nun auch wieder nicht.« Annie errötete. »Wenn ihr nichts dagegen habt, gehen Eliza und ich jetzt noch einmal an den Little Beach. Ich verspreche, dass ich sie vor den bösen Trollen beschützen werde.«

»Darauf möchte ich wetten«, lachte Dan.

»Meine Tochter, wie sie leibt und lebt«, sagte Bay.

Billy und Pegeen wollten Basketballwürfe üben, solange

es noch hell war, und so erteilte Bay allen die Erlaubnis, aufzustehen. Dan und sie beobachteten, wie alle vier aus dem Raum und aus dem Haus stürmten, die Erwachsenen mit einem Berg Geschirr und einem Grillenkonzert, das durch die Fenster drang, alleine ließen.

»Möchtest du Kaffee?«, fragte Bay.

»Lass mich zuerst beim Abwasch helfen.«

Sie lachte. »Das ist nicht nötig.«

»Ich möchte aber.«

Sie räumten den Tisch ab. Die Küche war gemütlich und hell, und sie standen nahe beieinander, als sie die Teller unter fließendem Wasser abspülte und in den Geschirrspüler einräumte. Es war ein wunderbares, unwirkliches Gefühl, so unerwartet vertraut und sanft wie die Segelpartie, als hätten sie nie aufgehört, Hand in Hand zu arbeiten, als wären sie immer noch Seite an Seite mit dem Bau der Uferpromenade beschäftigt.

Als sie fertig waren, gingen sie ins Esszimmer zurück, wo die Kerzen beinahe heruntergebrannt waren. Das Feuer im Kamin prasselte leise. Bay legte ein Holzscheit nach, und sie sahen zu, wie es Feuer fing. Sie blickte Dan verstohlen an. Er war groß und dunkel, der attraktive Ire, in den sie sich mit fünfzehn verliebt hatte. Doch im Moment ließ sie der Gedanke an die unglückliche Wende nicht los, die ihrer beider Leben seither genommen hatte.

»Woran denkst du, Bay?«

Sie schüttelte den Kopf. »Ich bin mir nicht sicher, ob du es hören willst.«

»Lass es auf einen Versuch ankommen.«

Sie hatte sich an die Kamineinfassung gelehnt, wischte Holzsplitter und Borke von ihren Händen und nahm im Sessel neben ihm Platz. Er saß auf ihrem Stammplatz, und sie setzte sich auf Seans.

»Ich dachte gerade, wie schwer das Leben ist.«

»Welcher Teil? Kinder alleine großzuziehen?«

»Ja – und alles, was damit einhergeht. Beruf und Haushalt unter einen Hut zu bringen, die Geldsorgen ... sich vor allem darum zu kümmern, dass es den Kindern an nichts mangelt. Sie sind so traurig. Sie mussten schon in so jungen Jahren einen schweren Schlag verkraften. Ihre bisherigen und *künftigen* Erfahrungen bleiben nicht ohne Auswirkung, ich weiß; aber was kann ich tun, um den Schaden zu begrenzen?«

Sie entdeckte die Andeutung eines Lächelns auf Dans Gesicht, aber er hatte den Kopf gesenkt, als wollte er es verbergen.

»Was ist?«

»Oh, nur die Sache mit dem ›begrenzen‹. Ich versuche mich daran zu erinnern, wann ich das letzte Mal glaubte, etwas beeinflussen zu können.«

»Wirklich?«

»Ja. Ich dachte, ich hätte alles unter Kontrolle. Ich war doppelt aufmerksam, kümmerte mich, hielt mich auf dem Laufenden ...«

»So etwas kenne ich aus eigener Erfahrung«, meinte Bay geistesabwesend, als sie an die letzten beiden Jahre dachte. »Ich dachte, wenn ich alles richtig mache, würde Sean mich lieben, unsere Familie glücklich sein, und die Welt wäre in Ordnung.«

»Klingt, als hätten wir die gleiche Philosophie.«

»Dann sag mir, wie ich Annie und den anderen das Leben erleichtern kann. Wie machst du das bei Eliza?«

»Eliza ...« Das Licht in seinen Augen erlosch.

»Was meinte sie damit ...«, begann Bay vorsichtig. »Bei unserer ersten Begegnung in deiner Werkstatt sagte sie, dass du sie verantwortlich machst ...«

»Für den Tod ihrer Mutter.« Dan schüttelte den Kopf und senkte den Blick. »Das behauptet sie – aber ich hoffe, das ist nicht ernst gemeint. Ich habe ihr immer wieder versichert, dass davon keine Rede sein kann, habe versucht, sie zu überzeugen ... damit sie nicht wieder in die Klinik zurückmuss.«

Bay wartete. Die Holzscheite prasselten und gerieten in Bewegung, Funken flogen den Rauchabzug empor.

»Was ist passiert, Dan?«, fragte sie leise.

»Eines Abends im April, vor einem Jahr, fuhren die beiden nach Hause. Charlie hatte geschäftlich in Black Hall und Hawthorne zu tun gehabt und Eliza mitgenommen. Eliza ist, nun ja, leicht reizbar ... und sie war wütend auf ihre Mutter. Freunde, die sie in Black Hall ins Auto steigen sahen, sagten, dass Eliza ihre Mutter angeschrien hatte und die Fäuste schüttelte. Ich wollte wissen, was für ein Problem die beiden gehabt hatten, aber sie weigert sich bis heute, darüber zu sprechen. Sagt, ich würde ihr nur die Schuld in die Schuhe schieben wollen, dass sie wütend geworden sei und den Tod ihrer Mutter verursacht habe.«

»Stimmt das denn?«

Dan starrte ins Feuer, dann schüttelte er den Kopf. »Nein.«

»Warum hat sich Eliza so aufgeregt?«

»Ich weiß es nicht. Sie konnte es noch nie leiden, zu warten – Besorgungen, wie zur Bank, zur Post oder zur Bücherei zu gehen, sind ihr lästig. Sie hat wenig Geduld. Bestimmt hatte ihre Mutter die eine oder andere Besprechung, und Eliza hasste es, wenn sie sich in die Länge zogen. Es wäre besser gewesen, Charlie hätte Eliza gar nicht erst mitgenommen. Aber ihre Unterschrift wurde gebraucht ...«

»Ihre Unterschrift?«

»Eliza ist die Nutznießerin des Treuhandvermögens, das Charlies Familie angelegt hat. Charlie war Treuhänderin dieses Trusts, aber es gibt noch ein paar kleinere Konten, die Eliza direkt gehören. Und Charlie brauchte an dem Tag ihre Unterschrift für irgendwelche finanziellen Transaktionen.«

»In Black Hall? Bei welcher Bank denn? Seans?« Bay runzelte verwundert die Stirn.

»Ja. Die Konten wurden schon vor Jahren dort eingerichtet, als Obadiah Day seine Schiffe in Black Hall baute, und nie nach Mystic verlegt.«

Bay hörte stumm zu. Die Realität drängte sich mit einem Mal zwischen sie, dunkel wie ein Stern, der vom Himmel gefallen und erloschen war. Sie hatte keine Ahnung, was es zu bedeuten hatte, aber ihre Kehle war plötzlich wie zugeschnürt; lag es daran, dass er nicht freiwillig mit dieser Information herausgerückt war? Dass Bay sogar jetzt noch nachhaken musste?

»Kannte sie ... Sean?«

»Ja. Er war einer der beiden Treuhänder ihres Vermögens. Er hatte die Aufgabe ein paar Jahre vor seinem Tod übernommen, ich glaube, von einem Mitarbeiter der Bank, der in den Ruhestand gegangen war.«

»Henry Branson«, sagte Bay. »Er war der Präsident der Bank; er hatte Sean eigenhändig ausgewählt und mit der Betreuung seiner wichtigsten Kunden betraut.«

Sie sah zu, wie die Funken flogen, im Rauchabzug verschwanden. Auf dem Kaminsims standen gerahmte Fotos: Sean mit den Kindern auf seinem Boot, am Strand, auf dem Floß, er winkte, hielt den Fisch hoch, den sie alle gefangen hatten. Bay blinzelte und wandte sich wieder Danny zu.

»Hat er –« Es fiel ihr schwer, die Frage in Worte zu kleiden, und sie senkte den Kopf, doch dann hob sie den Blick und machte einen zweiten Anlauf. »Hat er Elizas Geld unterschlagen?«

»Nein. Hat er nicht«, erwiderte Dan leise.

Bay nickte. Ihre Hände waren klamm; sie hatte befürchtet, Danny würde ihr etwas über Sean sagen, was sie nicht hören wollte. Ihre Augen brannten vor Zorn und ungeweinten Tränen. Dan schien ihre Empfindungen zu spüren, war selbst aufgewühlt, streckte den Arm aus und nahm ihre Hand. Die Kerzen brachten seine Augen zum Leuchten, sie wirkten tiefblau in dem sanften Licht.

»Charlie war auf dem Heimweg von der Stadt?« Bay wollte nun auch den Rest der Geschichte hören.

»Ja. Sie hatten Besorgungen und einen Einkaufsbummel gemacht. Eliza schweigt sich bis heute über die Einzelheiten aus, aber ich weiß, dass sie die Route 156 nahmen und am Straßenrand anhielten, direkt hinter Morton Village. Unmittelbar nach dem steilen Abhang, wo die Straße einen Knick macht –«

»Eine üble Kurve.« Bay hatte das Gefühl, als ob ihr das Blut in den Adern erstarrte.

»Ja«, sagte Danny. »Wohl wahr … Charlie stieg aus irgendeinem Grund aus. Eliza und sie hatten sich gestritten; sie wollte Eliza wohl Zeit geben, sich zu beruhigen. Charlie hasste Auseinandersetzungen und tat alles, um ihnen aus dem Weg zu gehen. Sogar auszusteigen und ihre Tochter an einer so unübersichtlichen Stelle im Wagen sitzen zu lassen … Das war alles, was Eliza gleich nach dem Unfall sagte, bevor sie sich weigerte, darüber zu sprechen. Sie hatte einen Schock erlitten, einen ganzen Monat lang war nichts aus ihr herauszubringen.«

»Armes Kind«, flüsterte Bay.

»Sie musste den Unfall mit ansehen. Sie saß auf dem Beifahrersitz, während ihre Mutter auf die andere Straßenseite wechselte. Sie rief ihr etwas nach. Sie schrie ihre Mutter an, sofort zurückzukommen und sie gefälligst nicht alleine zu lassen. Charlie hatte ihr den Rücken zugewandt, als sie die Route 156 überquerte – keine Ahnung, wohin sie wollte, es gibt dort nichts. Keine Geschäfte, keine Restaurants – die sind alle in Silver Bay, eine Meile vorher. Nichts als Felder und Wälder an der Stelle, wo Charlie die Straße überquerte. Völlig ziellos – nur um Elizas Wutausbruch zu entgehen.«

»Oh Dan.«

»Sie wurde von einem Van erfasst, er kam aus Richtung Silver Bay; der Fahrer hielt nicht einmal an.«

Bay fand keine Worte. Sie war die Strecke in den letzten Monaten häufig gefahren, erst letzte Woche. Sie dachte an die Kurve, die man nicht einsehen konnte, und wie Charlie die Straße überquerte, während Eliza im Wagen saß und alles mit ansehen musste.

»Eliza hatte einen Zusammenbruch.« Dans Stimme war rau. »Vor dem Unfall war sie ein ganz anderer Mensch. Sie hatte schon immer ein ungezügeltes Temperament, aber sie war glücklich und vergnügt – für jeden Spaß zu haben. Obwohl … in der Woche vor dem Unfall wirkte sie ein wenig in sich gekehrt. Als bereitete ihr etwas Kopfzerbrechen. Ich sprach Charlie darauf an, und sie meinte, das habe mit der Pubertät zu tun. Doch nach dem Unfall … ging Eliza auf Distanz.«

»Distanz?«

»Zu sich selbst. Zu mir. Eine Art innerer Rückzug.«

»Aber sie erzählte dir, was passiert war?«

»Ja – anfangs schon. Sie war hysterisch, absolut davon überzeugt, dass es ihre Schuld war, weil sie ihre Mutter in Rage gebracht hatte. Sie erklärte, der Van hätte direkt auf

Charlie zugehalten, als wollte er sie mit *Absicht* überfahren, und sei dann einfach davongebraust ...«

»Wurde der Fahrer ermittelt?«

»Nein. Ihre Beschreibung des Fahrzeugs war widersprüchlich: Zuerst sagte sie, es sei ein dunkelroter Van gewesen, dann meinte sie, er könne auch weiß und mit Blutspritzern übersät gewesen sein. Und später erklärte sie, er sei dunkelgrün gewesen, oder marineblau oder schwarz ...«

»Wie schrecklich für Eliza. Unvorstellbar, dass ein Kind mit ansehen muss, wie seine Mutter umkommt. Kein Wunder, dass sie völlig am Boden zerstört ist.«

»Sie hat das Bedürfnis, bei ihrer Mutter zu sein.«

»Sagt sie das?«

»Nein. Aber sie bildet sich ein, Stimmen zu hören, die sie rufen und ihr sagen, dass ihre Mutter sie braucht. Sie glaubt, dass sie an ihr Schlafzimmerfenster kommen, sie nennt sie die ›Monster‹. Psychisch ist sie im Höchstmaß labil; ihr Blick enthält immer einen Anflug von Panik. Panik und ständige, hilflose Sehnsucht –«

»Warum nennt sie die Stimmen Monster, wenn sie Eliza doch zu ihrer Mutter bringen wollen?«

»Ich weiß es nicht. Von Logik kann bei ihr keine Rede sein.«

»Du hast sie in die Klinik geschickt?«

»Ja. Beim ersten Mal dachte ich, das überlebe ich nicht. Ich weiß, das klingt melodramatisch, aber sie ist mein Kind. Hilflos mit ansehen zu müssen, wie sie sich zu Tode hungert, sich selbst verstümmelt – das ist furchtbar. Während ihres ersten Aufenthaltes hatte ich das Bedürfnis, sie jeden Tag zu besuchen. Sie baten mich, es zu unterlassen, ihr die Chance zu geben, gesund zu werden. Das war die schlimmste Zeit meines Lebens, ich sehnte mich nach meiner Tochter, wusste aber, dass sie ihren Weg alleine gehen musste, um zu genesen.«

»Aber du hast es durchgestanden.«

»Ja. Nach ihrer Rückkehr dachte ich, Gott sei Dank. Von jetzt an werde ich alles richtig machen – ich werde sie aufmuntern, ihre Lieblingsgerichte kaufen, keine Überstunden mehr machen, damit sie sich nicht einsam fühlt …«

»Aber es hat nichts genutzt?«

Dan schüttelte den Kopf. »Nein. Mein Traum vom perfekten Vater ging in die Binsen. Als sie das nächste Mal in die Klinik musste, fiel es mir schon ein wenig leichter, sie in der Obhut der Ärzte zu lassen. Und beim letzten Mal war ich regelrecht darüber erleichtert, sie in guten Händen zu wissen – hoffentlich erfährt sie niemals, wie sehr.«

»Doch nur weil du willst, dass sie optimal betreut und gesund wird. Du musst ja außer dir vor Sorge sein.«

»Du machst dir keine Vorstellung.« Danny war immer ein liebevoller, fürsorglicher Mensch gewesen, und Bay spürte eine beinahe greifbare Anziehungskraft zwischen ihnen. Sie umklammerte seine Hände. Dann zog er sie beide aus den Sesseln hoch und zog sie in seine Arme.

Vor dem Feuer stehend, während der Oktoberwind durch den Kamin hinabfegte und die Asche auf dem Feuerrost hochwirbelte, schmiegte Bay sich an ihn, spürte sein Herz schlagen. Seine Arme, die um ihren Rücken geschlungen waren, drückten sie noch enger an sich. Er roch nach Zedern und Gewürzen, sein blauer Baumwoll-Sweater war weich an ihrer Wange, und ein leises Stöhnen drang über ihre Lippen.

»Hilf mir«, hörte sie sich murmeln.

Falls Dan es gehört hatte, ließ er sich nichts anmerken. Er hielt sie in den Armen, wiegte sie am Feuer. Bay schloss die Augen und klammerte sich an ihn, an diesen Augenblick. Sie dachte an ihren Ausspruch und wie sehr sie seinen Beistand brauchte, wie sehr sie sich um ihre Kinder sorgte, vor allem um Annie, und wie allein sie sich jeden Abend fühlte.

Dan zog sie noch näher an sich, als wollte er sie nie mehr loslassen. Er brauchte offenbar genauso viel Beistand wie sie, die erste große Liebe ihres Lebens. Die Uferpromenade, die sie gebaut hatten, war nur wenige Schritte entfernt, und Bay dachte an die Planken, die sie Seite an Seite verlegt, an die Nägel, die sie eingeschlagen, und an die Nähe, die sie geteilt hatten, vor langer, langer Zeit, und sie dachte an neulich Abend im September, auf dem Wasser.

Diese Nähe spürte sie auch jetzt wieder.

Und sein klopfendes Herz sagte ihr, dass Dan das Gleiche empfand.

Unter dem hell erleuchteten Sternenhimmel, unterstützt von zwei Taschenlampen, bahnten sich Annie und Eliza ihren Weg durch den Wald. Nachts war alles ganz anders als bei Tag: Augen, die im Unterholz glühten. Rotwild, Waschbären … Geräusche – knackende Zweige und raschelnde Blätter: *Die Monster waren zurückgekehrt.* Fledermäuse schwirrten auf der Jagd nach Mücken durch die Luft, vollführten einen makabren Reigen, wie eine Achterbahn.

»›Der Wald ist herrlich, dunkel und wild‹«, zitierte Eliza. Annie zitterte nach Elizas vorheriger Eröffnung noch immer und blickte über ihre Schulter, verdutzt darüber, die Zeile aus dem Lieblingsgedicht ihres Vaters zu hören.

»›Doch Versprechen, die noch unerfüllt‹«, fuhr Annie fort.

»›Begleiten mich mit jedem Schritt, bevor auf leisen Sohlen der Schlaf eintritt.‹«

»»Begleiten mich mit jedem Schritt, bevor auf leisen Sohlen der Schlaf eintritt.‹«

Sie hatten die Lichtung am Strand erreicht, und nun gaben die dichten Bäume den Blick auf das Sternenzelt frei. Am nächtlichen Himmel schwang der Jäger sein blitzendes Schwert, während andere sagenumwobene Konstellationen weißes und blaues Feuer versprühten. Annie erinnerte sich an die Geräusche, die sie am Nachmittag vernommen hatten, und versuchte, die Angst aus ihren Gedanken zu verdrängen. Die Füße der Mädchen knirschten auf dem Sandboden, und der Strahl ihrer Taschenlampen huschte über den Strand, der vor ihnen lag.

»Da sind sie wieder«, flüsterte Eliza kaum hörbar und ergriff Annies Hand.

»Ich dachte, dass ich mir das vielleicht nur einbilde«, flüsterte Annie zurück.

»Nein. Du hörst sie also auch? Das freut mich – weil das bedeutet, dass ich nicht verrückt bin.«

»Vielleicht sind es irgendwelche Jungen, die uns nachschleichen, das haben mein Dad und seine Freunde früher bei meiner Mutter und Tara auch gemacht.«

»Glaubst du?« Elizas Stimme klang atemlos. »Ich hoffe es. Nein – das muss jemand anderes sein, Annie. Echte Menschen, keine Fantasie-Trolle. Los, schnell, lass uns umkehren. Oh Gott …«

»Schaffen wir es?« Annie war vor Angst wie erstarrt, als sie jemanden flüstern hörte. Die Stimme war sehr leise, und sie spitzte die Ohren, aber die Worte verloren sich im Wind, der vom Meer herüberwehte, und im Geräusch ihres eigenen, rasenden Herzschlags. Eliza drückte ihre Hand, zog sie zum Pfad zurück.

Plötzlich war da eine lautere Stimme – sie kam aus einer

anderen Richtung, aus der kleinen Bucht. Waren sie um-
zingelt? Annie keuchte in blindem Entsetzen.

»Hast du das gehört?«

»Schau doch –« Eliza deutete auf eine Schar Wildgänse,
die in einer V-Formation am Himmel entlangflogen und
dabei laute Schreie ausstießen.

Annie stand wie angewurzelt da; das Herz schlug ihr bis
zum Hals, und sie wollte glauben, dass die Geräusche, die
sie gehört hatte, von den Vögeln stammten. Doch als die
Gänse verschwunden waren und wieder Stille am Strand
einkehrte, wusste sie, dass es keine gute Idee gewesen
war, hierher zu kommen.

»Komm, Eliza«, sagte sie entschlossen und nahm ihre
Hand. »Lass uns nach Hause gehen.«

Eliza widersprach nicht. Sie schien die gleiche Angst
zu verspüren, lief voran, den dunklen Pfad hinab, nach
Hause.

23

Da es an der Küste beinahe eine Woche lang jeden Tag regnete, machte sich Bay die aufgeweichte Erde zunutze, um einige Pflanzen und Büsche auf Firefly Hill zu versetzen. Es goss in Strömen, als sie Steinkrautbüschel ausgrub und sie vor einem großen Rankgitter mit Schwarzäugiger Susanne wieder einpflanzte, um die kahlen Stellen unten an den Stielen zu verdecken; danach versetzte sie Bartnelken in eine Rabatte, die ein wenig mehr Farbe brauchte. Augusta liebte Kräuter, und so richtete Bay ihr Augenmerk auf die konzentrischen Kreise aus Minze und Salbei, schnitt die höchsten Pflanzen zurück, um sicherzugehen, dass sie den Winter überstanden.

Stürme hatten die Bäume ihrer letzten Blätter beraubt, und Bay rechte das Laub zu großen Haufen zusammen; es würde von Augustas Rasenservice-Firma abgeholt werden. Mit jedem Tag fühlten sich ihre Hände rauer, schwieliger an. Sie hatte Blasen von den Holzgriffen der Gartengeräte, und ihre Füße waren wund von der Feuchtigkeit in ihren Gummistiefeln.

Eines Nachmittags, kurz vor Halloween, schleppte sie die Frühbeetrahmen aus ihrem Sommerlager im Schuppen hinter Augustas Haus. Den Kopf gesenkt, kämpfte sie gegen den peitschenden Regen und den Wind an, während sie einige Cyretheabüsche abzudecken versuchte.

»Brauchst du Hilfe?«

Als sie den Blick hob, während der Wind ihr die Rahmen aus der Hand zu reißen drohte, sah sie Dan durch den Garten auf sich zukommen. Sie erschrak, aber es war eine freudige Überraschung. »Und ob! Könntest du die Seite dort drüben an den Pflöcken befestigen?«, rief sie, den Wind übertönend.

Er zurrte den einfachen Kiefernrahmen an dem Eisenpflock fest, den sie bereits in den nassen Boden geschlagen hatte. Bay machte das Gleiche auf ihrer Seite, erinnerte sich, wie ihre Großmutter immer gepredigt hatte, die Wurzeln der Cyretheabüsche müssten vor der Winternässe geschützt werden.

»Wie hast du mich gefunden?«, rief sie ihm über den Wind hinweg zu.

»Billy sagte, dass du arbeitest«, rief er zurück.

»Und du bist vorbeigekommen, nur um mir zu helfen?«

»Ich wollte dich zum Abendessen einladen.«

»Wie bitte?«

»Komm schon, Galway. Lass dich nicht lange bitten – wir gehen einen Hamburger essen.«

»Die Kinder –«

»Annie und Eliza machen Pizza für Billy und Pegeen. Also keine Ausrede – ich lasse nicht locker. Alles klar?«

Ihre Hände waren taub vor Kälte, ihr Gesicht brannte vom Regen, ihre Kleidung war durchweicht, und ihre Haut prickelte vor Aufregung, ihn wieder zu sehen. »Na gut.«

Sie ließ ihren Wagen zu Hause zurück, vergewisserte sich, dass es den Kindern an nichts mangelte – sie hatten kaum Zeit, ein paar Worte mit ihr zu wechseln, weil sie damit beschäftigt waren, ihre Pizzen so zu belegen, dass sie wie Kürbislaternen aussahen –, und zog trockene Jeans an.

Dan fuhr mit ihr zum Crawford Inn nach Hawthorne, einem uralten Landgasthof, den es schon vor dem Amerikanischen Unabhängigkeitskrieg gegeben hatte. Er hatte weiße Schindeln, grüne Fensterläden, eine lange Veranda an der Vorderseite und sieben Schornsteine; vor dem Haus stand ein Schlitten. Der Legende zufolge hatte General John Samuel am Heiligen Abend mit dem Schlitten den zugefrorenen Fluss in Black Hall überquert, an den Stellungen der Briten vorbei, um seiner Verlobten Diana Field Atwood Weihnachtsgeschenke zu bringen.

»Glaubst du die Geschichte?«, fragte Bay, die Dan gegenüber vor einem lodernden Feuer am Kamin saß, die Hitze in ihrem Gesicht rührte jedoch eher von seiner Nähe als von den Flammen her. »Von dem General und seiner großen Liebe?«

»Sicher. Du nicht?«

Bay nippte an ihrem Bier, beobachtete, wie sich der Klavierspieler und die Männer mit den Banjos bereitmachten.

»Früher schon. Als ich jung war. Und noch glaubte, dass Menschen zu solchen Taten fähig sind – für die Liebe Flüsse zu überqueren.«

»Und heute glaubst du nicht mehr daran?«

Sie schüttelte langsam den Kopf.

»Ich war gerne verheiratet.« Sie machte eine kurze Pause. »Am Anfang. Ich fand den Gedanken aufregend. Dass dein bester Freund unter dem gleichen Dach wohnt, immer da ist zum Reden oder Lachen oder wenn man jemanden braucht, der einem den Rücken kratzt, oder wenn man sich vor der Dunkelheit fürchtet ...«

»Gemeinsam durchs Leben zu gehen.«

»Kinder zu haben – das schien das Höchste zu sein. Zwei Menschen, und plötzlich ist man zu dritt, eine kleine Familie.«

»Meine Tochter war ihrer Mutter wie aus dem Gesicht geschnitten ...«, sagte Dan.

»Und meine war ganz der Vater.« Bay erinnerte sich da-

335

ran, wie Annie ebenfalls der Schalk in den Augen gesessen hatte, ganz wie bei Sean.

»Die Liebe wurde durch diese wunderbare Dreingabe noch gestärkt. Man musste sie nicht teilen, sondern erlebte sie noch intensiver – zielgerichteter.«

»Ja.« Bay war erpicht darauf, mehr zu hören, weil Dan ihr aus der Seele sprach; er zog auch eine Bilanz ihres Lebens.

»Für dich muss das Band noch fester geworden sein. Denn nach Annie kamen ja noch zwei weitere Kinder zur Welt.«

Bay nickte; der Druck in ihrer Brust begann nachzulassen, und sie trank abermals einen Schluck Bier. »Sean wollte unbedingt einen Sohn. Mehr als alles auf der Welt. Ich habe es Annie nie gesagt, aber der Wunsch bestand schon beim ersten Kind. War das bei dir auch so?«

Dan schüttelte den Kopf. »Ich wollte Eliza. Nur Eliza. Was immer sie geworden wäre, Junge oder Mädchen, ich hätte mich gefreut.«

»Genau das sagte mein Dad auch immer. Meine Mutter erzählte mir, dass er immer wütend wurde, wenn man ihn fragte, ob er sich einen Sohn wünschte. Aber Sean …«

»Ja?«

»Sean war glücklich, als Annie zur Welt kam, aber noch glücklicher, als Billy geboren wurde. Jetzt war unsere Familie komplett – ein Mädchen und ein Junge. Er wollte keine weiteren Kinder.«

»Aber dann kam Pegeen.«

Bay nickte. Sie beugte ihre Finger. Sie waren so kalt gewesen, aber nun tauten sie langsam auf. »Ja, Pegeen war unterwegs und …«

Dan wartete.

Bay brachte es nicht übers Herz, zu erzählen, dass Sean sich mit aller Macht gegen ein drittes Kind gesträubt hatte.

Die Schwangerschaft war Ursache vieler Streitigkeiten gewesen, der Wendepunkt in ihrer ohnehin brüchigen Beziehung, die Minute, in der sie buchstäblich nicht mehr zu kitten gewesen war.

»Sean war immer sehr figurbewusst gewesen – was mich betraf, wie nett von ihm! Er meinte, die dritte Schwangerschaft sei … unverantwortlich. Sie könnte ›meiner Gesundheit schaden‹.«

»Und?«

Bay lachte. »Nichts dergleichen. Nach Annie hatte ich problemlos abgenommen, aber nach Billy fiel es mir nicht so leicht. Weißt du, zwei Kinder und Sean, der Karriere zu machen begann, den ganzen Tag in der Bank eingespannt – nun, es war viel schwerer, Zeit für mich zu erübrigen, um schwimmen oder laufen zu gehen. Und während meiner Schwangerschaft mit Pegeen legte ich noch mehr zu als bei den beiden anderen. Hat Charlie auch so zugenommen, als sie mit Eliza schwanger war?«

»Dreißig Kilo, schätze ich. Ich musste ihr ständig Eiscreme besorgen. Walnusseis.«

»Nach dem ersten Kind nimmt man schneller ab«, sagte Bay und dachte daran, wie sich die Situation nach Pegeens Geburt zugespitzt hatte. Sean hatte ihr das Gefühl vermittelt, dick und hässlich zu sein, schlief nicht mehr mit ihr. »Aber ich habe mir Mühe gegeben, wieder auf mein altes Gewicht zu kommen.«

»Was spielt das für eine Rolle? Es ist doch nur zum Besten des Babys. Die Pfunde verschwinden irgendwann von alleine. Das Wichtigste ist doch, dass man eine Familie hat.«

Bay nickte. Sie trank ihr Bier aus, als das Banjo »When the Saints Come Marching in« zu spielen begann. Die Klänge waren laut und kraftvoll, und alle Gäste sangen mit, Dan und Bay ausgenommen. Sie hätte gerne eingestimmt, aber die Erinnerung an das schreckliche Jahr nach Pegeens Geburt ließ sie nicht los.

»Pegeen, ein hübscher Name«, sagte Dan.

Bay nickte lächelnd. »Ich habe im College die Pegeen in *Playboy of the Western World* gespielt. Ein wunderbares Stück. Kennst du es?«

Dan nickte. »Synge. Als ich in Irland war, auf der Suche nach meinen Wurzeln, habe ich mir die Aran Isles angeschaut.«

»Ich erinnere mich.« Bay war überglücklich gewesen, als er ihr von dort geschrieben hatte.

»Direkt nach meinem Sommer in Hubbard's Point«, fuhr er fort. »Ich beschloss, mir ein halbes Jahr Auszeit zu gönnen, vor meinem so genannten Eintritt ins Leben. Warst du mal dort?«

»Nein. Das war immer mein Traum.«

»Warum hast du deine Tochter nach dieser Figur benannt? Der Name ist hübsch, aber warum nicht Margaret oder Maggie oder irgendein anderer Allerweltsname?«

Bay antwortete nicht. Die Musik wurde lauter, beschwingter, urwüchsiger. Die Bedienung brachte das Essen, und Dan bestellte zwei weitere Bier. Die Burger waren innen noch blutig und schmeckten köstlich, und da die Musik so laut war, aß Bay schweigend und versuchte gar nicht erst, die Unterhaltung fortzusetzen. Dan erging es genauso. Es reichte aus, an einem Tisch zu sitzen, beieinander zu sein.

Als einem der Banjospieler eine Saite riss und er sie ersetzen musste, nutzte Dan die Pause. »Die Aran Isles befinden sich in der Galway Bay«, sagte er.

»Aha.« Bays Nacken prickelte.

»Ich war die meiste Zeit in Inishmore. Habe die Fähre von einem Anleger in Galway genommen.«

»War es so schön dort?«

»Es hat mich an Hubbard's Point erinnert. Dort gab es viele Felsen und klares kaltes Wasser, Kiefern und Eichen. Als ich auf der Fähre war, dachte ich an die Küste von Connecticut. An dich.«

»An mich?«

»Ja. Schließlich war ich ja in der Galway Bay.«

Bay betrachtete den Tisch. Er war lackiert, glänzte im Feuerschein. Ihr Herz klopfte wie verrückt, und mit einem Mal hatte sie Angst, den Blick zu heben. Sie verschränkte ihre Hände im Schoß und erinnerte sich, wie er sie in den Armen gehalten hatte; sie war bestürzt darüber, wie sehr sie sich wünschte, er würde es wieder tun.

»Manchmal habe ich mich gefragt, ob das der Grund für meine Reise nach Inishmore war. Damit ich die Chance hatte, durch die Galway Bay zu segeln. Obwohl ich mir ganz Irland ansah und meine Vorfahren aus Dublin und Kerry stammten ... solltest du einen Brief aus Irland erhalten ... aus *diesem* Teil Irlands.«

»Du fühltest dich durch den Geist von John Millington Synge zu den Aran Isles hingezogen.«

»Nicht weil ich deine Bucht besuchen wollte, Galway?«

Sie schüttelte den Kopf, ihr Puls raste.

»Nein. Synge hat dich dazu verleitet.«

»Hat er dich auch dazu verleitet, deine Jüngste ›Pegeen‹ zu nennen?«

Plötzlich fühlte sich Bay erhitzt, wie benommen. Das Feuer war zu stark geschürt, oder sie saßen zu dicht an den Flammen. Die Musik war zu laut, die Menge zu lärmend. Sie musste frische Luft schnappen. Dan bemerkte es; er bat um die Rechnung, legte das Geld auf den Tisch. Die Band stimmte gerade »Won't You Come Home, Bill Bailey?« an, als Bay und Dan den Raum verließen.

»Was ist?«, fragte Dan, als sie zu seinem Pick-up gingen.

Eine Welle der Gefühle drohte sie zu ersticken. Sean und sie waren in ihrer Jugend Stammgäste im Crawford Inn gewesen. Sie mochten die Musik und das Bier, das Popcorn auf Kosten des Hauses, den Schlitten vor dem Haus. Einmal hatte Sean sie in den Schlitten gezogen, seinen Mantel über sie und ihn gebreitet und sie leidenschaftlich geküsst, während Leute die Main Street von Hawthorne entlanggingen.

»Ich glaube nicht, dass der Schlitten über den gefrorenen Fluss fuhr«, sagte sie plötzlich, als sie daran vorbeikamen. »Ich glaube nicht einmal, dass er sehr alt ist oder dass es eine Liebesaffäre zwischen General Johnson und Diana-wie-auch-immer gab.«

»Nein?«

»Nein. Und ich glaube schon gar nicht an eine Liebe, die so groß ist – dass man sein Leben aufs Spiel setzt und sich hinter feindliche Linien begibt, nur um jemandem Weihnachtsgeschenke zu bringen.«

Dan schwieg. Er öffnete die Beifahrertür, um sie einsteigen zu lassen. Sie sah zitternd in der klammen Kälte zu, wie er um den Pick-up herumging. Der Regen machte die Straßen schlüpfrig, und das nasse Laub wurde in der Haltebucht am Straßenrand hochgewirbelt.

»Das hat er aber getan«, erwiderte Dan ruhig und ließ den Motor an.

»Woher willst du das wissen?«

»Weil Diana-wie-auch-immer Elizas Ur-Urgroßmutter war. Und ihre Tochter, Eliza die Erste, Obadiah Day den Ersten heiratete.«

»Tatsächlich? Aus einer so alteingesessenen Familie stammte Charlie?«

»Ja. Blaublütiger geht es nicht mehr.«

»Und die Geschichte ist wirklich wahr? Der General

riskierte sein Leben, um ihr ein Weihnachtsgeschenk zu bringen?«

»Ja. Einen Silberbecher, gefertigt von einem der besten Silberschmiede in Neuengland. Ein Mann namens Paul Revere. Eine Sonderanfertigung, nur für sie.«

»Was ist aus dem Becher geworden?«

»Er befindet sich jetzt in Elizas Besitz. Eigentlich gehört er in ein Museum, und ich denke schon länger, wir sollten eine Schenkung in Betracht ziehen.«

»Unfassbar«, flüsterte Bay. Ihr Herz klopfte derart heftig, als stünde sie am Rande einer steilen Klippe und liefe Gefahr, durch eine einzige falsche Bewegung in den Abgrund zu stürzen. Sie wandte den Blick von Danny ab, presste die Stirn gegen die kalte Fensterscheibe. Was hatten Sean und sie falsch gemacht, wenn eine solche Liebe zwischen dem General und seiner Diana möglich gewesen war?

»Und jetzt wüsste ich gerne, was es mit Pegeens Namen auf sich hat«, sagte er und nahm ihre Hand.

»Es ist ein irischer Name«, flüsterte sie.

»Er muss eine besondere Bedeutung für dich haben. Annie und Billy – Anne und William. Schöne, starke Namen, aber Pegeen steht auf einem anderen Blatt. Ich würde es gerne wissen, Bay.«

»Ich hatte innerlich das Gefühl, dieser Name sei der einzig richtige.« Sie brauchte das kalte Glas an ihrer Haut, als Stütze und um ruhig zu bleiben, um nicht in tausend Stücke zu zerspringen. »Während der dritten Schwangerschaft hatte sich die Beziehung zwischen Sean und mir vollständig geändert, und ich brauchte einen kraftvollen Namen für das Baby ... Nach Billys Geburt ... er hatte den Sohn, den er über alles liebte, und es schien, als konnte er nun auf mich verzichten.«

»Aber das gibt es doch gar nicht, das bildest du dir ein …«
Bay schüttelte den Kopf, vermied es noch immer, Danny
anzusehen. Die Erinnerungen waren übermächtig und
kehrten ihr Innerstes nach außen.

»Er hörte auf, mich zu begehren. Er brauchte mich als
Mutter für seine Kinder, und das war's. Er fand mich
dick, langweilig, als wären Milch und Windeln meine
einzigen Interessen. Wenn er Spaß haben wollte, zog er
mit seinen Freunden los. Zuerst mit einer reinen Män-
nerclique, Burschen, die wir von früher kannten und die
inzwischen selbst Familienväter waren. Sean rief den einen oder anderen an und nahm ihn auf eine Bootsfahrt
mit …«

»Während du schwanger warst?«

»Ja. Ich dachte, es läge an meiner Unförmigkeit. Nach der
Geburt des Babys werde ich radikal abnehmen, sagte ich
mir. So lange, bis ich meine alte Figur wieder habe, und
dann werde ich darauf achten, dass ich mein Gewicht eisern halte. Ich sah ja, wie er seinen Blick abwendete, wenn
ich mich auszog, und dass er im Bett möglichst ans andere
Ende rutschte.« Die Einzelheiten waren so schmerzhaft
und intim, aber der Regen trommelte auf Dans Wagen-
dach, und Bay konnte nicht mehr zurück, selbst wenn sie
gewollt hätte. Die Worte drängten aus ihr heraus, und sie
ließ ihnen freien Lauf.

»Er hatte eine – es war nicht einmal eine richtige Affäre.
Eher ein ›Ausrutscher‹. Er hatte bei der Weihnachtsfeier
der Bank zu viel getrunken und übernachtete bei einer
Kollegin. Sie rief ihn später zu Hause an, so kam die ganze
Sache heraus.«

»Das ist furchtbar, Bay.«

»Das hättest du Charlie nie angetan, oder?« Bay versuchte, ihren Worten einen ironischen, unbekümmerten Klang

342

zu verleihen. Wozu sollte es auch gut sein, die alten Ka-
mellen wieder aufzuwärmen? Sean war tot.

»Nein.« Dan lachte nicht. »So etwas hätte ich niemals
getan.«

»Nun, Sean scherte sich nicht darum, und am Saint Patrick's Day betrog er mich das nächste Mal. Mit derselben
Frau … Tara sah sie im Tumbledown Café. Ich wollte ihn
rausschmeißen. Aber er versprach, sich zu bessern. Er versprach es hoch und heilig.«

»Das passierte alles, während du noch schwanger warst?«

»Ja.« Bay berührte verstohlen ihren Bauch, unsichtbar in
der Dunkelheit, selbst für Dan, und dachte an die drei
Kinder, die sie alle mit Liebe ausgetragen hatte. Sie erinnerte sich an den letzten Monat vor Pegeens Geburt, als
Sean jeden Abend nach Hause kam – nicht weil es ihn danach verlangte, sondern aus Pflichtgefühl, aus einem Gefühl der persönlichen Verantwortung, als hätte er sich
selbst gelobt, treu zu sein, ein guter Ehemann und Vater,
genau wie früher.

Er pflegte in seinem Sessel am Kamin zu sitzen und fern-
zusehen. Den Blick auf den Bildschirm fixiert, auf Basket-
ballspiele und Sitcoms, auf alles Mögliche außer Bay. Sie
hatte versucht, sich mit ihm zu unterhalten, über die Kinder, das Baby, das eine Woche überfällig war, über seine
Arbeit in der Bank und seine steile Karriere.

Sie hatte versucht, sich mit ihm über den Garten zu unterhalten und das Blumenbeet, das sie für jedes Kind anlegen
wollte. Das Baby in ihrem Bauch kam ihr so leicht und leb-
haft vor, dass sie zarte Anemonen und Rittersporn für ihr
Jüngstes pflanzen wollte.

Und sie hatte ihm sagen wollen, was für ein Glück es war,
dass sie sich schon ewig kannten, dass sie durch ihre gemeinsame Geschichte, den familiären Hintergrund und

ihre irische Herkunft miteinander verbunden waren. Und dass sie sich an einem Ort wie Hubbard's Point kennen gelernt hatten, wo ihre Kinder die Sommer verbringen und vielleicht ebenfalls der großen Liebe ihres Lebens begegnen würden ...

Sean hatte höflich genickt und mit so viel Interesse und Gier auf den Bildschirm gestarrt – vor allem auf die schlanken, hübschen, nicht schwangeren Cheerleaderinnen mit den großen Brüsten –, dass Bay das Fernsehgerät am liebsten mit einem Schürhaken, einem Schlagholz oder ihrem Gartenrechen zertrümmert hätte, notfalls auch mit Seans verdammtem, egoistischem Dickschädel.

Sie hatte sich in ihr Schlafzimmer zurückgezogen und alleine getrauert. Der Kummer, der an ihr nagte, saß tief: Sie hatte eine Familie mit einem Mann gegründet, dem sie nicht gleichgültiger hätte sein können. Seit das dritte Kind unterwegs war, wusste er nicht mehr das Geringste von ihr. Es kam ihr so vor, als wären sie zwei Schiffe, die in unterschiedliche Richtung segelten, ohne eine Verbindung, mit einer unüberbrückbaren Kluft zwischen ihnen.

Diese Stunden waren die dunkelsten ihres Lebens – schlimmer noch als die Entdeckung seiner Seitensprünge. Bay war von tiefster Verzweiflung erfüllt, als sie der Wahrheit über ihr Leben, ihre Ehe, ins Gesicht sah.

Und in dem Augenblick hatte ein ganz besonderer, irischer Zauber in der Luft gelegen. Bay erinnerte sich, wie sie aus dem Fenster geblickt hatte, auf die Marsch, die unter dem flimmernden Sternenlicht funkelte.

Und sie war auf eine emotionale Reise gegangen, durch die Marsch in den Long Island Sound, wo sich das Salzwasser und das Süßwasser des Connecticut River in der Flussmündung trafen. Die Geschichte spulte sich vor ihrem inneren Auge ab, rückwärts und vorwärts – bis in die Zukunft, wenn ihre Kinder längst erwachsen sein würden, am Strand mit ihren eigenen Kindern spielten. Und während sie den Treibsand hochwirbeln sah, hatte sie an ihren eigenen Namen gedacht – Bay.

Sie hatte an die fantastischen Buchten gedacht, die mächtigen Buchten der Welt, Buchten, in denen Schalentiere und Fische laichten, Buchten, die den namhaften Schifffahrtslinien einen sicheren Hafen boten: Hudson Bay, San Francisco Bay, Bay of Fundy, Baie des Anges, Biscayne Bay, Galway Bay und nicht zu vergessen Hubbard's Point Bay ...

»Du warst gewissermaßen dabei«, sagte sie nun zu Danny; ihre Stimme und ihre Hände zitterten, als sie sich ihm zuwandte und ihn ansah. »An dem Abend, als ich beschloss, sie Pegeen zu nennen.«

»Ich?«

Sie saßen in dem geparkten Pick-up und sahen sich in die Augen. Bay erinnerte sich an das Ende des besagten Abends: Als Sean zu Bett gegangen und sie sicher war, dass ihr Baby Pegeen heißen sollte, hatte sie Tara angerufen. Sie hatten den vor Busen strotzenden Fernseher genommen – genauer gesagt, hatte es Tara allein getan, weil sie der Meinung war, dass Bay, die eine Woche über Geburtstermin war, sich schonen müsste – und ihn mit Getöse und Genugtuung in das Flüsschen zwischen ihren Grundstücken geworfen.

»Ja, du«, sagte Bay.

»Wie das?«

»Als ich beschloss, meine Tochter auf den Namen Pegeen zu taufen, ging mir durch den Kopf, dass John Synge vom größten Dichter Irlands durch die Galway Bay nach Aran Isles geschickt worden war und dass ich *meinen* zweiten Namen ›Galway‹ dir verdanke. Ich weiß nicht, ob du meinen Gedankengängen von damals und heute folgen kannst, aber irgendwie warst du anwesend.«

»Ich muss dir nicht folgen.« Dan streckte die Arme aus, und Bay tat, was sie sich schon seit Jahren wünschte: Sie rückte näher, schmiegte sich hinein.

»Musst du nicht?«, flüsterte sie. Ihre Nervosität war verflogen, als sie den Kopf in den Nacken legte, um sich von dem einzigen Mann küssen zu lassen, den sie jemals geliebt hatte, abgesehen von ihrem Ehemann.

»Nein«, flüsterte er zurück. »Ich muss dir nicht folgen, weil ich bei dir bin.«

Er ist ein Ire, wie er im Buche steht, dachte sie und bewunderte die poetische Ader des Dan Connolly, genau zwei Sekunden lang, bevor er den Kopf beugte und sie mit solcher Inbrunst und Leidenschaft küsste, dass sie von Kopf bis Fuß spürte, wie jedes Jahr, jede Erinnerung, jedes Ereignis und jeder Kummer, der ihr jemals im Leben widerfahren war, ausgelöscht wurde.

Sie küssten sich, die Frau, die Synges Pegeen gespielt hatte, und der irische Poet, der Holzboote und Uferpromenaden baute, die Witwe und der Witwer, die sich berührten und an ihren Kleidern nestelten und stöhnten und mehr brauchten, als sie in einem geparkten Pick-up unter einer Straßenlaterne in Hawthorne bekommen konnten.

Bay schob ihre Hände unter seine Allwetterjacke, berührte den Knopf seines Hemds aus Sämischleder, nur den Kopf, und malte sich aus, wie es wäre, ihn zu öffnen. Sie spürte seine Arme, die in die Ärmel ihrer Jacke glitten und das linke Bündchen ihres Pullovers hinaufschoben, das Gleiche mit dem rechten versuchten, sich im Futter verhedderten, seine Hände rau und schwielig und warm auf ihrer kalten Haut …

Haut, die lange nicht mehr berührt worden war, ein Herz, das noch länger jegliche Berührung entbehren musste. Sein Mund war heiß auf ihren Lippen, sein Bart kratzte an Wangen und Kinn. Sie wünschte sich, dass der Kuss niemals enden möge. Sie wollte spüren, wie ihre weiche Haut über seine Bartstoppeln schabte, wie seine Lippen ihr Innerstes nach außen kehrten. Berührt werden war Magie, die einen zum Leben erweckte, wenn man sich schon tot wähnte …

Sie küssten sich, mit einer unerwarteten Leidenschaft, die sie in ihrem Inneren empfand; sie hätte es lieber langsam angehen lassen – nicht, weil es ihrem Wunsch entsprach, sondern der Kinder wegen, auf die es Rücksicht zu nehmen galt.

Die Kinder.

Was hatte ein Kuss mit den Kindern zu tun?

Bay wollte den Gedanken verdrängen, aber das ging natürlich nicht. Die Heizung blies warme Luft in den kalten Pick-up, dessen Scheiben beschlagen waren, und Dans Hände waren so unendlich langsam und prickelnd unter ihrer Jacke, aber über ihrem Pullover – doch der Gedanke an die Kinder veränderte die elektrisch aufgeladene Atmosphäre, warf sie aus der Bahn, ließen sie mitten im Kuss innehalten …

Sie riss sich zusammen, indem sie an den Schlitten dachte, in dem Elizas Vorfahre durch den Schnee geprescht war, mit dem kostbaren Silberbecher für die große Liebe seines Lebens … es schneite, der Fluss war zugefroren, Weihnachtsengel sangen, die Rotröcke schliefen in ihrer Festung … Diana – die Mutter der ersten Eliza –, die um das Leben ihres geliebten Generals bangte, der sich auf dem Weg zu ihr befand …

Es gibt eine solche Liebe, die alles wagt, dachte sie.

Dieser Gedanke gab ihr die Kraft, ihre Fassung zurückzugewinnen, es bei dem Kuss zu belassen, statt ihrer Sehnsucht nachzugeben. Er bewog sie, an Gefühle zu glauben, die aufrichtiger waren als alles, was sie in den langen, langen Jahren mit Sean empfunden hatte.

Sie hatte nicht mehr daran geglaubt, dass es eine solche Liebe gab.

Vermutlich nicht mehr seit der Geburt ihrer jüngsten Tochter, Pegeen.

»Alles in Ordnung?« Dan presste seine raue Hand an ihre kühle Wange, strich ihr das Haar aus den Augen.

»Und *wie*.« Sie wusste, dass sie strahlte, denn sie sah den Abglanz in seinen Augen.

»Ich hätte dich nicht küssen dürfen«, sagte er und schüttelte den Kopf.

Sie lachte; sie wünschte, er hätte die Worte nicht ausgesprochen, sondern sich genauso sagenhaft und unglaublich lebendig gefühlt wie sie. »Warum?«

»Weil …«

Als sie den Ausdruck in seinen Augen bemerkte, zuckte sie zusammen. Sein Blick war gedankenverloren, abweisend. *Er wollte mich nicht küssen, er begehrt mich nicht, ich habe ihn dazu gebracht*, dachte sie betroffen, voller Scham.

»Ich habe es mir so lange gewünscht.« Dan griff abermals nach ihr, hielt sich aber merklich zurück. »Ich musste dich einfach küssen, aber ich hätte warten sollen –«

»Bis wann?«

Dan wirkte nicht nur nachdenklich, sondern gequält, berührte ihr Haar, versuchte offensichtlich, einen Entschluss zu fassen. »Bis ich dir erzählt habe, was mit Sean war. Er kam zu mir, um ein Boot bauen zu lassen, aber das war nicht der einzige Grund.«

»Worum ging es sonst noch?«

»Die Sache ist ziemlich kompliziert.«

»Ich muss es wissen.« Sie hatte plötzlich große Angst.

»Ich wünschte, ich könnte die Zeit zurückdrehen.« Er umfasste ihr Gesicht mit beiden Händen. »Ich wünschte, ich hätte damals, vor fünfundzwanzig Jahren, meiner Intuition vertraut, die mir sagte, dass du die Richtige für mich bist. Ich hätte warten sollen, bis du erwachsen warst …«

»Mir geht es genauso. Es tut mit Leid um die Zeit, um alles, mit Ausnahme der Kinder …«

»Ich habe einen großen Fehler gemacht. Weißt du noch, was du früher immer über Sean gesagt hast, seinen Höhenflug und die Gefahr, dabei der Sonne zu nahe zu kommen?«

»Ja«, erwiderte sie beklommen.

»Ich kenne diese Versuchung, aus eigener Erfahrung.«

»In welcher Hinsicht?«

»Meine Frau war sehr reich. Und dein Mann war einer der Verwalter ihres Trusts. Er – ich glaube, er wollte mich in irgendwelche illegalen Machenschaften verwickeln.«

»Erzähl es mir lieber nicht.« Sie senkte den Kopf, konnte den Gedanken nicht ertragen, dass er in die ganze Geschichte verwickelt sein könnte.

»Bay, bitte hör zu. Ich habe mir nichts zuschulden kommen lassen. Aber es war eine Versuchung. Ich hörte mir an, was er zu sagen hatte, dachte darüber nach und sagte ihm, ich sei nicht interessiert.«

Bay schwieg, mit klopfendem Herzen.

»Bay?«

»Fahr mich nach Hause, Danny«, flüsterte sie. »Ja?«

Doch sie hörte die Antwort nicht mehr, weil Danny Connolly sie in seine Arme zog und abermals küsste. Und trotz aller Fragen und Zweifel, die ihr durch den Kopf gingen, konnte sie nicht anders, als seinen Kuss zu erwidern.

24

Tara«, rief Augusta aus ihrem Ankleidezimmer. Sie hatte sich in den wallenden Stoffbahnen aus mitternachtsblauem, beinahe schwarzen Chiffon verheddert – oder war es Taft; sie hatte die beiden nie auseinander halten können – und war nicht mehr in der Lage, die Arme auszustrecken. »Tara, meine Liebe! Könnten Sie mir bitte helfen?«

»Augusta, was ist passiert?« Tara lief aus dem Badezimmer herbei, roch nach Reinigungsmittel mit Limonenduft.

»Ich versuche zu entscheiden, was ich zum Pumpkin Ball anziehen soll, und ich habe diesen wunderbaren, hexenblauen Taft – oder Chiffon? – im Schrank, den Hugh mir von einer seiner Malreisen aus Venedig mitgebracht hat, und da dachte ich mir, Augusta, meine Liebe, jetzt oder nie! Gibt es, da das Motto in diesem Jahr ›Hexenzauber‹ lautet, eine bessere Farbe als Nachthimmelblau? Vielen Dank, meine Liebe«, sagte sie, als Tara sie um die eigene Achse drehte und auswickelte wie Garn von einer Spindel.

»Jetzt stillhalten«, befahl Tara und stützte sie, als sie die Stoffbahnen mit ein paar Handgriffen endgültig entwirrte. Augusta schwindelte wie ein Kind, das beim Blindekuh-Spiel zu oft herumgedreht worden war.

»Großer Gott.« Augusta ließ sich stöhnend auf die Chaiselongue mit dem verblichenen Chintzbezug in der Ecke ihres Ankleidezimmers fallen. »Man fühlt sich, als säße man in der Falle … wie eine Gefangene …«

»In blauem Taft.« In Taras Stimme schwang ein Lächeln mit.

Augusta seufzte. Ihre Kinder hatten sie immer für frivol gehalten – ständig machte sie sich für irgendeine Party zurecht, überlegte, was sie zu dem einen oder anderen Ball tragen sollte, oder bestickte reihenweise Kissenhüllen – und nun gab ihr Tara das gleiche Gefühl.

»Das Leben besteht nicht nur aus Kostümfesten«, meinte Augusta. »Ich versuche, mich für wohltätige Zwecke zu engagieren.«

»Sie haben Bay eine Chance gegeben«, sagte Tara. »Und sie liebt ihre Arbeit.«

»Sie ist ungeheuer begabt. Ich beobachte sie vom Fenster aus, wissen Sie. Sie versteht es, mit Erde und Pflanzen umzugehen … die Erde ist ihre Leinwand. Glauben Sie mir, ich erkenne auf Anhieb, ob ich einen Künstler vor mir habe. Ich finde es herrlich, Künstlern bei der Arbeit zuzusehen, wenn sie in ihrem Element und in Kontakt mit ihrer Muse sind. Ich kann es kaum erwarten, bis ihre Leinwand im nächsten Frühling zum Leben erwacht und ihre Blütenpracht sich entfaltet.«

Tara nickte, zufrieden und stolz auf ihre Freundin.

»Wie geht es Bay? Emotional und finanziell?«, fragte Augusta einen Augenblick später.

»Sie ist stark«, erwiderte Tara. Und ließ es dabei bewenden.

Augusta bewunderte ihre Zurückhaltung. Die Loyalität gegenüber Freunden war oberstes Gebot; das hatte sie ihren Töchtern immer eingetrichtert. Loyalität und Liebe.

Augusta hatte im Lauf der Jahre viel über die Liebe gelernt. Früher war sie der Überzeugung gewesen, sie sei ausschließlich zwischen einem Mann und einer Frau möglich, dass die romantische Liebe die einzig wahre Liebe und alles andere zweitrangig sei. Sie hatte mit der gleichen Gefühlstiefe gehasst. Die Frauen, die mit ihrem Mann geschlafen hatten, oder den Fremden, der vor vielen Jahren in ihre Küche eingedrungen war, mit seinem Gewehr und der Absicht, zu töten.

Ihre Kinder, ihre brillanten, wunderbaren Töchter, hatten sie gelehrt, zu verzeihen. Allen Menschen zu vergeben und ihnen mit Liebe zu begegnen. War das nicht der Sinn und Zweck des Lebens? Über das eigene Leid hinauszuwachsen und zu versuchen, andere zu lieben, zu geben, statt zu nehmen?

Augusta seufzte. Dermaßen tiefgründige Gedanken ermüdeten sie. Dennoch galt es, sich auf der menschlichen Ebene ständig weiterzuentwickeln. An Bay und ihre Familie zu denken statt an den Pumpkin-Kostümball.

Aber alle guten, heiligmäßigen Dinge mussten irgendwann ein Ende haben, und so holte Augusta tief Luft und stand auf. Erneut begann sie, die Stoffbahnen um sich herum zu drapieren. In Anbetracht des Mottos »Hexenzauber« und als Hugh Renwicks Witwe hatte Augusta beschlossen, sich wie eine der Hexen in einem berühmten Gemälde zu verkleiden.

Vielleicht wie die »Fliegenden Hexen« von Francisco Goya? Oder die »Vier Hexen« von Albrecht Dürer – eines ihrer Lieblingsbilder, das im Museum in New York hing, im Met; es würde so ein Spaß sein, im halbnacktem Zustand für Aufsehen zu sorgen! Oder wie wäre es – allein des Schocks und des Spaßes wegen neigte Augusta in diese Richtung – mit dem Bild »Der obszöne Kuss« aus dem *Compendium Maleficiarum* von Fra Francisco Maria Guazzo aus Mailand?

»Tara, was ziehen *Sie* eigentlich zum Pumpkin Ball an?«

»Ich weiß noch nicht genau, ob ich teilnehmen werde«, erwiderte Tara und legte mit dem größten Vergnügen Augustas Kaschmirpullover in der Pulloverschublade neu zusammen.

»Vielleicht sollten Sie Agent Holmes einladen.« Als Tara sie überrascht ansah, fügte sie hinzu: »Oh ja, ich habe sofort gemerkt, was Sie für ihn empfinden. Er gehört zu den Männern, die den Frauen den Kopf verdrehen.«

»Er hat meinen vielleicht verdreht, aber ich bestimmt nicht seinen.«

»Falsch, meine Liebe. Aber er macht sich Sorgen wegen des Interessenkonflikts. Oder weil es ungehörig erscheinen könnte. Warum machen Sie nicht die Flucht nach vorn und sagen ihm, dass der Pumpkin Ball eine erstklassige Gelegenheit ist, auf einen Schlag alle hochklassigen Kriminellen von Black Hall kennen zu lernen? Sie könnten sich ja als Mata Hari zur Verfügung stellen, als Teil seiner Tarnung.«

»Ich werde darüber nachdenken.«

»Wie auch immer, auch ohne ihn müssen Sie den Ball besuchen. Sie sind jung, lebenslustig und allein stehend. Und Sie sollten Bay mitnehmen. In dieser Stadt ist der Druck, als Witwe zu versauern, ungeheuer groß – glauben Sie mir, ich kann ein Lied davon singen. Schon allein deshalb sollten Sie sich nicht zu Hause vergraben.«

»Sean ist erst seit fünf Monaten tot«, gab Tara zu bedenken. »Ich glaube nicht, dass sie Lust hat, mitzukommen.« Wieder seufzte Augusta. Wenn sie diesen jungen Frauen nur beibringen könnte, dass das Leben schrecklich komprimiert war. Zu kurz, viel zu kurz. Man wusste nie, ob man einen weiteren Pumpkin Ball erleben würde. Er fand wie jedes Jahr am Vollmondabend im November statt, kurz vor Thanksgiving, und obwohl er oft verheerend romantisch war, galt es im Grunde, die Ernte des Lebens zu feiern.

»Trotzdem«, entgegnete Augusta eisern. »Nehmen Sie Bay an die Hand und kommen Sie.«

Tara staubte lachend Augustas Schuhe ab. »Das letzte Mal, als ich mich ihr zuliebe eingemischt habe, habe ich beinahe ihre Freundschaft eingebüßt. Und Ihre.«

»Aber schauen Sie, was unter dem Strich dabei herausgekommen ist: Sie ist glücklich, ich bin glücklich. Mein Garten wird das reinste Paradies auf Erden sein. Oh!«, rief Augusta, überrascht über ihre unbewusste Brillanz.

»Was ist, Augusta?«

»Ich hab's! Hieronymus Bosch – »Der Garten der Lüste«. Eines der verruchtesten Gemälde, die es gibt. Ein Triptychon mit der Schöpfungsgeschichte, Himmel und Hölle ... ein Abbild der Welt, in der sich die Sünde auf dem Vormarsch befindet. Sündige Gelüste! Das wird herrlich! Ich bin inzwischen uralt, aber es gibt niemanden in dieser Stadt, der die sündigen Gelüste intensiver ausgekostet hat als ich. Ich werde einen mitternachtsblauen Umhang tragen, und dazu einen Zauberbecher, als Accessoire. Apropos ...«

»Ja, Augusta?«

»Haben Sie meinen Florizar-Becher schon gefunden?«

»Den Silberbecher ...«

»Er ist immer noch spurlos verschwunden! Ich habe überall nachgeschaut, auf sämtlichen Etagen. Er wäre die perfekte Ergänzung zu meinem Kostüm. Was taugt eine Hexe ohne Zaubertrunk?«

»Ich werde heute besonders darauf achten, Augusta«, versprach Tara. »Er kann ja nicht weit sein.«

»Wenn ich mich recht besinne, habe ich ihn zum letzten Mal benutzt, als Sean McCabe mich in der Woche vor seinem Verschwinden besuchte. Um mich über den Tisch zu ziehen, wie sich herausstellte, aber damals dachte ich, ich würde lediglich Schecks unterschreiben, um Geld von A nach B zu transferieren. Wir stießen auf den Erfolg meiner Kapitalanlage an ...«

»Oh Sean«, flüsterte Tara mit zusammengebissenen Zähnen.

»Aber meinen Florizar-Becher hat er bestimmt nicht mitgehen lassen. Er war schließlich kein Kleptomane. Diese Spitzenmanager haben zwar Dreck am Stecken, machen sich aber nicht selbst die Hände schmutzig und *stehlen* wie ein gemeiner Dieb ...«

Die Worte hingen in der Luft, während Augusta und Tara über die Bedeutung des Wortes »stehlen« nachsannen: Im juristischen Sinne verstand man darunter die widerrechtliche Aneignung fremden Eigentums, gleich ob es sich um die Veruntreuung von Geldern aus Treuhandvermögen oder Bankkonten, Taschendiebstahl, Kunstobjekten von der Wand eines Museums oder Schmuck aus dem Tresor eines Juweliers handelte; egal war auch, ob der Diebstahl auf der Piazza San Marco, der Place Vendôme oder auf Firefly Hill stattfand. Das Wie und Wo spielte keine Rolle, und schlussendlich nicht einmal das Warum.

»Stehlen ist wirklich Sünde. Im Gegensatz zu den irdischen Gelüsten«, sagte Augusta.

»Ich weiß.«

Augusta holte tief Luft und seufzte. »Ich besitze viel zu viele Sachen. Sammelwut ist eine Begleiterscheinung des Lebens ... und keine besonders erfreuliche. Wenn ich zur Himmelspforte komme, wird Petrus mir gewiss nicht gestatten, Hughs Gemälde, die Fotos von den Mädchen, meine schwarzen Perlen oder den Florizar-Becher mitzunehmen.«

»Vermutlich nicht.«

»Und ich bin mir sicher, er würde auch Sean mit seinem gestohlenen Geld abweisen.«

»Falls er ihn überhaupt hereinließe«, erwiderte Tara traurig.

Joe Holmes fand, dass Black Hall wahrscheinlich ein anheimelnder Ort war, wenn man dort lebte – hübsche Häuser, eine idyllische Landschaft, Geschäfte, Schulen, Restaurants, Musikläden –, wie geschaffen für Paare oder Familien mit Kindern, doch als zeitlich begrenzter Einsatzort konnte man hier ziemlich einsam sein.

Er saß am Schreibtisch, trank einen weiteren Becher Kaffee von dem Coffeeshop nebenan und tat, was FBI-Agenten am besten konnten: Papierkram erledigen.

Eine seiner letzten Freundinnen hatte immer mit erwartungsvollen Augen die Tür geöffnet, als wäre er James Bond. Oder wenigstens Tommy Lee Jones. Als ihr klar wurde, dass seine Arbeit mehr Ähnlichkeit mit der eines langweiligen Buchhalters besaß, als die eines glamourösen Filmstars war, hatte sie ihm den Laufpass gegeben und sich einen Rechtsanwalt geangelt.

Wie er von seinem Vater wusste, waren Anwälte besser bei Kasse, konnten sich eher einen Aston Martin leisten als ein FBI-Agent. Außerdem war die Wahrscheinlichkeit größer, dass sie mit Fällen befasst waren, bei denen sie in den Genuss von jeder Menge Sex, Spitzenhotels mit Swimmingpool, edler Bettwäsche und teuren Drinks an schicken Bars kamen. Falls ein FBI-Agent einen Verdächtigen quer durchs ganze Land verfolgte – und dabei in einem dieser Radisson-Hotels am Flughafen übernachtete –, musste er die Spesen von einem Vorgesetzen genehmigen lassen, ein Nervenkitzel, der oft genauso groß war wie die Aufklärung des Falles selbst.

»Du übst deinen Beruf nicht wegen des Glamours aus«, hatte sein Vater einmal gesagt, als Joe sich darüber beklagt hatte, dass er ständig unterwegs war. »Sondern um Verbrechern das Handwerk zu legen.«

»Ich weiß. Genau wie du.«

»Du machst mich stolz, mein Sohn«, hatte sein Vater erwidert.

Das hatte ausgereicht, um Joe für schäbige Motels und Fast Food zu entschädigen.

Draußen regnete es in Strömen. Das Wetter passte perfekt zu seiner Stimmung, als er noch einmal die Unterlagen der Shoreline Bank durchging. Ein verwirrender Aspekt war die Entdeckung, dass Sean zehntausend Dollar auf eines der Konten zurückgezahlt hatte, von dem er zuvor Geld genommen hatte.

Hatte er geplant, es dort noch eine Zeit lang zu parken und erst später in klingende Münze umzuwandeln? Schwer zu sagen. In einem anderen Fall hatte er an einem Freitag im Mai sechshundert Dollar von einem Konto abgebucht und am Montag wieder eingezahlt. Was hatte diesen Sinneswandel verursacht? Joe blätterte die Kontoauszüge durch, auf der Suche nach Antworten. Konnten diese Manipulationen etwas mit der geheimnisvollen Unbekannten zu tun haben – mit dem »Mädchen«? Oder mit »Ed«?

Es gab immer noch keinen klaren Hinweis auf die Identität von Ed. Ralph Edward Benjamins Spitzname war »Red«, sowohl eine Verkürzung der beiden Vornamen als auch eine Anspielung auf die roten Haare, die er als Kind gehabt hatte. Außerdem gab es einen Eduardo Valenti und einen Edwin Taylor, keiner von ihnen schien jedoch in Frage zu kommen. Valenti war bis Mai Student an der Columbia Universität gewesen, und Taylor konnte ein makelloses Alibi vorweisen.

Joe reckte sich, lauschte dem Regen. Zumindest musste er nicht in einem pitschnassen Garten Sklavenarbeit verrichten, wie Bay McCabe. Er war in der Woche zweimal an Firefly Hill vorbeigefahren und hatte beide Male gesehen, wie sie bei dem Wetter draußen werkelte.

Beim zweiten Mal hatte er Tara O'Toole entdeckt, die über den Rasen zu ihrer Freundin lief. Das Bild brannte sich in Joes Gedächtnis ein. Sie sah wie ein kleines Mädchen aus, ungebändigt und selbstvergessen, blind gegen den strömenden Regen. Ihre langen Beine, die schlanken Arme, die schwarzen Haare ...

Und letzte Nacht hatte er von ihr geträumt.

Von beiden, genauer gesagt. Von den beiden Freundinnen, die im Mittelpunkt seiner Ermittlungen standen. In seinen Träumen befanden sie sich alle in einem Boot auf dem Sund. Joe war mit einer von beiden verheiratet ... eine völlig neuartige Idee. Er saß am Ruder, steuerte das Boot über die Wellen. Erinnerungsfetzen, die er seit langem begraben wähnte, tauchten wieder auf und wurden gegenwärtig: Er befand sich an Deck des Fischerbootes, das seinem Vater gehörte. Die Freude, auf dem Meer zu sein, sich mit dem Wind ein Wettrennen zu liefern.

Und die beiden Frauen waren bei ihm. Bay lehnte sich an die Lukenkimming, während Tara den Arm um Joes Hals geschlungen hatte. Der Wind zerzauste sein Haar, kitzelte ihn am Ohr. Nein, es war ein Kuss. Die Empfindung war stark, ihr Kuss ungestümer als die Meeresbrise, bewegte ihn in gleichem Maß wie der Wind das Schiff.

»Joe«, flüsterte sie in sein Ohr. »Du musst das Boot nicht mehr steuern. Nimm ruhig die Hände vom Ruder ... nur zu ...«

Aber Joes Hände konnten nicht loslassen: Er musste das Ruder umklammern, das Boot auf Kurs halten. Sie liebkoste seinen Nacken, seinen Rücken; er wollte nur noch eines, sie in die Arme schließen, unter Deck tragen, ihr die Kleider vom Leib reißen und mit ihr schlafen, mit seiner Frau.

Tara O'Toole Holmes. Sie schien viel Zeit in Andy's Plattenladen zu verbringen. Gestern hatte sie sich mit der Verkäuferin laut über ein Fest unterhalten, den so genannten »Pumpkin Ball«, sehr offensichtlich, wie er fand. Was hatte sie sich vorgestellt? Dass er von dem Regal mit »Over the Hill«-Jazz zu ihr herüberging und sie fragte, ob sie ihm das Vergnügen machen würde, ihn dorthin zu begleiten? Bedauerlicherweise verstieß es gegen die FBI-Regeln, während einer Ermittlung berufliche und private Kontakte zu vermengen und mit einer Zeugin auszugehen.

Bedauerlicherweise hin oder her, im Traum hatte er sich darum nicht die Bohne geschert …

Joe war zufrieden lächelnd aufgewacht, aber dann war das Gefühl der Nähe jäh verschwunden. Er hatte das Kopfkissen in seinem Motelzimmer an die Brust gedrückt, als wäre es Tara, und der Traum war so lebendig gewesen, dass er beinahe glaubte, sie tatsächlich in seinem Bett vorzufinden, wenn er sich herumdrehte.

Er hätte gerne gewusst, wie es wohl sein mochte, Zeit mit Tara zu verbringen, an einem schönen Herbstabend gemeinsam mit ihr Bay zu besuchen. Er hatte sie oft genug beisammensitzen sehen, nur die beiden, im Kreis von Bays Kindern. Zwei lebenslange Freundinnen, mit bewundernswertem Lächeln und Mumm, die sich gemeinsam durch die von Sean McCabe hinterlassenen Trümmer kämpften. Joe wusste, dass er außerstande war, so etwas einer Frau anzutun, die er liebte.

Das war einfach undenkbar. Andererseits fragte er sich, warum ein geradliniger Mensch wie er so wenig Glück hatte, eine Frau wie Tara zu finden. Zugegeben, er stellte hohe Ansprüche. Seine Eltern hatten sich sehr geliebt, und er war nicht bereit, sich mit weniger zufrieden zu geben. Er wusste auch, dass er sich nach einer Frau sehnte, die wie seine Mutter war, die das verrückte Leben eines FBI-Agenten verstand und sich nicht von einem Mann abschrecken ließ, der auch dann einen 10-mm-Revolver trug, wenn er einen Viertelliter Milch holen ging.

Er fragte sich, ob die Enkelin des besten Pistolenschützen im ganzen Land damit umgehen konnte. Vielleicht sollte er es herausfinden, indem er Tara O'Toole den Schock ihres Lebens versetzte und beim Pumpkin Ball auftauchte, um sie zum Tanzen aufzufordern.

Er schob die Unterlagen beiseite und griff in die verschließbare Kassette.

Er hatte einen beachtlichen Erfolg errungen und Seans Geheimkonto bei einer Bank in Costa Rica aufgespürt – die Chancen, Zugriff darauf zu erhalten, waren allerdings gleich null. Vor allem, weil man außer dem Kode eine zusätzliche Geheimnummer brauchte, die Joe nicht kannte. Er hatte die Offenlegung des Kontos beantragt, ein langwieriger Prozess mit unbekanntem Ausgang. Nichts weiter als bürokratischer Kleinkrieg.

Vielleicht sollte er nach Costa Rica reisen, um die Dinge selbst in die Hand zu nehmen. Er konnte Tara ja bitten, ihn zu begleiten. Sie würde ein solches Land zu schätzen wissen. Ein tropisches Paradies, ein Magnet für Urlauber: gelegen zwischen Pazifik und Karibik, traumhafte Strände, Angeln, Hotels, gemeinsame romantische Strandspaziergänge bei Mondlicht.

Schluss mit der Träumerei.

Costa Rica war auch das Mekka der Gauner und Gangster. Es stand bei ihnen hoch im Kurs.

Sie waren vor der Auslieferung sicher, konnten von den zugriffsicheren Bankkonten, den billigen Hilfskräften und den vorteilhaften Wechselkursen profitieren, und führten dort mit einer Million US-Dollar ein Leben in Saus und Braus. In den Strandbars wimmelte es von Wirtschaftskriminellen, die ihre Familien verlassen, Bargeld geschnappt und sich aus dem Staub gemacht hatten – um der strafrechtlichen Verfolgung oder dem Gefängnis zu entgehen. Sie hockten den ganzen Tag in den Bars, redeten endlos darüber, wie sie ihren großen Coup gelandet hatten, diskutierten über die hohe Kunst der Unterschlagung, des Betrugs, und wie sie die Leute ausgenommen hatten, die ihnen blind vertrauten.

Die Hälfte dieser Gesetzesbrecher glaubte ihre eigene Geschichte, die verqueren Argumente – dass sie nicht vorgehabt hätten, das Geld zu veruntreuen; sie hätten es zurückgezahlt, wenn die Opfer nicht so ungeduldig geworden wären. Die andere Hälfte wusste, dass sie Abschaum war, der log und betrog, scherte sich aber nicht darum, weil sie ungeschoren davongekommen war. Oder sie war ertappt worden und hatte es irgendwie geschafft, sich der gerechten Strafe zu entziehen.

Joe war der Ansicht, dass die erste Hälfte die gefährlichere von beiden war.

Betrüger, die sich selbst etwas vormachten, waren doppelt schlimm. Weil sie jeden Schachzug zu rechtfertigen suchten. Jeden Diebstahl. Jede Lüge.

Sean McCabe hatte zu dieser Sorte gehört. Joe kannte diese Sorte in- und auswendig. Der Mann hatte eine Menge in die Fassade investiert, die er anderen präsentierte; die Ironie in seinem Fall war, dass er vermutlich nur mehr Geld und mehr Spielzeug für Erwachsene gebraucht hatte, weil er sich damit mehr Freunde verschaffen wollte.

Golffreunde, Frauen, die seinen guten Geschmack und seinen Scharfsinn bewunderten.

Obwohl dieser hirnverbrannte Idiot das Paradies in seinen eigenen vier Wänden gehabt hatte. Was für ein Narr ...

Joe wandte seine Aufmerksamkeit den Briefen zu, die Daniel Connolly an Bay, Seans Frau, geschrieben hatte.

Die Briefe waren für Sean von Bedeutung gewesen, und Joe begann zu ahnen, warum. Beim Lesen wurde ihm schnell klar, dass Dan Connolly und Sean grundverschieden waren. Dan besaß etwas, worauf es Sean abgesehen hatte; vermutlich hatte er die Briefe studiert, um sich besser in Dan hineinzuversetzen, um herauszufinden, wie er ihn manipulieren konnte. In welchem Ausmaß hatte sein Motiv wohl mit Eifersucht zu tun gehabt – mit der Tatsache, dass zwischen Dan und Bay früher offensichtlich eine enge Beziehung bestanden hatte?

Joe wusste darauf keine Antwort, genauso wenig wie auf die Frage, ob Sean mit seinem Manipulationsversuch Erfolg gehabt hatte. Er drehte den Silberbecher um und betrachtete ihn nachdenklich.

Ihm war klar, dass weitere Nachforschungen unerlässlich waren. Er hatte Fotos an das Kunstlabor geschickt, in der Hoffnung, dass man sich dort einen Reim auf die drei Stempel am Becherrand machen konnte. Wenn er die Herkunft des Bechers ermitteln könnte ...

Sean McCabes Schließfach war wie der Raum, in dem ein Serienmörder seine Trophäen aufbewahrte. Joe war sich nicht sicher, wofür jedes der drei darin entdeckten Objekte stand, aber er wusste, dass die symbolische Bedeutung vermutlich wichtiger gewesen war als ihr materieller Wert. Er fragte sich, ob der Mann noch in anderen Verstecken Silber gehortet hatte: Fionas Silberpokal, beispielsweise.

Vielleicht ließ sich aus dieser Trophäensammlung eine Verbindung zu Seans Komplizen herstellen, falls er welche hatte; vielleicht stellte sie eine Art Versicherungspolice gegen Verrat dar. Oder war reine Angabe, der Wunsch, sich gegenseitig zu übertrumpfen.

Die Zahl, die Briefe und der Becher ...

Es musste eine Verbindung geben, und Joe war ihr dicht auf der Spur – sie schien zum Greifen nahe. Doch dann entzog sie sich ihm wieder, war so schwer fassbar wie der Traum von Tara in der letzten Nacht. Er nahm den Packpapierumschlag in die Hand, den er auf dem Boot gefunden hatte.

Joe betrachtete Seans gequälte Kritzeleien auf dem Umschlag und an den Rändern – wann waren sie entstanden? Das Mädchen ... und Ed. In dem Umschlag befanden sich die Kontoauszüge mit den Beträgen, die er zurückgezahlt hatte. Während Joe sie durchblätterte, überschlug er die Daten.

Was wäre, wenn Sean plötzlich Gewissensbisse wegen des Betrugs bekommen hätte? Wenn er beschlossen hätte, den Schaden wieder gutzumachen, statt weiter zu stehlen? Hatte Bay ihm nicht bei einer der ersten Befragungen erzählt, Sean habe versprochen, sich zu bessern? Den Daten im Umschlag zufolge hatte Sean damit kurz vor seinem Tod begonnen, gegen Ende des letzten Frühlings.

Was wäre, wenn Sean tatsächlich versucht hätte, sich zu ändern – und jemandem hätte das missfallen?

Joes Herz schlug schneller, er wusste instinktiv, dass er sich auf der richtigen Spur befand. Was wäre, wenn »das Mädchen« überhaupt keine von Seans Eroberungen war – sondern jemand, der sich in Gefahr befand, wie Sean wusste?

Bay, zum Beispiel?

Oder eine seiner Töchter?

Er starrte den hingekritzelten Lieferwagen oder Van an, ließ seinen Gedanken freien Lauf. Was für eine Rolle spielte er in diesem Fall? Keine große, es sei denn, wenn man an Charlotte Connollys Unfall mit Fahrerflucht dachte. War sie nicht von einem Van überfahren worden?

Er blätterte die Akte durch – da stand es ja: ein Van. Ein dunkelroter Van. Joe musterte abermals Seans Zeichnung. Es konnte ein Van sein, oder ein kleiner Lieferwagen. Zu viel Motorhaube, um eindeutig als Van identifiziert zu werden. Ein Lieferwagen, wie man ihn in einer Werft benutzt? Trotz aller Zweifel war das die einzige Spur, die er hatte, und so klappte er den Aktenordner zu und beschloss, eine Fahrt in Richtung Osten zu unternehmen.

25

Kelly's Landscapers bot eine kunterbunte Vielfalt aus Kürbissen, Heuhaufen und Äpfeln. Als Bay ihren Kombi mit Mulch und Kalk belud, war sie unfähig, sich auf die Blumen für den nächsten Sommer zu konzentrieren.

Sie konnte Dan nicht aus ihren Gedanken verbannen. Das Gefühl seiner Arme, die sie umfingen. Seine raue Haut an ihrer. Seine Nähe. Und das, was er ihr am Ende anvertraut hatte …

Sie fuhr in Richtung New London, zum Hafen, wo sie in den Parkplatz von Eliza Day Boat Builders einbog, ihren Wagen neben Dans abstellte und die Werkstatt betrat.

Sie stand in dem weitläufigen Schuppen und betrachtete die verschiedenen Boote, an denen er arbeitete. Zwei waren alt, wurden gerade überholt. Ein neues Segelschiff schien für den letzten Anstrich bereit zu sein. Und ein Dingi befand sich im Bau. Irgendwo spielte ein Radio, die Musik hallte durch die Werkstatt. Dem Klang folgend, traf sie Danny auf einer Leiter stehend an, auf der anderen Seite eines prachtvollen alten Bootes. Ihr Herz klopfte wie verrückt, als sie ihn ansah: seine breiten Schultern und starken Arme, seine blauen Augen, die Lippen, die sie geküsst hatten.

»Hallo«, sagte sie.

»Bay.« Seine Augen leuchteten vor Freude auf. Er trug Jeans und ein Sweatshirt, beide mit Bootslack verschmiert, und stieg die Leiter hinab, zwei Stufen auf einmal nehmend. Ihre Blicke trafen sich, als er vor ihr stand, aber er spürte ihre Anspannung und trat nicht näher.

»Ein Prachtstück!« Bay deutete auf das Boot, die Verlegenheit überspielend, weil sie sich zur Begrüßung nicht umarmt hatten.

»Sechs Meter lang. Schön und anmutig. Sie hat einen alten Holzplankenrahmen, der überall von Trockenfäule befallen war.«

»Was ist das für ein Holz?« Bay ließ die Hand über die glänzende, feine Maserung gleiten.

»Mahagoni aus Honduras.« Dan strahlte über das ganze Gesicht. »Du hast immer noch einen Blick für edle Hölzer.«

»Danke.« Sie konnte das Lächeln nicht erwidern. Ihre Haut brannte, und ihr Herz lag ihr wie ein Stein in der Brust. Bei jedem Atemzug schmerzten ihre Rippen. Die Ereignisse der letzten Zeit forderten ihren Tribut. »Ich muss mit dir reden, Danny.«

Er nickte, führte sie in sein Büro. Wieder einmal bewunderte sie den prachtvoll geschnitzten Schreibtisch – mit all seinen sagenumwobenen Geschöpfen des Meeres schien er eine Geschichte zu erzählen. Sie nahm Dan gegenüber auf dem Stuhl vor dem Schreibtisch Platz und holte Luft.

»Ich bin froh, dass du da bist«, sagte er.

»Ich auch …«

»Wenn du nicht zu mir gekommen wärst, wäre ich zu dir gefahren.«

Sie nickte. Sie blickten sich an, unausgesprochene Worte hingen zwischen ihnen in der Luft. Sie fragte sich, ob er sich im gleichen Widerstreit der Gefühle befand wie sie. Sie hatte sich für diesen Augenblick gestählt und wusste, dass sie die Beziehung zu Danny nicht fortsetzen konnte, ohne alles zu erfahren.

»Erzähl mir den Rest der Geschichte«, verlangte sie ruhig.

»Was wollte Sean von dir? Ich finde das Ganze ziemlich verworren.«

»Ich weiß.« Er nahm ein Messingwerkzeug von seinem Schreibtisch, betrachtete es stirnrunzelnd, legte es zurück. »Es hat mir auch keine Ruhe gelassen. Herauszufinden, was er vorhatte und warum er zu mir gekommen war. Ich habe keiner Menschenseele davon erzählt – wollte es wohl verdrängen.«

»Ich möchte verstehen, was passiert ist.« Bay blickte ihm in die Augen. »Es gab in letzter Zeit wenig, worauf ich vertrauen konnte. Ich dachte, dir könnte ich bedingungslos … Es war nicht fair, dich auf ein Podest zu stellen. Einem solchen Anspruch könnte niemand gerecht werden. Aber ich muss eines wissen: Hast du Sean geholfen?«

»Ihm geholfen?«

»Ich meine … warst du sein Komplize, konzentrieren sich die Ermittlungen auf dich?«

»Nein, Bay. Nicht dass ich wüsste.«

Bay senkte erleichtert den Kopf. »Als die Polizei mir zu Beginn des Sommers mitteilte, dass Sean Gelder seiner Kunden veruntreut hatte, dachte ich, das sei das Ende der Welt.« Bay erinnerte sich an das eiskalte Entsetzen, das sie damals gepackt hatte. »Im Ernst. Und plötzlich warst du da, und ich dachte, es sei ein Geschenk des Himmels, dass du wieder in meinem Leben aufgetaucht bist, als ein Freund …«

»Ich bin dein Freund, aber ich bin auch nur ein Mensch«, erwiderte er ruhig. Sorgenfalten erschienen auf seiner Stirn. Er sah sie an, seine blauen Augen waren dunkel vor Erschöpfung und Anspannung. »Darf ich dir erzählen, was passiert ist?«

Sie nickte, zog ihre Jacke enger und schlang die Arme um sich.

»Ich möchte zunächst wissen, warum du mich belogen hast. Bei meinem ersten Besuch, als du sagtest, du hättest Sean erst wieder gesehen, als er zu dir kam, um ein Boot für Annie bauen zu lassen.«

»Das stimmt, Bay.«

»Aber wenn er das Vermögen deiner Tochter als Treuhänder verwaltete …«

»Dafür war Charlie zuständig. Das Geld stammte schließlich aus ihrer Familie, die ziemlich begütert war. Ich habe mir nie etwas daraus gemacht. Ich weiß, das klingt nach Doppelmoral – und vielleicht ist es das auch, gewissermaßen. Ich meine, ich war froh, dass ich mir keine Sorgen um Hypotheken machen musste wie andere Leute. Ich stelle keine großen Ansprüche – ich brauche keinen Urlaub auf den Bahamas, oder einen BMW und eine Rolex.«

Bay nickte. Dem Dan Connolly, den sie gekannt hatte, waren der Wind, die Sterne, das Meer, edle Hölzer, gutes Werkzeug und Freundschaften wichtiger gewesen. In dieser Hinsicht war er das genaue Gegenteil von Sean, für den materielle Dinge gleichbedeutend waren mit Erfolg und Prestige – Statussymbole, deren Stellenwert sich mit jedem Jahr ihrer Ehe auf spektakuläre Weise erhöht hatte.

»Selbst Charlie ließ sich durch Geld oder das, was man damit machen kann, nicht sonderlich beeindrucken. Ich denke, das ist bei vielen Menschen der Fall, die zeitlebens genug davon hatten: Sie nehmen es als gegeben hin und sehen keinen Grund, damit zu protzen. Ich besitze meinen alten Pick-up seit Ewigkeiten; Charlie fuhr einen zehn Jahre alten Ford.«

Bay nickte und hörte aufmerksam zu.

»Sie … Eliza … das Geld gehörte den beiden. Ich wollte

nie etwas damit zu tun haben und war stolz darauf, dass ich es nicht brauchte. Ich stamme aus einer irischen Arbeiterfamilie, wir haben es immer aus eigener Kraft zu etwas gebracht. Mein Großvater war Schreiner, er hat diesen Schreibtisch gezimmert und geschnitzt ...«

»Für ihren Großvater ...«

»Wir stammten aus verschiedenen Welten. Ihrer Familie gehörte das Herrenhaus, meine Familie arbeitete darin. Sie waren Landbesitzer, wir waren Kaufleute.«

»Warum –«

»Warum wir geheiratet haben?« Dans Blick wanderte zu den Fotos auf dem Bücherregal. Charlie blickte den Betrachter an, blond, selbstbewusst, elegant – aber nun, im Vergleich zu Bay, kalt; eine Frau, die den Konflikt scheute und davonlief, statt sich mit den Gefühlen ihrer Tochter auseinander zu setzen. »Gegensätze ziehen sich bekanntlich an.«

»Stimmt.« Bay dachte an sich selbst und Sean; sie waren so unterschiedlich wie Tag und Nacht gewesen.

Danny nickte. »Ich war der große, linkische Arbeiterklasse-Held ohne gesellschaftlichen Schliff und Charlie die Debütantin aus dem Mädchenpensionat, die schon immer wusste, welche Gabel man benutzt.«

»Mach dich nicht kleiner, als du bist.«

Dan zuckte die Achseln. »Es gab alle nur erdenklichen Hindernisse. Ich bin Ire und Katholik, sie war eine typische WASP – weiß, protestantisch, Oberschicht. Das verursachte Probleme, vor allem an religiösen Feiertagen, und als Eliza geboren wurde. Aber im Wesentlichen gelang es uns, die Hürden zu nehmen. Unsere Strategie bestand darin, jedem Kampf aus dem Weg zu gehen. Charlie ertrug Auseinandersetzungen nicht. Deshalb war es für mich am einfachsten, sie gewinnen zu lassen.«

»Du hast nachgegeben?«

»Ziemlich oft. Wenn sie Recht hatte, hatte sie Recht; wenn sie im Unrecht war, behielt sie trotzdem das letzte Wort. Vielleicht wollte ich einfach nicht wahrhaben, dass wir zu verschieden waren, nicht wirklich zueinander gehörten – wollte deswegen nicht die Welle machen.«

Bay entdeckte ihr Spiegelbild im Glas eines der Fotos. Ihre wilde rote Mähne und die Sommersprossen ließen keinen Zweifel an ihrer Herkunft offen; auch sie war ein Produkt der irischen Arbeiterklasse, genau wie Dan und Sean. Doch während sie stolz auf ihre Wurzeln war, hatte Sean versucht, jeden Hinweis auf seine Herkunft in seiner Biografie auszulöschen, jede Erinnerung daran, dass die McCabes nicht immer dem Yachtclub angehört hatten, nicht immer Mitglied im Hawthorne Links gewesen waren.

»Ich dachte, du wärst glücklich gewesen«, sagte Bay. »Das entnahm ich der Art, wie du ihren Namen bei unserem ersten Wiedersehen ausgesprochen hast.«

Dan nickte. »Ich weiß. Das ist zur Gewohnheit geworden. Vielleicht, um mich selbst davon zu überzeugen, wenn ich es oft genug wiederhole. Weil ich sie liebte ... anfangs waren wir glücklich, sogar ziemlich lange. Doch ungefähr ein Jahr vor ihrem Tod veränderte sich unsere Beziehung. Ich weiß nicht, woran es lag, aber ich kann mich noch genau an den Tag erinnern. Ich kam von der Arbeit nach Hause, und sie war nicht da. Eliza war allein, völlig aufgelöst, weil ihre Mutter weg war.«

»Ich weiß, was für ein Gefühl das ist.« Bay schloss die Arme enger um sich, als sie an die Gesichter ihrer Kinder an dem Abend dachte, als Sean nicht nach Hause gekommen war.

»Charlie kam etwa eine Stunde später heim, glücklich und

aufgeregt, redete endlos über einen Film, den sie gesehen hatte. Ich weiß nicht mehr, wie er hieß – aber sie war mit einer Freundin ins Kino gegangen. Sie sagte ...«

»Dachtest du –«

Dan schüttelte den Kopf. »Ich dachte, sie sei mit einer Freundin unterwegs gewesen. Punkt. Und davon bin ich heute noch überzeugt.«

Aber das war nicht der Fall – wie Bay sah. Er belog sich selbst nach Strich und Faden.

»Danach war sie verändert. Vorher leuchteten ihre Augen immer, wenn ich abends nach Hause kam. In dem Jahr begann ich mich zu fragen, ob sie mit dem Gedanken spielte, mich zu verlassen. Ich fragte sie rundheraus – flehte sie an, mir die Wahrheit zu sagen. Charlie mochte diese inständigen Bitten nicht, mochte überhaupt keine Gefühlsausbrüche ... das lag wohl an ihrer Erziehung. Gefühle zu verbergen, sich nicht anmerken zu lassen, wenn man verletzt ist.«

»Wenigstens scheint Eliza in der Lage zu sein, sie zum Ausdruck zu bringen.«

»Das hoffe ich, und ich will es auch so. Für sie ist es schwerer, als es bisweilen scheint. Sie wird aggressiv, oder sie verkriecht sich in ihr Schneckenhaus. Dann lässt sie nichts an sich heran oder von sich heraus. Wie dem auch sei – aus heutiger Sicht muss ich gestehen, dass ich meine Arbeit in jenem Jahr ziemlich schleifen ließ.«

Bay wusste auch dieses Mal genau, wovon er redete. Sie dachte daran, wie oft sie abgelenkt war, wenn sie versuchte hatte, den Kindern bei den Hausaufgaben zu helfen, Normalität zu wahren, wie groß die innere Unruhe und Angst gewesen war ...

»Ich machte mir Sorgen, sie zu verlieren, und vernachlässigte meine Arbeit. Ich meine, Holzboote zu bauen ist meine große Liebe, aber im Vergleich zu meiner Familie zählen sie nichts.«

»Trotzdem gelang es dir, dein Geschäft über Wasser zu halten –«

»Ja; ich war zwar nicht mit dem Herzen bei der Sache, aber ja – das klingt nach einer Entschuldigung, ich weiß – aber das ist nicht so. Ich möchte es mir jedenfalls so einreden. Die Geschichte hat nämlich noch einen anderen Aspekt, und ich möchte, dass du alles erfährst. Charlie hat in meine Firma investiert.«

»In dieses Unternehmen?«

»Ja. In meiner Branche sind keine Reichtümer zu verdienen, gelinde ausgedrückt. Manche sagen, Boote zu bauen sei nicht nur kostenaufwändig, sondern auch Knochenarbeit. Vor allem, wenn es sich um klassische Holzboote handelt. Man muss verrückt sein, wenn man den ganzen Winter freiwillig in einem mehr oder weniger ungeheizten Schuppen verbringt. In manchen Jahren erziele ich einen kleinen Gewinn, aber normalerweise kann ich mich glücklich schätzen, wenn ich keine Verluste mache.«

»Also hat Charlie dir unter die Arme gegriffen.«

»Ja. Sie hat mich finanziert. Ich hatte nie das Gefühl, dass es sie störte – im Gegenteil, ich denke, es gefiel ihr. Sie fand es romantisch. Das Wissen, dass mein Großvater diesen Schreibtisch getischlert hatte und ich im Grunde in seine Fußstapfen getreten war … mit Holz arbeitete, klassische Boote nur mit meinen eigenen Händen baute. Unter ihren Vorfahren waren einige Seefahrer. Aber bei der ganzen Betrachtung der Vergangenheit haben wir vielleicht vergessen, den Blick auf die Zukunft zu richten.«

»Oder auf die Gegenwart.«

»Möglich. Jedenfalls fing sie plötzlich an, anzügliche Bemerkungen zu machen. Wer brauchte schon noch ein weiteres Juwel wie eine zweimastige Segelyacht, so in der Art. Sie interessierte sich mit einem Mal für Elizas Trust, für die Abläufe bei der Verwaltung von Treuhandvermögen, redete davon, noch einmal die Schulbank zu drücken und Betriebswirtschaft zu studieren. Es kam mir so vor, als wäre ich plötzlich zum Hilfsarbeiter degradiert worden.« Bay dachte an Sean, an seine überhebliche Einstellung gegenüber Arbeitern. Er sah auf sie herab, als gehörten sie einer niederen Kaste an. Obwohl sein eigener Vater ein einfacher Eisenbahnarbeiter gewesen war.

»In dem Jahr habe ich nur Mist gebaut. Ich nahm zu viele Aufträge an, und die Qualität ließ manchmal sehr zu wünschen übrig. Dann fiel ich ins andere Extrem – nahm überhaupt keine Aufträge mehr an. Das wenige Geld, das ich in der Zeit verdiente, war bald verbraucht. Also musste ich Charlie bitten, etwas aus dem Treuhandvermögen beizusteuern, um die laufenden Kosten zu decken und die Rechnungen zu bezahlen. Es ging immer mehr bergab.«

»War sie verärgert?«

Dan starrte den Schreibtisch an, als blickte er direkt in die Augen Poseidons. »Das war beinahe das Schlimmste. Es schien sie kein bisschen zu ärgern, sondern vielmehr zu amüsieren.«

»Oh ...«

»Als dürfte man das Ganze nicht zu ernst nehmen; sie hatte meine Arbeit immer als Hobby betrachtet, und nun brauchte ich eben mehr Geld, um es zu finanzieren. Sie hatte offenbar unbegrenzten Kredit bei den Leuten von der Bank; die Sache wurde im Büro des Justiziars im Schnellverfahren über die Bühne gebracht, wie sie es nannte, wenn sie über Elizas Treuhandvermögen sprach.«

»Sean gehörte zu diesen Leuten?«

Dan nickte. »Ja. Ich erinnerte mich, ihn öfter am Strand gesehen zu haben. Er war mir unsympathisch. Ich wusste nicht, dass ihr beide verheiratet wart. Ich hatte ihn seit Jahren nicht mehr gesehen, aber Charlie redete oft von ihm. Über sein Engagement, und was für ein Finanzgenie er sei, dass er sie ermutigen würde, sich eingehender mit dem Trust zu befassen, und angeboten habe, ihr dabei behilflich zu sein.«

Bay hatte Sean in seinem Element erlebt und seine Art früher anziehend gefunden. Er war beredt, verstand es, Menschen davon zu überzeugen, dass sie scharfsinnig waren, dass er noch von ihnen lernen könne, dass sie ein großartiges Team abgäben, wenn sie ihre Kräfte bündelten. Dieser Eigenschaft hatte er seine beruflichen Erfolge zu verdanken. Charlie stand auf einem anderen Blatt ... Sie war attraktiv, gehörte der Oberschicht an, besaß alles, was Sean sich wünschte ... Vielleicht waren seine Worte bei ihr keine bloße Masche, sondern ernst gemeint gewesen.

»Ich glaube, dein Mann wollte mit meiner Frau ins Bett«, sagte Dan.

»Meinst du, er hat es geschafft?«

Dan schüttelte den Kopf. »Nein, ich schwöre, das hätte ich gemerkt. Ich kannte Charlie durch und durch. Sie war für mich wie ein aufgeschlagenes Buch. Mit Sicherheit fühlte sie sich zu ihm hingezogen, wegen seiner Fachkenntnisse, seiner geschickten Schachzüge in der Finanzwelt – Dinge, die für sie eine willkommene Zerstreuung waren. Und ich denke, er schmeichelte ihr, was sie natürlich genoss.«

Bay zuckte angesichts dieser Vorstellung zusammen, aber es machte Sinn.

»Ich hätte ihn am liebsten umgebracht, lange bevor ich ihm nach all den Jahren wieder begegnete. Ich war davon überzeugt, dass er hinter Charlie her war, und obwohl ich nicht wirklich befürchtete, dass sie auf ihn hereinfallen würde, missfiel es mir, was er damit unserer Familie antat.«

»Es tut mir Leid.«

»Ist ja nicht deine Schuld, Bay. So weit also die Vorgeschichte. Der Rest ist schnell erzählt.«

Bay stählte sich innerlich, beobachtete Dans Gesicht. Er war ernst, hielt ihrem Blick stand.

»Charlie starb. Ich möchte nicht näher darauf eingehen, wie schlimm es war – für mich und für Eliza. Mein Geschäft hatte ein Jahr lang auf der Kippe gestanden, doch danach ging es rapide bergab. Ich übernahm Charlies Aufgabe als Treuhänder – damit hätte ich die Möglichkeit gehabt, Elizas Geld zu verwenden. Eines Tages rief ich Sean an, um mich zu erkundigen, ob die Möglichkeit bestand, den Trust zu beleihen – ich brauchte ein paar Tausend Dollar mehr als das, was mir regelmäßig daraus zufloss, als Deckung für einen Scheck. Am nächsten Morgen tauchte er bei mir auf.«

»Oh«, sagte Bay. Sean hatte hier offenbar eine Chance gewittert.

»Er war sehr verständnisvoll und locker … sah sich um, bewunderte die Boote.«

»Obwohl Holzboote nicht sein Ding waren«, warf Bay ein.

»Das ließ er sich nicht anmerken. Ich dachte, dass ich ihn vielleicht ganz falsch eingeschätzt hatte. Er tat so, als wären wir mit einem Mal die besten Freunde.«

»Das hast du ihm abgekauft?«, fragte Bay skeptisch, obwohl sie sich gerne eingeredet hätte, dass wenigstens einer in Sean einen guten Kern entdeckt hatte.

Er schüttelte bekümmert den Kopf, wollte sie nicht enttäuschen. »Nicht wirklich. Ich wusste, dass er etwas im Schilde führte. Er spielte Katz und Maus mit mir. Aber ich war in einer verzweifelten Lage – Eliza ging es damals nicht gut. Ich fürchtete, dass alles den Bach heruntergehen würde, dass ich alles verlieren würde, was ich mir aufgebaut hatte, wenn sich keine Lösung fand.«

»Das Treuhandvermögen ...«

Dan nickte. »›Eine Menge Geld, das ungenutzt in der Bank herumliegt‹, meinte Sean.«

»Und, wie hast du reagiert?«

»Ich habe die Sache eine Nacht überschlafen. Da er weder einen konkreten Vorschlag gemacht noch irgendetwas Illegales angedeutet hatte, dachte ich, es gäbe eine Möglichkeit, mit dem Geld zu jonglieren – den Trust kurzfristig zu beleihen – und dann alles zurückzuzahlen. Am nächsten Tag rief ich ihn an.«

»Sean?«

»Ja. Ich sagte ihm, er solle den Kredit vergessen. Ich wolle das Geld nicht – nicht einmal ein paar Tausend. Am Tag darauf tauchte er abermals auf.«

»Hier?«

Dan nickte.

»Er wollte ein Boot für seine Tochter in Auftrag geben ...«

»Wenigstens etwas.«

Aber Dan schüttelte den Kopf. »Nein, Bay. Ich glaube, das war nur ein Vorwand – ein Grund, herzukommen. Er meinte, Annie liebe Boote, sei aber völlig unsportlich – sie würde das Boot vermutlich kaum benutzen.«

»Dieser Mistkerl!«

»Stimmt, aber ich war auch nicht besser. In diesem Moment wusste ich nämlich genau, dass er mich zu einem unsauberen Geschäft überreden wollte. Er versuchte mich auszuhorchen – sich darüber klar zu werden, wie viel Geld ich brauchte und wie weit ich dafür gehen würde. Er benutzte seine Tochter, und ich meine.«

»Aber du hast nicht ...«

»Nein.« Er schüttelte den Kopf. »Ich hätte die Möglichkeit gar nicht erst in Betracht ziehen sollen. Aber ich befand mich in einer ausweglosen Lage, hatte Angst, die Werkstatt und damit meinen Lebensunterhalt zu verlieren. Meine Tochter hat ein für alle Mal ausgesorgt, aber ich möchte das Gefühl haben, für sie sorgen zu können. Ich möchte, dass sie stolz auf mich ist, auf meine Arbeit.«

»Was wollte Sean von dir?«

»Er meinte, als Treuhänder könnte er dafür sorgen, dass die Firma Geld aus Elizas Trust bekäme. Ich dachte mir, vielleicht sollte ich das Angebot annehmen, nur ein einziges Mal, ein Darlehen, abgesichert durch das Treuhandvermögen. Er warf mit Zahlen um sich – fünfzigtausend, hunderttausend.«

Bay verschränkte die Arme, hasste Sean, weil er Dan in Versuchung geführt hatte, sich am Geld seiner Tochter zu vergreifen.

»Ich dachte, wenn ich mich darauf einließe, nur für ein Jahr? Oder ein halbes? Ich hätte gezielt Werbung für meine Boote machen können, die Geschäfte wieder ankurbeln. Ich hätte Einschnitte bei den Materialien vornehmen, vielleicht preiswerteres Holz verwenden können. Meine Kunden sind in der Regel gut betuchte Yachtbesitzer und zucken mit keiner Wimper, wenn sie tief in die Tasche greifen müssen. Ich hätte es auch mit der Buchhaltung genauer nehmen und meine Außenstände eintreiben können – ich war ziemlich lax geworden, was den Papierkram betraf.«

Bay hörte schweigend zu und wünschte sich, Dan hätte gar nicht erst über den Vorschlag nachgedacht.

»Sean meinte, die Summe sei läppisch im Verhältnis zur Gesamthöhe des Treuhandvermögens.«

»Was forderte er als Gegenleistung?«

»Rückblickend glaube ich, dass er den Trust als eine Art Holding-Gesellschaft benutzen wollte. Er wollte wissen, was ich davon hielte, wenn es überhaupt einige kurzfristige Ein- und Auszahlungen gäbe, außer der Reihe; der langfristige Wert des Trusts würde dadurch nicht beeinträchtigt. Ich sagte ihm, das interessiere mich nicht.«

»Einfach so?«

Dan nickte. »Sobald er die Frage gestellt hatte, wusste ich, dass die Sache einen Haken hatte. Ich kenne mich im Bankwesen nicht aus, aber sein Blick sprach Bände. Er beeilte sich, die Scharte wettzumachen – indem er das Thema wechselte und mit mir über dieses Boot sprach, das er in Auftrag geben wollte.«

»Dieser Mistkerl. Sie hat das Modell *eigenhändig* für ihn gebastelt.«

»Ich weiß. Ich sagte ihm, dass ich es nicht als Vorlage behalten müsste – um es maßstabgerecht zu vergrößern, reichte es aus, einen Blick darauf zu werfen.«

»Und du glaubst, das Ganze war nur ein Vorwand – für was? Geldwäsche?« Der Ausdruck für diese illegalen Aktivitäten kam ihr absurd vor.

»Ich habe keine Beweise. Aber aus heutiger Sicht könnte es durchaus so gewesen sein; dann würden alle Teile des Puzzles zusammenpassen.«

»Warum hast du der Polizei nichts gesagt?«

»Weil ich Elizas Treuhänder bin. Und ein schlechtes Gewissen hatte, dass ich sein Ansinnen überhaupt in Erwägung gezogen hatte, wie flüchtig auch immer. Am liebsten hätte ich alles ungeschehen gemacht.«

Bay zitterte innerlich. Ihr Mann hatte sich das alles ausgedacht und viel Zeit darauf verwandt, den Plan auszuhecken, und ihr war nichts aufgefallen? Sie sah Dan an und erinnerte sich, wie sehr sie ihn früher geliebt hatte und wie gut neulich das Gefühl gewesen war, in seinen Armen zu liegen. Sie hatte einen Helden in ihm sehen wollen ... einen Mann, der sich nicht korrumpieren ließ ... Sie stand auf, ging unruhig hin und her.

»Warum ausgerechnet du? Und warum ausgerechnet Elizas Trust? Das ist doch nicht der einzige bei der Shoreline Bank.«

Dan räusperte sich und blickte Bay in die Augen. »Ich nehme an, deinetwegen. Oder besser gesagt, unseretwegen.«

»Was?«

»Diese Briefe, die wir uns geschrieben haben.«

»Er hat sie dir gezeigt?«

»Nein.« Dan schüttelte den Kopf. »Aber er wusste eine Menge über mich. Zum Beispiel, dass ich immer mit den Händen gearbeitet und meinen eigenen Lebensunterhalt verdient hatte, dass ich mir nicht viel aus Bankkonten und Geld machte – all das konnte er aus meinen Briefen an dich herauslesen. Obwohl das lange her war, ändern sich die Menschen nicht grundlegend in wichtigen Bereichen. Und als Mensch, der sich sein ganzes Leben lang wenig um solche Dinge gekümmert hat, aber eine Tochter mit einem Treuhandvermögen besitzt, ist man ein gefundenes Fressen für Finanzhaie.«

»Sean hat dich also gezielt ins Visier genommen, weil er der Meinung war, du wärst eine leichte Beute.« Es nahm Bay den Atem.

»Ein tolles Gefühl, wenn man ausgesucht wird, weil man ein Volltrottel ist und es geradezu herausfordert, betrogen zu werden.«

Bay kniff die Augen zusammen und nickte. Sie fand keine tröstenden Worte, weil sie dieses Gefühl aus eigener Erfahrung kannte. Ziemlich gut sogar.

»Bay.« Er stand auf und ging um den Schreibtisch herum. Sie sehnte sich danach, in die Arme genommen zu werden, ihn wieder in die Arme zu schließen, aber sie wich zurück.

»Nein …« Zitternd bewegte sie sich in Richtung Tür. »Auch wenn du nicht darauf eingegangen bist, finde ich es unerträglich, dass du den Vorschlag überhaupt in Erwägung gezogen hast. Und dass Sean deine Tochter benutzen wollte.«

»Bay, bitte –«

»Weißt du, was das Schlimmste ist?« Bays Augen füllten sich mit Tränen. »Annies Boot. Kannst du dir vorstellen, was ihr dieses kleine Modell bedeutet hat? Sie hat es für ihn gemacht. Und er war bereit, es als Köder bei seinen betrügerischen Machenschaften zu benutzen.«

»Es ist wohl eine Ironie des Schicksals«, sagte Dan mit schmerzerfüllten Augen. »Aber ich glaube, es war letztlich wirklich sein Wunsch, das Boot für Annie bauen zu lassen. Warum wäre er sonst noch einmal zurückgekommen, um mir das Modell zu bringen? Das war lange nachdem ich ihm gesagt hatte, dass ich nicht an seinen Finanzplänen interessiert sei.«

»Das ist inzwischen auch schon egal.«

»Ich weiß.«

»Auf Wiedersehen, Danny.« Bay zitterte innerlich von Kopf bis Fuß. »Ich muss über all das nachdenken.«

Draußen auf dem Parkplatz nestelte sie mit dem Autoschlüssel herum, dann stieg sie ein und knallte die Tür hinter sich zu. Der Gedanke an Seans Verhalten, an seinen unbekümmerten Umgang mit Recht und Gesetz, an den Versuch, das Treuhandvermögen eines minderjährigen Mädchens zu manipulieren, alles nur um des Geldes wegen, war so beschämend, dass ihr übel wurde. Wieso war ihr nichts aufgefallen? Hatte sie in einer anderen Welt gelebt?

Sie versuchte, herauszufinden, wann der Wendepunkt eingetreten war: Sean hatte sich verändert, nachdem Mark Boland zum Vorstand der Bank berufen worden war. Er hatte aggressiver gewirkt, noch ehrgeiziger. Wollte er damit protzen, dass er mehr Geld besaß, um sich für die berufliche Niederlage schadlos zu halten? Hatte er das Gefühl der Überlegenheit gebraucht, wenn er seine Kunden um ihr Geld prellte? Und was war mit dem Versprechen, sich zu bessern?

»Du verdammter Aufschneider!«, schrie Bay, allein in ihrem Auto. »Wie konntest du das tun?«

Die kriminellen Machenschaften ihres Mannes wurden mit einem Mal real. Bisher waren sie ihr wie graue Theorie vorgekommen – trotz der Polizisten und FBI-Agenten mit ihren Fragen und der Zeitungen mit ihren vagen Einzelheiten. Selbst Augusta hatte es vermieden, direkter zu werden. Danny hatte sie jedoch mit der Wirklichkeit konfrontiert. Nun konnte sie sich ein Bild von dem Mann machen, der Danny als Strohmann für seine unsauberen Geschäfte mit Elizas Trust einzuspannen versucht hatte, aus einem anderen Vater einen ebensolchen verantwortungslosen Mistkerl zu machen, wie er es war.

»Ich hasse dich, Sean«, schluchzte Bay. Sie wollte Danny nicht wiedersehen, weil er Sean von seiner schlimmsten Seite erlebt hatte oder sie stets daran erinnern würde. Sie hasste Sean, weil er alles verspielt hatte, was sie besaßen, ihr Heim, das Glück ihrer Kinder. Und sie hasste ihn, weil er ihren Glauben an eine heile Welt zerstört hatte. Als sie losfuhr, hätte sie um ein Haar den Wagen von Joe Holmes gerammt, der gerade auf den Parkplatz einbog.

26

Ich bin gerade Mrs. McCabe begegnet, sie schien es eilig zu haben, von hier wegzukommen«, sagte Joe und beobachtete Dan Connollys Miene. Seine Augen wirkten bedrückt und blickten immer wieder zur Tür, als könne Bay McCabe jeden Moment zurückkehren.

»Ja.«

Joe nickte, wartete auf mehr, aber er schwieg.

»Ich hätte da noch ein paar Fragen. Zum Tod Ihrer Frau.«

»Schießen Sie los.« Connollys Kiefermuskeln waren angespannt.

»Ich habe die Polizeiberichte und alle nachfolgenden Protokolle gelesen. Alles deutet darauf hin, dass Charlotte von einem roten Van überfahren wurde. Kein Lieferwagen. Ist das richtig?«

»Ein dunkelroter Van«, berichtigte Dan ihn. »Meinte Eliza zunächst.«

Joe nickte. »Im Polizeibericht stand, dass sie –« er hielt inne, bemüht, einfühlsam zu sein – »traumatisiert war. Dass sie wegen ihres mentalen Zustands nicht vernehmungsfähig war.«

»Sie war völlig außer sich.«

»Es besteht also kein – kein Zweifel an ihrem Erinnerungsvermögen, an dem, was sie sah? Könnte es doch ein Lieferwagen gewesen sein, den sie für einen Van hielt? Glauben Sie, dass sie den Unterschied kennt?«

Dan deutete auf den Parkplatz. »Ich bin Bootsbauer. Sie war ständig mit beiden Fahrzeugtypen umgeben. Sie kennt den Unterschied genau. Andererseits musste sie mit ansehen, wie ihre Mutter getötet wurde. Ihre Erinnerungen an diesen Abend sind verworren.«

»Hätten Sie etwas dagegen, wenn ich mit Eliza spreche? Nur um noch einmal zu klären, was sie gesehen hat –«

»Geht es hier um Eliza oder um mich?«, fragte Connolly scharf.

Überrascht, aber ohne eine Miene zu verziehen, holte Joe tief Luft. »Warum erzählen Sie mir nicht, was Ihnen im Kopf herumgeht?«, fragte er langsam.

Dan schüttelte den Kopf, dann schlug er die Hände vor die Stirn. Joe wartete, ließ ihm Zeit. Er wusste, dass Dan etwas bedrückte, was er lange Zeit verschwiegen hatte. Dieses Wissen zehrte an ihm: Joe kannte die Anzeichen.

»Ich bin froh, dass Sie da sind«, sagte Dan schließlich. »Ich wollte mich ohnehin mit Ihnen in Verbindung setzen. Ich habe Ihnen etwas zu sagen. Es geht um Sean McCabe und das Treuhandvermögen meiner Tochter … den Eliza Day Trust.«

In sein Büro zurückgekehrt, rief Holmes seinen Vorgesetzten Nick Nicholson an, um zu berichten, er habe nun die Bestätigung, dass McCabe den Eliza Day Trust benutzen wollte, um dort das unterschlagene Geld zu »parken«.

»War Dan Connolly beteiligt?«, fragte sein Chef.

»Nein. Da bin ich mir sicher. Aber es gibt seltsame Zufälle – ich habe Connolly aufgesucht, um ihm Fragen zum Tod seiner Frau zu stellen, und am Ende liefert er uns Antworten im Fall McCabe.«

»Ihnen war ja schon aufgefallen, dass es Unregelmäßigkeiten bei der Verwaltung des Trusts gab.«

»Ja. Von denen Connolly nichts ahnte. Diese Machenschaften fanden vor dem Tod seiner Frau statt. Er kümmerte sich nicht um Finanzangelegenheiten.«

»Warum sollte McCabe mit einem Mal Connollys Mithilfe brauchen, wenn er sein Geld ohnehin schon im Eliza Day Trust parkte?«

»McCabe witterte seine Chance, als er herausfand, dass Connollys Firma in Schwierigkeiten steckte.«

»Schwierigkeiten?«, wiederholte Nick skeptisch.

»Ich weiß, ich weiß.« Normalerweise brachte das alle Alarmglocken zum Läuten und legte den Gedanken an finanzielle Fehlgriffe nahe, aber sein Instinkt sagte ihm, dass es in diesem Fall anders war. »Ich könnte mich natürlich täuschen, aber ich glaube, McCabe und sein unbekannter Komplize wollten Connolly nur im eigenen Saft schmoren lassen.«

»Schmoren lassen?«

»Ja. Bis er reif war. Nach dem Tod seiner Frau hatte er Probleme, sein Leben auf die Reihe zu kriegen. Seine Firma, seine Tochter ... alles drohte ihm zu entgleiten, und er musste kämpfen, um es wieder in den Griff zu bekommen.

Wie auch immer, ich habe da eine Theorie. McCabe hatte den Trust schon früher benutzt; er brauchte grünes Licht von Connolly, um richtig zulangen zu können – nicht nur Geld zu parken. Falls Dan Connolly pleite oder in einer ausweglosen finanziellen Lage gewesen wäre, hätte Sean als Retter in der Not dagestanden, der ihm Mittel zuschanzte, während er den Rahm für sich selbst abschöpfte.«

»Sean versuchte also, einen weiteren Komplizen zu gewinnen.«

»Ja.«

»Nach bewährtem Muster. Weil er die Sache von Anfang an nicht allein durchgezogen hat.«

»Richtig«, bekräftigte Joe. »McCabe hatte Wechsel und Zahlungsanweisungen gefälscht; die kleineren Beträge wurden gleich auf seinem Konto bei Anchor verbucht. Das große Geld parkte er auf großen Konten, wie dem Eliza Day Trust.«

Joe überflog die Depotbescheinigungen für den Trust, die er auf seinem Schreibtisch ausgebreitet hatte. »Zum Schluss wurden die Mittel auf Offshore-Konten im Ausland verschoben. Ich vermute, dass er die anderen Trusts für die gleichen Zwecke benutzt hat – als Treuhänder war er bevollmächtigt, Schecks auszuschreiben und bei Bedarf Geld abzuheben.«

»Er hat sich vermutlich Leute als Opfer ausgesucht, die gerade einen Verlust erlitten hatten, einen Todesfall beispielsweise – Leute wie Connolly, die kein Interesse an den finanziellen Einzelheiten hatten.«

»Richtig. Doch dann wird es interessant. Ungefähr einen Monat vor seinem Tod beginnt McCabe, das Geld zurückzuzahlen. Kleinere Summen, und auch nur in wenigen Fällen – aber wenn ich weitergrabe, findet sich bestimmt ein Muster.«

»Wollen Sie behaupten, er hätte plötzlich Gewissensbisse gehabt? So etwas kommt selten vor – wie lange hatte er seine Kunden schon mit Erfolg um ihr Geld erleichtert? Und mit einem Mal beschließt er, wieder ehrbar zu werden?«

Was ist passiert, dachte Joe und starrte die Auszüge an. *Was könnte den Sinneswandel ausgelöst haben?*

»Ich schaue mir gerade seine erste größere Rückzahlung an: 62 000 Dollar, vor eineinhalb Jahren, an den Eliza Day Trust.« Joe ließ nachdenklich den Finger an der Spalte mit den Zahlen entlanggleiten.

»Das war vor Mrs. Connollys Tod.«

»Sie *wusste* davon, hundertprozentig«, sagte Joe, während er noch einmal die Unterlagen durchblätterte.

»War sie die Komplizin?«, fragte Nick.

»Oder wurde ihr dieses Wissen zum Verhängnis?«, fragte Joe zurück und starrte die Zahlen und die Kritzeleien auf dem Umschlag an. »Könnte sie ›das Mädchen‹ sein?«

»Wohl kaum. Der Zeitpunkt stimmt nicht.«

»Sie haben Recht, das kann nicht der Grund für Charlies Tod gewesen sein – der Unfall fand ein ganzes Jahr vor den Rückzahlungen statt. Was mag Sean dazu bewogen haben?«

»Vielleicht hat der unbekannte Komplize seine Familie bedroht. Entweder du machst weiter mit, oder deiner Frau passiert etwas. Oder deinen Töchtern.«

»Zum Beispiel, dass sie überfahren wird?« *Etwa von einem dunkelroten Van?*, dachte Joe.

»Bisher ist nichts passiert – vielleicht besaß Sean am Ende doch so viel Charakter, für den Mist geradezustehen, den er gebaut hat. Er hielt an seinem Vorhaben, auszusteigen, fest, und sein Kumpel brachte ihn um. Warum sollte er sich jetzt noch mit einem weiteren Mord an einem Familienmitglied belasten?«

»Ist Ihnen aufgefallen, dass der ganze Schlamassel begann, als Boland zur Shoreline Bank überwechselte? Der unbekannte Komplize muss Boland sein.«

»Unmöglich«, entgegnete Nick. »Bei Anchor Trust hat er sich nicht das Geringste zuschulden kommen lassen. Es gab keine einzige Beschwerde, nicht einmal den Schatten eines Fleckens auf seiner weißen Weste. Und da tritt er seinen Posten bei einer neuen Bank an und verstößt plötzlich gegen das Gesetz? Das passt nicht zusammen. Nein, ich glaube vielmehr, dass er sich in die Höhle des Löwen gewagt und in ein Wespennest gestochen hat.«

»Sie glauben also, der Komplize muss jemand sein, der schon vor Bolands Ankunft mit Sean zusammengearbeitet hat? Jemand, den er überreden konnte, gemeinsame Sache mit ihm zu machen?«

»Wie wäre es mit Fiona Mills, während besagter Geschäftsreise nach Denver –«

»Fiona Mills. Mmm, bei unserem letzten Gespräch erwähnte sie, dass sie eine Silbertrophäe vermisst.«

»Oh – bevor ich es vergesse. Ich muss Ihnen ein Fax schicken; bleiben Sie dran.« Joe hörte Papier rascheln, danach den Klingelton. Sein Faxgerät begann zu summen. Er nahm das Telefon zum Fax am anderen Ende des Büros mit, um zu sehen, was durchkam.

»Die Ergebnisse der Nachforschungen über den Silberbecher«, sagte Nick. »Der, den McCabe in seinem Schließfach hatte. Mickey hat die Fotokopie zu Quantico geschickt, und die haben irgendeinen Penn-Studenten mit der Analyse beauftragt. Wie sich anhand der Markierungen des Silberschmieds herausstellte, ist der Becher noch gar nicht so alt – hergestellt 1945.«

Joe klemmte das Foto unters Kinn, öffnete den Safe und nahm den Becher heraus. Er betrachtete das ansprechende Design, den langen Stiel, die verschlungenen Blätter und Ranken am Fuß, dann überflog er den Bericht:

»Der Stempel stammt von dem Silberschmied Giovanni Armori, der von 1930 bis 1945 in Florenz, Italien, arbeitete. Dieser Trinkbecher war sein letztes Werkstück; es war für die Eltern von Anne-Marie Vezeley in Paris bestimmt, die ihn anlässlich der katholischen Trauung ihrer Tochter mit dem Kunsthändler Jean-Paul Laurent in Auftrag gegeben hatten.

Armori wurde von den Deutschen am selben Tag ermordet, als der Becher fertig war; ein Kurier der Familie Vezeley konnte fliehen und überbrachte ihr den Becher, zusammen mit der Nachricht von Armoris Ableben. Etwa zur gleichen Zeit wurde ein großer Teil der Aufzeichnungen des Silberschmieds verbrannt – nur zwei Wochen, bevor die Amerikaner im April 1945 eintrafen, um die Region zu befreien.

Der Becher, ein Geschenk von Anne-Maries Eltern an das junge Paar, blieb fünfundzwanzig Jahre in Familienbesitz. In dieser Zeit machte sich der Kunsthändler Jean-Paul Laurent, der auf Radierungen und Lithographien spezialisiert war, mit dem Verkauf von Werken der einflussreichsten zeitgenössischen Künstler sowohl in Paris als auch im Ausland einen Namen. Seine Frau und er führten ein reges gesellschaftliches Leben, und in den sechziger Jahren wurde gemunkelt, dass Laurent Kunstwerke, die von den Nazis erbeutet worden waren, aus Paris herausschmuggelte.

Diese Aktivität rückte ihn in den Brennpunkt unseres Interesses. Im Rahmen einer Überwachung der Laurent'schen Wohnung an der Avenue Montaigne im achten Arrondissement in Paris wurde festgestellt, dass Madame Laurent diverse Künstler empfing, während sich ihr Mann auf Geschäftsreisen befand. Sie war unter anderem die Geliebte von Pablo Picasso und Hugh Renwick.

Den Berichten unserer Mitarbeiter zufolge fand eines Abends ein erbitterter Kampf zwischen den beiden Männern statt, als Renwick unmittelbar nach seiner Ankunft auf dem Flughafen Orly in die Wohnung eilte und Picasso in Unterwäsche auf dem Balkon entdecken musste. Das Geschrei und Getöse war so groß, dass die Polizei eingeschaltet wurde, um die Streithähne zu trennen. Während dieses Handgemenges zog sich Renwick seine berühmte Narbe zu. Obwohl sie von der Hand – und dem Messer – Picassos stammte, bestach Madame Laurent die Polizei, und die Affäre wurde vertuscht.

Um Renwick zu beschwichtigen oder um sein Schweigen gleichermaßen zu erkaufen, schenkte ihm Madame Laurent den Armori-Becher.

Der Armori-Becher überquerte im Anschluss den Atlantik, versteckt in Hugh Renwicks Gepäck – im Koffer mit seinen Malutensilien –, und befand sich, soweit bekannt, seither auf seinem Familiensitz Firefly Hill in Black Hall, Connecticut.«

»Der Becher gehört also Augusta Renwick«, sagte Joe.

»Die Reichen sind *wirklich* ein besonderer Menschenschlag. Aber das wussten wir ja schon«, seufzte Nick.

»Die Frage ist, hat sie McCabe den Becher geschenkt, oder hat er ihn mitgehen lassen?«

»Vielleicht ist sie unsere unbekannte Komplizin«, meinte Nick.

»Augusta Renwick?« Joe lachte. »Wohl kaum. Wenn Sie sie kennen würden, wäre Ihnen auf Anhieb klar, dass sie nicht in Frage kommt.«

»Man kann nie wissen. Sie ist alt, reich, langweilt sich. Sie hat einen jungen – zumindest jung im Vergleich zu ihr – stattlichen Bankmanager, der sich um ihre Finanzen kümmert. Sie reden über dies und das. Sie erzählt ihm von den Eskapaden ihres verstorbenen Mannes, mit ein bisschen Schmuggel hier, ein bisschen Prügelei mit Picasso dort – und sie stellen fest, dass sie das ideale Gespann wären, wie Bonnie und Clyde.«

»Ich werde daran denken, wenn ich ihr beim nächsten Mal auf den Zahn fühle.«

»Viel Glück«, sagte Nick. »Scheint ja ein idyllisches Fleckchen Erde zu sein, in das Sie da hineingeraten sind.«

»Kann man wohl sagen. Black Hall. Der Garten Eden der Ostküste. Man sollte nur keiner hiesigen Bank sein Geld anvertrauen.« Joe warf einen Blick auf seine Armbanduhr. Andys Plattenladen hatte inzwischen geschlossen, während er sich mit Nick unterhalten und die Informationen über den Becher gelesen hatte.

Also keine Chance mehr, Tara heute Abend noch über den Weg zu laufen.

Andererseits war es ein gutes Gefühl, einen Teil der drei Rätsel des Schließfaches gelöst zu haben. Blieben nur noch zwei. Und die Möglichkeit, wenigstens auf einen Sprung bei der unnachahmlichen Mrs. Renwick vorbeizuschauen.

27

Sie haben ihn gefunden!«, rief Augusta Renwick atemlos und drückte den Silberbecher an ihr Herz. »Meinen Florizar-Becher.«

»Florizar-Becher?«, fragte Joe Holmes stirnrunzelnd.

»Ja. Das ist der Name meines Lieblingsgetränks – soll ich uns einen Florizar mixen?«

»Ich bin im Dienst, Mrs. Renwick. Und ich muss den Becher wieder mitnehmen, er ist ein Beweisstück.«

»Nun, ich bin nicht im Dienst, und Sie bekommen ihn zurück, nachdem wir ein paar Dinge geklärt haben. Kommen Sie, wir gehen ins Blumenzimmer, dort können Sie mir erzählen, wie mein Florizar-Becher in die Hände des FBI geraten ist.«

Firefly Hill, ihr Zuhause, war wirklich unglaublich, angefüllt mit Hugh Renwicks Gemälden, Buddha-Statuen und Hindu-Gottheiten aus seltener Jade und exotischen Hölzern, einem Totempfahl, einer Vitrine mit allem Anschein nach echten Fabergé-Eiern und unzähligen Porträts von den Renwick-Schwestern, ihren Ehemännern und Kindern. Im Blumenzimmer gab es ein Waschbecken und eine Theke aus Edelstahl, die laut Augusta zwar als Bar zweckentfremdet, aber traditionsgemäß den ganzen Sommer über zum Arrangieren von Blumengebinden benutzt wurde.

»Auf Firefly Hill gab es früher einen prachtvollen Landschaftsgarten, der dank Bay McCabe wieder im Entstehen ist. Apropos, wie kommen Sie mit dem Fall voran? Gibt es etwas Neues über den Verbleib meines Geldes, oder haben Sie wenigstens einen Teil davon sichergestellt?«

»Nein, aber Ihren Becher«, sagte er und musterte sie eingehend, als sie sich auf die Zehenspitzen stellte, um nach einer Flasche zu greifen.

»Was hat das mit dem Fall McCabe zu tun?« Sie bedeutete ihm, ihr mit der Flasche zu helfen.

»Sagen Sie mir als Erstes, was Sie über den Becher wissen, Mrs. Renwick. Warum haben Sie ihn ›Florizar-Becher‹ genannt?«

Sie lachte, füllte klirrend Eiswürfel in den Silberbecher und in ein hohes Glas. »Das war ein Scherz. Ein privater Scherz. Wissen Sie, ich war zu dem Schluss gelangt, dass ich ständig die zweite Geige spielte … bei meinem Mann. Während er durch die Weltgeschichte zog, um den Ehefrauen anderer Männer den Hof zu machen, saß ich mit meinen hübschen Töchtern zu Hause. Ich kam mir vor, als würde ich immer erst als Zweite ins Ziel kommen.«

Joe nickte und wartete. Trotz ihrer etwa achtzig Jahre war Augusta Renwick bezaubernd und schön. Es zog im Blumenzimmer, die Wände waren nicht isoliert, aber sie schnitt ungeachtet der Kälte munter Limetten und Ingwer.

»Sehen Sie, Mr. Holmes, Florizar wurde 1900 im Kentucky Derby Zweiter, nach Lieutenant Gibson.« Sie füllte das Glas mit Diät-Cola, gab Limettenscheiben und Ingwer hinein und reichte es ihm. »Trotzdem, wer zuletzt lacht … Ich heiratete Hugh, und wir liebten einander, bis zu seinem Tod; auf unsere eigene Art natürlich.«

»Der Mann war ein Glückspilz«, meinte Joe.

»In der Tat. Zu einem echten Florizar gehört ein Schuss Wodka, ein milder, russischer – sind Sie *sicher*, dass Sie keinen wollen?«

»Ich bin im Dienst, Ma'am.«

Sie sah ihn an, hob ihr Glas und prostete ihm zu. »Eines Tages, wenn Sie nicht im Dienst sind, wäre es mir ein aufrichtiges Vergnügen, ein Glas mit Ihnen zu trinken.«

»Das Vergnügen ist ganz meinerseits«, sagte er lächelnd.

»Und nun sagen Sie – wo haben Sie den Becher gefunden?«

»In dem Schließfach, das Sean McCabe gemietet hatte.«

»Also doch! Ich sagte Tara bereits, dass er ihn genommen haben könnte.«

»Mrs. Renwick.« Joe fuhr zusammen, als Taras Name erwähnt wurde. »Was haben Sie ihr erzählt? Wieso hatten Sie ihn in Verdacht?«

Mrs. Renwick öffnete den Mund, um zu antworten, doch dann schien sie es sich anders überlegt zu haben. Sie nahm einen ausgiebigen Schluck Florizar, ihre violetten Augen funkelten.

»Ich kann mich beim besten Willen nicht mehr erinnern.« Der Anflug eines Mona-Lisa-Lächelns spielte um ihre Lippen. »Mein Gedächtnis lässt mich bisweilen im Stich. Sie werden Tara fragen müssen.«

Am nächsten Morgen war die Marsch von Raureif überzogen. Er schimmerte weiß im ersten Tageslicht, auf der braunen Niederung und den Gräsern bis zum Ufer des Flüsschens, das den Gezeiten unterworfen war. Tara hatte gestern die letzten Rosen geschnitten, die sie nun in der Vase betrachtete, wo sie noch ein paar Tage in ihrer ganzen Pracht zu bewundern sein würden. Bei dem Frost, der heute herrschte, wären sie eingegangen.

Alles verändert sich und vergeht, das ist der Lauf der Welt, dachte Tara und trank einen Schluck von ihrem Morgenkaffee. Sie hörte ein Poltern auf der Veranda vor dem Haus. In der Annahme, dass die Morgenzeitung gekommen war, riss sie die Tür auf und stand Agent Holmes von Angesicht zu Angesicht gegenüber.

»Agent Holmes!« Sie wich zurück, eine Hand aufs Herz gepresst. »Haben Sie mich erschreckt!«

»Tut mir Leid. Guten Morgen, Tara.« Auch wenn er verlegen wirkte, handelte es sich offenbar um einen rein dienstlichen Besuch, denn er trug seine Arbeitskleidung: dunkler Anzug, weißes Hemd, blaue Krawatte, auf Hochglanz polierte Schuhe. Er musterte sie eindringlich, und sie hätte sich ohrfeigen mögen, dass sie ihm nicht im schicken Morgenrock und frisiertem Haar die Tür geöffnet hatte. Sie trug das Unterteil eines blauweißen Flanell-Schlafanzugs mit Sternenmuster, ein T-Shirt mit dem Aufdruck einer Grundschule in Black Hall und Billys karierten Black-Watch-Bademantel, der versehentlich in ihre Wäsche geraten war.

»Rattennest«, sagte sie entschuldigend und berührte ihre wilde schwarze Mähne.

»Sie sehen gut aus«, sagte er brüsk, im FBI-Tonfall.

»Was führt Sie zu mir, so früh am Morgen?«

»Sie.«

Taras Augen weiteten sich. Ihre Beine drohten nachzugeben. Sie berührte den eiskalten Türrahmen, um sich zu vergewissern, dass sie nicht träumte. »Tatsächlich? Ihre Art, Ermittlungen zu führen, ist wirklich erstaunlich. Treten Sie ein. Möchten Sie Kaffee?« Sie hatte beobachtet, dass er Stammgast im Roasters war und stets die größten Portionen bestellte. In der Küche holte sie einen Becher heraus. »Wie nehmen Sie ihn?«

»Schwarz.«

»Ich auch.« Sie strahlte. »Also, wie kann ich Ihnen helfen?«

»In mehrfacher Hinsicht«, sagte er, als sie ihn ins Wohnzimmer führte und ihn aufforderte, vor dem lodernden Feuer Platz zu nehmen. Sie erinnerte sich an die Blaubeer-Muffins, die sie gerade gebacken hatte, lief zum Ofen, um sie zu holen, und kehrte mit einem Teller zurück.

»Sie backen Blaubeer-Muffins so früh am Morgen?«

»Warum nicht?« Sie lächelte, ohne ihm auf die Nase zu binden, dass sie vorgebacken waren und lediglich im Ofen erhitzt werden mussten. »Bitte bedienen Sie sich.«

»Danke. Also. Ich war gestern bei Mrs. Renwick, und sie machte eine Andeutung, zu der ich Sie etwas fragen muss.«

»Nur zu.«

»Der Silberbecher.«

»Den Sie in Ihrem Büro haben?«

»Ja. Er gehört Mrs. Renwick. Sie sagte mir, dass sie Ihnen gegenüber den Verdacht geäußert hatte, Sean McCabe könnte ihn genommen haben.«

»Das *behauptete* sie!« Tara schlug sich an die Stirn. »Augusta hat die Angewohnheit, alles Mögliche zu verlegen. Und sie benutzt den Becher, um Florizar daraus zu trinken. Nach ein paar von diesen gehaltvollen Drinks würde sie vermutlich nichts mehr wiederfinden.«

»Sie konnte sich nicht mehr genau an den Zusammenhang erinnern und bat mich, Sie zu fragen, weshalb sie Sean McCabe verdächtigte.«

Tara schloss die Augen, versuchte ihrem Gedächtnis auf die Sprünge zu helfen. »Ich glaube, sie sagte, sie habe den Becher das letzte Mal gesehen, als Sean mit irgendwelchen Papieren da war, die sie unterschreiben sollte. Damals hatte sie ihn noch nicht in Verdacht, erst rückblickend. Aber –«

Joe hörte aufmerksam zu; sie sah, dass er seine blauen Augen nicht abwenden konnte und jede Einzelheit aufnahm, und wäre die ganze Sache nicht so unerfreulich und kriminell gewesen, hätte sie sich in seine starken Arme geschmiegt und ihn geküsst, dass ihm Hören und Sehen verging.

»Aber warum?«, fuhr sie fort. »Das war uns ein Rätsel. Warum sollte Sean riskieren, beim Diebstahl eines Silberbechers erwischt zu werden? Wo er es doch ganz offensichtlich auf viel einträglichere Dinge abgesehen hatte, wie Geld und Vermögenswerte.«

»Ich weiß es nicht. Tara, ich muss Sie um einen Gefallen bitten.«

»Natürlich, Joe.«

»Es geht um dieses Kostümfest, den Pumpkin Ball.«

»Ja?«

»Wenn ich recht verstanden habe, wird er veranstaltet, um Spenden zu sammeln ...«

»Genau. Er wird von einigen Geschäftsleuten aus Black Hall gesponsert. Sie behaupten, es sei ein kleines Dankeschön für die gute Ernte, aber in Wirklichkeit geht es darum, Geld für wohltätige Zwecke zu sammeln, um Projekte auf lokaler Ebene zu unterstützen. Schülerbetreuung, Hausbesuche der Gemeindeschwester ...«

»Die Shoreline Bank gehört zu den federführenden Organisatoren?«

»Ja. Schon immer, es ist Tradition. Bay und Sean übernahmen in einem Jahr die Schirmherrschaft. Dieses Mal ist Mark Boland an der Reihe.«

»Es geht um Folgendes. Ich muss mir einen Blick hinter die Kulissen verschaffen. Ich habe alle Mitarbeiter der Shoreline befragt – jeden einzelnen. Alle sind der Meinung, dass der Fall so gut wie abgeschlossen ist, deshalb möchte ich nicht die Pferde scheu machen ...«

»Sie brauchen also eine Einladung?«, fragte Tara. »Eintrittskarten können Sie in jeder Zweigstelle der Bank kaufen. Sie zahlen und brauchen nur noch hinzugehen.«

»Das war mir schon klar. Aber ich möchte mit jemandem aufkreuzen, der die Anwesenden kennt, der mich sozusagen ... in die Gesellschaft einführt, mir den Weg ebnet.«

»Sie meinen *mich?*« Taras Herz klopfte zum Zerspringen.

»Ja. Würden Sie mich begleiten? Zum Pumpkin Ball?«

»Bin ich damit ... zum Hilfssheriff ernannt?«

»Nicht offiziell. Aber trotzdem. Im Interesse der Ermittlungen würde ich es begrüßen, wenn Sie mich begleiten.«

»Wahnsinn. Ich bin also Teil Ihrer Tarnung. Alles, was Sie wollen, wenn es nur zur Aufklärung des Falles beiträgt. Ich denke, das würde Bay helfen – mit der ganzen Sache abzuschließen.«

»Lassen Sie mich mal überlegen. Der Ball beginnt um acht. Wie wäre es, wenn ich Sie um halb acht abhole?«

»Ausgezeichnet. Ich werde bis dahin fertig sein und auf Sie warten. Übrigens, das Motto lautet ›Hexenzauber‹. Erschrecken Sie also nicht, wenn ich mit einem schwarzen spitzen Hut erscheine.«

»Keine Bange«, erwiderte er ernst.

»Ich dachte mir schon, dass es mehr braucht, um dem FBI Angst einzujagen«, erwiderte sie sanft.

28

Ausgehöhlte Kürbisse grinsten fratzenhaft von der Veranda des weiträumigen viktorianischen Hauses auf sie herab; Rauch waberte in blauen Schwaden aus ihnen hervor ... in den Kürbisköpfen brannten Kerzen, wie es der Tradition entsprach, denn man befand sich schließlich in Neuengland, wo ein Hexenball ohne Feuer undenkbar gewesen wäre. Das Gebäude, blassgrau gestrichen mit Schmuckornamenten in dunklerem Grau, mit schimmernden schwarzen Fensterläden und Türen, alten Bleiglasfenstern und einer gespenstischen, majestätischen Kuppel auf dem Mansardendach, bot die passende Kulisse.

Der Strom der Wagen, die vorfuhren und zu beiden Seiten der Lovecraft Road parkten, riss nicht ab. Tara wünschte, dass das Leben anderes verlaufen wäre und Bay mit Danny zum Ball hätte gehen können. Doch seit dem letzten Besuch bei ihm hatte sie sich zurückgezogen, so aufgelöst war sie gewesen, fassungslos über den von Sean angerichteten Schaden, dessen volles Ausmaß ihr erst jetzt bewusst geworden war. Tara warf Joe einen verstohlenen Blick zu und spürte ihr Herz flattern, wie die Flügel eines Schwans.

»Yeats hat ein wunderschönes Gedicht über das Lärmen von Flügelschlägen geschrieben«, sagte sie, während ihr eigenes Herz wie verrückt schlug. »Es heißt ›Die Wilden Schwäne von Coole‹.«

»Yeats?«, fragte Joe, der die schmale Straße entlangkurvte und schweigend die abgestellten Autos der Gäste registrierte.

»Der größte Dichter, der jemals in englischer Sprache geschrieben hat. Ein Ire natürlich.«

»Hmmm.« Joe fuhr langsamer und richtete sein Augenmerk auf einen schwarzen Minivan.

»Mögen Sie Gedichte nicht?«

»Gedichte?« Allem Anschein nach tippte er eine Zulassungsnummer in ein Gerät ein, das wie ein winziger Computer aussah.

»Ja. Sie wissen schon … Wörter, die sich reimen, aber nicht immer. Die Sprache der Seele!«

Joe sah zu ihr herüber. »Ich komme nicht oft dazu, so etwas zu lesen.«

Tara lächelte. Jedem Mann, der nicht hin und wieder in die Welt der Poesie abtauchte, musste auf die Sprünge geholfen werden, und sie war bereit und gewillt, diese Aufgabe zu übernehmen. Sie ließ sich in den Sitz zurücksinken, lehnte sich gegen die Beifahrertür. Ihr Hexen-Kostüm war ziemlich sexy, wie sie wusste. Sie hatte sich wie ein Bond-Girl in der Version einer Spukgestalt aus *House of Seven Gables* gekleidet: schwarzes kurzes Cocktailkleid, französischer Halbschalen-BH, der ihr tiefes Dekolletee hervorhob, einen mit Perlen bestickten Seidenschal, den Bay ihr zum letzten St. Patrick's Day geschenkt hatte, dazu die Schuhe mit den höchsten Absätzen, die sie besaß –Riemchensandalen von Manolo Blahnik –, und ein schwarzes Kaschmir-Barett, das sie tief über ein schwarz umrandetes Auge gezogen hatte.

»Agent Holmes.« Ihr Lächeln vertiefte sich. »Wenn Sie die Poesie aus Ihrem Leben ausklammern, stimmt etwas nicht.«

»Meine Arbeit lässt mir wenig Zeit zum Lesen. Abgesehen von Fachliteratur.«

»So interessant das Thema Gesetzesvollzug sein mag,

auch für mich – Sie brauchen eine Prise Yeats, um Ihrem Leben Würze zu verleihen.«

»Hmmm.« Er überprüfte einen weiteren Minivan, einen dunkelgrünen, und einen maronenfarbenen Pick-up; dann fuhr er in eine Parklücke, ungefähr eine Viertelmeile hinter dem Haus.

»›Die Wilden Schwäne von Coole‹, sagten Sie? Worum geht es in dem Gedicht?«

»Um das Altwerden.«

Joe stellte den Motor ab und ging auf die Beifahrerseite, um Tara die Tür zu öffnen. »Werden Schwäne alleine alt?«, fragte er, mit jedem Wort weiße Wattewölkchen in die frostige Novembernacht hinausschickend.

Tara hatte gelächelt und ihre Rolle als Mata Hari genossen, genau wie ihr Spionin/Hexe-Kostüm – doch plötzlich erlosch ihr verführerisches Lächeln.

»Nein«, erwiderte sie leise und fühlte sich nicht im Geringsten wie eine Spionin oder Hexe, als sie nun in Joes Augen blickte. »Sie bilden Paare, die ein Leben lang zusammenbleiben.«

Joe, der echte Spion, schien um eine Antwort verlegen. Er nickte nur, sein sonst so strenger Blick war eher nachdenklich. Dann nahm er Taras Arm in der frostigen Luft – auch das gehörte zu der brillanten Tarnung, die er für die verdeckte Operation des heutigen Abends gewählt hatte – und ging mit ihr zu Bolands Haus, entlang der Kolonne von Luxuskarossen, deren Besitzer bis auf weiteres verdächtig waren.

»Wonach halten wir eigentlich Ausschau?«, flüsterte Tara, sobald sie drinnen waren.

»Nach jemandem, der bei meinem Anblick extrem nervös wird«, flüsterte er zurück.

Sie bahnten sich einen Weg durch die Menge, einer Ansammlung von Hexen aus den Annalen der Kunst – »Die Beschwörung« von Goya, »Hexe mit Dämonischen Geistern« von Ryckaert, »Der Liebestrank« von Evelyn de Morgan, »Circe, Odysseus den Becher reichend« von John Waterhouse und »Die drei Hexen« von John Henry Fuseli. Raffiniert, schlüpfrig, opulent, elegant, geheimnisvoll: Die Hexen kamen in jeder nur erdenklichen Verpackung daher. Manche Männer trugen eine schwarze Krawatte, andere schwarze Jeans. Augusta war von mehreren Bankmanagern umringt, in ihr venezianisches Blau gewandet, nickte sie ihnen vielsagend zu, als Tara und Joe vorbeigingen.

»Diese Mrs. Renwick«, sagte Joe schmunzelnd.

»Sie tut mit Sicherheit ihr Bestes, um zur Aufklärung des Falls beizutragen; sie würde einen guten Detektiv abgeben.«

»Ich hoffe, Sie scherzen!«

»Sie kennen Augusta nicht. Wenn sie ein Unrecht wittert – vor allem, wenn es sie oder ihre Familie betrifft –, wird sie zur Furie.«

»Das kann ja heiter werden«, erwiderte er trocken. »Ich hoffe nur, dass sie sich nicht in Schwierigkeiten bringt. Ah, da kommt ja unser Gastgeber. Geben Sie mir Ihre Hand und tun Sie so, als hätte ich Sie soeben zum Tanzen aufgefordert.«

Tara ließ sich nicht lange bitten. Die Band spielte »Cat Samba«, aber das Tanzen musste warten, weil sich Mark und Alise Boland durch das Getümmel schoben, um Tara und Joe zu begrüßen.

»Willkommen beim Pumpkin Ball«, sagte Mark. »Tara, nett, Sie zu sehen. Es freut mich, Joe, Sie zur Abwechslung einmal außer Dienst zu treffen.« Er lachte. »Ich *hoffe* zumindest, dass Sie privat hier sind …«

»Und ob«, erwiderte Joe. »Ich konnte Miss O'Toole endlich einmal überreden, mit mir auszugehen.«

»Nach all den lästigen Fragen, die Sie in der ganzen Stadt gestellt haben, ist das ja wohl das Mindeste, was man erwarten kann«, warf Alise ein. »Finden Sie nicht auch, Tara?«

»Genau. Sieht ganz so aus, als hätten Sie heute ein volles Haus, Alise.«

»Es geht um einen guten Zweck, und wir möchten, dass der heutige Abend ein voller Erfolg wird.«

»Die Dekoration ist sensationell«, lobte Tara. »Der Pumpkin Ball blüht auf, in den Händen einer professionellen Raumausstatterin.«

»Danke«, sagte Alise. »Die Gestaltung sollte nicht so kitschig-kommerziell wie an Halloween sein, sondern heidnischer, mehr auf die Ernte bezogen – das sollen die Kürbisse ja eigentlich symbolisieren.«

»Trotzdem möchte ich wetten, dass viele Leute nur gekommen sind, um dieses Haus einmal von innen zu sehen«, meinte Tara. »Es ist ein richtiges Wahrzeichen unserer Region. Das zweite Herrenhaus, neben Firefly Hill.«

»Ein imposantes Bauwerk.« Joe betrachtete die architektonischen Einzelheiten: die Mauerbrüstungen und Simse, die eleganten Walnuss-Bücherschränke und eine Konsole, die sich über die ganze Länge einer Wand erstreckte, ungefähr einen halben Meter unter der hohen Decke des Raumes. Tara konnte sehen, dass sie mit Trophäen gefüllt war.

»Aus Marks College-Zeit«, erklärte Alise, die ihrem Blick gefolgt war. »Er war Teamchef von so ziemlich *allem*. Ich konnte ihm einfach nicht widerstehen.«

Mark lachte, umarmte seine Frau. »Wenn Sie uns jetzt bitte entschuldigen. Es sind neue Gäste eingetroffen. Fühlen Sie sich ganz wie zu Hause – das Buffet befindet sich nebenan.«

»Vielen Dank.« Joe blickte über seine Schulter, schien etwas zu fixieren. Tara sah den Bolands nach. Mark ging schnurstracks zur Tür, um die Neuankömmlinge zu begrüßen. Doch Alise schien zu schwanken und kaum merklich zu zögern, als sie an Frank Allingham vorüberkam. Obwohl sie sich alle Mühe gaben, es zu verbergen, war Tara sicher, dass sie ein paar Worte gewechselt hatten.

Tara öffnete den Mund, um Joe darauf aufmerksam zu machen, aber sie sah, dass er die Szene ebenfalls beobachtet hatte. Für ihn war das vermutlich ein Kinderspiel: Verdächtige observieren, auffälliges Verhalten registrieren. Für Tara war es dagegen brandneu und aufregend, den Gesetzeshüter-Fußstapfen ihres Großvaters zu folgen.

»Möchten Sie tanzen?«, flüsterte Joe ihr ins Ohr und legte den Arm um sie.

»Gerne«, sagte sie erfreut. »Aber ich dachte, wir arbeiten.«

»Tun wir ja.« Er führte sie auf die Tanzfläche. Er nahm ihre Hand, schlang den Arm um ihre Taille und begann, mit ihr im Rhythmus der Musik dahinzugleiten. Seine Schritte waren sicher und selbstbewusst, und die Arme, die sie umfingen, waren wie biegsamer Stahl. Nachdem sie ein Leben lang nur zart besaiteten Künstlertypen begegnet war, schwanden Tara beinahe die Sinne. »Wir müssen schließlich dafür sorgen, dass unsere Tarnung glaubhaft wirkt«, fügte er mit einem halben Lächeln hinzu.

»Glauben Sie, dass uns das gelingt?«

»Es wäre sicher besser, wenn Sie ein bisschen näher rücken würden.« Sein Arm presste sie an sich, und sie verspürte ein Kribbeln im ganzen Körper, als sie miteinander tanzten.

»So etwa?«, fragte sie.

»Ja. Sehr gut. Sie sind ein Naturtalent, Tara.«

»Ich möchte, dass mein Großvater stolz auf mich ist«, murmelte sie an seinem Hals. »Meine Granny und er waren übrigens Schwäne.«

»Waren sie lange zusammen?«

»Ja. Ein Leben lang.«

»Meine Eltern auch«, sagte Joe. Sie setzten den Tanz fort, und Tara hatte sich niemals in ihrem ganzen Leben so glücklich gefühlt. »Ich wüsste gerne, ob sie jemals Yeats gelesen haben.«

»Das haben sie mit Sicherheit.« Tara spähte über seine Schulter. »Uups – Vorsicht. Mark und Alise im Anmarsch.«

Joe und sie verstummten, als er sie über die Tanzfläche wirbelte, weg von den Bolands. Tara sah den beiden zu und dachte an Bay und Sean. Sie schüttelte den Kopf.

»Ich spüre, dass Ihnen irgendetwas missfällt«, sagte Joe, den Mund an ihrem Haar.

»Sean war furchtbar eifersüchtig auf Mark, als er zum Vorstand der Bank berufen wurde. Dabei haben sie so viele Gemeinsamkeiten.«

»Wieso? Was meinen Sie?«

Tara blickte zu der Konsole mit den sportlichen Auszeichnungen, den Medaillen und Statuen empor: Basketball, Football, Baseball, Golf. »Sie sind beide sportlich und ehrgeizig. Sie haben schon in der Highschool gegeneinander gespielt.«

Joe folgte ihrem Blick.

»Jammerschade …«, meinte sie.

»In welcher Hinsicht?«

»Mark hat Sportsgeist und Fairness gelernt, und Sean, wie man am besten betrügt. Ihm ging es nur um den Sieg; er hätte wissen sollen, dass es letztlich wichtiger ist, wie jemand spielt.«

Joe blieb abrupt stehen, mitten auf der Tanzfläche. Er sah sie strahlend an, während alle anderen Hexen um sie herumtanzten.

»Tara O'Toole. Der Captain wäre *stolz* auf Sie.«

»Der Captain?«

»Seamus O'Toole, Ihr Großvater.«

»Warum?«, gelang es ihr gerade noch zu fragen, bevor er sie in beide Arme schloss und sich zu ihr herabbeugte.

»Weil du gerade meinen Fall gelöst hast«, flüsterte er und küsste sie.

29

Er hatte einige schlaflose Nächte hinter sich. Er hatte im Bett gelegen und darüber nachgegrübelt, was er gesagt und ob er die falschen Worte gewählt hatte. Die Lokalzeitungen waren angefüllt mit Annoncen und Berichten über den Pumpkin Ball, und am Morgen danach – einer weiteren Nacht, in der er wach gelegen hatte – fragte er sich, ob Bay als Hexe verkleidet hingegangen war, um den Müll zu vergessen, den er ihr vor die Füße gekippt hatte.

Er arbeitete den ganzen Tag, teilte seine Zeit zwischen den beiden Booten auf, die er fertig stellen wollte. Stunden vergingen – sollte er sie anrufen? Unter dem Vorwand, dass er sich nur nach ihrem Befinden erkundigen wollte? Oder sollte er versuchen, ihr die ganze Sache nochmals zu erklären?

Mit dem Stolz hatte es eine seltsame Bewandtnis. Beinahe so schlimm, wie einem Betrüger auf den Leim zu gehen, war das Wissen, wie nahe er daran gewesen war, mit ihm gemeinsame Sache zu machen. Und das nicht mit irgendjemandem: nein, mit dem verstorbenen Ehemann einer Frau, in die er sich gerade verliebte. Dass er dem FBI die ganze Geschichte erzählt hatte, machte ihm genauso schwer zu schaffen.

Joe hatte zugehört, sich Notizen gemacht; einmal hatte er gefragt, ob Dan einen Anwalt hinzuziehen wolle. Dan hatte Ruhe bewahrt, sich um eine nichts sagende Miene bemüht. Aber innerlich hatte er gezittert.

»Sie haben wichtige Informationen zurückgehalten«, sagte Joe. »Es wäre hilfreich gewesen, wenn wir früher gewusst hätten, dass Sean den Trust Ihrer Tochter für seine Machenschaften benutzen wollte. Damit lässt sich unter Umständen der anonyme Anruf erklären, den Sie im Sommer erhielten.«

»Wie das?«

»Irgendjemand weiß über Ihre Verbindung zu Sean Bescheid. Der Anruf könnte ein Versuch gewesen sein, herauszufinden, ob Sie gewillt gewesen wären, doch noch mit einzusteigen. Oder es war eine unterschwellige Drohung – vielleicht wissen Sie zu viel. Warum haben Sie nicht früher ausgepackt?«

»Das ist Neuland für mich«, erwiderte Dan barsch. »Ich meine, in einen Mordfall verwickelt zu sein. Ich habe eine sehr sensible Tochter. Alles, was ihre Mutter betrifft, will sorgsam bedacht sein. Ich will nicht, dass sie in die Sache hineingezogen wird. Was meinen Sie mit ›Drohung‹?«

»Es war der Trust Ihrer Tochter, auf den es Sean McCabe abgesehen hatte. Wollten Sie das etwa stillschweigend übergehen? Und was wäre, wenn sich seine Komplizen immer noch Zugang dazu verschaffen möchten?«

»Hören Sie, ich habe ihm den Zugang verwehrt – bestimmt hat er das seinen Komplizen mitgeteilt, wer immer sie sein mögen. Ich habe meine Pflicht und Schuldigkeit getan, und nun möchte ich endlich meine Ruhe haben. Hier bei uns gibt es noch so etwas wie ein Privatleben – ich mag es nicht, ausgequetscht zu werden oder das Gefühl zu haben, ich müsste Sie oder jemand anderes über jeden Schritt informieren. Habe ich mich klar genug ausgedrückt?«

Dan hatte die Nase gestrichen voll von Männern in Anzügen und den halben Wahrheiten, mit denen sie ihren Lebensunterhalt verdienten; noch furchtbarer war indes die Vorstellung, dass er zehn Sekunden lang versucht gewesen war, sich diesem Club anzuschließen. Das war die einzige echte Bedrohung, die ihm einfiel. Geld hatte etwas Befremdliches. Er war Bootsbauer geworden, weil diese Tätigkeit etwas Authentisches und Wahrhaftiges hatte und meilenweit entfernt von der Hektik des Alltags war. Aber sie forderte auch ihren Tribut, genau wie alles andere.

Eliza hatte vermutlich schon Schulschluss oder musste jeden Moment nach Hause kommen. Er würde sie gleich anrufen und fragen, was sie zu Abend essen wollte.

Aber vorher hatte er noch etwas zu erledigen. Nachdem er Joe losgeworden war und sich wie befreit fühlte, konnte er nicht länger warten: Er musste zu Bay. Er stieg in seinen Pick-up, ließ den Motor an und brauste los, nach Westen, in Richtung Hubbard's Point.

Eliza hatte ihre Erbsen aufgereiht: Es waren genau zwölf. Tiefkühlkost, die inzwischen aufgetaut war. Beim Kochen würden sie einen Großteil ihres Geschmacks und ihren Biss verlieren. Und viel zu viele Nährstoffe. Sie hätte sich gerne gewünscht, gesund zu sein. Sie mochte einen Schritt weit von der Realität und der ungetrübten Wahrnehmung entfernt sein, aber sie bemühte sich *nach besten Kräften*, ihre Essgewohnheiten zu verändern.

Sie schenkte sich ein großes Glas Wasser ein.

Dann legte sie ihre Lieblings-CD von Andrea Boccelli auf und zündete eine Kerze an. Wenn sie das Essen in ein festliches Ereignis verwandelte, würde sie vielleicht den Wunsch verspüren, es häufiger zu zelebrieren. Sie blickte aus dem Fenster, fragte sich, wann ihr Vater nach Hause kommen würde.

Sie nahm Platz und aß die erste Erbse, kaute sie gründlich. Ihr Blick streifte durch die Küche. Der Knoten, den sie im

Magen verspürte, war nicht mehr so schlimm wie früher, wenn sie an ihre Mutter dachte, die immer das Abendessen zubereitet hatte. Bevor sie mitbekommen hatte, wie ihre Mutter Mr. McCabe küsste, war ihr Essverhalten eigentlich völlig normal gewesen. Die Magersucht hatte unmittelbar danach begonnen.

Es hatte ihr gut getan, Annie alles zu erzählen. Sie war so erleichtert gewesen, dass sie den Wunsch gehabt hatte, ihrem Vater ebenfalls die Wahrheit zu sagen. Wie hieß es doch in Banquo: »Du bist nur so krank wie deine Geheimnisse.« Vielleicht steckte doch mehr hinter diesem Spruch, als sie geglaubt hatte.

Während sie die dritte Erbse kaute, beschloss sie, sich noch etwas Gutes zu gönnen: Eiswasser, aus ihrem Silberbecher. Das war ein klarer Fortschritt. Es bedeutete, die Dämonen zu bekämpfen, die Krankheit Schritt für Schritt zu überwinden, den Genesungsprozess voranzutreiben.

Ihre Mutter hatte ihr den Becher geschenkt. Er war von einer Generation zur nächsten weitervererbt worden, stammte von dem General; er war nicht nur eine berühmte militärhistorische Gestalt, sondern als solcher auch der größte Romantiker in der Geschichte der Vereinigten Staaten gewesen, vielleicht sogar weltweit. General John Samuel Johnson hatte den Becher von Paul Revere anfertigen lassen, als Geschenk für die große Liebe seines Lebens, Diana Field Atwood. Und er hatte ihn ihr persönlich überbracht und dabei den gefrorenen Fluss überquert. Als kleines Kind hatte Eliza ihre Milch aus dem Becher getrunken.

Ihre Mutter hatte oft im Scherz gesagt, sie sei vermutlich das einzige kleine Mädchen in Amerika, das Milch aus einem von Paul Revere gefertigten Becher trank. Sie hatte Eliza die erste Strophe eines Gedichts von Longfellow beigebracht, das den heldenhaften Einsatz des Generals im Amerikanischen Unabhängigkeitskrieg beschrieb und das jedes Kind kannte:

> *Hört, meine Kinder, und lauschet der Mär*
> *Vom Mitternachtsritt des Paul Revere,*
> *Am achtzehnten April fünfundsiebzig gescheh'n;*
> *Kaum ein Mann, der's erlebt,*
> *könnt's heut noch erzähl'n,*
> *Wer gedenkt des berühmten Tags, der so lange her.*

Obwohl Eliza längst zu alt war, um Milch aus einem Babybecher zu trinken, einem *quart militaire*, selbst wenn dieser so kostbar war wie ihrer, gefiel ihr der Gedanke, dass er sich in ihrem Elternhaus befand, wo sie ihn jederzeit anschauen und in die Hand nehmen konnte, wenn ihr danach war. Und seit dem Unfall hatte sie nun zum ersten Mal wieder Lust dazu.

Sie tappte ins Esszimmer und öffnete den Schrank. Da war ihr Puppengeschirr – winzige Tassen und Unterteller mit Monogramm. Und dahinter … gähnende Leere! Eliza griff in den Schrank und tastete alles ab: Das war doch nicht möglich! Keuchend und inzwischen auf den Knien, spähte sie hinein. Er war tatsächlich weg! Ihr einmaliges, unsäglich kostbares Erbstück aus dem Amerikanischen Unabhängigkeitskrieg, von Paul Revere gefertigt, war spurlos verschwunden …

Ein Erbstück ihrer Mutter, die den Becher von ihrer eigenen Mutter geschenkt bekommen hatte, und die hatte ihn wiederum von IHRER Mutter, bis zurück zu Diana, die ihn von dem General bekommen hatte! Er war in der kleinen Vitrine aufbewahrt worden, die ihr Vater eigens für sie gebaut hatte – eine Miniaturversion des Schreibti-

sches in seinem Büro, aus honduranischem Mahagoni geschnitzt, mit Meerjungfrauen und Kammmuscheln, nur
für ihr Puppengeschirr und ihren Silberbecher, und nun
war der Becher weg!

Hektisch rannte Eliza im Raum hin und her, suchte in der
Anrichte, auf den Bücherregalen, sogar unter den Sesseln.
Wo konnte er nur sein? Der Becher war unbezahlbar, gelinde gesagt. Er war nicht nur Teil einer Legende, sondern
auch das wertvollste Geschenk, das sie von ihrer Mutter
erhalten hatte.

Was immer ihre Mutter auch getan hatte, sie war Elizas
Ein und Alles gewesen. Sie hatte ihr erlaubt, Milch aus
dem Becher zu trinken, und diese Zeit war für beide immer etwas Besonderes gewesen. Welche andere Mutter
hätte ein kleines Kind Milch aus einer unbezahlbaren An-
tiquität trinken lassen?

»Oh Gott, oh Gott!«, stöhnte Eliza, während sie das ganze
Haus auf den Kopf stellte. Schluchzend lief sie von Raum
zu Raum und rang die Hände. Sie fühlte sich wie betäubt.
Ein Einbrecher hatte ihn offenbar gestohlen! Ihr Vater hätte den Becher nie verräumt … Sie musste Annie anrufen;
Annie wusste immer Rat, würde ihr sagen, was zu tun
war. Sie griff zum Telefon und wählte ihre Nummer.

»Annie, Annie«, sagte sie laut, ungeduldig wartend, dass
ihre Freundin den Hörer abnahm.

In dem Moment klopfte es an der Tür.

Eliza fuhr herum, dann blickte sie wieder das Telefon an.
Was sollte sie jetzt tun? Eigentlich durfte sie niemandem
aufmachen. Aber sie war völlig aufgelöst und musste wissen, wer draußen war.

Sie spähte aus dem Fenster, war zunächst verdutzt, doch
dann erleichtert.

»Mr. Boland!« Sie öffnete die Tür. »Ich wollte gerade die

411

Polizei benachrichtigen! Jemand hat meinen Becher gestohlen, meinen Silberbecher aus dem Unabhängigkeitskrieg.«

»Wirklich? Bist du sicher?«

»Hundertprozentig. Er ist weg.«

Irgendwie war es seltsam, dass Mr. Boland zu ihr nach Hause kam. Früher hatten ihre Mutter und sie nur in der Bank mit ihm zu tun gehabt, und mit Annies Vater, was völlig reichte – diese Abstecher zur Bank waren ihr immer furchtbar langweilig vorgekommen. Ihn wieder zu sehen, stimmte sie traurig; sie hätte liebend gerne einen langweiligen Tag in der Bank verbracht, wenn sie dafür ihre Mutter zurückbekam.

»Ähm, entschuldigen Sie, aber ich muss schnell die Polizei anrufen.«

»Also, ich bin froh, dass du das noch nicht getan hast.«

»Warum?«, fragte Eliza und überlegte fieberhaft, wo sie seine Stimme unlängst gehört hatte, abgesehen von der Bank …

Eliza, Eliza, deine Mutter braucht dich …

Ihr Herz klopfte wie verrückt, eine unerklärliche Angst ergriff sie; sie sah einen kleinen gelben Schwamm aus dem Nichts auftauchen und wich zurück. »Was tun Sie hier überhaupt?«

Dann roch sie etwas, das süßer war wie ein ganzer Garten voller Blumen, und sackte zu Boden.

Es läutete, doch als Annie das tragbare Telefon endlich fand, hatte der Anrufer bereits aufgelegt. Sie hielt den Hörer in der Hand, lauschte dem Freizeichen. Sie hoffte, dass es Eliza gewesen war und dass sie sich wieder melden würde; sie hatte eine unangenehme Aufgabe vor sich und brauchte moralische Unterstützung.

Sie würde die Rufnummererkennung überprüfen – die Basisstation befand sich auf dem Tisch. Doch gerade in dem Augenblick hörte sie den Wagen ihrer Mutter in der Auffahrt und wusste, sie würde es auch ohne Elizas Hilfe schaffen müssen.

»Mommy, ich muss mit dir reden, ja?«

In dem Moment, als sie die Tür hinter sich zumachte, hatten die Augen ihrer Mutter wieder den verschlossenen, tieftraurigen Blick, wie so häufig in der Zeit, als ihr Vater noch lebte und abends unterwegs war, statt nach Hause zu kommen. Annies Magen schmerzte, und sie war nahe daran, ihr Vorhaben aufzugeben, weil sie ihrer Mutter nicht noch zusätzlichen Kummer bereiten wollte, ausgerechnet jetzt, wo sie manchmal wieder glücklich zu sein schien.

»Natürlich, mein Schatz.«

Billy und Peggy waren in ihren Zimmern, lasen oder machten Hausaufgaben. Annie hatte in der zunehmenden Dämmerung nach den Schweinwerfern des Autos ihrer Mutter Ausschau gehalten, doch nun kamen ihr Zweifel. Wieso musste ausgerechnet sie diejenige sein, die ihrer Mutter das Herz brach? Vielleicht wäre es besser, noch zu warten, sich zuerst mit Eliza zu beraten …

»Hast du Lust auf eine Tasse Tee?«, fragte ihre Mutter. »Es ist draußen so kalt geworden.«

»Nein danke.« Annie nahm ihren ganzen Mut zusammen. »Können wir uns in meinem Zimmer unterhalten?«

Sie gingen die Treppe hinauf, und ihre Mutter blieb im Flur stehen, um einen Blick auf den Thermostat zu werfen. Es war in diesem Jahr so kalt, dass es nötig geworden war, frühzeitig die Heizung einzuschalten. Annie wusste, dass ihre Mutter Geldsorgen hatte und Heizkosten sparen musste. Sie drehte den Thermostat etwas herunter.

»Ich kann nicht glauben, dass wir schon November haben«, sagte Annie.

»Ja, der Sommer scheint gerade erst vorbei zu sein.«

»Sommer …« Annie blickte aus dem Fenster ihres Zimmers auf die kahlen Bäume, die sich gegen den dunkler werdenden Himmel abzeichneten. Der Sommer schien der Vergangenheit anzugehören, unendlich weit entfernt.

»Der Sommer kommt wieder.« Ihre Mutter lächelte, als wäre sie in der Lage, Gedanken zu lesen. »Schneller, als man denkt.«

»Kommt mir aber nicht so vor«, sagte Annie mit brechender Stimme. »Man könnte meinen, der Winter dauert ewig, dabei hat er noch nicht einmal begonnen …«

»Ach Annie …«

»Mom, Dad hat Elizas Mutter geküsst«, platzte Annie heraus.

Ihre Mutter fuhr zusammen, als hätte man sie geohrfeigt. Sie stand wie angewurzelt da, mit offenem Mund, versuchte zu begreifen. Malte sie sich die Szene aus, wie Annie es hundert Mal getan hatte? Bereitete ihr die Vorstellung, wie er eine andere Frau küsste, genauso großen Kummer?

»Woher weißt du das?«

»Von Eliza.«

»Hmmm.« Ihre Mutter schlang die Arme um ihren Körper, als sei ihr plötzlich kalt geworden, und wandte sich ab. Wahrscheinlich suchte sie krampfhaft nach einer Erklärung, um ihrer Tochter die Situation zu erleichtern. Annie schickte ein Stoßgebet zum Himmel, hoffte, sie würde jetzt sagen: *Schätzchen, so etwas würde dein Vater nie tun.* Oder: *Ich bin sicher, Eliza hat sich geirrt.*

Aber ihre Mutter sagte nichts dergleichen.

Stattdessen fragte sie: »Hat sie gesagt, woher sie das weiß?«

»Sie hat es mit eigenen Augen gesehen. Ihre Mutter hatte geschäftlich mit Daddy zu tun.« Die Erleichterung, dass die Wahrheit endlich heraus war, löste auch die innere Anspannung, und sie spürte Tränen in der Kehle und in ihren Augen brennen. »Sie fuhren häufiger zur Bank, Eliza und ihre Mutter, Daddy war ihr Finanzberater.«

»Ich weiß.«

»Sie besitzen dort einen Trust. Das heißt, sie haben eine Menge Geld. Aber das sieht man ihnen gar nicht an, stimmt's? Sie wirken völlig normal.«

»Stimmt.« Die Stimme ihrer Mutter klang fest und ruhig, aber ihr Gesicht war kreidebleich. »Hat Eliza noch etwas gesagt?«

»Nein. Nur, dass sie im Wagen saßen und dachten, sie schliefe, und da küssten sie sich.«

»Es tut mir Leid, dass Eliza das mit ansehen musste. Und dass du es erfahren musstest. Trägst du das schon lange mit dir herum?«

»Seit dem Abend, als sie zum Essen bei uns waren.« Eine Kummerfalte erschien auf Annies Stirn. »Sie erzählte es mir, am Little Beach. Ich hatte das Gefühl, dass uns jemand beobachtete – Eliza redet dauernd von den ›Monstern‹, die ihr nachstellen würden. Ich dachte, ich hätte sie durch den Wald schleichen hören, hinter uns her, zum Strand. Glaubst du, dass es so gewesen sein könnte? Oder habe ich mir das Ganze nur eingebildet?«

»Ich weiß nicht, Annie. Eliza ist sehr sensibel und zerbrechlich. Vielleicht hat sie das Bild in ihrer Fantasie heraufbeschworen, und am Schluss habt ihr beide geglaubt, es sei real«, sagte sie, aber Annie merkte, dass ihre Mutter mit den Gedanken noch bei der ersten Enthüllung war.

»Ich hätte es dir früher erzählen sollen, aber ich wollte dich nicht aufregen.«

»Du wolltest mich also beschützen.« Bay versuchte zu lächeln. Annie nickte und lief zu ihr, um sie zu umarmen, und sie standen lange Zeit eng umschlungen da. Annie hätte am liebsten nie mehr losgelassen.

»Warum hat Dad das getan?«

»Warum er Elizas Mutter geküsst hat? Ich weiß es nicht, Schatz.«

»Nein, ich meine, warum hat er überhaupt *andere Frauen* geküsst? Und warum hat er das Geld gestohlen? Hat er wirklich Drogen genommen? Wollte er weg? Warum hatte er keine Lust mehr gehabt, einfach zu Hause zu bleiben und unser Dad zu sein?«

»Das hat nichts mit dir zu tun«, sagte ihre Mutter mit Nachdruck, packte Annies Schultern und schüttelte sie sanft. »Das darfst du nicht denken. Niemals, hörst du?«

»Ich kann aber nicht anders.« Annie spürte, dass ihr wieder die Tränen in die Augen stiegen und ihre Brust wie zugeschnürt war. »Wenn ich mich gebessert hätte … ich weiß, er fand, ich sei hässlich und müsste mich mehr unter Kontrolle haben. Er redete ständig über mein Gewicht. Wenn ich nicht so viel gegessen hätte, wäre er vielleicht zu Hause geblieben. Oder wenn ich Feldhockey oder Basketball …«

»Das hat nichts mit dem Verhalten deines Vaters zu tun. Er war innerlich unglücklich, Annie. Wir wissen nicht, warum, aber das war der Grund.«

»Denkst du, dass er unser Mitleid verdient?«, schluchzte Annie und wünschte sich, es möge so sein. Es war viel leichter, ihren Vater zu bedauern, als wegen der Dinge wütend auf ihn zu sein, die er getan hatte.

»Unter anderem. Wir können ihm eine ganze Palette von

Gefühlen entgegenbringen, einschließlich eiskalter Wut. Sie sind alle in Ordnung, Annie.«

»Ich wünschte ... ich wünschte ... Eliza hätte ihn nicht dabei gesehen. Es wäre mir lieber, wenn sie es nicht wüsste.« Ihre Mutter umarmte sie schweigend, hörte zu.

»Sie ist meine beste Freundin; ich möchte nicht, dass sie schlecht über Daddy denkt. Sie fand ihn so nett, in der Bank, bis sie das mit angesehen hatte. Es gefällt mir, dass er nett zu ihr war ... aber ich wünschte, der Rest wäre nie passiert!«

»Ich auch, Annie«, sagte ihre Mutter, den Mund in das Haar ihrer Tochter vergraben.

»Ich bin froh, dass ich es dir gesagt habe«, erklärte Annie nach einer Weile. »Dass ich mit dir reden *konnte*. Eliza möchte nicht, dass ihr Dad etwas davon erfährt. Er hebt ihre Mutter auf einen Sockel, und sie hat Angst, dieses Bild zu zerstören.«

»Eltern wissen oft mehr, als ihre Kinder ihnen zutrauen«, sagte Bay. »Eliza wäre vielleicht überrascht, wenn sie wüsste, was ihr Vater wirklich denkt.«

»Meinst du?«

Ihre Mutter nickte.

Annie musste diese Neuigkeit erst einmal verdauen, aber sie konnte nicht umhin, erneut an ihren Vater zu denken. Sie wünschte, er könnte sehen, wie sie abgenommen hatte. Wenn er nur hier wäre. Er würde merken, wie sehr er sie verletzt hatte und wie sehr sie ihn dennoch liebte.

Dann durchquerte ihre Mutter den Raum, um das Modellschiff vom Bücherregal zu holen. Annies Herz war schwer, wenn sie daran dachte, wie viel Liebe sie in das Boot gesteckt hatte. Ihrem Vater hatte es so sehr gefallen. Er hatte es lange in der Hand gehalten, jede Planke begutachtet, jede Linie, den Farbton des Anstrichs.

»Er hat mir versprochen, es überallhin mitzunehmen«, flüsterte Annie.

»Ich weiß«, erwiderte ihre Mutter mit überraschender Bitterkeit in der Stimme und in den Augen.

»Es war ein Symbol meiner Liebe. Ist es noch.«

»Ich weiß, Schatz. Und daran wird sich auch in Zukunft nichts ändern.«

»Glaubst du, Daddy weiß das? Wo immer er jetzt auch sein mag?«

»Ich hoffe es«, antwortete ihre Mutter mit gerötetem Gesicht und heiserer Stimme. »Ich hoffe es von ganzem Herzen.«

In dem Moment drang Taras Stimme von unten herauf. Annies Mutter stellte das Boot auf den Schreibtisch und küsste sie. »Wir reden nach dem Abendessen weiter«, versprach sie beim Hinausgehen. Annie nahm das kleine Boot in die Hand, und hörte etwas klappern. Vielleicht hatte sich eine Holzleiste gelockert. Auf den ersten Blick war nichts zu entdecken, und deshalb wollte sie das Boot genauer in Augenschein nehmen. Aber zuerst musste sie nachschauen, ob Eliza vorhin angerufen hatte. Bestimmt war sie es gewesen, jede Wette …

Als sie nach unten ging, um die Rufnummererkennung zu überprüfen, hörte sie Stimmen im Wohnzimmer.

Typisch, dachte Annie und ließ sich die letzten Nummern anzeigen. Dafür waren Freundinnen ja da: zum Reden, Zuhören …

Der letzte Anruf stammte tatsächlich von Eliza. Da stand die inzwischen vertraute Telefonnummer aus Mystic … und die Zeit: 16.45 Uhr.

Damit war auf die Minute genau festgehalten, wann Annies Mutter nach Hause gekommen und mit der unerbittlichen Wahrheit über eine andere Frau im Leben ihres Mannes konfrontiert worden war. Und Eliza, die gerade in dem Moment angerufen hatte, war irgendwie bei Annie gewesen, um ihr Kraft und ihren Segen zu geben.

Annie wählte Elizas Nummer, aber es war besetzt.

Kein Problem, dachte sie. Dann versuche ich es gleich noch einmal. Immer noch besetzt.

Sieben weitere Versuche. Sie sah auf die Uhr; inzwischen war es 17.50 Uhr. Sie probierte es noch zehn Mal, im Abstand von einer Minute, bis Punkt sechs.

Mit jedem Mal änderten sich Annies Empfindungen. Zuerst hatte sie völlig unbefangen gewählt. Dann verspürte sie eine leise Eifersucht: Mit wem redete Eliza so lange? Hatte sie eine andere Freundin, die ihr nahe stand? Dann war sie erleichtert: Vielleicht telefonierte sie mit ihrem Vater. Doch sie verwarf den Gedanken gleich wieder: KEIN MENSCH telefonierte länger als eine Minute oder zwei mit den eigenen Eltern. Und schließlich, um sechs, nahm die Besorgnis überhand.

Tara und ihre Mutter kamen in die Küche. Ihre Mienen hellten sich bei Annies Anblick auf.

»Hallo Annie, wie geht's?«, fragte Tara.

»Ich mache mir Sorgen um Eliza.«

»Warum?«, wollte ihre Mutter wissen.

»Weil sie angerufen hat, kurz bevor du nach Hause kamst, und ich mehrmals versucht habe, sie zurückzurufen, aber bei ihr ist ständig besetzt.«

»Vielleicht telefoniert sie gerade«, meinte ihre Mutter.

Annie zuckte die Achseln. »Möglich, aber ich habe so ein seltsames Gefühl … ein schreckliches Gefühl. Ich kann es nicht erklären.«

Tara und ihre Mutter sahen sich an. »Musst du nicht. Das verstehen wir auch so.«

»Ruf die Vermittlung an und bitte sie, die Leitung zu überprüfen«, schlug Tara vor.

»Wie macht man das?«

»Du musst die Null wählen und Elizas Nummer angeben. Sag, dass du unbedingt wissen musst, ob auf der Leitung gesprochen wird, und bitte darum, das Gespräch zu unterbrechen. Erkläre der Dame, es sei ein Notfall.«

»Und wenn es keiner ist?«

»Dann wirst du dich entschuldigen müssen.« Tara lächelte.

»Wenn du dir Sorgen machst, musst du etwas unternehmen«, ermutigte sie ihre Mutter.

»Das tun deine Mutter und ich auch immer. Das versteht sich von selbst unter Freunden.«

Annie fühlte sich sehr erwachsen und selbständig, als sie der Vermittlung Elizas Nummer nannte und wartete; sie wusste, dass sie sich zu Tode schämen würde, wenn sie umsonst die Pferde scheu gemacht hatte, nur weil die Leitung eine Viertelstunde lang besetzt war …

Doch dann meldete sich die Vermittlung wieder, um Annie mitzuteilen, dass nicht gesprochen wurde, dass die Leitung allem Anschein nach gestört sei, und dankte für die Meldung.

»Und?«, erkundigte sich Tara.

»Was ist, Schatz?«

»Irgendetwas stimmt da nicht.« Annies Herz begann zu klopfen. »Das Telefon scheint nicht zu funktionieren. Eliza muss etwas passiert sein – das spüre ich!«

Bay verstand das Gefühl nur zu gut: das intuitive Wissen, dass sich ein Mensch, der einem nahe stand, in Gefahr befand. Sie hatte es im Lauf der Jahre oft bei Sean erlebt, wenn sie wieder einmal nicht wusste, wo er steckte. Als sie die Panik in Annies Augen und in ihrer Stimme hörte, wurde ihr mulmig zumute.

»Was sollen wir jetzt machen, Mom?«, fragte Annie flehentlich.

Bay holte Luft. »Wir können ihren Vater in der Werkstatt anrufen.«

»Oder ich rufe Joe an«, sagte Tara langsam. »Bestimmt geht es ihr gut. Vielleicht ist nur der Hörer nicht richtig aufgelegt, ohne dass sie es bemerkt hat …«

»Aber das sind nur Vermutungen. Es könnte genauso gut etwas *Schlimmes* sein«, gab Annie zu bedenken.

Bay nickte Annie beruhigend zu. Es ging im Moment weniger um die Frage, ob sich Eliza in Gefahr befand, sondern vielmehr darum, Annie das Gefühl zu geben, etwas tun zu können, statt vor Sorge zu vergehen. »Ich rufe Danny an«, sagte sie.

»Sieht ganz so aus, als ob du dir das sparen könntest«, erklärte Tara, die den Vorhang beiseite geschoben hatte und zur Auffahrt hinübersah. »Da kommt er gerade.«

»Mr. Connolly? Warum ist er hier?«, fragte Annie.

»Komm Annie. Deine Mutter muss mit ihm reden; lassen wir die beiden allein.«

»Aber ich muss ihm das mit Eliza erzählen!«

»Das macht deine Mutter. Ja, Bay?« Tara zog an Annies Hand.

»Ja. Das verspreche ich.«

Bay sah ihnen nach, als sie die Küche verließen, wobei Annie nur zögernd hinter Tara den Flur entlangging. Bays Hände waren klamm, und ihr klopfte das Herz bis zum Halse, während sie neben der Tür stand und wartete, dass er klopfte. Sie hörte seine Schritte auf den Stufen, dann eine lange Pause, als nähme er seinen ganzen Mut zusammen. Bay stand reglos da, hielt den Türknauf in der Hand, war sich der Tatsache bewusst, dass er das Gleiche von der Außenseite tat.

In dem Moment, als er klopfte, riss sie auch schon die Tür auf.

»Bay –«

»Warum bist du gekommen? Haben wir in deinem Büro nicht alles gesagt?«

»Nein.« Er stand mit geröteten Wangen und flammenden Augen draußen in der Kälte. Sie konnte an seinem Gesicht ablesen, was in diesem Moment in ihm vorging: Er war angespannt, es tat ihm Leid, er hätte gerne alles ungeschehen gemacht und die Dinge zwischen ihnen wieder ins Lot gebracht – obwohl das nicht seine Aufgabe war.

»Es geht um Sean und mich«, flüsterte sie, und das war wirklich alles, was sie zu sagen hatte.

»Es tut mir Leid. Ich kann dir gar nicht sagen, wie sehr –«

»Das spielt keine Rolle. Dich trifft keine Schuld.«

»Aber du bist mir wichtig.« Seine Stimme wurde lauter. Er streckte den Arm aus, um ihre Hand zu ergreifen, aber sie entzog sich ihm. Es versetzte ihr einen Stich, als sich ihre Finger für den Bruchteil von Sekunden berührten.

»Ich habe dich mein ganzes Leben lang geliebt«, sagte sie. »Das ist mir erst bei unserem Wiedersehen zu Beginn des Sommers klar geworden ... ich glaubte dich zu kennen, aber die Warte, aus der ich dich sah, war wohl durch die Erinnerung verklärt. Die Erinnerung an jemanden, der mir Interesse entgegenbrachte, der sich Zeit für mich nahm, der fürsorglich war, als ich mich verletzt hatte. Aber das war ein anderer Mensch.«

»All diese Dinge treffen auch heute noch zu. Das musst du mir glauben, Bay.«

Sie sah in seine dunkelblauen Augen, die sie unverwandt

betrachteten, herausfordernd und mit einer Spur Galgenhumor.

»Weil ich eine Närrin bin«, sagte sie. »Ich sehe nur das, was ich sehen will – wie bei Sean. Ich war entsetzt, als du sagtest, worauf du dich um ein Haar eingelassen hättest.«

Er nickte, die Hände in den Hosentaschen vergraben. Ein kalter Novemberwind blies vom Sund her über die Marsch.

»Ich weiß.«

»Ich wünschte, du hättest es mir früher gesagt. Gleich in der ersten Woche, als ich in deinem Büro aufgetaucht bin. Ich begreife nicht, dass du es mir verschwiegen hast.«

»Du hältst offenbar nichts davon, einem Freund zu verzeihen, oder?«

Damit nahm er ihr den Wind aus den Segeln.

»Doch«, erwiderte sie beherrscht, gebannt von seinem Blick. Sie dachte an die Menschen, die sich vor einer Aussprache gedrückt hatten, vor dem Versuch, gemeinsam eine Lösung zu finden, und sie erkannte an der Aufrichtigkeit in seiner Stimme und in seinen Augen, dass es ihm ernst war, aber sie wusste nicht, wie es weitergehen sollte. Dieser Mann war bereit, alles in die Waagschale zu legen. Und deshalb verdiente er nichts weniger als das. Aber sie fühlte sich leer, ausgebrannt.

Das Leben mit Sean hatte sie nichts darüber gelehrt, wie man gemeinsam an Beziehungsproblemen arbeitete; er hatte ihre Kraft im Lauf der Jahre verschlissen. Sie fühlte sich hundeelend, wenn sie daran dachte. Sie konnte nur noch eines tun, nämlich Annie, Billy und Pegeen das Leben einigermaßen erträglich machen. Für Dan blieb nichts übrig. Nicht jetzt. Und auch nicht in absehbarer Zeit, falls überhaupt.

»Ich habe Agent Holmes alles gesagt, was ich dir erzählt habe«, sagte er.

»Wirklich?«

»Ja. Keine Ahnung, ob es ihm hilft oder nicht. Ich habe mir eingeredet, dass ich Eliza aus dem ganzen Durcheinander heraushalten wollte.«

»Eliza!«, rief Bay, sich erinnernd.

»Ja … was ist mit ihr?«

»Annie hat sich Sorgen gemacht. Es ist wahrscheinlich blinder Alarm, aber sie hat versucht, Eliza anzurufen, und das Telefon scheint nicht richtig aufgelegt zu sein.«

»Unser Telefon?« Dan runzelte die Stirn.

»Ja. Die Vermittlung hat die Leitung überprüft – es war nicht besetzt.«

»Oh Gott, Eliza.« Dan wurde blass. Plötzlich hatte Bay, als sie an Elizas Selbstzerstörungsdrang, an die Schnitte, die Selbstmorddrohungen dachte, ein mulmiges Gefühl, und sie machte sich Vorwürfe, weil sie es nicht sofort erwähnt hatte.

»Fahr los.« Sie berührte seine Schulter. »Möchtest du von hier aus irgendeine Nachbarin anrufen? Damit sie nach dem Rechten sieht?«

»Ich habe mein Handy dabei.« Er kramte in seiner Tasche. »Ich rufe vom Auto aus an. Bay … Bay, würdest du …«

»Ich komme mit, Danny.«

Dann rannte sie ins Haus, um Tara und Annie zu sagen, dass sie ihn begleiten und bald zurück sein würde, und dass sie weiterhin Elizas Nummer wählen und versuchen sollten, sie zu erreichen.

30

Sie befand sich auf einem Schiff.
Schaukelte auf den Wellen.
Hin und her geworfen wie Frachtgut im Laderaum.
Alles dunkelrot, die Farbe von Wein, die Farbe von Blut.
Süßer Geschmack wie Marzipan, der in ihr hochstieg, ihre Nasenlöcher füllte, die Erinnerung an einen gelben Schwamm.
Und der Geruch nach Benzin, Auspuffgasen. Ihr war speiübel, sie spürte einen Klebestreifen über dem Mund, eine Binde vor den Augen. Fühlte sich seekrank, krank vom Autofahren. Und voller Angst … wollte weinen, weil sie sich auf einem Boot befand und Boote nicht mochte, und weil sie sich gleich übergeben musste. Würgende Geräusche, sich hin und her winden, auf der Seite liegend, Hände und Füße gefesselt.
»Oh Gott, auch das noch.« Eine zornige Stimme. »Fahr rechts ran!«
Der Klebestreifen wurde ihr vom Mund gerissen, als das Schiff – nein, kein Schiff, sondern ein Auto, ein größeres – am Straßenrand hielt, so dass Eliza ins Freie taumeln, sich bücken und das Wenige von sich geben konnte, was sie im Magen hatte, mitten auf die Straße und auf ihre Schuhe.
Und niemand war da, der ihr den Kopf hielt oder über das Haar strich, denn sie hasste es, zu erbrechen; sie hatte Angst vor diesem Kraftakt und hatte die Bulimikerinnen in Banquo immer bedauert. Sie weinte, wollte zu ihrer Mommy oder ihrem Daddy, atmete in tiefen Zügen die

frische Luft ein und machte Anstalten, wegzulaufen, da sie ein wenig abseits standen, damit sie sich übergeben konnte.

An Händen und Füßen gefesselt, tat sie den ersten Schritt – und stürzte zu Boden, schlug hart auf, mit dem Gesicht voran. Ein Knacken – Knochen auf Asphalt. Das schlimmste Schwindelgefühl, das sie jemals erlebt hatte, in ihrem Kopf drehte sich alles, Salz in ihrem Mund – nein, Blut. Ihre Zunge, ihre Lippe aufgeplatzt, und als sie die verletzte Zunge im Mund bewegte, scharfe Kanten – ihre beiden Vorderzähne waren abgebrochen.

Blut ausspucken, wieder Tränen, eine Hand auf ihrem Arm, die ihr aufhalf.

»Nicht anfassen!« Ihre Stimme hoch, gellend, überraschend laut in ihren eigenen Ohren – eine Offenbarung. Sie konnte nicht wegrennen, aber schreien.

»Hilfe, Hilfe, Hilfe!«

Eine Hand auf ihrem Mund, der Versuch, sie von hinten zu packen, sie gefügig zu machen, beißen und treten und wild um sich schlagen – die zweite Person knallt die Autotür zu, eilt herbei, um sie zu bändigen, die Binde verrutscht von den Augen – Nacht, Dunkelheit, eine Straßenlaterne, gerade hell genug …

»Oh Gott!«

»Her damit, beeil dich!« – zu der anderen Person.

»Oh Gott!« Eliza, zu Tode erschrocken, nicht beim Anblick des süßlich getränkten gelben Schwamms, der wieder auf sie zukam, sondern weil der Wagen, in den man sie verfrachtet hatte –

Es war ein maronenfarbener Van.

Sie hatte ihn schon einmal gesehen, es war schon eine Weile her, mehr als ein Jahr, am schlimmsten Tag ihres Lebens, als sie mit ansehen musste, wie er auf ei-

ner entlegenen Landstraße mit ihrer Mutter zusammenprallte.
Sie kaltblütig überfuhr.

Selbst in der Dunkelheit konnte Bay erkennen, dass es
ein prachtvolles Haus war, das die Connollys besaßen.
Es war das Heim eines alten Kapitäns, der zur See gefahren war, an der Granite Street gelegen, direkt gegenüber
dem Mystic River und dem Seaport. Ein weißes klassizis-
tisches Gebäude im Federal Style mit dorischen Säulen,
glänzend schwarzen Fensterläden und Schiffslaternen aus
Messing – in denen kein Licht brannte – zu beiden Seiten
der breiten Eingangstür.
Bei dem Blick, der sich ihr bot, fühlte sich Bay in eine
längst vergangene Epoche versetzt: der dunkle Fluss, am
anderen Ufer die gespenstischen Masten alter Walfängerboote. Die Gebäude des Hafens still am Abend, nur der
Wind rüttelte an der Takelage der Schiffe, erzeugte Sphä-
renklänge, beinahe tonlos, aber unheimlich.
»Die Laternen sind aus.« Dan parkte in der Auffahrt,
sprang aus dem Wagen. »Sie macht sie immer für mich an.«
Bay holte tief Luft und folgte ihm über den mit rotem
Backstein gepflasterten Weg die breiten Granitstufen hinauf zur Eingangstür. Sobald er die Hand auf den Knauf
legte, wusste sie, dass etwas nicht stimmte – die Tür war
offen.
»Sie sperrt sonst immer zu.« Er eilte ins Haus.
Bay ging hinter ihm her. Das Innere zeugte von einer
Pracht, die längst der Vergangenheit angehörte: auf Hochglanz polierte Möbel, von einer Generation zur nächsten
weitervererbt, eine Ebenholztruhe, ein Newport-Schreib-
tisch, Hitchcock-Sessel, Gemälde von Schiffen und dem
Hafen, Messinglampen, ein Täbriz-Teppich.

Durch das Esszimmer, wo Bay im Schein einer Messing-
stehlampe eine weit geöffnete Schranktür bemerkte, ging
es in die Küche. Hier brannte Licht – eine helle Decken-
lampe, die Elizas Abendessen beleuchtete.

»Eliza!« Dan rannte durchs Haus. »Eliza!«

»Oh mein Gott«, flüsterte Bay und starrte auf den riesigen
Teller mit Elizas Abendessen: neun verschrumpelte Erbsen. Das arme Mädchen, dachte Bay und schloss damit
auch Annie ein.

»Sie ist nicht da.« Dan stürzte in die Küche. »Was hat sie
sich angetan?«

»Dan.«

»Sie ist selbstmordgefährdet.« Er raufte sich die Haare, lief
ruhelos hin und her. »Sie hat sich immer wieder verstümmelt, hat gedroht, ins Wasser zu gehen …«

»Dan, ich glaube nicht, dass sie sich etwas angetan hat.«
Bay nahm ihn am Arm und führte ihn zum Tisch, deutete
auf Elizas Teller. »Sie hat versucht, etwas zu essen.«

Er starrte die Erbsen an, und Bay wusste, dass nur jemand,
dessen Kind unter Essstörungen litt, verstand und begriff,
dass diese armselige Mahlzeit eine gute Neuigkeit war.

»Tatsächlich.« Erleichtert schloss er einen Moment die Augen. »Du hast Recht. Aber wo könnte sie sein?«

Sie durchsuchten den ganzen ersten Stock, Räume, die
Bay schön fand, makellos, aber irgendwie kalt. Wo waren
die Fotos von Eliza? Wo waren ihre Zeichnungen und der
selbst gebastelte Wandschmuck aus der Schule? Die Gips-
abdrücke ihrer Hände? Die Muscheln und Steine, die sie
gesammelt und abgemalt hatte?

Über dem Kaminsims hing das Porträt einer jungen Frau.
Bay blieb stehen, blickte in ihre bernsteinfarbenen Augen.
Es war ein schmeichelhaftes Bild von Charlotte Day als
Debütantin: weißes Satinkleid, lange weiße Handschuhe,

weicher brauner Pagenkopf, perfekt geschwungene Lippen, aber mit einem Lächeln, das ihre Augen nicht erreichte.

Die Frau, die Bays Mann geküsst hatte.

Während sie das Bild betrachtete, verspürte Bay tief in ihrem Inneren eine unerträgliche Abneigung gegen Charlie Connolly – wegen ihres perfekten, unpersönlichen Hauses, weil sie ihren Mann belogen und Sean vor den Augen ihrer Tochter geküsst hatte, selbst wenn sie gedacht hatte, dass sie schliefe.

»Das ist Charlie.« Dan trat neben sie, um das Gemälde gleichfalls zu betrachten.

»Das dachte ich mir schon.«

»Es stammt von Wadsworth Howe – einem Zeitgenossen von Renwick. Ihre Eltern gaben es anlässlich ihres achtzehnten Geburtstages in Auftrag, kurz nachdem sie in die Gesellschaft eingeführt worden war. Ich habe oft überlegt, ob ich auch ein Porträt von Eliza anfertigen lassen soll …«

Bay schüttelte den Kopf, ohne die Augen von Charlies kaltem Blick zu lösen. »Kein Porträt wäre in der Lage, ihre Persönlichkeit wiederzugeben, ihr bezauberndes Wesen. Es könnte ihr niemals gerecht werden. NIEMALS.«

Dan, der ihren Tonfall wahrnahm, zuckte zusammen. Erschrocken blickte er Bay an, die nahe daran war, ihm zu sagen, dass sie seine Frau nicht mochte. In ihren Augen war Charlie das perfekte Modell für eine Debütantin, deren Unnahbarkeit für immer in der Grabeskälte eines Porträts eingefangen war, doch jetzt galt es, Eliza zu finden, und deshalb hielt sie ihre Zunge im Zaum.

»Komm, lass uns fahren«, sagte sie. »Es ist schon dunkel draußen, und sie hat keinen Bissen gegessen. Wir müssen sie suchen.«

»Aber wo sollen wir anfangen? Wo könnte sie stecken?«

»In der Schule? Bei irgendeiner Veranstaltung?«

Dan schüttelte den Kopf. »Ich wünschte, es wäre so. Aber Eliza ist eine bekennende Einsiedlerin. Sie sagt, dass sie für ihren Eintritt ins Kloster übt.«

»Und das ist ihre Zelle«, sagte Bay traurig und dachte an das junge Mädchen, das sich freiwillig in ihren eigenen vier Wänden absonderte, an seinen Vater, der schuften musste, um seinen Rechnungen einen Schritt voraus zu sein, und an eine tote Mutter, die einen anderen Mann geküsst hatte.

Während ihre Gedanken bei den vier Kinder weilten, ging sie mit Dan auf dem gleichen Weg zurück, auf dem sie gekommen waren, angestrengt nach einem Hinweis Ausschau haltend, den sie vielleicht übersehen hatten. Im Esszimmer fiel Bay die geöffnete Tür einer Vitrine auf.

»Was ist das?«, fragte sie.

»Ein Geschirrschrank, selbst gebaut, für Elizas Teeservice. Sie war ganz vernarrt in den Schreibtisch ihres Großvaters, deshalb habe ich versucht, die Tür mit den gleichen Ornamenten zu gestalten.«

Bay bückte sich, um die Muscheln, Fische, Meerjungfrauen, Meeresungeheuer und den Poseidon zu betrachten. Sie griff in den Schrank, holte eine der blauen Tassen und Untertassen hervor – winzig, mit Elizas eingravierten Initialen – und stellte sich vor, wie das Mädchen ihren Puppen Tee servierte.

»Ach ja.« Dan stand neben Bay und streifte mit der Hand ihre Schulter, als er die Tür weiter aufmachte. »Sie bewahrt auch den Becher des Generals in dem Schrank auf. Ich habe dir von ihm erzählt, falls du dich erinnerst.«

»Der beweist, dass es die wahre Liebe gibt?«, fragte Bay, als seine Hand kaum merklich auf ihrer Schulter liegen blieb.

»Ja.«

Bay spähte hinein. Schatten füllten den Schrank, und Dan rückte die Messinglampe näher. Zwei Stapel mit Tellern in Puppengröße, Tassen und Untertassen standen darin, mitsamt Teekanne, Milchkrug und Zuckerdose.

»Ich kann ihn nirgends entdecken«, sagte sie.

Dan ging neben ihr in die Hocke. »Ich auch nicht.«

»Könnte sie ihn mitgenommen haben? Er hat ihr gewiss viel bedeutet.«

»Schon. Aber nicht, weil er ein Vermögen wert ist, sondern weil sie als Kind Milch daraus trinken durfte, ein Ritual, das sie an ihre Mutter erinnert. Sie hätte ihn nie außer Haus gebracht.«

»Dan.« Bay wurde innerlich eiskalt, hatte mit einem Mal das Gefühl einer überwältigenden Bedrohung. »Ich denke, du solltest die Polizei anrufen.«

»Du hast Recht«, erwiderte er und eilte bereits zum Telefon.

Eliza war kalt, und abermals speiübel, aber vor allem kalt. Sie spürte den Wind und roch das Meer. Der salzige Geschmack fühlte sich eisig in Mund, Nase und Lungen an – aber er war erfrischend, befreite sie von dem Ekel erregenden süßlichen Geruch und Geschmack.

Sie versuchte, ihren Körper zu entspannen und wie ein zusammengerollter Teppich auf dem harten Boden zu liegen, während der Wagen über Stock und Stein rumpelte. Man hatte ihr wieder die Augen verbunden und den Klebestreifen über dem Mund erneuert; sie bekam kaum Luft.

Die Stimmen waren leise, und sie versuchte herauszubekommen, wie viele sie waren – Männer, Frauen? Ein Mann, nur einer, oder zwei? Und noch jemand, eine Frau, die nervös zu sein schien, ängstlich …

Und mit einem Mal fiel ihr Mr. Boland wieder ein!

Die Erinnerung an die Minuten vor dem Betäubungsmittel war verschwommen, kehrte nur langsam zurück ...

Mr. Boland, der vor der Haustür stand, als sie gerade die Polizei benachrichtigen wollte. Vielleicht hatte er mitbekommen, wie sie entführt wurde, vielleicht nahte bereits Hilfe – ihr Vater, die Polizei ...

Es sei denn – nein ... unmöglich ... sie weigerte sich, es zu glauben, obwohl die Stimmen vertraut klangen, unglaublich vertraut ... Er war es ... aber wie konnte das sein? Jemand der sie kannte! Der immer nett zu ihr gewesen war!

»Ich hätte nicht auf dich hören sollen, weder damals noch jetzt«, sagte Mr. Boland.

Lasst mich einfach gehen, flehte Eliza stumm. *Lasst mich nach Hause* ...

»Ich kenne deine Ansichten zu diesem Thema, verschone mich also damit. Wir können nicht mehr zurück; es gehen bereits zwei auf unser Konto, das dürfte dir doch klar sein. Oder zählst du nicht mehr mit?«

Zwei?, dachte Eliza verwirrt. *Zwei was?* Ihr Herz hämmerte, und sie betete, dass Mr. Boland und die Frau nichts davon mitbekamen. Sie spitzte die Ohren, begierig, die Stimmen noch einmal zu hören, wobei ihr gleichzeitig davor graute, aber sie flehte insgeheim um Gnade, hoffte –

»Was machen wir also?«

»Wir fahren noch eine Zeit lang herum, und dann zur Brücke.«

»Dieselbe wie ... bei McCabe?«

»Darauf hatten wir uns doch schon geeinigt, oder? Die Flut müsste bald einsetzen –«

»Ich weiß, aber –«

»Jetzt verliere nicht die Nerven. Immer mit der Ruhe. Sie ist die Einzige, die uns belasten könnte. Solange wir einen kühlen Kopf bewahren und nicht zulassen, dass sie einen Keil zwischen uns treiben, kann uns gar nichts passieren. Sie ist schließlich die einzige Zeugin.«

Eliza lag reglos da, Tränen in den Augen.

Zitternd versuchte sie, die Worte aus ihrem Bewusstsein zu verdrängen. Nicht einmal eine Decke hatte man ihr gegeben. Man legte einen schlafenden Menschen nicht einfach auf den eiskalten Boden eines Van, ohne ihn warm einzupacken. Allein das genügte – auch wenn sie die Worte nicht gehört hätte oder sie verdrängen könnte –, um ihr klar zu machen, dass die beiden nicht lange fackeln und sie umbringen würden.

Es war Mr. Boland gewesen, der in der Dunkelheit vor ihrem Fenster gestanden und versucht hatte, sie dazu zu bringen, aus dem Fenster zu springen, der ihr einreden wollte, ihre Mutter brauche sie …

Eliza presste die Augen zusammen und schluckte ihre Tränen herunter; sie wusste nun, dass sie in einem maronenfarbenen Van lag, von der gleichen Farbe wie Blut; er war dunkelrot und nicht dunkelblau oder dunkelgrün, und sie kannte ihn, und nun fiel ihr auch wieder ein, woher: Schaudernd wurde ihr bewusst, dass sie sich in dem roten Van befand, der ihre Mutter überfahren hatte.

In der Gewalt von Mördern, die ihr in der Nacht zugeflüstert hatten, dass ihre Mutter sie brauche …

Der Streifenwagen brauste die Granite Street entlang, das Blaulicht spiegelte sich auf der schwarzen, unbewegten Oberfläche des Mystic River. Gefolgt von einem Sedan ohne Kennzeichen, bog er in Connollys Zufahrt ein, seine Präsenz ein krasser Gegensatz zur Architektur des Seekapitäns und eine Mahnung, dass auch die Bewohner eines historischen Kleinods nicht vor Problemen gefeit waren.

Bay saß im Wohnzimmer und dachte daran, wie vor einem halben Jahr die Polizei an einem heißen Sommertag in ihre friedliche Idylle eingedrungen war und sie ein für alle Mal zerstört hatte. Erinnerungen gingen ihr durch den Kopf, während sie neben Dan saß und ihm beizustehen versuchte.

Zwei weibliche Detectives, Ana Rivera und Martha Keller, hatten ihnen gegenüber Platz genommen und musterten Dan eindringlich, während Rivera Fragen stellte. Bay hatte ein ungutes Gefühl: Wenn Kinder vermisst wurden, verdächtigte die Polizei als Erstes die Väter. Bay rückte auf dem Sofa unmerklich näher an ihn heran.

»Ich brauche die Personalien Ihrer Tochter«, sagte Detective Rivera. » Ihr Name und das Alter.«

»Eliza Day Connolly. Sie wird bald dreizehn.«

»Sie kamen zur üblichen Zeit von der Arbeit nach Hause und stellten fest, dass sie verschwunden war?«

»Nein. Ich kam später. Ich war noch kurz zu Bay gefahren –«

»Bay?«

»Das bin ich«, sagte Bay. »Bay McCabe. Ich lebe in Black Hall. Hubbard's Point, genauer gesagt.«

Die beiden Frauen warfen sich einen vielsagenden Blick zu. Der Name schien ihnen geläufig zu sein; bei dem Gedanken, dass er bei der Polizei von Black Hall bis Westerley und darüber hinaus berüchtigt war, wurde Bay rot.

»Meine Tochter ist mit Eliza befreundet, und sie sagte, Eliza habe versucht, sie ungefähr gegen Viertel vor fünf anzurufen. Annie ging zu spät ran, aber der Anruf war in der Rufnummererkennung gespeichert. Annie machte sich Sorgen und meinte –«

»Sorgen? Warum?«, fragte Detective Rivera. »Vielleicht

hatte Eliza es sich anders überlegt, weil es etwas im Fernsehen gab, was sie sich zuerst anschauen wollte, oder –«

»Aber sie war nicht da, als wir kamen«, warf Dan mit einem Anflug von Panik in der Stimme ein, die seine scheinbare Geduld Lügen strafte. »Das ist der springende Punkt. Es spielt keine Rolle, warum, sie ist verschwunden.«

»Ich möchte nur wissen«, entgegnete Detective Rivera ruhig, »ob es einen Grund dafür gibt, dass ihre Freundin sich Sorgen macht. Ist Ihre Tochter labil?«

Dan holte Luft, atmete langsam und hörbar aus; Bay wusste, wie schlimm es für ihn sein musste, Elizas Leben und Vorgeschichte vor Wildfremden auszubreiten.

»Sie ist sehr sensibel. Ihre Mutter starb letztes Jahr, und Eliza hat den Verlust noch nicht verwunden.«

Die beiden Detectives schwiegen, warteten. Bay sah, wie Dan fieberhaft überlegte, wie er seine Tochter schützen konnte, ohne Dinge preiszugeben, die privat waren und niemanden etwas angingen. Bay sah Mitgefühl in den Augen der beiden Frauen.

»Wir wissen, dass es schwer ist, Mr. Connolly«, sagte Detective Keller. »Aber Sie müssen uns alles sagen, was zur Klärung beiträgt.«

»Sag es ihnen, Danny«, sagte Bay ermutigend, als er sich fragend zu ihr umwandte und sie ansah. »Damit Eliza gefunden wird.«

»Sie war in einer Klinik. In Banquo, Massachusetts. Das ist eine psychiatrische Klinik …«

»Ich weiß, sie hat einen sehr guten Ruf«, erwiderte Detective Rivera freundlich.

»Sie musste den Unfall ihrer Mutter mit ansehen. Sie erlitt einen Schock, war traumatisiert. Bei ihr wurden eine P.T.S.D. und eine D.I.D. diagnostiziert.«

»Eine Dissoziative Identitätsstörung«, erklärte Detective Keller. »Hat sie multiple Persönlichkeiten?«

»Nein. Aber eine gestörte Beziehung zur Umwelt: Sie schottet sich ab, zieht sich in ihr Schneckenhaus zurück ... und sie hat eine auffallend lebhafte Fantasie. Einmal –« Er hielt inne und blickte zuerst die Treppe, dann Bay an. »Im Oktober hat sie angeblich Stimmen draußen vor ihrem Fenster gehört, von – ›Monstern‹. Die sie aufforderten, mitzukommen, weil ihre Mutter sie brauchen würde. Ich bin der Sache auf den Grund gegangen –«

»Und?«

Danny schüttelte den Kopf. »Nichts. Ein paar Kratzer auf dem Fliegengitter vor dem Fenster – aber die stammten von Zweigen.«

»Wo ist das Fenster?«, fragte Detective Rivera.

»In ihrem Schlafzimmer. Im ersten Stock, auf der linken Seite. Das Fenster unmittelbar neben ihrem Bett.«

Detective Rivera forderte einen uniformierten Streifenpolizisten mit einer Handbewegung auf, nach oben zu gehen und das Fenster in Augenschein zu nehmen.

»Ist sie vorher schon einmal durchgebrannt?«

Dan schüttelte den Kopf. »Ganz im Gegenteil. Sie ist eine Stubenhockerin. Sie will ins Kloster gehen, sagt sie. Zu Hause fühlt sie sich am wohlsten, besucht niemanden, außer Annie, in Hubbard's Point.«

»Könnte es sein, dass sie sich auf dem Weg zu ihr befindet?«

»Nein. Das hätte sie mir gesagt.«

»Kinder haben Geheimnisse vor ihren Eltern«, meinte Detective Rivera. »Das ist nicht persönlich gemeint, sondern eine Tatsache. Könnte sie sich heimlich mit jemandem treffen, mit dem Sie ihr den Umgang verboten haben? Oder sind Drogen im Spiel?«

»Weder noch. Eliza ist … sehr eigenwillig. Und zart besaitet; sie geht nach der Schule nicht mehr aus dem Haus. Es ist sogar ein ständiger Kampf, sie überhaupt in die Schule zu bekommen. Deshalb bin ich so dankbar für die Freundschaft mit Annie«, fügte er mit einem Blick auf Bay hinzu.

»Also keine Drogen?«, hakte Detective Keller nach.

»Nein.«

»Ich muss Sie das fragen«, sagte Rivera, »auch wenn es schmerzlich ist, aber – hat Eliza jemals das Thema Selbstmord erwähnt oder versucht, sich umzubringen?«

Dan verschränkte die Hände und starrte sie lange an. Bay stellte sich die Narben an Elizas Handgelenken vor, die sie gesehen hatte, und ahnte, dass es noch etliche gab, die dem Blick verborgen waren.

»Ja.« Dans Stimme klang gepresst. »Seit dem Tod ihrer Mutter hat sie öfter davon geredet.«

»Es wäre also möglich, dass ihr der Gedanke auch jetzt gekommen ist«, sagte Detective Rivera sanft, aber mit Nachdruck.

»Ich weiß es nicht. Ich … Möglich wäre es.«

Detective Rivera nickte, stand auf und trat in den Gang hinaus, wo Bay sie mit den beiden Polizisten reden hörte. Detective Keller beugte sich vor. »Hat sie erwähnt, wie?«

Dan schüttelte den Kopf. »Sie schneidet sich«, erwiderte er leise.

»Oh … das tut mir Leid.«

»Ich habe ihr gesagt, wenn sie nicht damit aufhört, muss sie wieder in die Klinik zurück.« Seine Augen füllten sich mit Tränen. »Sie ist bildhübsch, ein ganz besonderer Mensch mit Schönheit und Charakter, aber sie hat das Bedürfnis, sich zu verstümmeln. Sie findet sich hässlich … sagt, dass sie den Schmerz herauslassen muss, der sie seit dem Tod ihrer Mutter quält.«

»Wir werden sie finden«, versprach Detective Keller.

Aber ihre Worte stießen auf taube Ohren. Bay spürte, während Dan mit den Tränen kämpfte, dass er seine Tochter bereits verloren glaubte, so oder so, dass der Kummer sie in einen Abgrund gestürzt hatte, der für ihn unerreichbar war. Bay ergriff seine Hand.

Als Detective Rivera zurückkehrte, hatte sich ihre Miene verändert: Ihre Gesichtszüge wirkten hart, kantig, angespannt. Joe Holmes begleitete sie. Detective Keller sah hoch, ihr Blick wurde wachsam, als sie den FBI-Agenten und Riveras veränderte Haltung bemerkte. Das Knistern des Polizeifunks war im Gang zu hören.

»Ich wurde benachrichtigt«, sagte Joe.

»Wäre es möglich, dass Eliza jemandem die Tür geöffnet hat?«, fragte Rivera.

»Ich hoffe nicht; nein, sicher nicht. Es sei denn, es wären Bekannte gewesen. Warum?«

»Wurden bei Ihnen in letzter Zeit Reparaturen durchgeführt, zum Beispiel Installationsarbeiten? War die Heizung defekt?«

»Nein.« Dan stand auf, spürte, dass sich die Atmosphäre verändert hatte. Bay hörte, wie die Polizisten im Gang die Spurensicherung anforderten. »Worum geht es überhaupt?«

»Die Polizisten haben draußen im Gebüsch Isolierband gefunden. Wissen Sie, wie es dahin gekommen sein könnte?«

»Nein, keine Ahnung.«

»Haben Sie so etwas im Haus?«, fragte Joe.

»In meiner Werkstatt in New London, aber nicht hier.«

»Wie war das genau, als Sie das Haus betraten?«, fragte Detective Rivera brüsk. »Ist Ihnen etwas aufgefallen, was anders war als sonst?«

»Die Tür war unverschlossen. Das Telefon war nicht aufgelegt. Eliza hatte sich etwas zu essen gemacht, aber kaum einen Bissen angerührt.«

»Und der Becher«, erinnerte Bay ihn.

»Ach ja – ihr Silberbecher ist verschwunden.«

»Was für ein Silberbecher?«

»Er ist beinahe unbezahlbar, von Paul Revere höchstpersönlich gefertigt; er spielt eine Rolle in einer Legende aus dem Unabhängigkeitskrieg, von ähnlicher Bedeutung wie die ›Charter Oak‹, das Symbol des Widerstands gegen die Krone. Eigentlich gehört er in ein Museum, aber ihre Mutter hat ihn ihr geschenkt, und Eliza würde ihn nie hergeben.«

»Und der Becher war noch da, als Sie heute Morgen zur Arbeit fuhren?«

Dan zuckte die Achseln. »Keine Ahnung. Ich nehme an. Er weckte bei Eliza und mir schmerzliche Erinnerungen an Charlie – ihre Mutter –, so dass wir ihn immer im Schrank ließen. Ich habe ihn das letzte Mal kurz vor Charlies Tod gesehen und seither keinen Blick mehr darauf geworfen – auch Eliza nicht, soweit ich weiß.«

»Beschreiben Sie bitte den Becher«, forderte Detective Rivera ihn auf und schrieb mit.

»Denken Sie, er wurde gestohlen?«, fragte Dan zunehmend erregt. »Könnte es das sein?«

»Wir sind nicht sicher«, erwiderte Rivera. »Aber das Isolierband deutet eher darauf hin, dass Ihre Tochter entführt wurde.«

Tara hielt mit den Kindern die Stellung, während Bay bei Dan Connolly blieb, damit er nicht den Verstand verlor. Tara konnte sich nur entfernt vorstellen, was in ihm vorging. Sie hatte sich ein Leben lang ausgemalt – und wenn man die vierzig überschritten hatte, schien das ewig zu sein –, wie es wohl sein mochte, eigene Kinder zu haben. Dank der Beziehung zu Bay und deren Kindern bekam sie ja einen Vorgeschmack, als Mutter- oder Tantenersatz.

Tara hatte Annie, Billy und Pegeen (natürlich insgeheim am meisten ihr Patenkind Annie) von Geburt an ins Herz geschlossen. Sie hatte Bay geholfen, wenn sie unter Koliken, Windpocken, Ausschlag vom Efeu und Quallenbissen litten. Sie hatte viele Nächte als ihr Babysitter durchwacht und sie in den Schlaf gewiegt, wenn sie Albträume hatten.

Doch am Ende des Tages – oder Abends – musste sie nach Hause zurück. Küsste die Kinder zum Abschied, schloss die Tür hinter sich und kehrte heim in ihr eigenes kleines Paradies, mit seiner Einsamkeit, den ausgiebigen Pediküren und einer geheimen Leidenschaft für die zigfache Wiederholung der Serie *Bezaubernde Jeannie*.

Aber das verhinderte nicht, dass es ihr vor Mitgefühl für Danny schier das Herz zerriss. Sie liebte Bays Kinder über alle Maßen, als wären es ihre eigenen. Sie konnte sich nicht einmal ansatzweise vorstellen, was er durchmachte, und deshalb war sie froh, dass Bay bei ihm war.

Sie sehnte sich nach Joe. Doch da Eliza verschwunden war und die Stunden ohne eine Nachricht vergingen, wusste sie, dass er sich genau dort befand, wo er am dringendsten gebraucht wurde: in Dan Connollys Haus in Mystic.

Sie war heilfroh, dass sie ihn benachrichtigt hatte.

31

Es musste kurz vor Mitternacht sein.

Obwohl es hinten im Van weder ein Fenster noch eine Uhr gab und sie selbst keine Armbanduhr getragen hatte, merkte Eliza, wie die Zeit verging; sie spürte, dass es spät war und der Wagen nicht mehr fuhr.

Warum hatte man sie am Leben gelassen?

Ihr Gesicht war zerschrammt und vom Sturz geschwollen, und sie konnte nicht aufhören, mit der Zunge über die abgebrochenen Vorderzähne zu fahren. Sie war jedes Mal aufs Neue den Tränen nahe, wenn sie an ihre Zähne dachte, aber ihr Mund war mit Isolierband zugeklebt, und wenn sie weinte, musste sie würgen, deshalb drängte sie die Tränen zurück. Sie wusste, dass sie von Glück sagen konnte, überhaupt noch am Leben zu sein.

Sie betete den ganzen Abend. In der undurchdringlichen Dunkelheit hatte sie das Gefühl, ihre Mutter sei bei ihr in dem Van, der sie überfahren hatte, und breite ihre Arme, ihre Engelsflügel aus, um sie zu wärmen. Wenn ihre Mutter nicht wäre, dann wäre sie längst tot, das stand für sie fest. Ihre Mutter hinderte die Mörder daran, auch sie umzubringen.

Ihre Mutter war ihre Rettung, was in Eliza einen überwältigenden Lebenswillen hervorrief. Erst im Angesicht des Grauens war ihr klar geworden, dass sie *alles* tun würde, um zu überleben und dafür zu sorgen, dass der Gerechtigkeit Genüge getan wurde.

Der Gedanke an Selbstmord erschien ihr mit einem Mal schrecklich, selbstsüchtig und leichtfertig – ihrem Naturell völlig fremd. Sie wollte leben und betete zu Gott, dass sie es schaffen würde.

Dan Connolly kannte Leid, Kummer und Grauen aus eigener Erfahrung. Seine Eltern waren herzensgute, liebevolle Menschen gewesen und beide zu jung gestorben. Nach Charlies Tod hatte er sich wie ein Schatten seiner selbst gefühlt, eine verlorene Seele. Seither war er an seiner Sorge um Eliza schier verzweifelt. Aber das war nichts im Vergleich zu dem, was er jetzt empfand: als sei er wilden Tieren zum Fraß vorgeworfen worden. So würde man sich beim Angriff eines Hais fühlen, im Zeitlupentempo.

Eliza, seine kleine Eliza. Sie war ein Teil von ihm und er ein Teil von ihr. Er hatte sie nach der Geburt in den Armen gehalten – zuerst Charlie, dann er. Seit er zum ersten Mal ihr Gesicht betrachtet und in ihre Augen geblickt hatte, war in Dan eine Liebe entbrannt, die niemals verging, die ein Leben lang währte, auf die er niemals verzichtet hätte, ungeachtet der Verantwortung und Intensität.

Im Haus herrschte ein reges Kommen und Gehen: Detective Rivera und Detective Keller, Kollegen aus ihrer eigenen Einsatztruppe, von der Spurensicherung, Joe Holmes. Im Laufe der Nacht trafen immer wieder neue Informationsbruchstücke ein: Das Isolierband war in größerer Menge an die Instandhaltungsabteilung der Shoreline Bank verkauft worden.

Es hatten sich keine unidentifizierbaren Fingerabdrücke an der Türklinke des Hauses oder dem Geländer der Veranda befunden, aber Joe schien zu dem Schluss gelangt zu sein, dass die Kratzer am Fliegengitter vor Elizas Fenster keineswegs von Zweigen stammten, sondern von einem Messer, mit dem man den Rahmen aufzubrechen versucht hatte. Der Baum war seiner Meinung nach als Kletterhilfe benutzt worden, um auf das Dach zu gelangen, und die Polizei durchforstete die Umgebung nach weiteren Spuren, die der Täter möglicherweise hinterlassen hatte.

Bay harrte an Dans Seite aus.

»Du willst sicher nach Hause«, sagte er mit Blick auf seine Uhr, die zeigte, dass es bereits kurz vor Mitternacht war.

»Ich gehe nicht weg.«

Ihre Blicke trafen sich. Er sah die gleiche Fürsorge und Zuneigung, die sie früher für ihn empfunden hatte, doch nun von Schmerz überschattet war. Sie legte die Arme um ihn, und er vergrub den Kopf an ihrer Schulter, klammerte sich an sie, wie ein Ertrinkender.

»Sie ist stark, Dan. Denk daran, was sie schon alles durchgestanden hat. Und wie sehr du sie liebst – das weiß sie.«

»Glaubst du?«

»Ich weiß es. Du bist für sie der wichtigste Mensch auf der Welt.«

»Das war früher ihre Mutter.« Und dann sprach er davon, dass er wieder daran dachte, dass sie mit angesehen hatte, wie ihre Mutter von einem Van überfahren worden war. Diese Vorstellung ließ ihn zusammenfahren. Sein kleines Mädchen hatte schon einmal ein lebensbedrohliches Trauma davongetragen – wie konnte er also hoffen, dass sie so etwas ein zweites Mal überstand?

Bay antwortete nicht, aber sie hielt ihn in den Armen, strich ihm sanft über den Hinterkopf.

»Sie liebte Charlie abgöttisch. Ihre Mutter war immer für sie da. Gott, ich denke oft, das hier wäre nicht passiert, wenn ich mich in den letzten Jahren mehr zusammengerissen hätte. Charlie war so beständig … kam nie vom Kurs ab, machte nie etwas falsch. Sie besaß Charakterstärke, Integrität. Sie war Elizas Vorbild. Sie hätte nie –«

»Sie war *kein Vorbild!*« Bay ließ Dan los, trat einen Schritt zurück. Ihre Stimme klang wütend, ihre Augen waren mit Tränen gefüllt.

»Wovon redest du? Natürlich war sie –«

»NEIN, Dan.« Ein Schluchzen löste sich aus Bays Brust. »Eliza sah GANZ UND GAR KEIN Vorbild in ihr!«

Die Polizei war überall im ersten Stock, und so nahm Dan Bay an die Hand und ging mit ihr nach oben ins Schlafzimmer, das er mit Charlie geteilt hatte. Sie nahmen auf der Bettkante Platz, wobei Bay bitterlich weinte. Nun war es an Dan, sie zu trösten, mit dem rechten Arm um ihre schmalen Schultern, versuchte er mit der linken Hand ihr Kinn zu heben und sie zu zwingen, ihm in die Augen zu schauen.

»Sag mir die Wahrheit, Bay. Bitte.«

»Es tut mir Leid, Dan«, schluchzte sie. »Das hätte ich nicht sagen sollen. Nicht heute Abend …«

»Dafür ist es jetzt zu spät. Wo du schon einmal davon angefangen hast, kannst du es genauso gut zu Ende bringen. Was wolltest du über Eliza und ihre Mutter sagen?«

»Für Eliza war Charlie kein Vorbild. Nicht einmal ein ehrlicher Mensch.«

»Bay, du irrst.«

»NEIN, Dan. Sie hat gesehen, wie ihre Mutter Sean küsste!«

»Das hat Eliza dir erzählt?« Dan war wie erstarrt.

»Nein, sie hat es Annie erzählt.«

»Und Annie hat es dir erzählt.«

»Ja. So ist das nun mal im Leben. Ein Kind erwartet Liebe und Trost von den Eltern – nicht Täuschung und Verrat! Es tut mir Leid, Dan, aber ich hasse sie. Ich hasse sie, weil sie

444

Sean geküsst hat, weil Eliza es mit ansehen musste, weil sie dir –« Sie verstummte mitten im Satz.

»Sag es«, flüsterte er und zog Bay noch enger an sich, sein Mund an ihrem Haar. »Bitte sprich weiter.«

»Weil sie dir ein schlechtes Gewissen eingeimpft hat.« Sie schluchzte verzweifelt, zitterte am ganzen Körper. »Minderwertigkeitsgefühle. Weil es dir nicht gelungen ist, sie glücklich zu machen. Ständig hast du dir Vorwürfe gemacht: Wenn ich nur die richtige Zauberformel gefunden hätte, wenn ich nur erraten hätte, was sie gerne gehört hätte, wo sie gerne gewesen wäre ... wie sie gerne berührt worden wäre ...«

Dan erkannte, dass Bay über sich selbst und ihren Mann sprach, aber er nahm jedes Wort in sich auf, spürte, dass sie beide, zumindest im letzten Jahr, das Gleiche durchgemacht hatten.

»Es tut mir Leid, dass er dir das angetan hat. Sean meine ich ...«

»Und mir tut es Leid, was Charlie dir angetan hat.«

»Warum bin ich nicht von selbst darauf gekommen? Warum hat Eliza keinen Ton gesagt?«

»Du bist nicht darauf gekommen, weil du zu den Menschen gehörst, die einem anderen blind vertrauen. Wenn du jemanden liebst, dann liebst du mit Leib und Seele.«

»Das stimmt.« Er blickte auf ihren Scheitel, auf ihr rotgoldenes Haar, das im kalten Novemberlicht schimmerte, und wünschte sich, sie würde ihm in die Augen schauen.

»Und Eliza hat geschwiegen, weil sie dir nicht noch zusätzlich wehtun wollte. Auch meine Kinder haben mich mehr beschützt, als mir lieb ist.«

»Weißt du, wann die Geschichte mit Sean passiert ist?«

Bay schüttelte den Kopf. »Ich nehme an, kurz vor Charlies Tod. Frag Eliza.«

Was wäre, wenn sich die Gelegenheit dazu nie mehr ergäbe?
Bay sah den Schmerz in seinen Augen und schüttelte den Kopf. »Das darfst du nicht denken«, sagte sie, während ihr die Tränen über Wangen und Mund liefen; dann berührte sie die Seite seines Gesichts, schlang den Arm um seinen Nacken und küsste ihn auf den Mund.

Der Kuss war stürmisch. Dan umklammerte Bay mit dem letzten Rest Stärke, den er aufzubieten vermochte, spürte ihre Hände auf seinem Rücken, die unter seinen Pullover glitten, in dem Bedürfnis, seine Haut zu berühren, seinem Herzen so nahe wie möglich zu sein.

Als sie wieder nach unten gingen, fanden sie Joe Holmes im Esszimmer vor. Bei ihrem Eintritt deutete er auf den hölzernen Geschirrschrank. »Hatte Eliza ihren Silberbecher dort aufbewahrt?«

»Ja.« »Wie ich schon Detective Rivera sagte, der Becher wurde von Paul Revere gefertigt. Er gehört eigentlich in ein Museum. Wurde Eliza deswegen … entführt?«

»Er hätte auch von Walmart stammen können«, erwiderte Joe grimmig. »Der Wert hat weder etwas mit dem Hersteller noch mit dem Alter zu tun.«

»Was soll das heißen? Wieso sollte sonst jemand eine Entführung riskieren, oder rechtfertigen? Wie ließe sich sonst erklären –«

Joe schüttelte ungeduldig den Kopf, aber seine Augen funkelten.

»Der Becher steht zwar mit ihrem Verschwinden in Verbindung. Aber nur rein zufällig.«

»Und wie hängst beides zusammen?«

»Wir hatten seit dem Pumpkin Ball einen dringenden Verdacht.« Er starrte Bay an. »Tara gab mir den entscheidenden Hinweis. Wir sahen uns im Haus der Bolands die Trophäen an, und sie meinte, dass Sean und er möglicherweise auch im sportlichen Bereich Konkurrenten gewesen waren.«

»Aber sie wuchsen doch weit voneinander entfernt auf«, gab Bay zu bedenken. »Mark wohnte hier an der Küste, Sean kam nur während der Sommermonate her. Er stammt aus New Britain. Die Schulen, die sie besuchten, gehörten zu verschiedenen Wettkampfklassen, traten nie gegeneinander an.«

»Außer bei Staatsmeisterschaften.«

»Wo es am meisten zählt«, sagte Dan.

»Basketball, letztes Studienjahr«, sagte Joe. »Beide Mannschaften schafften den Sprung ins Finale, in den Gampel Pavilion an der UConn. Mark Boland und Sean McCabe, ein Kopf-an-Kopf-Rennen auf dem Spielfeld. Wir haben uns die alten Zeitungsausschnitte vorgeknöpft.«

»Ist Mark der unbekannte Komplize in der Bank? Hat Sean ihn dazu gebracht, mitzumachen?«, stöhnte Bay.

Joe schüttelte den Kopf. »Es war genau andersherum. Boland hatte seit Jahren Geld bei Anchor Trust unterschlagen und war nie erwischt worden. Nicht der kleinste Fetzen Papier, der ihn verriet. Keine einzige Beschwerde wegen irgendeiner Ungereimtheit, nicht der geringste Verdacht. Er verstand es meisterhaft, seine Spuren zu verwischen – die Buchprüfer sind gerade dabei, die eine oder andere auszugraben. Als er zur Shoreline überwechselte, wurde das Ganze eine Art Wettkampf.«

»Mit Sean?«, fragte Bay fassungslos.

Joe nickte. »Ein Wettkampf im großen Stil. Wie das Finale bei den Staatsmeisterschaften.«

Bay dachte an all die Jahre, in denen sie erlebt hatte, wie Sean Basketball, Football und Baseball spielte, wie er bis aufs Messer kämpfte, um zu gewinnen. Warum hatte er ihr nicht erzählt, dass Mark seit jeher sein Erzrivale war?

Vermutlich, weil seine Wut über dessen Beförderung zu groß gewesen war.

»Es ging offenbar darum, wer es schaffte, das meiste Geld abzusahnen«, meinte Danny.

»Wer die meisten Kunden über den Tisch ziehen konnte«, fügte Joe hinzu. »Und der Sieger erhielt jedes Mal einen Preis.«

»Die Silberbecher«, sagte Bay.

»Ja, aber das war längst nicht alles.« Joe holte Elizas kleine blaue Teetassen aus dem Geschirrschrank.

»Ich verstehe nicht.« Danny runzelte die Stirn.

»Die Konten«, sagte Joe. »Das Geld, das sie unterschlugen. Es gab nur einen Zeugen, der im Stande gewesen wäre, die Sache auffliegen zu lassen. Ed.«

»Ed?« Bay erinnerte sich an die Notiz auf Seans Packpapierumschlag, seine Kritzeleien, an den Van …

»Ich war die ganze Zeit davon ausgegangen, ›Ed‹ sei ein Mann«, sagte Joe. »Ein Mitarbeiter der Bank, oder vielleicht ein Kunde. Ich wäre nie auf die Idee gekommen –«

»Eliza«, keuchte Bay, als ihr Blick auf die Teetassen und die Teekanne mit dem zarten Monogramm fiel: ED. »Eliza Day!«

Wer hätte auch damit gerechnet, dass der Wert einer einzigen Trophäe den der meisten anderen erbeuteten Objekte überstieg? Der Eliza Day Trust war mit einem beachtlichen Preis verbunden gewesen: einem antiken Silberbecher, von Paul Revere gefertigt. Als Sean damit begann, den Trust zum Parken und Verschieben von Geldern zu benutzen, hatte er den Becher aus dem Haus der Connollys mitgehen lassen. Eine Dummheit sondergleichen, dachte Alise Boland nun, als sie auf das Einsetzen der Flut warteten.

Wer weiß, wie er sich Zutritt zu dem Haus verschafft hatte –
aber das war typisch Sean. Vielleicht hatte er Charlotte ver-
führt, oder sie in dem Glauben gelassen, die Initiative sei
von ihr ausgegangen. Charlotte Connolly hatte vielleicht
nichts von den ungewöhnlichen Transaktionen im Fami-
lientrust bemerkt, aber ihr war mit an Sicherheit grenzen-
der Wahrscheinlichkeit aufgefallen, dass Sean McCabe den
Silberbecher ihrer Tochter entwendet hatte.

Seltsam, ein Meisterwerk von einem Mann zu besitzen,
dessen Name so eng mit der Freiheit einer ganzen Nation
verbunden war. Das war der Grund gewesen, wie die
ganze Sache überhaupt ins Rollen gekommen war: Geld
war eine Möglichkeit, sich aus dem Joch der Sklavenarbeit
zu befreien, sich über das Heer der Arbeitsbienen zu erhe-
ben. Geld, das manche der Bestohlenen nicht einmal vermissen würden – und bis zum heutigen Tag nicht vermisst
hatten.

Doch dann hatte Charlotte gedroht, die Polizei einzuschalten, und als das Problem endlich gelöst war und
der Trubel sich legte, hatte Fiona Seans Patzer mit dem
Ephraim-Konto bemerkt. Das war der Anfang vom Ende
gewesen.

Wenn die Betroffenen nur vorsichtiger gewesen wären.
Niemand hätte sterben müssen. Es hätte nicht in diesen
Albtraum ausarten müssen. Unter dem Strich hätte man
einen Großteil der Schuld Fiona in die Schuhe schieben
können. Als Komplizin wäre sie nicht in Frage gekommen, sie hätte nie mitgemacht. Sie fiele bestimmt aus allen
Wolken, wenn sie erfuhr, dass Mark sich sogar Geld aus
ihrem Geldmarktfonds unter den Nagel gerissen hatte.

Die Trophäe von der Pferdeschau mitgehen zu lassen, war
also nur recht und billig gewesen.

Sean hatte über den Coup gelacht – so viel Dreistigkeit

hatte er Mark wohl nicht zugetraut. Das war eher sein Stil. Aber sein Wagemut beschränkte sich auf Sport und Geld. Als er erfuhr, dass die Kleine den Mord an ihrer Mutter mit angesehen hatte, die *einzige* Augenzeugin war, hatte er gekniffen.

Seine Gewissensbisse hatten mit Charlottes Tod begonnen und zu ein paar hirnverbrannten Bemühungen geführt, einige der kleineren, von verschiedenen Konten erbeuteten Summen zurückzuzahlen. Als das Mädchen zum Problem wurde … nach der Entlassung aus der Klinik … hatte Sean völlig den Kopf verloren.

Er hatte geschworen, jeden Versuch zu verhindern … das zu tun, was sie jetzt vorhatten.

Das war sein Todesurteil gewesen. Mark verlangte hundertprozentiges Engagement; es stand viel zu viel auf dem Spiel. Er forderte absolute Loyalität, und als Sean sich stur stellte, wussten alle, dass es nur noch eine Frage der Zeit war. Es durfte keine Zeugen geben; Sean hätte das ebenfalls klar sein müssen.

Der heutige Abend besaß eine lange Vorgeschichte. Zuerst hatte Sean sich ihnen in den Weg gestellt und musste beseitigt werden. Dumm gelaufen, aber unvermeidlich. Alise hatte Dan Connolly, als sie anrief und Seans Namen fallen ließ, eine allerletzte Chance zum Mitmachen gegeben, um das Schweigen seiner Tochter zu sichern; falls Connolly insgeheim doch mit dem Gedanken an das Geld gespielt hatte, das er zuvor abgelehnt hatte, hätte er den Köder geschluckt. Aber er hatte verzichtet – und damit das Todesurteil seiner eigenen Tochter besiegelt.

Mark und Sean hatten das Ganze wie ein Spiel betrachtet. Aber Alise wusste, das war reine Augenwischerei. Ein Dummejungenstreich, und außerdem spielten sie bloß um Trophäen, das zählte nicht. Sie bestahlen nur die reichsten

Kunden, denen der Verlust nicht wehtat. Sean hatte Mark einmal in einem Anfall von Übermut mit Robin Hood verglichen.

Und worauf lief das Ganze in Wirklichkeit hinaus? Warum hatte Charlotte aus dem Weg geräumt und Seans Treiben ein Ende gesetzt werden müssen, und warum würde Eliza Day Connolly nun sterben?

Wohlstand.

Nur darum ging es.

Wohlstand – den man erringen und schützen musste. Der Unterhalt eines prachtvollen Hauses kostete Geld, genau wie Antiquitäten und Kunstwerke, Luxusautos und kostbarer Schmuck. Nicht jeder wurde mit einem goldenen Löffel im Mund geboren. Und nicht jeder interessierte sich für Geld, kaum zu glauben, aber wahr. Mark hatte bisher alles unter Kontrolle gehabt; das kindliche Bedürfnis, sich selbst und seine »Mannschaftskameraden« mit Silber zu belohnen, war entschuldbar. Doch nun, als die Flut nahte und damit die Zeit, sich des Mädchens zu entledigen, ging es darum, das Gold zu schützen.

Es war spät, und ihre Mutter war noch immer bei Mr. Connolly. Annie hatte Angst um Eliza. Was immer geschehen sein mochte, es verhieß nichts Gutes; auch wenn ihr Tante Tara noch so oft über die Haare strich und Schlaflieder vorsang, Annie konnte kein Auge zutun.

»Wo könnte sie nur sein?«

»Ich weiß es nicht, Annie. Aber alle suchen nach ihr. Joe, die Polizei …«

»Was ist, wenn sie Eliza nicht finden?«

»Wir müssen fest daran glauben. Und ihr unsere ganze Liebe schicken, damit sie sich daran festhalten kann und zu uns zurückkehrt.«

»Liebe.« Annie hatte das Gefühl, als würde sie das Wort zum ersten Mal aussprechen.

»Das ist das Beste, was es gibt. Eliza weiß das. Wo immer sie auch sein mag, sie spürt unsere Liebe.«

»Aber ich verstehe nicht, wie ihr das helfen könnte.«

»Glaubst du an Schutzengel, Annie?«

Annie zuckte die Achseln, wollte Taras Gefühle nicht verletzen. Engel kamen nur in Geschichten vor.

»Bestimmt tust du das, Annie. Deine Mom glaubt daran. Und ich auch. Unsere Großmütter haben uns von ihnen erzählt.«

»Aber wozu sollen Schutzengel gut sein?« Annies Stimme zitterte. Ein Blick aus dem Fenster zeigte, dass inzwischen alle Sterne aufgegangen waren. Es war Neumond, und der Himmel war dunkel. Eulen machten auf ihrem Flug gen Süden Station in Hubbard's Point, wie jeden November, flogen mit einem unheimlichen Ruf aus den Eichen hoch, um sich auf die Jagd zu begeben. »Was können Geister bei uns auf der Erde schon ausrichten? Wo wir es nicht einmal schaffen, die Menschen zu retten, die wir lieb haben, obwohl wir uns hier auskennen.«

Tara legte die Arme um sie, als wüsste sie, dass Annie um ihren Vater weinte, weil sich mit der Nachricht von seinem Tod ihr schlimmster Albtraum bewahrheitet hatte.

»Wir können eine Menge tun«, widersprach Tara. »Und wir können die Schutzengel um Hilfe bitten.«

»Bist du sicher?«

»Hundertprozentig. Und es hilft auch, zu wissen, dass Joe und die Polizei ebenfalls fieberhaft nach ihr suchen. Eliza hat viel mitgemacht, ist stark, Annie. Sie hat ein kleines Licht in ihrem Inneren. Das kann man sehen, und dafür lieben wir sie.«

»Ja, das tun wir«, flüsterte Annie.

Dann schrie abermals eine Eule von der Spitze der höchsten Kiefer, schien damit zu signalisieren, dass sie Beute gesichtet hatte. Tara küsste sie, und Annie versuchte, gleichmäßig zu atmen. Sie dachte an Eliza, dort draußen in der Nacht, irgendwo an der Felsenküste mit ihren kleinen und großen Buchten, an die kalte Erde, mit Laub und Kiefernnadeln bedeckt, und an die Dunkelheit, die nur von den Sternen erhellt wurde.

Ihr Holzboot stand auf dem Nachttisch; sie betrachtete es und dachte daran, dass sie es ihrem Vater geschenkt hatte, damit er wusste, zu wem er nach Hause rudern musste. Sie schloss die Augen, dachte an Eliza und das Licht in ihrem Inneren.

Und dann, sie wusste selbst nicht, aus welchem Grund, nahm sie das Holzboot in die Hand und schüttelte es sachte. Das Rappeln war noch da.

Dan saß auf dem Sofa, den Arm um Bay gelegt, die mit dem Kopf an seiner Schulter schlief. Es war spät, und Eliza war irgendwo dort draußen, in der nächtlichen Dunkelheit. Er starrte das Telefon an, als wäre er im Stande, es durch reine Willenskraft zum Läuten zu bringen. Joe hatte ihn gebeten, zu Hause zu bleiben und neben dem Telefon zu wachen, doch jeder Muskel in seinem Körper schmerzte, weil es ihn danach verlangte, seine Tochter zu suchen.

Seine Gedanken dröhnten in der Stille. Er kam sich vor wie ein Quarterback am Montagmorgen, der nach einem verlorenen Footballspiel Bilanz zog und herauszufinden versuchte, was er anders gemacht haben könnte. Während er Bay in den Armen hielt, betrachtete er Charlies Porträt, das Bild seiner unglücklichen Frau. Sie waren Elizas Eltern, hielten gemeinsam Wache.

Charlie ... Sie war mit zahlreichen Privilegien aufgewachsen. Ihr war klar gewesen, dass sie zur Aristokratie gehörte, zu den oberen Zehntausend. Ihre Familie hatte seit Generationen Geld im Überfluss besessen; sie gab in einem Jahr mehr für wohltätige Zwecke aus, als andere zu Lebzeiten verdienten. Sie besaß ein unerschütterliches Überlegenheitsgefühl – nie arrogant, aber sehr reserviert. Eigenbrötlerisch.

Den Eindruck hatte Dan zumindest gehabt, als sie sich kennen lernten, in dem Jahr nach seinem Ferienjob in Hubbard's Point. Ihr Onkel hatte ihn beauftragt, eine herrliche alte Segelyacht aus Holz zu überholen, eine Concordia-Jolle. Die Arbeit sollte auf einer Werft in Stonington durchgeführt werden, im Hafen, genau gegenüber Charlies Elternhaus. Herrenhaus, genauer gesagt. Ein imposantes weißes Haus im Kolonialstil mit Wirtschaftsgebäuden und eigenem Bootssteg. Dan war auf Charlie aufmerksam geworden, sah sie jeden Tag: immer alleine, scheinbar mit sich selbst beschäftigt.

Eines Tages, in der Mittagspause, hatte er ein Dingi zu Wasser gelassen und war ans andere Ufer gerudert. Er hatte das arme kleine, reiche Mädchen bedauert, ihr eine Freude machen und sie zu einer Bootsfahrt mitnehmen wollen.

Er erinnerte sich, wie er am Steg angelegt und ihr über den weitläufigen grünen Rasen zugerufen hatte, ob sie Lust hatte, ihn zu begleiten. Er erinnerte sich noch heute daran, wie sie ihr Buch umsichtig auf die Gartenbank gelegt, ihre Hose glatt gestrichen und sich zum Wasser begeben hatte. Er hatte ihr die Hand entgegengestreckt, um ihr beim Einsteigen zu helfen, aber sie hatte sie nicht genommen.

Sie sah belustigt aus, als sie ins Boot kletterte. Und ließ sich bis zum Ende des Hafens und zurück rudern. Der

Tag war sonnig und wolkenlos gewesen, Fische sprangen in der kleinen Bucht, und Schwäne schwammen um die Moorings. Ihm war, als sei das alles erst gestern gewesen, und er hatte damals das Gefühl gehabt, dass Charlie es als große Ehre für ihn betrachtet hatte, als sie ihm das Vergnügen ihrer Gesellschaft machte.

Dieses Gefühl hatte er im Grunde heute noch.

Sie hatten geheiratet – vielleicht hatte sie darin eine Chance gesehen, bis zu einem gewissen Grad zu rebellieren. Lass dich nie mit einem Bootsbauer ein, der eine eigene Firma besitzt; heirate lieber den Angestellten und schenke ihm eine Firma, die er leiten kann. Gab es eine bessere Möglichkeit, einen Menschen mit Haut und Haaren zu besitzen?

Er hatte nie aufgehört, sie zu lieben, hatte nie seine Bemühungen aufgegeben, sie glücklich zu machen. Und tief in seinem Inneren hatte er sich gewünscht, im gleichen Maß wiedergeliebt, als ebenbürtiger Partner betrachtet zu werden. Aber Charlie hatte nie jemanden getroffen, der ihr wirklich ebenbürtig war. Man kannte sie als reiche Erbin von Day Consolidated. Und wenn nicht, genügten fünf Minuten in ihrer Gesellschaft, um zu erkennen, dass sie einer anderen Liga angehörte. Einer Liga, die Inbegriff des Ausspruchs war, mit einem goldenen Löffel im Mund geboren zu sein. Und in dieser Liga hatte Dan die Rolle übernommen, sie zu beschützen, als ihr Ehemann und Angestellter. Er hatte das arme kleine, reiche Mädchen unter seine Fittiche genommen.

Dan hatte sich im letzten Jahr häufiger gefragt, was es zu bedeuten haben mochte, dass sie sich zum ersten Mal in ihrer Ehe für etwas brennend zu interessieren schien, was nicht sie selbst oder ihr Heim betraf. Die Bank und das Bankwesen hatten sie fasziniert. Sie redete sogar davon, noch einmal die Schulbank zu drücken, um Betriebswirtschaft zu studieren.

Tag für Tag war sie zur Shoreline Bank gefahren, um sich in aller Ausführlichkeit über ihre Konten, über ihren und Elizas Trust zu informieren. Nachdem sie es jahrelang anderen überlassen hatte, ihr Leben – und ihr Vermögen – zu verwalten, hatte Charlie begonnen, beides selbst in die Hand zu nehmen.

Obwohl Dan sich über ihren Elan gefreut hatte, konnte er spüren, wie sie ihm entglitt. Es waren die kleinen Dinge, die ihn verwirrten und verletzten. Manchmal, wenn er am Abend nach Hause kam, telefonierte sie seelenruhig weiter, Block und Bleistift bereit, um sich Notizen zu machen. Oder war das Ganze eine Verschleierungstaktik gewesen? Hatte seine Frau versucht, dadurch eine Affäre mit Sean McCabe zu vertuschen?

Seit Dan von dem Kuss wusste, war er der Überzeugung, dass vermutlich beides eine Rolle gespielt hatte. Im Bootsbau hatte er es ausschließlich mit absoluten Größen zu tun: Gravitationszentrum, Gesamtlänge, Mast, Skizze. In der Liebe wie auch in der Ehe gab es keine festen Größen, nach denen man sich richten konnte, nur Grauzonen, wie beim Segeln im Nebel.

Aber im Nebel zu segeln kann eine Offenbarung sein, dachte er, während er Bay im Arm hielt. *Man ist gezwungen, sich auf seine Sinne zu verlassen, um den Heimweg zu finden: Man riecht den Duft der Kiefern an Land, hört die Glockenbojen, spürt, wie der Wind dreht und abflaut, wenn man sich dem Ufer nähert.*

Wenn Charlie und er in ihrer Beziehung nur mehr auf solche Dinge geachtet hätten. Und wenn sie eine bessere Ehe geführt hätten, wäre Charlie vielleicht heute noch am Leben und Eliza zu Hause.

Der Gedanke bewirkte, dass er Bay noch fester an sich drückte. Sie hatte nie einen Hehl aus ihren Empfindungen gemacht – aufrichtig zu sein war für sie so unabdingbar wie das Atmen.

Dan betete um die Gelegenheit, in Zukunft mehr auf solche Dinge achten zu können – bei Bay, bei Eliza. Er sehnte sich nach der Chance, seiner Tochter der beste Vater der Welt zu sein. Er würde alles tun, damit sie ihre innere Stärke entdeckte und erkannte, was für ein wunderbarer Mensch sie war. Damit sie nie mehr das Bedürfnis hatte, sich selbst zu verletzen.

Es versetzte ihm einen Stich, wenn er an sie dachte, irgendwo dort draußen. Die Zeit schien zu verrinnen, und Eliza befand sich in einer furchtbaren Gefahr. Die Uhr in seinem Kopf tickte und tickte. Die Welt, selbst die Küste, war riesig, wenn es galt, jemanden zu suchen. Wenn er nur eine Ahnung hätte, wo man anfangen könnte …

32

Dachten sie, dass sie eingeschlafen war? Oder hatte man sie vergessen?

Die Leute, die vorne saßen, fuhren langsam weiter, schweigend, schienen zu warten. Aber worauf? So viele quälende Fragen. Eliza lag reglos da, mit einem umgeknickten Ohr, das unter ihrem Kopf lag und schmerzte. Bilder von einem maronenfarbenen Van gingen ihr durch den Kopf. Sie sah, wie er ihre Mutter überfuhr, das Blut ihrer Mutter auf der Straße.

Und dann tauchte der Van abermals in ihrem Gedächtnis auf, für den Bruchteil von Sekunden, wie ein Blitzlicht. Wo hatte sie ihn vorher schon einmal gesehen?

Die Erinnerung kam Stück für Stück zurück. Eliza, ihre Mutter, Einkaufen an einem Samstag. Sie hatten im Sail Loft Café zu Mittag gegessen, dann waren sie nach Hawthorne gefahren. Eliza liebte es, in Boutiquen zu stöbern, hatte einen leuchtend gelben Pullover anprobiert und neue Schuhe bekommen. Danach wollte sich ihre Mutter Haushaltswaren und Dekorationen anschauen ... Glänzende Kupfertöpfe und schmiedeeiserne Pfannen in einem Geschäft, bestickte Kissen und ausgefallene Lampenschirme in einem anderen, und im letzten Fliesen und Stoffballen ... ein Designer-Studio ... das man aufsuchte, wenn man ein Haus einrichten oder umgestalten wollte.

Eliza blinzelte unter der Augenbinde. Sie sah ihre Mutter vor sich, hörte die Überraschung in ihrer Stimme. »Oh, ich wusste gar nicht, dass Sie die Inhaberin sind!«

Und die Innenarchitektin – zierlich und stilbewusst in einem schwarzen Kostüm mit tadellos frisierten blonden Haaren und goldenen Ohrringen – hatte gelächelt und sich gefreut, sie zu sehen, hatte Mom Stoffmuster vorgelegt und Eliza gefragt, was sie von Wandleuchtern hielt.

»Wie gefällt dir diese?«, hatte sie gefragt und eine Messinglaterne hochgehalten; dann hatte sie eine Lampe mit hohem Zinnfuß und schwarzem Lampenschirm in die Hand genommen. »Oder magst du lieber Stehlampen?«

»Ich finde die Laterne schöner.«

»Ich auch«, hatte die Frau mit einem strahlenden Lächeln gesagt. »Du hast Geschmack! Charlie, deine Tochter ist bezaubernd.«

Elizas Mutter hatte gelächelt, genickt und sich für das Kompliment bedankt, während sie weiterhin die Stoffmuster in Augenschein nahm. Das Studio hatte anheimelnd und weiblich gewirkt, die Atmosphäre einladend und kreativ, und die Frau sah sehr gediegen aus; jetzt fiel Eliza wieder ein, dass ihre Mutter gesagt hatte: »Ich verbringe neuerdings viel Zeit in der Bank; Mark und Sean waren sehr hilfsbereit. Ich überlege, ob ich nicht noch studieren soll, um mich eingehender mit dem Finanzbereich zu beschäftigen ... aber *so etwas* würde mir auch gefallen ...«

Und Eliza war neugierig gewesen, als sie hörte, dass ihre Mutter bestimmte Dinge in ihrem Leben verändern wollte – nicht beunruhigt oder besorgt, nur neugierig, weil ihre Mutter bisher nie solche Wünsche geäußert hatte.

»So etwas?« Die Frau hatte gelächelt.

»Ja – von hübschen Dingen umgeben sein, von so viel Schönheit.«

Die Frau hatte die Muskeln ihres Armes angespannt und mit der anderen Hand zum Schaufenster gedeutet. »Das ist das Wichtigste in meinem Beruf. Körperkraft, um alles Mögliche herumzuschleppen. Musterbücher, Stoffballen, antike Rüstungen, Gemälde – ich bin in Wirklichkeit nichts weiter als ein Arbeitspferd.«

Eliza und ihre Mutter hatten sich vorgebeugt und aus dem Fenster geschaut, um zu sehen, worauf die Frau gedeutet hatte – und dort stand er, in der Zufahrt hinter dem Laden, vor einer roten Scheune.

Der maronenfarbene Van.

Eliza stöhnte angesichts der Erinnerung.

»Hast du das gehört?«, fragte die Stimme des Mannes. »Mein Gott, wie lange wollen wir noch warten? Das hält ja kein Mensch aus, Alise.«

»Ich weiß, ich weiß«, erwiderte die Frauenstimme.

»Wir hätten es sofort hinter uns bringen sollen. Wie bei den anderen.«

»Die anderen mussten wir auch nicht aus ihrem Haus schaffen.«

»Was ist – verlierst du die Nerven?«

»Nein, du etwa?«

Bitte verliert die Nerven, das wäre menschlich, flehte Eliza insgeheim. Nun, da sie sich an das Gesicht der Frau erinnerte, an ihr blondes Haar, ihren Laden mit den hübschen Farben und Stoffen und Dekorationsartikeln, an das Gespräch, das sie mit ihrer Mutter geführt hatte, und dass sie Eliza bezaubernd gefunden hatte, diese *Alise*, wie ihr plötzlich wieder einfiel, genau wie der Name ihres Geschäfts, *Boland Design* – nun war alles anders.

»Ja«, sagte Mark.

»Das kannst du dir nicht leisten. Und ich auch nicht.«

»Je länger wir warten –«

»Ich weiß«, fuhr Alise ihn an. »Ich weiß, ich weiß. Hör auf damit.«

»Meinst du, dadurch verschwindet das Problem von alleine?«

Ich bin kein Problem, ich bin ein Mädchen, dachte Eliza und kämpfte mit dem Isolierband. Wenn sie nur mit ihnen reden, sich Gehör verschaffen könnte, würde sie ihnen vor Augen führen, dass sie einen Fehler begingen. Sie würde nichts verraten; sie würden nicht ins Gefängnis müssen.

»Dieses Problem löst sich nicht in Wohlgefallen auf«, sagte Alise. »Deshalb müssen wir uns darum kümmern. Bisher war alles ein Kinderspiel. Papierkram, bis Sean alles vermasselt hat.«

»Sie ist kein Papierkram.«

»Ich weiß. Herrgott! Deshalb ist die ganze Sache ja so – verfahren.«

Eliza hörte, wie sich jemand auf dem Vordersitz bewegte, sich nach ihr umdrehte, während der Van weiterfuhr. Konnten sie nicht sehen, dass sie ein Mensch aus Fleisch und Blut war, ganz wie ihr Vater? Sie hob die gefesselten Füße, ließ sie scheppernd auf den Boden des Wagens fallen.

»Himmel noch mal, ich halte das nicht mehr aus«, stöhnte Mark.

»Wir haben keine andere Wahl!«, zischte Alise. »Reiß dich zusammen. Es dauert nicht mehr lange. Wir sind gleich da, und die Flut ist hoch genug.«

»Das hier ist anders als bei Sean. Sie verblutet nicht –«

»Die Geschichte auf dem Boot war ein Unfall. Wer konnte denn damit rechnen, dass er sich wie ein Verrückter zur Wehr setzt?«

»Wir hätten ihn auf dem Boot lassen sollen«, erwiderte Mark bitter. »Dort wäre er gestorben, und niemand wäre auf dumme Gedanken gekommen.«

»Außer, dass er möglicherweise nicht gestorben wäre. Lass uns doch den Tatsachen ins Auge sehen. Er hatte eine kräftige Konstitution, war noch bei Bewusstsein. Und dieses ständige Gerede über sie –« Eliza konnte beinahe spüren, wie auf sie gedeutet wurde.

»Sie ist doch noch ein Kind«, sagte Mark leiser.

»Du hörst dich langsam an wie Sean. Möchtest du im Gefängnis landen?«

»Nein.«

»Na also …«

Eliza hatte sich mucksmäuschenstill verhalten, aus Angst, die beiden in Rage zu bringen, aber plötzlich verließen sie Logik und Vernunft; in ihrer Panik und Todesangst begann sie wild um sich zu treten, zu schlagen und zu schreien, soweit es das stickige, klebrige Isolierband erlaubte.

»Bring es zu Ende«, sagte Mark. »Herrgott, ich halte das nicht mehr aus.«

»Du brauchst einen klaren Kopf«, erwiderte Alise; sie schien das Fenster heruntergekurbelt zu haben, denn plötzlich spürte Eliza einen Schwall kalter Luft, wunderbar erfrischend, in dem maronenfarbenen Todesvan, der immer noch fuhr, aber langsam, immer langsamer.

Annie ging nach unten, zum Küchentisch. Hier hatte sie das Modellschiff gebastelt; hier gab es eine Kiste mit Schere, Klebstoff, Papier und Farben – Bastelzubehör, als Beschäftigung für die ganze Familie an Regentagen.

Sie nahm die kleine Modell-Dory und schüttelte sie erneut. Seltsam: Sie hatte das Boot eigenhändig gemacht, es bestand nur aus verleimtem Holz, hatte weder Nägel noch bewegliche Teile.

Sie inspizierte es genauer, aber alles schien an seinem

ursprünglichen Platz zu sein: Fugen, Rahmen, Planken, nichts hatte sich gelöst.

Die Uhr zeigte bereits zwölf Minuten nach zwölf. Zwölf Minuten nach Mitternacht.

Sie kippte das Boot auf die Backbordseite, hörte etwas rollen und gegen die linke Seite prallen; als sie es auf die Steuerbordseite kippte, rollte es nach rechts.

Das Modell bestand aus Balsaholzstreifen, auf dünne Rahmen geklebt; den Boden hatte sie ausgesägt und sorgfältig in das Boot eingepasst, so dass ein strapazierfähiges Deck entstand. Als sie es nun unter dem hellen Küchenlicht in Augenschein nahm, entdeckte sie Kratzer in der Farbe – als hätte jemand versucht, den Boden aufzustemmen.

»Was machst du denn da?«, fragte Tara, die gerade die Küche betrat.

»Ich versuche nur, etwas herauszufinden«, sagte Annie geistesabwesend. Tara sah ihr kurz zu, dann ging sie zum Ofen und setzte den Wasserkessel auf.

»Möchtest du Tee?«

»Nein danke«, antwortete Annie, obwohl sie die Frage tröstlich fand.

Sie griff in die Kiste mit dem Bastelzubehör, um die lange Pinzette herauszuholen, die Billy in den zwei Monaten benutzt hatte – was ihr eher wie zwei Minuten vorkam –, in denen er Briefmarken sammelte. Er hatte zu Weihnachten ein Anfängerset geschenkt bekommen und beschlossen, Philatelist zu werden. Annie musste beinahe lachen, als sie daran dachte, dass er nicht einmal den Namen aussprechen konnte, aber jede Briefmarke aufgehoben hatte, die mit der Post ins Haus kam.

Die lange Pinzette leistete ihr nun gute Dienste. Sie benutzte sie, um die winzigen Sitze zu lockern, zu entfernen, und vorsichtig das Deck aus dem Rahmen zu lösen. Sie hatte Angst, das Balsaholzstück – ganze zwanzig Zentimeter lang und an einem Ende spitz, am anderen flach – zu zerbrechen, deshalb arbeitete sie langsam und sorgfältig.

Aber sie schaffte es. Sie hob das Deck aus dem Boot und schnappte nach Luft, als sie sah, was sich darunter verbarg. Ihre Augen füllten sich mit Tränen beim Anblick des kleinen graublauen Schneckengehäuses und des zusammengefalteten Zettels, der die Handschrift ihres Vaters trug.

»Was ist denn das?« Tara beugte sich vor, um besser zu sehen.

»Irgendeine Nachricht von Daddy«, flüsterte Annie.

»Soll ich sie dir vorlesen?«, fragte Tara, als Annie das Blatt auseinander faltete.

Aber Annie schüttelte den Kopf, als sie die ersten Worte sah. »Nein. Der Brief ist für mich. Ich lese ihn selbst.«

>»Liebe Annie,
du weißt, dass Bankleute viele Briefe schreiben, aber dieser ist der schwerste meines ganzen Lebens. Vielleicht, weil er für die Menschen bestimmt ist, die ich am meisten liebe – euch vier: dich, Billy, Peggy und deine Mom. Keiner hätte sich eine bessere Familie wünschen können. Und keiner hätte sein Leben schlimmer verpfuschen können. Vielleicht gelingt es mir trotzdem, einige Probleme aus der Welt zu schaffen, ein Unrecht wieder gutzumachen.
Mir geht eine Menge im Kopf herum, und du bist die Einzige, der ich sie anvertraue. Annie, ich hoffe, dass du diesen Brief niemals zu Gesicht bekommst, denn wenn du ihn liest, bedeutet das, dass ich nicht mehr am Leben sein werde. Ich kann mir vorstellen, was du und die anderen von mir denken müsst. Aber ich hoffe, dass dir das, was ich zu sagen habe, zu verste-*

hen hilft – dir und den anderen. Ich werde diesen Brief in deinem kleinen Boot hinterlegen und es bei Dan Connolly lassen. Wenn ich dieses kleine Boot betrachte, wird mir bewusst, wie sehr ich dich lieb habe. Ich werde es irgendwo deponieren, wo es sicher ist, bei jemandem, der es dir zurückgeben wird.

Ich schreibe dir deshalb, weil du meine älteste Tochter bist und ich gerade an die Tochter eines anderen Mannes denke. Ihr Name ist Eliza. Sie ist die Tochter eines Jugendfreundes deiner Mutter und geht mir nicht mehr aus dem Kopf. Ich befürchte, dass sie sich in Gefahr befindet. Durch meine Schuld.

Ich habe etwas getan, worauf ich nicht stolz bin. Ich bin in Versuchung geraten, habe in der Bank ein paar sehr schlechte Entscheidungen getroffen. Die Leute vertrauten mir, meine eigene Familie eingeschlossen, und ich habe dieses Vertrauen zerstört. Ich war geldgierig, Annie, und das habe ich allein zu verantworten.

Doch da ist noch etwas – Mark und Alise Boland haben Elizas Mutter, Charlotte Connolly, umgebracht. Ich hatte nichts damit zu tun, Annie – ich möchte, dass du das weißt. Aber ich habe geschwiegen, aus Angst, dass meine Beteiligung an den Unterschlagungen ans Tageslicht kommen würde, und wer schweigt, macht sich mitschuldig. Weil man wegschaut, ein Unrecht zulässt. Was ich nicht zulassen werde, ist jedoch, dass sie Eliza etwas antun. Sie wollen sie umbringen, weil sie mit angesehen hat, wie sie ihre Mutter überfahren haben. Ich werde zur Polizei gehen, Anzeige gegen die beiden erstatten – und gegen mich. Für das, was ich in der Bank angerichtet habe.

An der Landstraße am anderen Ende der Liegeplätze gibt es eine kleine versteckte Bucht. Hier sitze ich nun, in meinem Wagen. Ich bin bis zum Rande des Wassers gegangen und habe das Schneckengehäuse gefunden; es ist für dich. Das Blau erinnert mich an die Augen deiner Mutter.

Der Name dieser Bucht lautet Alewife Cove; du findest sie auf
der beiliegenden Skizze. Es ist eine schmale Bucht zwischen
dem Gill River und dem Sund. Ich sage dir das, weil ich dieses
Fleckchen Erde liebe, weil man hier ungestört sitzen und nach-
denken kann. Ich habe die Bucht den Bolands gezeigt, als wir
Pläne schmiedeten, und sie meinten, sie sei ideal, um sich Eli-
zas zu entledigen. Da wusste ich, dass sie es ernst meinten.
Annie, ich schreibe dir diese Zeilen in der Hoffnung, dass du
mir verzeihen kannst. Wenn der Brief fertig ist, fahre ich zur
Werkstatt von Elizas Vater, um ihn in deinem Modellschiff zu
verstecken. Auf diese Weise bekommst du ihn nicht zu früh –
und ich habe vielleicht noch die Gelegenheit, den Schaden wie-
der gutzumachen. Du verdienst ein richtiges Ruderboot, ge-
nauso schön wie das Modell, das du für mich gebaut hast. Ich
habe endlich erkannt, dass ich der glücklichste Mann – und
Vater – der Welt bin. Ich hoffe nur, dass ich die Chance habe, es
dir und den anderen zu beweisen. Ich liebe dich.
Dein Dad.«

Annie hatte den Brief anfangs laut vorgelesen, aber mittendrin versagte ihr vor lauter Tränen die Stimme, so dass
sie weder reden noch lesen konnte und Tara dies für sie
übernahm.
Als sie nun leise schluchzend die Hand ausstreckte, reichte Tara ihr vorsichtig den Brief. Tara legte tröstend die
Arme um ihre Schultern, und obwohl Annie mit ihrem
Dad sprach, störte es sie nicht, dass Tara die Worte hören
konnte: »Wir lieben dich, Daddy. Wir lieben dich auch.«
Tara ließ Annie am Tisch sitzen, den Brief und das Schneckengehäuse in der Hand. Sie nahm das zweite Blatt Papier, die Wegbeschreibung, die im Boot versteckt gewesen
war – unter dem Deck, gemeinsam mit dem Brief –, und
lief zum Telefon.

Annie betrachtete das Schneckengehäuse, drehte es wieder und wieder in ihrer Hand.

»Bay?«, sagte Tara. »Ist Joe da? Hör zu. Annie hat gerade einen Brief von Sean gefunden … Ja, im Ernst … auf dem Boden ihres Bootes, ihres Modellschiffs … Er hatte ihn unter die Bodenbretter geklemmt … Bay, es ist zum Teil ein Geständnis und zum Teil etwas anderes … er schreibt, dass sie Eliza umbringen wollen … ja, in der Alewife Cove … Glaubst du –?«

Annie schwieg, hörte ebenso aufmerksam zu wie Tara.

»Dann beeilt euch«, rief Tara hektisch. »Ich versuche Joe zu erreichen.«

33

Sie waren sich nicht sicher, wussten nicht genau, was sie davon halten sollten, aber ihnen blieb keine andere Wahl, als dem Hinweis nachzugehen. Sie mussten einfach in Dans Wagen steigen und, nur für den Fall, zum Gill River fahren. Bay hatte die Polizei benachrichtigt; sie wusste, dass Tara Joe Holmes anrufen würde.

Dan fuhr wie ein Verrückter, in der Mitte der Straße, als wäre der Pick-up eine Rakete, die schnurstracks auf Alewife Cove zuraste, bereit, alles niederzumähen, was sich ihm in den Weg stellte.

»Was haben die beiden vor?« Bay klammerte sich an den Türgriff. »Warum haben sie Eliza dorthin gebracht?«

»Dort haben sie Sean umgebracht. Und sie wissen, dort werden sie nicht gestört.«

»Sie haben Sean umgebracht«, flüsterte Bay, entsetzt über die Enthüllung, die Bestätigung, dass seine Mörder Menschen waren, die sie für Freunde gehalten hatten. Aber noch stärker und unmittelbarer war die zunehmende Angst um Elizas Leben.

»Du kennst dich dort besser aus als ich«, sagte Dan und meinte damit die Bäche und Buchten am anderen Ufer des Thames River, der sich durch die kleinen Städte westlich vom Connecticut River schlängelte. »Du musst mir sagen, wie ich fahren soll.«

Bay lotste ihn auf dem Highway bis nach Silver Bay, wo sie die Ausfahrt nahmen und rechts nach Black Hall abbogen. Ihr Herz klopfte, es fühlte sich so erhitzt und wund an, als sei es gehäutet worden, doch die unerträglichen

Nachrichten trieben sie vorwärts. Sie legte die Hand auf die Brust, fühlte den Schmerz unter ihren Fingerspitzen, dachte an Eliza, an Annie, die den Brief ihres Vaters gelesen hatte, und an Sean; verzweifelt senkte sie den Kopf.

»Und jetzt?« Dans Stimme klang laut, hektisch. Er bemühte sich, ruhig Blut zu bewahren, was ihm nur beinahe gelang.

»Am Fluss entlang, ungefähr eine Viertelmeile«, sagte sie, als sie den Connecticut sah, der sich wie ein dunkles Band durch den schmalen Streifen Land zog; der Fluss führte Hochwasser, war schwarz unter dem Sternenhimmel. »Dann links und gleich wieder rechts, gleich nach dem Findling ...«

Wasser, das sich mit Wasser vereinigte und Leben gebar. Der Connecticut River mit seinen Nebenflüssen und der Long Island Sound strömten in den versteckten kleinen Buchten zusammen. Hier war der Fluss den Gezeiten unterworfen. Brackwasser, weder Süßwasser noch reines Salzwasser, aber dennoch waren hier viele Salzwasserarten beheimatet – Blaufisch, Forelle, Flunder, Plattfisch. Und im Winter wurden Robben gesichtet, die nach Felsen und ergiebigen Fischgründen Ausschau hielten.

Bay beugte sich vor, beobachtete die Straße, um die richtige Abzweigung zu finden. Sie war im Sommer alleine hier gewesen, nur ein einziges Mal, um zu sehen, wo ihr Mann gestorben war.

»Da drüben«, sagte sie und deutete auf einen schmalen Weg.

Dan bog ab, und sie holperten über eine Reihe von Schlaglöchern. Hier draußen herrschte Totenstille, der Weg war wie ausgestorben. Im Sommer kamen die Leute manchmal her, um zu picknicken oder zu angeln, und in sehr kalten Wintern die Kinder, um zu sehen, ob das Eis dick genug zum Schlittschuhlaufen war. Doch mitten im November war die Gegend menschenleer.

Oder auch nicht.

Vor ihnen, fast verschmolzen mit der Dunkelheit, stand ein weinroter Van. Die Nacht bot eine ausgezeichnete Tarnung, doch die Scheinwerfer von Dans Pick-up machten den Wagen aus, sobald sie um die Ecke bogen. Neben dem Van, wie von Scheinwerfern geblendete Rehe, standen zwei Menschen, die Gesichter weiß im grellen Licht.

»Wo ist sie?«, brüllte Dan, noch bevor er den Motor abgestellt hatte. »Wo ist Eliza?«

Bay nestelte am Türgriff, trotz besseren Wissens erschrocken, die Bolands in dem Gestrüpp aus Weißkiefern am Rande der kleinen Salzwasserbucht zu sehen, an dem Ort, wo sie bereits ihren Mann umgebracht hatten.

»Eliza!«, schrie Bay.

Alise und Mark rannten auf den Van zu; Alise sprang auf den Fahrersitz und ließ den Motor an, im gleichen Moment, als Dans Faust Marks Kiefer zerschmetterte.

»Wo ist Eliza?«, brüllte Dan abermals und drosch wieder und wieder mit der Faust auf ihn ein. »Wo ist meine Tochter?« Der Van rumpelte los, die Schweinwerfer flammten auf, für den Bruchteil einer Sekunde ins Nirgendwo gerichtet, als sich Mark an die Beifahrertür klammerte, Dan abzuschütteln versuchte und mit voller Wucht aufs Gesicht fiel, weil Alise abrupt den Rückwärtsgang einlegte, den Wagen herumriss, auf die mit Schlaglöchern übersäte Straße, und davonbrauste, sie der Dunkelheit überlassend.

Doch nicht, bevor Bay eine Sekunde lang – ein Geschenk des Himmels – Elizas Gesicht erspähte, kreideweiß wie ein Küstenvogel, mit wilden Augen, die den Himmel durchkämmten, die Engel bat, ihr zu Hilfe zu eilen, Augen, vom Licht der weißen Scheinwerfer des maronen-farbenen Van erfasst und von den roten Schlusslichtern, bevor sie in der dunklen, brackigen Bucht versanken.

Bay rannte zum Wasser. Sie streifte noch im Laufen die Schuhe ab, ließ ihre Jacke zu Boden fallen. Sie überlegte keine Sekunde. Der erste Moment nach dem Sprung war der schlimmste – eisig kaltes Wasser auf den Zehen, dann auf ihrem Körper und zum Schluss in ihrem Mund. Ihre Kleider verwandelten sich unverzüglich in Ballast, behinderten sie, zogen sie auf den Grund der Bucht.

Sie schluckte Wasser, drehte sich um die eigene Achse, dann schwamm sie gezielt in die Tiefe, mit den Händen ringsum tastend, weil ihre Augen hier unten nicht den geringsten Nutzen hatten; sie konnte sich nur noch an einem Licht orientieren, das von innen oder von hoch droben kam. Bays Herz, aber auch Charlies und Seans, leiteten sie, veranlassten sie, bis auf den Grund der Bucht zu tauchen, wo der Sund und der Nebenfluss des Gill River zusammentrafen, tiefer, tiefer und tiefer, während sie ihre Hände als Ersatz für ihre Augen benutzte, wie Hummer ihre Fühler.

Sie hörte die Stille in ihren Ohren rauschen, eine gewaltige, tosende Stille, die Stille unter Wasser … sie hatte sich nie vorgestellt, wie es sein könnte, zu ertrinken, doch nun erlebte sie ihre letzten Atemzüge, im Meerwasser … nur wenige Sekunden, ein letztes verzweifeltes Einatmen, und dann war es geschehen, war alles vorbei. Sie würde ertrinken … und Eliza auch … in diesem Gewässer aus Salz- und Süßwasser, gemischt mit Seans Blut. Ihr Mann war hier verblutet; sein Wagen war geradewegs auf den Grund der Bucht gesunken, seine letzte Station auf dieser Erde. Die Mineralstoffe von Sean McCabes Blut hatten sich mit diesen Wassermolekülen verbunden.

Er war tot und Charlie ebenfalls, aber Bay und Dan lebten, und nun waren sie beide im Wasser. Bay fühlte sich gestärkt bei dem Gedanken an Charlie und Sean, Eltern, die zu leben und zu lieben versucht hatten, so gut sie es vermochten, die vieles falsch gemacht hatten und deren Reise zu früh beendet worden war. Und Bay betrachtete dies hier als eine letzte Chance, ihre Fehler wieder gutzumachen, zu retten, was sie beinahe zerstört hätten.

Bays Finger berührten Holz, Treibholz, das auf den Grund der Bucht gesunken war, streiften Schilf, das in der Strömung wogte, aber Bay wusste: Es war kein Holz, kein Schilf. Mit letzter Kraft und brennenden Lungen krallte sie ihre Finger in die Haare, umschlang den leblosen Körper mit den Armen und stieß sich mit den Beinen ab, wie eine Schwanenmutter, die ihr Junges in gefährlichem Gewässer unter ihre Fittiche nahm. Bay brachte Eliza an die Oberfläche.

Dan war neben ihr, als sie auftauchte, nach Luft schnappte und ihm seine Tochter übergab. Als sie aus dem eisigen Wasser stiegen, sahen sie sich von blauen Lichtern umgeben, Blaulicht, das vom Wald herüberblinkte.

Durch den Schlamm kriechend, würgte Bay, spie Wasser und Laub aus. Mit Händen, die so taub waren, dass sie ihre Finger nicht mehr spürte, riss sie das silberne Isolierband von Elizas Mund.

Elizas Augen waren geschlossen, ihr Gesicht blau angelaufen, ihre Lippen weiß.

Dan hievte sich aus dem Schlamm, hielt sein Kind in den Armen, und Bay dachte daran, wie Sean Annie nach ihrer Geburt in die Arme genommen hatte, während sie zum ersten Mal Freudentränen vergoss. Sie sah, wie Dan ihr auf den Rücken klopfte, damit sie Wasser ausspie. Er bog ihren Kopf zurück, schüttelte sie heftig, küsste ihr Gesicht, dann legte er sie rasend vor Angst auf den Boden.

»Eliza«, rief er, als wollte er sie für die Schule wecken. Er holt tief Luft, begann mit der Mund-zu-Mund-Beatmung. Einmal, zweimal blies er seiner Tochter den lebenspendenden Atem in den Mund.

»Komm zurück!« Bays Stimme klang heiser, und sie hätte schwören mögen, dass sie Engelsschwingen in der Luft hörte, von Sean und Charlie, die über Eliza wachten.

Doch die Worte, wer immer sie auch ausgesprochen hatte, verfehlten ihre Wirkung nicht. Sie waren stark, genau wie Dans Wille, Eliza zu retten, und Elizas Bedürfnis, zu leben. Denn sie hustete. Sie hustete und rollte auf die Seite, um Meerwasser zu erbrechen. Sie würgte lange Zeit. Dann, als es vorbei war, blickte sie in das Gesicht ihres Vaters, in seine Augen. »Daddy«, sagte sie, schlang die Arme um seinen Hals und begann zu weinen.

34

Der Winter schien kein Ende zu nehmen, war länger als je zuvor.

Die Weihnachtstage vergingen wie im Fluge, und obwohl Bay allen Grund hatte, dankbar zu sein, war sie zum ersten Mal in ihrem Leben froh, dass sie vorüber waren. Monde kamen und gingen, manche bei sternklarem Himmel, andere verhüllt von Nebel, Wolken und Schneetreiben. Bay besaß eine innere Uhr, die ihr die Mondzyklen anzeigte, sie stets auf die Macht und Unerbittlichkeit der Natur aufmerksam machte – im Universum, im Garten, in ihrem eigenen Leben.

Vieles im Leben war für sie neu und ungewohnt. Sie sah regelmäßig die Nachrichtensendungen im Fernsehen, las Zeitung und musste sich fragen, ob sie ihr bisheriges Leben verschlafen hatte, umgeben von Menschen, die sie zu kennen meinte, die ihr vertraut waren. Menschen, die plötzlich eine ihr völlig unbekannte Seite offenbarten.

Mark und Alise Boland wurde der Prozess gemacht; die Anklage lautete auf Mord, versuchten Mord, Entführung, Bankbetrug, Mitwisserschaft und Unterschlagung. Frank Allingham war ebenfalls mit von der Partie gewesen und musste sich wegen Bankbetrug, Mitwisserschaft und Unterschlagung verantworten. Seans Rolle war ebenfalls ans Tageslicht gekommen: Er hatte Kundengelder veruntreut und musste letztlich sterben, weil er sich der Ermordung Elizas widersetzt hatte.

»Wie konnte ich so blind sein und nicht das Geringste bemerken?«, fragte sie Tara eines Abends im März.

»Weil du zu vertrauensselig bist«, erwiderte Tara. Sie hatten es sich im Schlafanzug und Bademantel gemütlich gemacht und lauschten dem Heulen des Sturms, der vom Sund herüberwehte. »Weil du Sean geliebt hast. Weil dir Mark und Alise sympathisch waren.«

»Ich war der Meinung, wir wären befreundet. Sean auch. Und sie brachten ihn kaltblütig um.«

»Und räumten Elizas Mutter aus dem Weg.«

»Und um ein Haar hätten sie auch Eliza getötet. Ach Tara ... in was für einer Welt haben wir gelebt? Wir waren mittendrin, hätten doch als Erste etwas bemerken müssen, und ich hatte nicht die geringste Ahnung ...«

Obwohl es bereits März war, hatten sie das Geschehene immer noch nicht richtig verkraftet. Die Dunkelheit, die in jener Novembernacht über sie hereingebrochen war, in der Eliza beinahe den Tod gefunden hatte, ließ sich nur schwer vertreiben. Die Kinder litten unter Albträumen. Am schlimmsten natürlich Eliza. Doch auch Bays Kinder waren durch die Ereignisse aus der Bahn geworfen worden: die Verfehlungen ihres Vaters, der Mord, den er zu vereiteln versucht hatte, und der an Annie gerichtete, für die ganze Familie bestimmte Brief.

Danny verbrachte viele Abende und die meisten Wochenenden in Massachusetts, bei Eliza in der Banquo-Klinik. Bay fuhr Annie einige Male hin, doch obwohl sich die Freundschaft der beiden Mädchen vertiefte und Eliza gute Fortschritte machte, sahen sich Bay und Dan nur selten, weil sie in ihre Elternrolle eingebunden waren und wenig Zeit füreinander fanden.

So ist es wohl auch am besten, dachte Bay. Ihre Kinder brauchten sie, und es war wichtiger, dass sie rund um die Uhr für sie da war. Sie konzentrierte sich ausschließlich auf sie, denn gemeinsam konnten sie die dunklen Monate besser bewältigen. Billy und Peggy stellten ständig Fragen über ihren Vater und sein Verhalten, und wie er versucht hatte, Eliza zu helfen. Sie hatten offenbar das Bedürfnis, ihn in einen Helden zu verwandeln, und eines Tages hörte Bay überrascht, wie Annie diese zwiespältigen Gefühle zu erklären versuchte.

»Er war nicht böse, oder?«, fragte Peggy.

»Nein – das steht ja im Brief«, sagte Billy. »Er wollte verhindern, dass Eliza etwas passiert.«

»Er hat uns geliebt«, sagte Annie. »Das steht fest. Und der Vater, den wir kannten, war kein schlechter Mensch.«

»Und was ist mit uns – dürfen wir ihn auch noch lieb haben? Obwohl er schlimme Dinge getan hat?« Peggy begann zu weinen.

»Das ist völlig in Ordnung«, warf Bay ein. »Und es ist auch in Ordnung, wenn ihr wütend auf ihn seid. Man kann beides gleichzeitig empfinden.«

»Die größte Wut habe ich, weil er nicht mehr da ist. Das NERVT. Dafür hasse ich ihn beinahe«, sagte Billy.

Bay umarmte ihre Kinder, versuchte nicht, ihnen Gefühle ein- oder auszureden. Sie erinnerte sich an ein Gedicht, das sie vor langer Zeit gelesen hatte, über »die dunkle Unergründlichkeit« eines anderen Menschen. Was hatte das zu bedeuten? Damals hatte sie nichts begriffen: Sie war jung gewesen, war behütet in den Vorstädten Connecticuts aufgewachsen, wo immer die Sonne schien. Und wenn nicht heute, dann morgen. Sie hatte in einer heilen Welt gelebt, in der Gutes mit Gutem vergolten wurde.

Sie hatte Sean McCabe geheiratet, einen Mann, den sie seit ihrer Kindheit kannte. Seine Fotos, die im ganzen Haus verteilt waren, zeigten ein offenes, lächelndes, sympathisches Gesicht; er war der beliebteste Junge am Strand und in der Schule gewesen. Ein Mann, der bei seinen Freunden und Kunden einen Stein im Brett hatte, dem sie ihr Geld anvertraut hatten.

Einem Halunken.

Doch am Ende hatte er sich wieder in Sean, den rechtschaffenen Mann, zurückverwandelt, der in der Lage war, dem Wohl eines anderen Menschen, Elizas, einen höheren Stellenwert einzuräumen als seinen eigenen, selbstsüchtigen Bestrebungen. Bay hatte seinen Brief an Annie immer wieder gelesen; sie war durch seine Worte überzeugt davon, dass er bereit gewesen wäre, ins Gefängnis zu gehen, um Elizas Leben zu retten.

Manchmal verspürte sie das Bedürfnis, Danny anzurufen und mit ihm über alles zu sprechen. Aber sie kam nicht darüber hinweg, dass ihr Mann gemeinsame Sache mit den Mördern seiner Frau gemacht hatte, die auch seine Tochter umbringen wollten. Und im Augenblick brauchte Eliza seine ungeteilte Aufmerksamkeit.

Genauso wie Bays Kinder ihre brauchten. Dennoch blickte sie jedes Mal aus dem Fenster, wenn die Mondsichel am Himmel erschien, und fragte sich, ob Danny sie auch sah, dort, wo er sich gerade aufhielt, und ihr Herz flog ihm und Eliza zu.

Tara war immer für ihre Familie da. Seit der Fall abgeschlossen war, traf sie sich häufiger mit Joe Holmes. Doch bis Bay als Zeugin im Prozess gegen die Bolands ausgesagt hatte, musste er einstweilen darauf verzichten, Taras beste Freundin besser kennen zu lernen – was Tara ständig beklagte.

»Woher soll ich wissen, was ich wirklich für ihn empfinde, wenn du ihm nicht auf den Zahn fühlen kannst?«, jammerte sie.

»Ich glaube, du bist dir auch so über deine Gefühle im Klaren«, lächelte Bay, und Tara errötete.

»Ich begreife es aber nicht. Wer hätte auch gedacht, dass ich mich mitten in der schwersten Zeit unseres Lebens in einen Mann verliebe, der gegen den Ehemann meiner besten Freundin ermittelt? Ach Bay – wirst du immer unangenehme Gefühle und Erinnerungen haben, wenn du mich mit Joe zusammen siehst?«

Bay schüttelte lächelnd den Kopf. »Nicht, wenn er dich glücklich macht«, sagte sie und umarmte Tara.

»Ich möchte, dass du auch glücklich bist.« Tara erwiderte die Umarmung. »Wenn du den Rest dieses grässlichen Winters durchstehst, wirst du spüren, dass auch für euch die Sonne wieder scheint. Ich verspreche dir, die Zeit kommt …«

»Ich werde dich daran erinnern.« Bay blickte auf den braunen Garten und den grauen, verhangenen Himmel.

Und so vergrub sie sich in Saatgut-Kataloge, plante die Frühjahrsbepflanzung von Augustas und ihrem eigenen Garten, las viel, kümmerte sich um die Kinder und wartete darauf, dass die Sonne zurückkehrte, wie Tara es versprochen hatte.

Nach der Entlassung aus der Banquo-Klinik nahmen Eliza und Annie ihre gegenseitigen Besuche wieder auf. Bay holte das Mädchen ab und fuhr es nach Hause. Als Elizas Vorderzähne, die bei der Entführung abgebrochen waren, überkront wurden, waren Bay, Annie und Tara die Ersten, die sie an dem Tag sehen wollte.

Die silbernen Trophäen, einschließlich des Paul-Revere-Bechers, wurden als Beweismaterial beschlagnahmt, aber wenigstens waren sie wieder aufgetaucht. Eliza war überglücklich und konnte es kaum erwarten, ihr Erbstück wiederzubekommen, besonders wegen der Erinnerungen, die sie mit ihm verband. »Materielle Dinge sind nicht das Wichtigste im Leben«, erklärte sie eines Tages, als Bay sie nach Hause fuhr. »Eines ist mir in der Klinik bewusst geworden: dass ich meine Mutter liebe, egal was war.«

»Darf ich dir etwas dazu sagen?«, fragte Bay.

»Natürlich.«

»In besagter Nacht, du weißt schon …«

»Ja«, sagte Eliza. Ihre Stimme wurde leise. Die Erinnerung war noch so traumatisch für sie, dass Bay sich vorsichtig an das Thema herantasten wollte.

»Ich habe gespürt, dass deine Mutter bei uns war.«

Eliza sah sie an.

»Wirklich?«

Bay nickte. Sie hatte das Gefühl gehabt, Unterstützung zu erhalten, über eine nie da gewesene Kraft zu verfügen, die von Sean und Charlie ausgegangen war. »Ja. Deine Mutter war bei mir … bei dir. Sie war eine starke Frau, Eliza. Genau wie ihre Tochter.«

»Ich hab es überlebt. Das verdanke ich dir.«

»Das verdankst du *dir selbst*«, entgegnete Bay, die wusste, dass man eine Tochter oder sich selbst nicht oft genug an die eigene innere Stärke erinnern konnte.

Der Fall war abgeschlossen, offiziell zu den Akten gelegt, und Joe Holmes bewies, dass er nicht nur ein unerbittlicher, tatkräftiger Ermittler, sondern auch ein zärtlicher, liebevoller Mann war. Er hielt Taras Hand, wenn sie miteinander spazieren gingen, und wenn sie abends nicht einschlafen konnte, weil ihr die Ereignisse und der Gedanke, dass ihre beste Freundin beinahe in der eisigen Bucht ertrunken wäre, keine Ruhe ließen, rief sie bisweilen Joe an, der die Route Nine entlangbrauste, um sie in den Armen zu halten, bis die Sonne aufging.

Eines Tages nahm er sie auf den Schießstand mit, um ihr zu zeigen, wie man mit einer Waffe umging.

»Ich halte nichts von Waffen«, protestierte sie.

»Was hätte dein Großvater dazu gesagt?«

»Waffen sind etwas für Polizisten, aber nicht für mich.«

»Nur als Schutz, für den Notfall. Ich mache mir Sorgen um dich; dein Haus ist ziemlich abgelegen, und du wohnst alleine darin.«

»Bay ist in Sichtweite, gleich am anderen Ufer. Und die Kinder …«

»Es gibt auch schlechte Menschen, Tara. Ich kann den Gedanken nicht ertragen, dass dir etwas passieren könnte. Irgendeinem von euch.«

»Stimmt. Die Bolands waren ziemlich abgebrüht, wie es sich herausgestellt hat.«

»Ja, die gehörten zur schlimmsten Sorte.«

»Warum nur? Was war der Grund?«

»Gier. Und Ehrgeiz. In mancher Hinsicht war es ein Spiel für sie.«

»Das viele Silber, das sie gestohlen haben. Nur als Trophäe … mit denen sich Sean und Mark gegenseitig übertrumpften.«

Joe nickte und hörte stumm zu, die braunen Augen dunkel und ernst.

Die Bolands hatten sich gegenseitig angespornt, ihre kriminellen Aktivitäten hatten der Ehe erst die richtige Würze verliehen. Das Paar war den materiellen Dingen des Lebens zugetan, und ihr Geschmack war mit jedem Zahltag teurer geworden. Bei der Anchor Trust hatte Mark noch alleine gearbeitet, erst nach seinem Wechsel zur Shoreline Bank hatte er in seinem alten Rivalen Sean mit seinem lockeren Lebenswandel, seiner Spielsucht und seinen ständigen Seitensprüngen den idealen Partner gefunden.

Sean war außerdem sorgloser gewesen, und seine Zahlungsanweisung, die versehentlich auf Fiona Mills'

Schreibtisch landete, war der Anfang vom Ende. Er hatte sich Charlotte Days Silberbecher angeeignet; als sie den Diebstahl bemerkte, waren ihr seine Aufmerksamkeiten mit einem Mal suspekt vorgekommen. Bei der Überprüfung ihrer Unterlagen hatte sie zwei und zwei zusammengezählt und den Betrug entdeckt. Dass sie Mark Boland davon in Kenntnis gesetzt hatte, war ihr schließlich zum Verhängnis geworden.

Und damit begann das Morden.

Sean Drogen zu verabreichen, war Alises Idee gewesen. Und er war leicht zu verführen – sie hatte ihn an Bord der *Aldebaran* in einen Rausch versetzt – die Bühne für Mark vorbereitet. Nach dem Kampf mit Mark waren sie mit ihm die menschenleere Küstenstraße entlanggefahren, und infolge der Drogen, der schweren Verletzung und des Blutverlusts – er hatte immer wieder das Bewusstsein verloren – hatte er nicht begriffen, was vor sich ging, als Mark ihn in seinem eigenen Wagen hinter das Steuer klemmte, sich durch das geöffnete Fenster zwängte und den ersten Gang einlegte. Manche Dinge waren so sorgfältig eingefädelt gewesen, aber Alise hatte ihr Parfümfläschchen mit dem Kokain verloren. Kleinigkeiten, verglichen mit dem Mord.

Die Brücke war Seans bevorzugter Platz zum Ausspannen und Nachdenken gewesen; er hatte ihnen die kleine Bucht gezeigt, und sie hatten sofort erkannt, dass sie ideal für ihre Mordpläne war. Hierher hatten sie Eliza gebracht, aber bei Ebbe wäre ihr Leichnam im Schilf hängen geblieben. Also hatten sie auf die Flut gewartet, auf den Gezeitenwechsel, um Eliza zu ertränken, so dass die Leiche auf Nimmerwiedersehen im Meer verschwunden wäre.

»Sie wären um ein Haar davongekommen«, sagte Tara.

»Nein«, erwiderte Joe. »Sie konnten die Tarnung zwar

lange aufrechterhalten, aber sie hatten letztlich keine Chance, uns zu entkommen. Weil sie habgierig und dumm waren, Tara. Das Gute triumphiert am Schluss immer über das Böse. Es ist dir zu verdanken, dass wir die Kontonummer in Annies Modellschiff gefunden haben; das Geld, das ins Ausland geschafft wurde, wird nächste Woche hierher überwiesen – wir werden versuchen, es den Besitzern zurückzuerstatten.«

»Warum soll ich dann schießen lernen?«

»Damit du über das Böse siegen kannst«, erwiderte er lachend und legte von hinten die Arme um sie, als er ihr half, den 10-mm-Revolver richtig zu greifen, die gestreckten Arme zu heben und das Ziel anzupeilen.

»Nur zu deiner Information: Ich mache das lediglich, um dir vor Augen zu führen, dass ich meinen Großvater nicht verleugnen kann … und ein Naturtalent bin. Aber das war's.«

»Das war was?«

»Das Ende meiner Pistolenschützen-Laufbahn.«

»Unter einer Bedingung«, sagte Joe, den Mund an ihrem Ohr, als sie die Waffe hob und ein Auge zukniff, um das Ziel anzuvisieren.

»Und die wäre?«

»Du gehst am Wochenende mit mir tanzen, als Entschädigung für den Pumpkin Ball.«

»Was war denn mit dem Pumpkin Ball? Das war doch ein schöner Abend.«

»Fand ich auch.« Joe küsste ihren Nacken. »Aber wir waren an dem Abend beide im Dienst.«

Tara zielte, spannte den Hahn und drückte ab. Sie traf mitten ins Schwarze, spürte den Rückschlag in Armen und Schultern und gab Joe die Waffe zurück. Er schob sie ins Holster, wobei er Tara keine Sekunde aus den Augen ließ.

»Du warst vielleicht im Dienst«, sagte sie und schmiegte sich in seine Arme. »Aber ich habe mich amüsiert. Und wie.«

»Kein Wort gegenüber dem FBI, aber ich mich auch«, sagte Joe.

Er schloss sie in seine stählernen Arme und küsste sie, und Tara stellte sich auf die Zehenspitzen, um den Kuss zu erwidern. Sie war einundvierzig und er siebenundvierzig, und nach vier vollen Jahrzehnten und einem zusätzlichen Jahr erfuhr sie nun zum ersten Mal am eigenen Leibe, wie es war, wenn man sich verliebte.

Es war ein wundervolles Gefühl.

Die Tagundnachtgleiche kam, und plötzlich war Frühling. Alle Knollen, die Bay im letzten Herbst gepflanzt hatte, begannen zu sprießen. Sie dachte an die Worte der Liturgie: »Glaube an das Sichtbare und Unsichtbare.«

Osterblumen, Jonquillen, Narzissen, Hyazinthen und Tulpen, so weit das Auge reichte. Bay und Tara hatten eine Frühjahrskonferenz der Irish Sisterhood einberufen und Annie und Eliza als Angehörige der neuen Generation in ihren Kreis aufgenommen. Sie kochten eine Kanne Tee und deckten den Tisch zur Feier des Tages mit Granny O'Tooles Leinenservietten und Granny Clarkes Silberlöffeln. Sie zündeten eine Kerze an, beschworen die Geister derjenigen herbei, die sie geliebt hatten.

Bay und Tara reichten sich in der Mitte des Kreises die Hände, blickten sich an. Sie kannten sich schon ewig, genau wie ihre Großmütter vor ihnen. Nun waren Annie und Eliza an der Reihe, aufgeregt und ernst, die Hände unter ihren Händen zu verschränken, als Teil des nie endenden, unverbrüchlichen Kreises der irischen Schwestern.

»Durch dick und dünn«, gelobte Tara.

»*Faugh a ballagh*«, unterstützte Bay sie beschwörend mit dem gälischen Schlachtruf ihrer Großmütter.

»Fog-on-bailick«, sagte Annie, die Worte langsam wiederholend.

»Was heißt das?«, erkundigte sich Eliza.

»Aus dem Weg!«, übersetzte Tara.

»Weil wir kommen?«, fragte Annie.

»Genau«, meinte Bay, überwältigt von der Liebe zu ihrer Tochter und Eliza. »Weil man mit uns rechnen muss, stark wie wir sind.«

»Die Schwesternschaft«, sagte Eliza. »Ich hatte noch nie richtige Schwestern.«

»Keine von uns«, sagte Bay. »Außer Annie.«

»Schwestern wie wir stehen sich oft näher als leibliche«, erklärte Tara.

»Das kommt mir auch so vor«, erwiderte Eliza.

Annie nickte selig, blickte von Eliza zu Tara und sah schließlich ihre Mutter an. »Wenn Pegeen zwölf wird, müssen wir sie auch aufnehmen.«

»Wir werden auf sie warten«, sagte Bay, das Lächeln erwidernd.

Eines Samstagmorgens hängte Bay draußen Wäsche auf; Eliza hatte am Vorabend bei ihnen übernachtet, und Joe und Tara waren mit allen Kindern zum Minigolf ins Pirate Cove gefahren. Die Sonne schien wieder, wie Tara es versprochen hatte. Sie wärmte Bays Kopf und ihre bloßen Arme, und Bay kostete jeden Strahl voll aus, genoss den herrlichen späten Frühling, während sie langsam die nassen Kleidungsstücke ausschüttelte und mit Klammern an der Leine befestigte.

Sie fühlte sich selbst beinahe wie eine Blume, die nach einem langen Winter unter der Erde wieder zum Leben erwachte. Die Kleidungsstücke waren kühl an ihren Fingerspitzen. Die hölzernen Wäscheklammern klapperten beim Aufhängen. Alle ihre Sinne waren geschärft. Annähernd ein Jahr war seit Seans Verschwinden vergangen; damals hatte sie auch Wäsche aufgehängt. Sie war glücklich gewesen an jenem Tag – oder nicht? Sie hatte zumindest die sommerlichen Temperaturen genossen, ihr Leben zu lieben versucht.

Aber es gab vieles, was sie nicht gewusst hatte. Geheimnisse, unter Schichten von Lügen verborgen. Bay war inzwischen klüger geworden. Sie hatte im letzten Winter einen Heilungsprozess durchgemacht, ihren Kindern geholfen, das Geschehene zu bewältigen, und sich geschworen, von nun an mit offenen Augen durchs Leben zu gehen. Das Rezept funktionierte, weil sie langsam begann, wieder Freude zu empfinden.

Sie vernahm ein leises Plätschern in der schmalen Bucht hinter ihrem Haus. Sie drehte sich um und sah, wie vom Sund aus durch die Marsch kommend eine herrliche klassische Dory durch das Schilf und das spiegelglatte, stille Wasser glitt.

Sie ließ den Wäschekorb fallen und rannte zum Ufer; ihre nackten Füße versanken im warmen Schlamm. Sie packte den Bug und zog das Boot ans Ufer.

»Dan.«

»Ich musste dich sehen – ich bin von der Werkstatt aus hierher gerudert.«

»Die ganze Strecke?« Sie musterte den flimmernden Horizont.

»Ich bin in aller Herrgottsfrühe aufgebrochen.« Er zog die Ruder ins Boot und sah Bay in die Augen. »Darf ich eine Minute raufkommen?«

Sie nickte, und er stieg aus. Bay berührte die Seiten des

Bootes, bewunderte das herrlich glatte Holz, die meister-
hafte Verschalung, die blanken Teile, die dem Ganzen
den letzten Schliff gaben. Dann blickte sie Dan an: Er
trug Jeans, T-Shirt und einen um die Taille geschlungenen
Pullover; er war braun, von Wind und Wetter gegerbt,
seine blauen Augen wirkten so verletzlich, dass Bay es
kaum ertragen konnte.

»Warum bist du gekommen?«, fragte sie.

»Wie hätte ich es noch länger ohne dich aushalten sollen?«
Er trat einen Schritt auf sie zu.

Bay wich zurück. Ihr Herz klopfte wie verrückt, und ihr
Mund war trocken. Ihre Augen füllten sich plötzlich mit
Tränen.

»Bay, was ist?«

»Ich dachte, ich würde den Winter nicht überstehen.«

»Genau wie ich.«

»Ich wollte dich die ganze Zeit anrufen. Ich wollte es wirklich.«

»Ja?« Seine Augen strahlten.

»Ja, sogar sehr. Wir sind eng zusammengerückt, nur wir
vier – fünf, mit Tara. Um unser Leben wieder ins Lot zu
bringen.«

»Genau wie Eliza und ich.« Er nickte.

»Und? Ist es dir gelungen?«

»Ich glaube schon – besser als je zuvor. Es geht ihr blendend, und das ist zum größten Teil Annies Verdienst. Und
deiner. Sie fühlt sich unglaublich wohl bei euch. Ich hätte
sie gerne begleitet.«

»Das hätte ich mir gewünscht.«

»Aber ich wollte die Kinder nicht durcheinander bringen.« Danny trat einen Schritt näher. »Weil sich alles geändert hätte, wenn ich hergekommen wäre.«

»Das war mir auch klar.« Bay spürte die Hitze, die von der

Erde aufstieg und die Luft zwischen ihnen zum Flimmern brachte. Sie traten einen Schritt aufeinander zu.

»Ich hoffe, es ist in Ordnung, dass ich hier bin«, sagte er. »Weil ich wirklich nicht länger warten konnte.«

»Wir haben viel durchgemacht, Danny. Aber der lange Winter ist überstanden.«

»Richtig.« Er nahm sie in die Arme.

Er küsste sie in der Sonne, wobei der Sommer in ihnen und um sie herum sie zusammenschweißte. Bays Herz öffnete sich wie ein Grashalm, der sich entfaltet, der neu und zart aus der Erde sprießt. Dans Kuss war wie die Sonne: Er wärmte und weckte in ihr die Sehnsucht, wieder lebendig zu sein.

Sie hielten sich an den Händen, und Bay ging mit Dan zum Strand hinunter, den Pfad entlang, der zum Hügel und in den Wald führte. Auf halbem Weg zum Little Beach bogen sie nach rechts ab, tiefer ins Unterholz, bis sie zu einer Lichtung gelangten.

»Das ist der Platz, an dem ich die Schaukel aufgehängt habe«, staunte Dan, während er sich umsah. Schwarze Walnussbäume und Eichen wuchsen hier, bildeten ein dichtes Gehölz, doch in der Mitte befand sich eine sanfte, sandige Anhöhe, die mit Besengras bedeckt war. Im Gras verborgen, lag ein verwittertes Stück Treibholz, vom Meer zu einer Mondsichel geformt.

Dan hob es auf, ließ seine Hände über das Holz gleiten, ertastete die beiden rostigen Schrauben und Ösen, an denen er die Stricke zum Aufhängen befestigt hatte. Als er nach oben blickte, entdeckte er die beiden ausgefransten Enden, die im Wind schaukelten.

»Sie hat nicht gehalten«, sagte er.

»Sie hat lange gehalten. Trotz der Sonne und des Windes, der vom Strand und von der Marsch herüberwehte ... sie hat viele Jahre überdauert. Nachdem du weg warst, habe ich jeden Sommer darauf geschaukelt und dabei an dich gedacht. Und später kam ich mit Annie her, als sie noch klein war … Wenn ich sie fragte, ob sie auf dem Mond schaukeln wollte, wusste sie genau, wohin wir gingen. Wir waren sehr traurig, als die Stricke rissen.«

»Hättest du nicht jemanden bitten können, sie zu reparieren?«

Bay dachte an Sean; sie hatte ihn mehrmals gefragt und immer zur Antwort bekommen: »Natürlich. Sobald ich fertig bin …«, mit was auch immer er gerade beschäftigt war. Als sie schwieg, trat Dan näher und legte seine Arme um sie.

»Ich wäre gekommen. Wenn du mich gerufen hättest.«

Dann küsste er sie. Seine Arme umfassten und stützten ihren Rücken, als er sie behutsam auf den sandigen Boden gleiten ließ. Er löste den Knoten des Pullovers, den er um die Taille geschlungen hatte, breitete ihn aus, glättete ihn und bettete sie darauf.

Sie lagen eng umschlungen auf der Lichtung der Mondsichel, und sie spürte seine Lippen, die sie zärtlich küssten, seine rauen Hände, die ihr Gesicht und ihr Haar streichelten, während er sein Gesicht an ihrem Hals vergrub. Sie schmeckte seine Haut, salzig und warm vom Schweiß und der Gischt nach der langen Ruderstrecke. Seine Hände bewegten sich sacht, aber ihre Oberfläche war rau, und sie stöhnte vor Lust.

Alles schien neu, als wäre es das erste Mal: sich unter freiem Himmel zu lieben, mit so viel Begehren und Zärtlichkeit von dem Mann berührt zu werden, den sie schon immer geliebt hatte. Sie wollte jeder Einzelheit Aufmerksamkeit schenken, damit sie diesen Augenblick für immer bewahren konnte: die Sonnenstrahlen auf seinen Haaren, die Blätter, die gesprenkelte Schatten auf den Boden warfen, sein heißer Mund, sein entrückter liebevoller Blick.

Doch dann konnte Bay keinen klaren Gedanken mehr fassen, verlor sich im Rausch der Sinne, spürte nur noch Sonne und Haut, Härte und Feuchtigkeit, die Geschmeidigkeit ihrer beider Körper und die Festigkeit des Bodens, das Feuer in seinem Kuss und die Leidenschaft, mit der sie ihn erwiderte; und während seine starken Arme sie umfingen und das Gefühl, mit Dan Connolly zu schlafen, brandneu für sie war, kam es ihr gleichzeitig so uralt und vertraut vor, wie etwas, das sie sich ein Leben lang gewünscht hatte.

Danach hielten sie einander stumm in den Armen, unfähig, zu sprechen. Die Sonne wanderte über die Äste, schrieb die Zeit auf den sandigen Boden. Bay war vermutlich eingenickt, denn sie wachte abrupt auf, in Dans Armen.

»Ich bin bei dir«, flüsterte er; Bay öffnete die Augen und wusste, dass seine Worte ernst gemeint waren, jetzt und für alle Zeiten.

»Und ich bei dir.«

Nach einem Winter, der länger gewesen war als die vergangenen Monate – sich über Jahre hinzog, in denen sie sich erstarrt und in sich selbst vergraben gefühlt hatte –, spürte Bay den Sommer unter ihrer Haut.

Sommer bedeutete Garten. Bedeutete Rosen, Stockrosen, Rittersporn, Geranien. Vögel. Lange Tage und sternenklare Nächte. Sommer bedeutete heißer Sand und blaues Meer. Die Jahreszeit, in der man sich wohl fühlte, an jeder Freude und jedem Geschenk des Himmels so lange wie möglich festhielt, bevor man sie ziehen ließ, um sie immer wieder aufs Neue willkommen zu heißen.

Sie halfen sich gegenseitig auf, wischten Sand und trockenes Gras ab, kamen sich wie Teenager vor, nur besser – Teenager waren zu jung, um zu erkennen, wie schnell sich die Strömung veränderte, wie mächtig die Gezeiten waren. Wenn man etwas fand, was zu bewahren sich lohnte, hob man dieses Kleinod auf – denn man konnte nie wissen, wann die Flut es hinwegspülte.

Dan zog den Treibholz-Mond aus dem Sand, klopfte den Staub ab und klemmte ihn unter den Arm – um ihn zu erneuern. Um ihn wieder in den Himmel zu hängen, für sie. Seine Bewegungen waren langsam, nachdem sie sich geliebt hatten, und als Bay seine Hand ergriff, spürte sie, wie sie zitterte. Oder vielleicht war es ihre. Sie hätte ihm gerne gesagt, was ihr durch den Kopf ging – dass sie ihn liebte. Dass sie ihn immer geliebt hatte.

Doch stattdessen sah sie in sein Gesicht, blinzelnd im hellen Sonnenlicht, und war dankbar, dass er zurückgekommen war, die erste große Liebe ihres Lebens. Es war Frühling, der ganze Sommer lag noch vor ihnen. Es blieb genug Zeit, die richtigen Worte zu finden.

Und so gingen sie auf demselben Weg zurück, an der Abzweigung zum Indian Grave und zum Little Beach vorbei, den Hügel hinab zum großen Strand und dann die unbefestigte Straße entlang zu Bays Haus.

Die Kinder waren vom Minigolfspielen zurück. Tara und Joe saßen auf der Veranda, schwangen in der Hollywoodschaukel hin und her. Billy und Pegeen übten Fangen im Garten an der Seite des Hauses, und der Baseball prallte mit einem harten, rhythmischen Geräusch gegen ihre Handschuhe.

»Dad, ich hatte keine Ahnung, dass du kommst!«, rief Eliza.

»Ich konnte nicht anders.«

Bay errötete, reagierte aber nicht.

»Ist das ein schönes Boot«, sagte Annie. »Haben Sie das gebaut?«

»Ja.«

»Mein Vater ist der beste Bootsbauer weit und breit«, sagte Eliza.

»Es erinnert mich an das Modell, das ich für meinen Daddy gebastelt habe. Meine kleine grüne Dory. In der er das Schneckengehäuse versteckt hat ... und den Brief.«

»Den Brief, der mir das Leben gerettet hat«, fügte Eliza hinzu.

»Ich weiß.« Dan griff in das Boot und zog die Ruder heraus – sie waren hell lackiert, glänzten in der Sonne. »Es soll dich auch an das Boot erinnern.«

»Warum?« Annie runzelte verständnislos die Stirn.

»Weil es für dich ist, Annie«, sagte Dan.

»Für mich?«

»Dein Vater wollte, dass du es bekommst.«

Bay hielt mühsam die Tränen zurück, als sie das Gesicht ihrer Tochter betrachtete. Annies Augen weiteten sich erschrocken, dann dämmerte ihr es. »Aber ich dachte –«

»Ich nehme an, deine Mom hat dir gesagt, dass er im letzten Sommer bei mir war, um mit mir über den Bau eines Bootes zu sprechen, das genau so sein sollte wie deine Dory.«

»Ich weiß.« Ihre Augen schwammen in Tränen. »Mom hat es mir erzählt. Aber daraus wurde doch nichts, weil er vorher starb.«

»Falsch. Er hat mir genau beschrieben, wie das Boot aussehen sollte. Er brachte mir das Modell als Vorlage, das du gemacht hast. Er war sehr stolz darauf ... und auf dich, Annie.«

»Das hat er gesagt?«

Danny nickte, reichte ihr die Ruder. »Wir haben uns lange

über dich unterhalten. Er meinte, du wärst etwas ganz Besonderes und sehr begabt, und er wollte sichergehen, dass mein Boot mit dem Modell mithalten konnte, das du für ihn gemacht hast.«

»Danke, Mr. Connolly«, sagte Annie aufschluchzend und drückte die Ruder an ihre Brust.

»Könntest du nicht eine kleine Bootsfahrt mit mir machen?« Eliza stupste Annie sanft am Arm.

Annie sah ihre Mutter fragend an. Bay brachte immer noch kein Wort über die Lippen, aber sie lächelte. Dann nickte sie, Danny hielt den Bug im Sand fest und half den Mädchen beim Einsteigen.

Bay beobachtete Annie; es gehörte Mut dazu, die wundersamen Gaben des Lebens anzunehmen – ein neues Boot, das man geschenkt bekam, die Chance, mit Freunden auf dem Wasser zu sein und die Angst zu vergessen, die so bedrückend gewesen war, den Kuss der Sonne, das Wissen, dass niemand, nicht einmal der eigene Vater, perfekt war, und die Erkenntnis, dass die Liebe das A und O im Leben war, jedem Augenblick innewohnte.

Und so trat Bay einen Schritt vor, in das klare Wasser der seichten kleinen Bucht, und half Dan, das Boot behutsam anzuschieben. Es schaukelte auf den Wellen wie ein Holzscheit in der Strömung, verhaarte noch einen Moment auf dem Fleck, bis Annie die Ruder in die Riemendollen schob.

Sie tauchte zuerst das eine, dann das andere Ruderblatt ins Wasser. Die Dory schwenkte vor und zurück, was beide Mädchen zum Lachen brachte, während Tara und Joe sie von der Veranda aus anspornten und Peggy und Billy ihre große Schwester verspotteten. Bay nahm Dans Hand; es war ihr egal, ob die Kinder es sahen.

Plötzlich hatte Annie den Bogen raus, tauchte beide Ru-

derblätter gleichzeitig ein, zog die Riemen an die Brust ...
Das Boot begann, sich geradeaus zu bewegen, das Wasser
hinter ihnen kräuselte sich, bildete ein V. Bay sah, dass
Dan den Namen des Bootes auf das Heckwerk gemalt
hatte – denselben Namen, den Annie ihrem Modellschiff
gegeben hatte, um ihren Vater daran zu erinnern, zu wem
er nach Hause rudern solle:

ANNIE

»Ich weiß, wie's geht! Ich hab's geschafft«, rief sie.
»Das hast du, Annie!«, rief Bay. »Das hast du.«
»*Faugh a ballagh!*«, ließ Tara den Schlachtruf der irischen
Schwestern von der Veranda erschallen: *Aus dem Weg* ...
Dan drückte Bays Hand, und abermals musste sie ihre
ganze Kraft aufbieten, um zu verhindern, dass sie die
Worte laut aussprach: Ich liebe dich. Sie lagen in der Luft.
Federleicht wie die Quittenblüten an einem Ast, wie die
Trichterwinden an einer Weinranke, nur darauf wartend,
für einen herrlichen Strauß gepflückt zu werden.
Doch Bay McCabe war Gärtnerin, und Mutter, und eine
Frau, die liebte, und in diesem Jahr hatte sie gelernt, dass
alles seine Zeit hatte. Viel Zeit.
Der ganze Sommer lag noch vor ihnen, und genau wie der
Sommer damals, vor vielen Jahren, würde er vollkommen
sein.

Die Schicksalsromane der großen amerikanischen
Bestsellerautorin bei Knaur:

Luanne Rice
Was allein das Herz erkennt
Roman

Wo das Meer den Himmel umarmt
Roman

Wo die Sterne zu Hause sind
Roman

Wo die Sehnsucht das Herz berührt
Roman

Die geheime Stunde
Roman

Schilf im Sommerwind
Roman

Sternstunde der Liebe
Roman

Knaur Taschenbuch Verlag